LA MORT
N'ATTEND PAS

DU MÊME AUTEUR

Comme une tombe, Pocket, 2007
La mort leur va si bien, Pocket, 2008
Mort... ou presque, Pocket, 2009

Tu ne m'oublieras jamais, Fleuve Noir, 2010 et Pocket, 2011

PETER JAMES

LA MORT
N'ATTEND PAS

Traduit de l'anglais (Grande-Bretagne)
par Raphaëlle Dedourge

Fleuve Noir

BIBLIOTHÈQUE PUBLIQUE
D'ALFRED ET PLANTAGENET
ANNULÉ
CANCELLED

Titre original :
Dead Tomorrow

Le Code de la propriété intellectuelle n'autorisant, aux termes de l'article L. 122-5, 2° et 3° a, d'une part, que les « copies ou reproductions strictement réservées à l'usage privé du copiste et non destinées à une utilisation collective » et, d'autre part, que les analyses et les courtes citations dans un but d'exemple ou d'illustration, « toute représentation ou reproduction intégrale ou partielle faite sans le consentement de l'auteur ou de ses ayants droit ou ayants cause est illicite » (art. L. 122-4).
Cette représentation ou reproduction, par quelque procédé que ce soit, constituerait donc une contrefaçon sanctionnée par les articles L. 335-2 et suivants du Code de la propriété intellectuelle.

Copyright © Really Scary Books / Peter James 2009
© 2011, Fleuve Noir, département d'Univers Poche,
pour la traduction française.
ISBN : 978-2-265-08876-4

1

Susan détestait cette moto. Elle répétait sans cesse à Nat qu'il allait y laisser sa peau, que ces engins étaient les plus dangereux du monde. Nat aimait bien la taquiner en lui rappelant que, statistiquement parlant, elle avait tort. L'activité la plus risquée consistait tout bêtement à rester dans sa cuisine.

En tant que chef de clinique, il en avait la preuve tous les jours. Il y avait bien sûr de graves accidents de moto, mais ce n'était rien comparé à ceux qui avaient lieu dans les cuisines.

Certains s'électrocutaient en fourrant une fourchette dans leur grille-pain, d'autres cassaient leur pipe en tombant d'un tabouret, s'étouffaient, ou mouraient d'une intoxication alimentaire. Il aimait bien raconter l'histoire d'un de ses patients, à l'hôpital royal du Sussex, où il travaillait jour et nuit – littéralement –, qui s'était enfoncé un couteau dans l'œil en voulant débloquer son lave-vaisselle.

Les deux-roues, c'est pas dangereux, aimait-il à lui répéter, *pas même ma grosse Honda Fireblade rouge* (qui pouvait atteindre les 90 km/h en trois secondes). Le problème, c'était les autres conducteurs. Il suffisait d'être attentif à leur comportement. Et sa Fireblade polluait dix fois moins que sa vieille Audi TT...

Mais elle ne l'écoutait pas.

Pas plus que lorsqu'il râlait de devoir passer Noël, qui n'était plus que dans cinq semaines à présent, chez les *desperados*, comme il appelait ses beaux-parents. Sa mère – paix à son âme – avait mille fois raison : on ne choisit pas sa famille.

Il avait lu quelque part que lorsqu'un homme se marie, il espère que sa femme ne changera jamais, mais lorsqu'une femme se marie, son objectif, c'est de changer son homme.

Susan, qui s'y employait à merveille, avait dégainé l'arme fatale de l'arsenal féminin : six mois de grossesse. Bien sûr qu'il était fier comme Artaban. Mais conscient qu'il allait bientôt devoir prendre ses responsabilités. La Fireblade allait céder la place à un véhicule plus pratique. Un break ou un monospace. Et, pour satisfaire aux exigences écologiques de Susan, sans doute une voiture hybride diesel-électrique. Mon Dieu... Peut-on imaginer plus excitant ?

Il était 8 h 11 selon l'horloge de la télévision, 8 h 09 à sa montre. Il était rentré chez lui, dans leur modeste cottage de Rodmell, à quelques kilomètres de Brighton, au petit matin. Assis à la table de la cuisine, il regardait les infos – un attentat suicide en Afghanistan. Il avait l'impression que c'était le milieu de la nuit. Il avala quelques cuillerées de Golden Grahams, les accompagna d'un verre de jus d'orange et d'une tasse de café, puis monta embrasser Susan, en posant une main sur son ventre rebondi.

— Sois prudent sur la route, dit-elle.

Non non, je vais rouler comme un fou... faillit-il répondre. Mais il s'abstint et se contenta d'un simple « je t'aime ».

— Moi aussi. Appelle-moi dans la journée.

Nat déposa un second baiser sur ses lèvres, redescendit, puis enfila son casque et ses gants en cuir et sortit, dans le matin glacial. Le jour se levait quand il poussa sa lourde cylindrée, laissant la porte battante du garage se refermer bruyamment derrière lui. Le sol était gelé, mais il n'avait pas plu depuis plusieurs jours, la chaussée ne serait donc pas verglacée.

Il leva la tête vers la fenêtre de la chambre et démarra sa chère moto, pour la dernière fois de sa vie.

2

Le docteur Ross Hunter est l'une des rares constantes de ma vie, songea Lynn Beckett en sonnant à la porte de son cabinet. Elle aurait eu du mal à en citer d'autres. Ah si ! L'échec. L'échec était bel et bien une constante dans son existence. Pour ça, elle était douée. Championne du monde, même.

Les trente-sept années de sa vie n'avaient été qu'une succession de désastres. À sept ans, elle s'était coupé un petit bout d'index dans une portière, et depuis, elle était tombée de Charybde en Scylla. Enfant, elle avait déçu ses parents ; mariée, elle avait déçu son époux ; mère célibataire, elle décevait sa fille, adolescente.

Le cabinet se trouvait dans une grande villa édouardienne, dans une rue tranquille de Hove, autrefois entièrement résidentielle. Aujourd'hui, la plupart des magnifiques demeures en mitoyenneté avaient été démolies et remplacées par des immeubles récents. Celles qui restaient avaient été converties en bureaux ou en cabinets médicaux.

Elle entra dans le hall, familier, qui sentait la cire et l'antiseptique. Constatant que la secrétaire, assise derrière son bureau, était au téléphone, elle se glissa dans la salle d'attente.

En quinze ans environ, cette pièce spacieuse, mais mal entretenue, n'avait pas changé. Toujours la même tache d'humidité au plafond avec moulures, dont la forme évoquait vaguement l'Australie, la même plante verte devant la cheminée, la même odeur de renfermé, les mêmes fauteuils et canapés dépareillés, vieux comme Mathusalem, qui semblaient avoir fait l'objet d'un lot lors d'une vente aux enchères. Même les magazines, sur la table ronde en chêne, au centre de la pièce, semblaient là depuis des lustres.

Elle jeta un coup d'œil à un couple de personnes âgées. Le mari, fragile, tassé dans un fauteuil défoncé, avait coincé sa canne dans le tapis pour ne pas se faire engloutir. Un homme d'une trentaine d'années, dans un manteau bleu avec col en velours, consultait frénétiquement son BlackBerry pour tuer le temps. Sur la table se trouvaient plusieurs prospectus, dont l'un énonçait les conseils pour arrêter de fumer. Nerveuse comme elle l'était, elle aurait bien aimé qu'on lui dise s'il était possible de fumer *davantage*.

Un exemplaire récent du *Times* attira son attention, mais elle n'était pas d'humeur à lire. Elle n'avait quasiment pas fermé l'œil depuis le coup de fil de la secrétaire du Dr Hunter, la veille, en fin de journée, lui demandant de venir seule, le lendemain matin. Elle tremblait, en hypoglycémie. Elle avait pris ses médicaments, mais n'avait presque rien pu avaler au petit déjeuner.

Après avoir posé ses fesses au bord d'une chaise très droite, elle avait fouillé dans son sac à la recherche de ses tablettes de glucose et en avait sucé deux. Pourquoi le docteur voulait-il la voir en urgence ? Était-ce à propos des analyses de sang qu'elle avait faites la semaine dernière, ou plus vraisemblablement à propos de Caitlin ? Il lui était déjà arrivé de paniquer, par

11

exemple quand elle avait senti une boule en palpant son sein, ou quand elle avait cru que le comportement erratique de sa fille était dû à une tumeur au cerveau. À chaque fois, Ross Hunter l'avait appelée personnellement pour la rassurer : la biopsie, le scanner, les analyses étaient dans les normes, elle n'avait pas de souci à se faire. Même si sa fille n'allait jamais tout à fait bien.

Elle croisa ses jambes, puis les décroisa. Elle avait mis son plus beau manteau, noir, longueur mi-cuisse, en laine et cachemire, acheté lors des soldes d'hiver, un haut en maille bleu marine, un pantalon noir et des chaussures en daim. Elle ne se l'était jamais avoué, mais elle choisissait soigneusement ses tenues quand elle avait rendez-vous avec lui. Rien d'extravagant – elle ne savait plus séduire depuis bien longtemps –, juste quelque chose de joli. Comme la moitié de ses patientes, elle le trouvait attirant, mais jamais, au grand jamais, elle n'aurait osé le lui faire savoir.

Depuis qu'elle et Mal s'étaient séparés, elle avait une piètre image d'elle-même. À trente-sept ans, elle était pourtant encore attirante, et le serait encore davantage si elle suivait les conseils de ses amis, de son frère et de sa sœur regrettée, et reprenait les nombreux kilos qu'elle avait perdus. Elle était efflanquée, elle s'en rendait compte quand elle se regardait dans un miroir. Elle se faisait du souci pour tout, surtout pour Caitlin, et ces six années d'anxiété l'avaient rongée de l'intérieur.

Caitlin venait d'avoir neuf ans quand les médecins lui avaient diagnostiqué une maladie hépatique. Depuis, leur vie s'était transformée en tunnel sans fin. Les visites chez les spécialistes. Les examens. Les brèves périodes d'hospitalisation à Brighton, les autres – presque un an, pour la plus longue – à l'hôpital Kings College de Londres. Les opérations pour insérer des ressorts dans les voies biliaires. Celles pour les retirer. Les interminables transfusions...

Caitlin était parfois si fatiguée qu'elle s'endormait en classe. Elle avait dû arrêter de jouer de son cher saxophone, car elle avait du mal à respirer. Et, à l'adolescence, elle avait commencé à se rebeller, à exiger une réponse : *pourquoi moi ?*

Question à laquelle Lynn n'avait pas de réponse.

Lynn avait arrêté de compter le nombre d'heures passées aux urgences de l'hôpital royal du Sussex. À treize ans, Caitlin avait dû subir un lavage d'estomac pour avoir descendu une bouteille de vodka, volée dans le bar familial. À quatorze ans, elle était tombée du toit, défoncée au haschich. Et une nuit, elle l'avait réveillée à 2 heures du matin, les yeux vitreux, en sueur – elle claquait des dents –, pour lui dire qu'elle avait gobé une ecstasy et qu'elle avait mal à la tête.

À chaque fois, le Dr Hunter s'était rendu à l'hôpital et avait surveillé Caitlin jusqu'à ce qu'elle soit hors de danger. Il n'était pas obligé, mais c'était dans sa nature.

La porte s'ouvrit et il apparut. Grand, élégant dans un costume à rayures, le dos bien droit, il avait un beau visage, des cheveux poivre et sel et des yeux doux, attentifs, en partie cachés par des lunettes demi-lune.

— Lynn, s'exclama-t-il d'une voix forte, assurée, mais qui manquait d'enthousiasme ce matin. Entrez donc.

Le docteur Ross Hunter avait deux façons d'accueillir ses patients. Un sourire accueillant, sincère, chaleureux, « content de vous voir » – son expression habituelle, la seule que Lynn lui connaissait. Et un pincement mélancolique de la lèvre inférieure. Grimace qu'il détestait, mais qui lui dévorait le visage aujourd'hui.

3

C'était un bon endroit pour piéger les automobilistes en excès de vitesse. Les banlieusards qui travaillaient à Brighton empruntaient cette section de Lewes Road et savaient que, malgré la limitation à 65 km/h, ils pouvaient accélérer sur plus d'un kilomètre, entre les feux et le premier radar.

La plupart ne voyaient pas la BMW break, au quadrillage bleu, jaune et argent, garée dans une rue adjacente, derrière un abribus, et se faisaient flasher de bon matin.

Le lieutenant Tony Omotoso avait installé le pistolet laser sur le toit du véhicule et visait chaque plaque d'immatriculation. Il photographia celle d'une Toyota : 71 km/h. Le conducteur l'avait repéré et avait eu le temps de freiner. Conformément aux directives officielles, il tolérait un dépassement de 10 % plus trois. La Toyota continua sa route, feux stop allumés. Puis Tony vérifia la vitesse d'un Ford Transit blanc : 69 km/h. Une Harley Davidson Softail passa à toute allure, si vite qu'il n'arriva pas à la flasher.

À sa gauche, prêt à bondir à la moindre alerte, se trouvait son collègue de la circulation, le lieutenant

Ian Upperton, un jeune homme élancé, mince, vêtu d'une veste jaune fluo et d'une casquette. Les deux officiers étaient frigorifiés.

Upperton suivit des yeux la Harley. Il aimait les deux-roues et avait pour ambition de devenir motard de la police. Mais, à ses yeux, ces grosses bécanes étaient taillées pour les longues distances et ce qu'il aimait, lui, c'était la vitesse, les BMW, les Suzuki Hayabusa ou les Honda Fireblade. Les machines sur lesquelles il fallait se pencher pour négocier les virages, pas celles où il suffisait de tourner le guidon, comme un vulgaire volant.

Une Ducati rouge passa ; le conducteur les avait vus et roulait presque au pas. Mais la vieille Ford Fiesta verte qui était en train de la doubler n'avait pas anticipé la présence des policiers.

— La Fiesta, s'écria Omotoso. 84 km/h !

Le lieutenant Upperton s'avança et fit signe au conducteur de s'arrêter. Mais, volontairement ou pas, celui-ci l'ignora.

— Monte, on va le courser.

Il transmit la plaque par talkie-walkie – Whisky 4-3-2 Charlie Papa Novembre – et sauta derrière le volant.

— Espèces de connards !

— Ouais, enculés !

— Pourquoi est-ce que vous ne vous occupez pas des vrais criminels ?

— C'est vrai ça... Au lieu de persécuter les automobilistes.

Tony Omotoso tourna la tête et vit deux jeunes qui passaient par là.

Parce que trois mille cinq cents personnes meurent sur les routes d'Angleterre chaque année, tandis que seulement cinq cents sont assassinées, voilà pourquoi, eut-il envie de leur répondre. *Parce qu'avec Tony on ramasse des cadavres à la petite cuillère toute la sainte journée, à cause d'enfoirés comme le mec de la Fiesta.*

Mais il n'avait pas le temps. Son collègue avait déjà allumé le gyrophare et la sirène. Il jeta le pistolet laser sur la banquette arrière, grimpa, claqua la portière et s'attacha, tandis qu'Upperton se lançait à la poursuite du contrevenant, pied au plancher.

Il sentit une poussée d'adrénaline quand son dos s'écrasa contre le dossier. C'était l'une des facettes les plus excitantes de son boulot.

Leur appareil à photographier les plaques minéralogiques afficha sur l'écran les informations relatives à la Ford Fiesta. Whisky 4-3-2 Charlie Papa Novembre n'avait pas de vignette, pas d'assurance et un retrait de permis.

Doublant plusieurs véhicules, Upperton gagnait du terrain.

L'État-major les appela.

— Hôtel Tango 4-2 ?

— Hôtel Tango 4-2, j'écoute, répondit Omotoso.

— On nous signale un grave accident entre une moto et une voiture, au croisement de Coldean Lane et Ditchling Road. Pouvez-vous vous rendre sur place ?

Merde, pensa-t-il. Il n'avait pas envie de laisser filer la Ford.

— Oui, on y va tout de suite. Transmettez cette alerte aux autres patrouilles : Ford Fiesta, Whisky 4-3-2 Charlie Papa Novembre, couleur verte, roule à vive allure sur Lewes Road vers le sud, approche du rond-point. Conducteur sans permis.

Il n'eut pas besoin de dire à son collègue de faire demi-tour. Upperton était d'ores et déjà en train de freiner. Clignotant à droite, il guettait le moment où il pourrait se glisser entre deux voitures.

4

Arrêté aux feux de la bretelle d'accès au port, Malcolm Beckett décela l'odeur des embruns iodés. Il était accro à l'océan, comme si de l'eau salée coulait dans ses veines. Il avait régulièrement besoin de sa dose. Il avait commencé en tant qu'ouvrier mécanicien dans la Royal Navy et avait passé toute sa vie en mer : dix ans dans la marine de guerre des forces armées britanniques, puis vingt et un dans la marine marchande.

Il adorait Brighton, ville portuaire où il était né et avait grandi, mais ce qu'il préférait, c'était naviguer. Il venait de passer trois semaines sur la terre ferme et s'apprêtait à en passer trois en mer, sur l'*Arco Dee*, navire dont il était chef mécanicien. Il n'y avait pas si longtemps, il s'était fait remarquer en devenant le plus jeune chef mécanicien de toute la marine marchande. Aujourd'hui, à quarante-sept ans, il faisait presque figure de vieux loup de mer, de vétéran.

Il adorait son bateau, en connaissait les moindres rouages, et le chérissait tout autant que sa MGB GT bleue, âgée de trente ans, dans laquelle il se trouvait en ce moment. Il l'avait démontée et remontée tant de fois que chaque vis, chaque boulon, lui étaient familiers. C'est avec tendresse qu'il écoutait son moteur ronronner. Le bruit des soupapes attira son attention ; il ferait quelques ajustements au niveau de la culasse lors de son prochain congé.

— Quelque chose te tracasse ? lui demanda Jane.

— Moi ? Non. Rien du tout.

La matinée s'annonçait magnifique, le ciel était bleu, dégagé, pas la moindre brise – une mer d'huile. Après les tempêtes automnales qui avaient assombri son précédent séjour en mer, la météo semblait s'être stabilisée, du moins pour aujourd'hui. Il ferait frisquet, mais très beau.

— Je vais te manquer ?

— Terriblement, répondit-il en passant un bras derrière ses épaules.

— Menteur !

— Je pense tout le temps à toi quand je suis loin, dit-il en l'embrassant.

— Foutaises !

Il l'embrassa une nouvelle fois.

Le feu passa au vert. Jane écrasa la pédale d'embrayage, passa la première, récalcitrante, et accéléra dans la descente.

— C'est dur de concurrencer un bateau, dit-elle.

— C'était particulièrement bien, ce matin, non ? répondit-il avec un sourire malicieux.

— Heureusement, car la prochaine fois ce sera dans trois semaines.

— Je me repasserai le film dans ma tête.

Ils tournèrent à gauche et contournèrent le lagon de Hove, deux petits lacs artificiels sur lesquels on pouvait faire de la barque ou de la planche à voile, ou jouer avec des modèles réduits. Droit devant eux, à l'est du port, une voie privée menait à des résidences de style mauresque appartenant à des célébrités – dont Heather Mills, l'ex-madame McCartney, et Fatboy Slim.

18

Le port de Shoreham sentait l'iode, le soufre, le pétrole, le cordage, le goudron, la peinture et le charbon. Situé à l'extrémité occidentale de la ville de Brighton et Hove, ce plan d'eau rectangulaire s'étendait sur un bon kilomètre cinq. Des scieries, des entrepôts, des zones de ravitaillement, des tas d'agrégats, ainsi que des yachts, des villas et des appartements complétaient le tableau. Autrefois très actif, il avait dû changer de vocation avec l'avènement des porte-conteneurs, trop gros pour y faire escale.

Des pétroliers, des petits cargos et des bateaux de pêche y venaient encore de temps en temps, mais il servait surtout d'ancrage aux dragues, ces navires qui aspirent le gravier et le sable des fonds marins pour les vendre à l'industrie du bâtiment, comme celle sur laquelle Malcolm travaillait.

— Tu fais quoi, ces trois prochaines semaines ? lui demanda-t-il.

Tous les marins étaient, un jour ou l'autre, confrontés au doute, quant à la fidélité de leur épouse. Quand il était dans la Royal Navy, on lui avait raconté que certaines, de vraies Marie-couche-toi-là, avaient des codes – par exemple, mettre un paquet de lessive à la fenêtre – pour faire savoir à leur amant que leur mari était absent.

— Jemma participe à la crèche vivante de son école. C'est juste avant ton retour, d'ailleurs. Amy termine les cours dans quinze jours. Je l'aurai dans les pattes.

Amy, onze ans, était la fille de Jane issue d'un premier mariage. Mal s'entendait bien avec elle, mais il y avait une barrière invisible entre eux. Jemma, six ans, était l'enfant qu'ils avaient eue ensemble, et dont il était bien plus proche. Elle était si douce, si intelligente, tellement positive... Tout le contraire de son autre fille, celle qu'il avait eue avec sa première femme, qui était étrange, distante, et malade. Il l'adorait, mais n'arrivait pas à communiquer avec elle. Il aurait vraiment

19

voulu voir Jemma dans le rôle de la Vierge Marie, mais il était depuis longtemps habitué aux sacrifices que son choix de carrière impliquait. Choix qui avait grandement participé à l'échec de sa première union et qu'il remettait régulièrement en question.

Il se tourna vers Jane, qui roulait lentement, comme pour prolonger les dernières minutes avec lui. C'était une femme de tête, mais adorable. Cheveux roux coupés au carré, petit nez retroussé, elle portait une veste en cuir sur un tee-shirt blanc et un jean déchiré. Ses deux épouses étaient radicalement opposées. Jane, psychothérapeute spécialisée dans les phobies, lui avait un jour expliqué qu'elle aimait son indépendance et que les trois semaines de liberté lui permettaient d'apprécier d'autant plus les moments qu'ils passaient ensemble. Lynn, qui travaillait dans un bureau de recouvrement, avait tout le temps « besoin » de lui. C'est une chose que d'aimer être avec quelqu'un ou de le désirer, c'en est une autre que d'en avoir « besoin ». C'était la véritable cause de leur divorce. Il s'était dit que l'arrivée d'un bébé améliorerait la situation, mais cela n'avait fait que l'empirer.

Jane ralentit et mit son clignotant. Ils s'arrêtèrent, cédèrent le passage à un semi-remorque chargé de troncs d'arbres, puis tournèrent à droite, passèrent le portail ouvert de l'entreprise Agrégats Solent et se garèrent devant le préfabriqué des agents de sécurité.

Mal, qui portait sa tenue de travail – combinaison blanche et bottes en caoutchouc –, descendit et ouvrit le coffre. Il en sortit un gros sac polochon et son casque de chantier jaune. Puis il se pencha à la vitre et embrassa sa femme d'un long baiser tendre. Après sept ans de mariage, leur relation était toujours passionnée – l'un des avantages à passer tant de temps sans se voir.

— Je t'aime, lui dit-il.

— Moi aussi, encore plus que toi, répondit-elle en l'embrassant une nouvelle fois.

Mal était grand, mince, musclé, attirant, avec ses cheveux blonds courts, certes un peu moins nombreux qu'avant, et son visage qui respirait l'honnêteté. C'était le genre d'homme que l'on aime et respecte immédiatement. Un homme sans face cachée.

Il la regarda passer la marche arrière et nota que les pots d'échappement émirent un drôle de bruit quand elle accéléra. L'un des silencieux allait devoir être remplacé. Il monterait la voiture sur un pont lors de sa prochaine perm', et jetterait aussi un coup d'œil aux amortisseurs – elle ne négociait pas les nids de poule aussi bien qu'elle aurait dû. Peut-être fallait-il changer ceux à l'avant.

Il entra dans le préfa, signa le registre et échangea les plaisanteries d'usage avec les agents ; et il pensa à tout autre chose. Le moteur tribord de l'*Arco Dee*, qui approchait les 20 000 heures, allait devoir être révisé. Il faudrait choisir le meilleur moment pour procéder à ce contrôle technique, sachant que les cales sèches fermaient pendant les vacances de Noël et que les propriétaires de la drague se moquaient bien de ces contingences. Leur but, c'était qu'elle soit opérationnelle 24 heures sur 24, 7 jours sur 7. Et, vu qu'ils dépensaient 19 millions de livres pour ce bateau, leur exigence était justifiée.

Tandis qu'il se dirigeait joyeusement vers le quai, où était amarré le navire orange à coque noire, il ignorait tout de la cargaison qui les accompagnerait sur le chemin du retour, dans quelques heures, et de l'impact catastrophique qu'elle aurait sur sa vie.

5

Le cabinet du Dr Hunter, tout en longueur, avec une belle hauteur sous plafond et des fenêtres guillotines, donnait sur une petite cour arborée. Mais la végétation était si chétive qu'on voyait surtout l'escalier de secours métallique de l'immeuble voisin. Ce bureau avait dû être la salle à manger, à l'époque, plus faste, où la maison servait d'habitation à une seule et même famille.

Lynn aimait les beaux bâtiments, surtout les intérieurs. Fut un temps, elle adorait visiter les manoirs et châteaux ouverts au public – et Caitlin l'accompagnait volontiers. Plus jeune, elle s'était dit que quand sa fille serait indépendante et que l'argent serait moins problématique, elle prendrait des cours d'architecture d'intérieur. Elle aurait alors proposé à Ross Hunter de relooker son cabinet. La salle d'attente et cette pièce en avaient bien besoin – le papier peint et la peinture n'avaient pas aussi bien vieilli que le médecin. Cela dit, cette sensation de familiarité l'avait toujours rassurée. Du moins jusqu'à aujourd'hui.

L'espace paraissait un peu plus encombré à chacune de ses visites. Les meubles de rangement à quatre tiroirs gris, ainsi que les cartons dans lesquels étaient classés les dossiers des patients, semblaient se démultiplier. La pièce comprenait également une fontaine à eau, un test lumineux pour mesurer l'acuité visuelle et le buste en marbre blanc d'un sage qu'elle n'identifia pas – peut-être Hippocrate. Plusieurs photos de famille trônaient au-dessus des bibliothèques à l'ancienne, qui croulaient sous le poids des livres.

Derrière un paravent médical se trouvait le divan d'examen, des appareils de monitoring, des instruments médicaux et des lampes. Le rectangle de linoléum au sol donnait à cet espace des allures de petit bloc opératoire.

Ross Hunter invita Lynn à prendre place sur l'une des deux chaises en cuir noir, devant son bureau. Elle s'assit sans retirer son manteau et posa son sac par terre. Les traits tirés du médecin l'angoissaient. Le téléphone sonna. Il leva la main pour s'excuser, décrocha, et lui fit comprendre que ce ne serait pas long. Il entama sa conversation sans quitter des yeux son ordinateur portable.

Jetant un regard circulaire, elle remarqua un porte-manteau auquel était accroché un pardessus – sans doute celui du docteur –, puis du matériel électronique qu'elle n'avait jamais vu. À quoi pouvait-il bien servir ?... Le médecin s'entretenait avec une personne dont un proche, gravement malade, allait être transféré dans le service réservé aux phases terminales. Ce coup de fil la déprima encore plus.

Dr Hunter raccrocha, griffonna une note, consulta une dernière fois son ordinateur, puis se tourna vers Lynn.

— Merci d'être venue, dit-il d'une voix douce, compatissante. Je voulais vous voir seule, avant de parler à Caitlin, ajouta-t-il, mal à l'aise.

— OK, articula-t-elle, sans qu'aucun son ne sorte de sa bouche, comme si du papier buvard avait été enfoncé dans sa gorge.

Il s'empara du dossier posé au sommet de l'une des piles et l'ouvrit. Ajustant ses lunettes, il le parcourut, comme pour repousser le moment du verdict.

— J'ai reçu les derniers résultats du Dr Granger, qui, malheureusement, ne sont pas bons : ils révèlent un grave dysfonctionnement hépatique.

Neil Granger était le gastro-entérologue qui suivait Caitlin depuis six ans.

— Il y a surproduction d'enzymes. Le taux de Gamma GT est particulièrement élevé, celui des plaquettes beaucoup trop bas – il a chuté ces derniers mois. Votre fille marque beaucoup, quand elle se cogne ?

— Oui, confirma Lynn. Et quand elle se coupe, elle saigne longtemps.

Elle savait que les plaquettes étaient fabriquées par le foie, et qu'en temps normal elles étaient censées faire cesser le saignement et participer à la cicatrisation.

— Quel est son taux d'enzymes hépatiques ?

À force de se renseigner sur Internet, Lynn commençait à être assez calée sur le sujet : suffisamment pour savoir quand s'inquiéter, mais pas assez pour savoir quoi faire en cas de danger.

— La norme est de 45. Il y a un mois, Caitlin était à 1 050, mais maintenant son taux s'élève à 3 000. Le Dr Granger est très inquiet.

— Quelles sont les conséquences, Ross ? demanda-t-elle d'une voix cassée.

Il la regarda droit dans les yeux, avec empathie.

— Son ictère et son encéphalopathie s'accentuent. Pour dire les choses simplement, des toxines empoisonnent son corps. Elle souffre d'hallucinations, non ?

Lynn acquiesça.

— De troubles de la vision ?

— Oui, parfois.

— Elle se gratte ?

— Tout le temps et ça la rend dingue.

— Pour être tout à fait honnête, Caitlin ne réagit plus aux traitements. Sa cirrhose est irréversible.

Comme si elle avait reçu un coup, Lynn détourna le regard et fixa la fenêtre, l'escalier de secours et l'arbre squelettique. Il semblait mort. Comme elle.

— Comment allait-elle ce matin ? s'enquit le médecin.

— Bien, un peu faible. Son corps la démange. Elle a passé la nuit à se gratter les mains et les pieds. Elle n'a presque pas dormi. Son urine est très foncée et son ventre gonflé, c'est ce qu'elle supporte le plus difficilement.

— Je peux lui prescrire des médicaments pour éponger les fluides.

Il nota quelque chose sur une fiche et Lynn s'emporta soudain. La situation exigeait plus qu'une misérable note ! Et pourquoi écrivait-il encore à la main ? Tout cela aurait dû être informatisé, non ?

— Ross, quand... quand vous dites que son état se détériore rapidement... Comment... enfin qu'est-ce qu'on... comment enrayer l'évolution ? Qu'est-ce qu'il faut faire ?

Il se leva, se dirigea vers la bibliothèque qui couvrait tout le pan de mur et revint avec un objet brun, vaguement triangulaire, qu'il posa sur son bureau.

— Voilà à quoi ressemble un foie adulte. Celui de Caitlin est un peu plus petit.

Lynn l'observa pour la énième fois. Sur une page blanche, il dessina une sorte de brocoli. Elle écouta patiemment ses explications sur le fonctionnement des canaux biliaires, mais quand il eut terminé son schéma, elle n'en savait pas plus qu'avant. Et de toute façon, une seule chose l'intéressait.

— Comment pallier ce dysfonctionnement ? demanda-t-elle d'un ton défaitiste, sachant aussi bien que lui qu'ils avaient passé six ans à espérer un miracle et qu'il n'y avait plus qu'une issue.

— Le processus ne peut malheureusement pas être

enrayé. Selon le Dr Granger, nous n'avons guère de temps.

— De temps pour quoi ?

— Elle ne réagit plus aux médicaments – nous les avons tous testés.

— Vous pourriez faire une dialyse, non ?

— S'il s'agissait des reins, oui, mais il n'existe pas d'équivalent pour le foie.

Il marqua une pause.

— Pourquoi ? tenta-t-elle.

— Parce que son fonctionnement est trop complexe. Je vais vous dessiner une vue en coupe et...

— J'en ai marre de vos foutus schémas ! hurla-t-elle, avant de fondre en larmes. Tout ce que je veux, c'est que ma fille adorée guérisse. Il doit exister une solution, Ross.

Il se mordit la lèvre.

— On va devoir lui faire une greffe.

— Une greffe ? Mais elle n'a que quinze ans !

Il acquiesça.

— Je suis désolée de m'être emportée. Je... bredouilla-t-elle en cherchant un mouchoir dans son sac pour se sécher les yeux. Elle en a déjà tellement vu, la pauvre petite. Une greffe ? répéta-t-elle. C'est vraiment la seule option ?

— J'en ai bien peur.

— Et sinon ?

— Pour dire les choses crûment, elle ne survivra pas.

— Combien de temps lui reste-t-il ?

Il leva les mains, impuissant.

— Je ne sais pas.

— Quelques semaines ? Quelques mois ?

— Quelques mois. Moins si la dégénérescence se poursuit à ce rythme.

Il y eut un long silence. Lynn fixait le sol.

— Ross, y a-t-il des risques à pratiquer une greffe ? demanda-t-elle d'une voix calme.

— Je vous mentirais si je prétendais qu'il n'y en a pas. Mais la principale difficulté consiste à trouver un foie sain. Il n'y a pas assez de donneurs.

— Et son groupe sanguin est plutôt rare, non ?

Il consulta ses notes.

— AB⁻, c'est vrai que c'est rare ; 2 % de la population seulement.

— Est-ce que ça joue un rôle décisif ?

— Important, mais je ne connais pas les critères exacts. Je crois que d'autres groupes sont compatibles.

— Et moi ? Est-ce que je ne pourrais pas lui donner un morceau de mon foie ?

— Il serait possible d'envisager une greffe partielle, en utilisant un seul lobe. Mais il faudrait que vous soyez compatible, et je crains que ce ne soit pas le cas.

Il chercha sa fiche.

— Vous êtes A⁺. Je ne sais pas, avoua-t-il en esquissant un sourire sans joie. Le Dr Granger vous le dira. Et votre diabète risque aussi de poser problème...

Elle était troublée de voir cet homme, en qui elle avait une telle confiance, soudain dépassé par les événements.

— Super, lâcha-t-elle, désabusée.

Son diabète tardif, de type 2, avait commencé juste après son divorce. Selon le Dr Hunger, il avait sans doute été déclenché par le stress. Du coup, elle n'avait même pas pu avaler les montagnes de sucreries dont elle aurait eu tant besoin pour se consoler.

— Caitlin va donc devoir attendre qu'un donneur meure ? C'est ce que vous êtes en train de me faire comprendre ?

— Oui. Sauf si un membre de votre famille ou un ami, compatible, accepte de lui donner une partie de son foie.

Lynn reprit espoir.

— C'est une possibilité ?

— Si la personne est suffisamment corpulente, oui.

La seule personne corpulente qui lui vint à l'esprit fut Malcolm. Mais il avait contracté l'hépatite B quelques années plus tôt, ce qui l'empêchait d'être donneur.

Lynn réfléchit. La Grande-Bretagne comptait 65 millions d'habitants, dont 45 millions d'adultes et adolescents. 2 %, cela faisait environ 900 000 personnes. Un individu de type AB⁻ devait décéder chaque jour.

— On va devoir faire la queue, c'est ça ? Attendre, comme des vautours, que quelqu'un meure... Et si Caitlin panique à l'idée ? Vous la connaissez. Elle se met dans tous ses états quand j'écrase une mouche. Elle est farouchement opposée à l'idée de tuer quoi que ce soit.

Lynn s'agrippa aux accoudoirs pour ne pas se laisser envahir par ses propres démons.

— Ross, je ne suis pas de nature violente. Je n'ai jamais pris plaisir à tuer le moindre insecte. Et voilà qu'aujourd'hui je me surprends à souhaiter la mort d'un étranger. Je ne sais pas ce qui m'arrive.

6

En cette heure de pointe, l'accident sur Coldean Lane avait causé un embouteillage jusqu'en bas de la colline. À gauche se trouvait la vaste cité HLM de Moulescomb, bâtie dans les années 1950 ; à droite, derrière un mur en ardoise, une haie délimitant le parc de Stanmer, l'un des plus grands de la ville.

Au volant de la BMW, le lieutenant Ian Upperton déboîta prudemment, pour voir si la voie en sens inverse était libre, alluma sa sirène, doubla le bus qui le précédait et s'élança à contresens.

Assis à côté de lui, le lieutenant Tony Omotoso observait attentivement la file de véhicules arrêtés au cas où l'un d'eux perde patience, déboîte ou fasse un demi-tour sur route. La moitié des conducteurs semblait ne pas entendre la sirène : soit ils étaient sourds, soit ils écoutaient leur autoradio à fond. Et de toute évidence, leur rétroviseur ne leur servait qu'à se recoiffer. Tony était mal à l'aise, car il ne savait pas ce qui l'attendait, comme à chaque fois qu'il devait se rendre sur les lieux d'une « collision », comme on devait dire désormais, conformément à la nomenclature qui n'arrêtait pas de changer.

Quand l'accident survient, tout se passe comme si la voiture se retournait contre son propriétaire, le trucidant, le découpant, le brûlant vif. Vous roulez tranquillement, vous écoutez de la musique ou vous discutez et, la seconde d'après, vous vous retrouvez pris au piège et vous agonisez dans un magma de tôles affûtées comme des sabres. Omotoso détestait les inconscients, ceux qui conduisaient n'importe comment, et les imprudents qui ne bouclaient pas leur ceinture.

Ils arrivèrent en haut de la côte, au croisement dangereux, en forme de coude, de Ditchling Road et Coldean Lane. En tête de file, une Range Rover bleue avait allumé ses feux de détresse. Une BMW cabriolet blanche, un ancien modèle de la série 3, était en travers de la route, portière ouverte, personne à l'intérieur. L'arrière témoignait d'un coup violent, en forme de V, la roue était enfoncée et la vitre avait volé en éclats. Une petite foule s'était amassée. Certains tournèrent la tête et d'autres reculèrent à l'approche de la voiture de police.

Quand le groupe s'écarta, Omotoso découvrit, au sommet de la colline, une camionnette blanche et un motard gisant au sol, bras et jambes écartés, immobile. Du sang coulait de son casque noir. Deux hommes et une femme étaient agenouillés à ses côtés. L'un d'eux lui parlait. Un peu plus loin se trouvait une moto rouge, sur le flanc.

— Encore une Fireblade, murmura Upperton en coupant le contact.

Cette Honda était appréciée par les quadras amateurs de deux-roues depuis leur adolescence qui, une fois qu'ils en avaient les moyens, s'offraient une belle bécane, la plus rapide, sans savoir que les motos s'étaient, entre-temps, transformées en bolides. Omotoso, Upperton et leurs collègues de la circulation constataient chaque jour que la population la plus à risque chez les motards n'était pas les jeunes, mais les hommes d'affaires entre deux âges. Et les statistiques confirmaient cette triste réalité.

Avant de sortir du véhicule, Omotoso informa l'état-major qu'ils étaient sur les lieux. On lui répondit qu'une ambulance et un camion de pompiers étaient en route.

— Demandez au commandant de la police de la route de vous rejoindre, ajouta-t-il. Son indicatif, c'est Hôtel Tango 3-9-9.

Les choses se présentaient mal. Le sang qui coulait n'était pas clair et brillant, comme pour les blessures superficielles, mais carmin foncé, ce qui laissait craindre une hémorragie interne.

Les deux hommes s'approchèrent et analysèrent la scène. Tony Omotoso savait qu'il ne fallait jamais tirer de conclusions hâtives, mais les marques de freinage semblaient indiquer que la voiture avait coupé la route à la moto – qui devait rouler à toute allure, vus les dégâts et l'angle du véhicule.

Le premier danger venait désormais des autres automobilistes. Il vérifia que la circulation était bien bloquée dans les deux sens. Il entendit une sirène approcher.

— Elle lui a foncé dessus, cette folle ! cria une voix masculine.

Ignorant cette intervention, Omotoso s'agenouilla à côté de la victime.

— Il est inconscient, signala une femme.

La visière fumée du casque était baissée. Le policier savait qu'il fallait éviter de bouger le corps. Il la leva donc le plus délicatement possible, toucha son visage, écarta ses lèvres et chercha sa langue.

— Vous m'entendez ? Monsieur, vous m'entendez ?

Debout derrière lui, Ian Upperton demanda :

— Qui conduisait la BMW ?

Une femme s'approcha. Pâle comme un linge, elle s'agrippait à un téléphone portable. Quarante ans, bimbo blonde platine, elle portait une veste en jean doublée de fourrure, un jean et des bottes en daim.

— Moi, dit-elle d'une voix cassée de fumeuse. Merde, merde, merde. Je ne l'ai pas vu. Je pensais que la voie était libre. Il est arrivé trop vite.

Elle tremblait, encore sous le choc.

Le policier approcha son visage du sien, non pas pour l'entendre plus distinctement, mais pour sentir son haleine. Avec l'expérience, il arrivait à déceler la présence d'alcool, même s'il s'agissait d'une beuverie de la veille. Dans le cas présent, il n'était pas sûr qu'elle était sobre, mais l'odeur du chewing-gum à la menthe et les relents de tabac étaient si présents qu'il ne pouvait pas se prononcer.

— Voulez-vous bien vous installer dans la voiture de police, côté passager ? Je vous rejoins dans quelques minutes, lui intima Upperton.

— Elle lui a foncé dessus ! répéta un homme en anorak, comme s'il n'arrivait pas à croire ce qui s'était passé. Je suivais la moto.

— Je vais noter vos nom et adresse, Monsieur.

— Pas de problème. Remarquez, il roulait à fond la caisse. Je conduisais la Range Rover, il m'a doublé ventre à terre.

Upperton vit l'ambulance arriver.

— Je reviens, dit-il au témoin, avant de foncer vers l'équipe médicale.

Ils devaient décider de la marche à suivre sans tarder. Si la collision s'avérait mortelle, il fallait bloquer la circulation jusqu'à l'arrivée de la brigade accidents. Par mesure de précaution, il demanda à l'état-major d'envoyer deux équipes supplémentaires.

7

Les traditionnelles festivités de fin d'année avaient commencé tôt cette fois.

9 heures moins le quart, en ce mercredi matin, le commissaire Roy Grace avait une sacrée gueule de bois. Ce phénomène était récent. Dans le temps, il se levait frais et dispos. Peut-être était-ce dû à l'âge – il allait avoir quarante ans en août. Ou peut-être était-ce dû à...

À quoi, exactement ?

Il devrait se sentir beaucoup plus serein, il en était conscient. Pour la première fois depuis presque dix ans (depuis que son épouse, Sandy, avait disparu), il vivait avec une femme merveilleuse, il venait d'être promu chef de la brigade criminelle, et la personne qui constituait un obstacle à sa carrière, la commissaire principale Alison Vosper – qui ne l'avait jamais porté dans son cœur –, s'était vu proposer un poste de directrice adjointe de la police à l'autre bout du pays.

Alors pourquoi se levait-il si souvent déprimé ? Pourquoi buvait-il autant ?

Parce qu'il sentait que Cleo, qui approchait de la trentaine, exigeait discrètement un plus grand engagement ?

BIBLIOTHÈQUE PUBLIQUE
DU CANTON
D'ALFRED ET PLANTAGENET
ANNULÉ/
CANCELLED

Il s'était quasiment installé chez elle et Humphrey, le chiot qu'elle avait adopté. D'une part parce qu'il adorait passer du temps avec elle, d'autre part parce que son collègue et ami, le commandant Glenn Branson, dont le mariage battait de l'aile, squattait de plus en plus souvent chez lui. Il adorait ce gars, mais ils formaient un couple trop bizarre pour vivre sous le même toit. Et il préférait le laisser se débrouiller seul, quitte à retrouver son salon – et particulièrement sa chère collection de CD et de vinyles – sens dessus dessous.

Assis à son bureau, il termina sa deuxième tasse de café et déboucha une bouteille d'eau gazeuse. La veille, il avait participé au dîner de Noël organisé par les employés de la morgue de Brighton et Hove. Mais après le repas dans un restaurant chinois situé sur la Marina, il avait eu la mauvaise idée de suivre un groupe de fêtards au casino Rendez-Vous. Il avait bu plusieurs digestifs – gueule de bois assurée –, perdu 50 livres à la roulette et 100 au black-jack, avant que Cleo, bien inspirée, l'oblige à aller se coucher.

En temps normal, il commençait à 7 heures, mais aujourd'hui il était arrivé à 8 h 30. Et pour le moment, il s'était contenté de faire du café et d'allumer son ordinateur, rien d'autre. Et ce soir, c'était le pot de départ à la retraite du commissaire divisionnaire Jim Wilkinson…

Il jeta un œil par la fenêtre, contempla le parking du supermarché ASDA, puis le panorama sur sa ville, qu'il aimait tant. En cette fraîche matinée, le ciel était si dégagé qu'on distinguait la grande cheminée de la centrale électrique du port de Shoreham, ainsi qu'une bande bleue, la Manche, qui se fondait dans l'azur. À peine quelques mois plus tôt, son bureau se trouvait à l'autre bout du bâtiment, avec vue sur les cellules de détention. Ce nouvel emplacement aurait dû le remplir de joie, mais non, pas aujourd'hui.

Serrant sa tasse des deux mains, il constata qu'il tremblait. Ça alors ! Il avait bu tant que cela ? Si son souvenir était exact, Cleo était restée sobre et avait conduit au retour. Le pire, c'est qu'il ne se souvenait même pas s'ils avaient fait l'amour.

Il était conscient que son taux d'alcoolémie dépassait sûrement la limite autorisée et qu'il n'aurait pas dû prendre le volant ce matin. Il avait une bétonnière à la place du foie. Pas sûr que les deux œufs au plat que Cleo l'avait forcé à avaler au petit déjeuner aient eu l'effet escompté. Il frissonna, enfila la veste accrochée au dossier de son fauteuil et fixa son ordinateur, passant en revue la liste des incidents de la nuit. De nouveaux apparaissaient, tandis que les précédents étaient mis à jour.

Sortaient du lot : une agression à caractère homophobe à Kemp Town et une attaque sur King's Road. Un accident impliquant une voiture et une moto sur Coldean Lane avait été signalé à 8 h 32. On venait d'ajouter à l'info qu'un hélicoptère avec une équipe médicale avait été réquisitionné.

Ça sent pas bon. Il nourrissait une affection particulière pour les deux-roues. Il en avait possédé plusieurs dans sa jeunesse. Puis il avait rencontré Sandy, s'était engagé dans la police et n'était plus jamais remonté sur une grosse cylindrée depuis. Dave Gaylor, un collègue qui venait de prendre sa retraite, s'était offert une Harley très sympa, noire avec des enjoliveurs rouges. Ayant été promu, il avait désormais droit à une voiture, à titre gracieux, et était tenté de remplacer son Alfa Romeo, qui avait rendu l'âme lors d'une course-poursuite, par une moto. Encore fallait-il que l'assurance allonge l'argent. Quand il en avait parlé à Cleo, elle s'était mise dans tous ses états, alors qu'elle n'était pas un modèle de prudence au volant.

Cleo était chef du service funéraire de la morgue de Brighton et Hove, ou thanatopractrice – selon la nouvelle nomenclature, envahissante, que Grace détestait cordialement. À chaque fois qu'il abordait le sujet « moto », elle décrivait les conditions horribles dans lesquelles les motards périssaient – et elle savait de quoi elle parlait. Dans certains services, notamment celui de traumatologie, où les blagues douteuses allaient bon train, les motards étaient surnommés des « donneurs d'organes ambulants ».

C'est pourquoi, parmi les nombreux magazines automobiles empilés sur son bureau, sur les quelques centimètres carrés libres, aucun n'était consacré aux deux-roues.

En plus des affaires liées à sa nouvelle fonction et des dossiers relatifs aux procès en cours transmis par l'unité de liaison justice, il était de nouveau en charge des *cold cases*, les affaires classées non résolues, suite au départ précipité d'un collègue. Rangées dans des caisses vertes posées au sol, elles contribuaient au désordre de cette pièce déjà encombrée par une table de conférence ronde, quatre chaises, un bureau et un sac d'intervention en cuir noir contenant tenue de protection et autres accessoires indispensables sur les scènes de crime.

Les affaires classées étaient laissées à l'abandon, parce que personne n'avait de temps à leur consacrer, mais aussi parce qu'il n'y avait pas grand-chose à faire tant que la situation ne se débloquait pas. Pour identifier un suspect, il fallait attendre, soit des progrès en médecine légale (un nouveau moyen de prélever l'ADN, par exemple), soit l'apparition de discordes dans la famille de la victime (une épouse ayant menti pour protéger son mari décidait parfois de le dénoncer). Sous sa tutelle, une équipe venait enfin d'être formée, ce qui promettait quelques avancées.

Grace culpabilisait. Ces cartons lui rappelaient en permanence que les victimes comptaient sur lui pour que justice soit faite, et qu'il était seul à pouvoir aider les familles à tourner la page.

Il les connaissait presque tous par cœur. Richard Ventnor, un vétérinaire homosexuel, avait été battu à mort dans son cabinet, douze ans plus tôt. L'affaire la plus ancienne concernait Tommy Lytle. Il y avait vingt-sept ans de cela, le petit Tommy, onze ans, n'était jamais rentré chez lui, après l'école, un après-midi de février.

Il se pencha sur ses dossiers en cours. Si seulement il n'avait pas tant de paperasse à remplir... Il but une gorgée d'eau. Ne sachant guère par où commencer, il décida de jeter un coup d'œil à sa liste de cadeaux de Noël. Le premier serait pour Jaye Somers, sa filleule de neuf ans. Conscients qu'il ne voulait pas passer pour un ringard, les parents de Jaye conseillaient à Grace de lui offrir une paire de Ugg en daim noires, pointure 35-36.

Mais ça s'achète où, des Ugg ?

Il savait à qui demander.

Ses yeux se posèrent sur la quatrième caisse verte à droite, en partant de son bureau. « L'homme aux chaussures ». Une affaire jamais résolue qui l'intriguait depuis longtemps. Sur une période de plusieurs années, « l'homme aux chaussures » avait violé six femmes de la région et en avait tué une, sans doute par accident. Et puis, sans raison, il avait arrêté. Peut-être parce que sa dernière victime avait eu le courage de se débattre et réussi à déchirer en partie sa cagoule, ce qui avait permis d'esquisser son portrait-robot. Peut-être avait-il pris peur. Peut-être était-il simplement mort. Peut-être avait-il déménagé.

Il y avait trois ans de cela, un homme d'affaires de quarante-neuf ans avait été arrêté dans le Yorkshire. Pendant les années 1980, il avait violé plusieurs femmes, avant de dérober leurs chaussures. La police du Sussex avait espéré qu'il s'agirait du même homme, mais les tests ADN avaient réfuté cette hypothèse. Qui plus est, leurs méthodes étaient certes similaires, mais pas identiques. James Lloyd, le violeur du Yorkshire, volait les deux chaussures, tandis que celui du Sussex n'en gardait qu'une, la gauche ; en revanche, il collectionnait aussi les culottes de ses victimes. Il n'était pas exclu qu'il ait abusé de plus de six femmes, certaines ayant peut-être eu trop honte pour porter plainte.

Aux yeux de Grace, les pédophiles et les violeurs étaient les pires criminels, car personne ne se remet de telles agressions. Certaines personnes reprenaient une vie normale, mais jamais elles ne pourraient oublier.

Si Grace était devenu flic, ce n'était pas seulement parce que son père l'était. C'était pour « changer le monde ». À son échelle, bien sûr.

Et les développements technologiques de ces dernières années lui donnaient espoir : il avait l'intention de traduire en justice les auteurs de tous les crimes répertoriés dans ces dossiers. À commencer par l'homme aux chaussures.

Un jour, ce bâtard regretterait d'être né.

8

Lynn quitta le cabinet médical dans un état second. Elle remonta la rue jusqu'à sa vieille Peugeot orange, qui n'avait plus que trois enjoliveurs, ouvrit sa portière et s'assit. Comme d'habitude, elle ne l'avait pas verrouillée dans l'espoir qu'on la lui vole, histoire de récupérer un peu d'argent de l'assurance.

L'année dernière, un garagiste l'avait prévenue qu'elle ne passerait jamais le contrôle technique, et que le devis serait plus élevé que son prix à l'argus. La date butoir du fameux contrôle approchait – plus qu'une semaine – et elle angoissait.

Mal aurait su procéder aux réparations nécessaires. C'était un manuel. Elle aurait tant aimé l'avoir à ses côtés. Elle regrettait de n'avoir personne à qui parler, personne pour l'aider à aborder la conversation qu'elle allait avoir avec sa fille.

Fermant les yeux pour refouler ses larmes, elle sortit son portable de son sac et composa le numéro de sa meilleure amie. Comme elle, Sue Shackleton était divorcée, et elle élevait seule ses quatre enfants. Ce qui ne l'empêchait pas de déborder d'énergie.

Lynn vit passer une contractuelle, mais ne s'en

39

soucia pas – elle avait encore une heure de parking devant elle.

Comme à son habitude, Sue fit preuve d'empathie et de réalisme.

— Ce sont des choses qui arrivent, ma belle. Je connais quelqu'un à qui on a greffé un rein et qui vit très bien avec, depuis... peut-être sept ans.

Lynn hocha la tête. Elle avait rencontré cet ami de Sue.

— Mais là c'est différent. Quand on a des problèmes rénaux, on peut survivre des années grâce aux dialyses ; seulement quand c'est le foie qui est malade, cette méthode ne marche pas. J'ai peur pour elle, Sue. C'est une grosse opération, qui peut mal tourner. Le Dr Hunter ne garantit pas son succès. Et elle n'a que quinze ans, bon sang !

— Quelle est l'alternative ?

— C'est ça, le problème. Il n'y en a pas.

— Alors, ton choix est fait. Tu veux qu'elle vive ou qu'elle meure ?

— Qu'elle vive, bien sûr.

— Fais ce qu'il faut, sois forte et garde confiance. Le pire, ce serait que ta fille ne puisse pas se reposer sur toi.

Cinq minutes après la fin de leur conversation, ces mots résonnaient encore dans sa tête. Elle avait promis à Sue de la voir plus tard, si elle arrivait à laisser Caitlin seule.

Sois forte et garde confiance.

Facile à dire.

Elle appela Mal. Elle ne savait pas s'il serait en mer ou pas – son bateau remontait parfois jusqu'au pays de Galles. Leur relation était amicale, quoique distante et purement formelle.

Il décrocha à la troisième sonnerie. La connexion était mauvaise.

— Salut, dit-elle, tu es où ?

— Au large de Shoreham, à 10 milles de l'embouchure. On se dirige vers la zone d'extraction. Je n'aurai bientôt plus de réseau. Quoi de neuf ?

— Il faut que je te parle. Caitlin est gravement malade, son état se détériore.

— Merde, lâcha-t-il. Qu'est-ce qui se passe ?

Malgré les grésillements, elle réussit à lui résumer la situation. Elle était consciente que leur conversation pouvait s'interrompre d'une seconde à l'autre. Il eut juste le temps de lui dire qu'il serait de retour dans sept heures et qu'il la rappellerait.

Elle composa ensuite le numéro de sa mère, qui prenait le café avec ses amis du club de bridge. C'était une femme forte, qui semblait avoir pris de l'assurance ces quatre dernières années, depuis la mort de son mari. Elle avait d'ailleurs un jour avoué à sa fille qu'ils ne s'entendaient plus depuis longtemps. Elle avait l'esprit pratique et semblait capable de garder son calme en toutes circonstances.

— Demande un deuxième avis, s'empressa-t-elle de lui conseiller.

— Il n'y a guère de place pour le doute. L'hépatologue partage aussi l'opinion du Dr Hunter. Depuis le début, on avait peur de devoir en arriver là.

— N'empêche. Je pense qu'il faut absolument consulter un autre médecin. Ce n'est pas parce qu'ils sont spécialistes qu'ils sont infaillibles.

Peu convaincue, Lynn promit cependant à sa mère de suivre son conseil. Sur le chemin du retour, elle retourna le problème dans tous les sens. À combien de personnes pouvait-elle encore s'adresser ? Ces dernières années, elle avait tout tenté. Grâce à Internet, elle avait obtenu la liste des CHU américains, allemands, suisses... Elle avait testé toutes les techniques alternatives possibles et imaginables – le toucher thérapeutique, le chamanisme, la prière, les cristaux... Elle avait eu recours à l'homéopathie, la naturopathie, l'acupuncture, l'argent colloïdal, et même à un curé.

Sa mère n'avait pas tort. Le diagnostic était peut-être erroné. Peut-être existait-il des gens plus calés, susceptibles de prescrire un traitement moins radical. Peut-être que de nouveaux médicaments suffiraient. Mais combien de temps pouvait-elle se permettre d'hésiter, si l'état de sa fille se détériorait ? Et si, dans le cas présent, cette intervention était la seule solution ?

Elle tourna à droite au minuscule rond-point entre London Road et Carden Avenue. La voiture pencha tellement que la carrosserie racla le sol. Elle rétrograda, et entendit le cliquetis habituel du pot d'échappement, dont l'un des colliers de fixation était cassé.

C'est la Faucheuse qui râle, avait l'habitude de dire Caitlin, qui ne manquait pas d'humour.

Tandis qu'elle grimpait vers Patcham, la gravité de la situation la submergea et les larmes lui montèrent aux yeux. Elle secoua la tête pour chasser les idées noires qui l'assaillaient. Rien ni personne ne l'avait préparée à *ça*. Comment fait-on pour annoncer à sa fille que son foie va devoir être remplacé par celui d'une personne morte ? En haut de la colline, elle s'engagea dans leur rue, tourna à gauche, se gara dans l'allée, éteignit le contact et serra le frein à main. Comme d'habitude, la voiture toussota quelques secondes, le pot d'échappement tremblota, puis le silence s'installa.

Comme souvent à Brighton, la maison en mitoyenneté était bâtie sur une pente escarpée. L'avenue résidentielle était protégée de London Road et de la voie ferrée par une haie d'arbres. Dans la vallée, on apercevait Withdean Road et ses villas de rêve, flanquées d'immenses jardins. Les maisons de son quartier étaient toutes construites sur le même moule. Des bâtisses des années 1930 comprenant trois chambres, avec des ferronneries d'inspiration art Déco – très à son goût.

Toutes disposaient d'un jardinet à l'avant, d'une petite allée menant au garage, et d'un terrain de taille généreuse à l'arrière.

Lynn l'avait achetée à un couple de personnes âgées et s'était promis de la moderniser. Mais, sept ans plus tard, elle n'avait toujours pas eu les moyens de changer la vieille moquette, encore moins de casser des cloisons ou de redessiner le jardin. Tout ce qu'elle avait réussi à faire, c'était passer un coup de peinture et poser de nouveaux papiers peints. Malgré les pots-pourris et les désodorisants, la cuisine sentait le vieux.

Un jour, répétait-elle, un jour, elle construirait un petit atelier au fond de la propriété. Elle aimait peindre des aquarelles de Brighton et en avait d'ailleurs vendu quelques-unes.

Elle pénétra dans le petit hall d'entrée. Pas un bruit. Levant les yeux vers l'étage, elle se demanda si Caitlin était réveillée.

Elle monta l'escalier le cœur lourd, puis toqua à la porte de la chambre sur laquelle était accrochée une pancarte : frapper avant d'entrer. Cet écriteau manuscrit, en lettres rouges, trônait là depuis des années.

Pas de réponse, ce qui n'avait rien de surprenant. Caitlin dormait, ou écoutait sa musique au casque, volume à fond.

Elle entra. Un tel désordre régnait dans cette pièce qu'on aurait pu croire qu'une pelleteuse y avait déchargé, par la fenêtre, une cargaison de bric et de broc.

Sous les monticules de vêtements, peluches, CD, DVD, chaussures, cosmétiques, entre une poubelle rose remplie à ras bord, un tabouret rose à l'envers, des poupées, un mobile avec des papillons bleus en Plexiglas, des sacs Top Shop, River Island, Monsoon, Abercrombie and Fitch, Gap et Zara, et une cible à laquelle était suspendu un boa violet, se trouvait le lit. Caitlin était couchée sur le flanc, un bras sur la

43

hanche, une jambe repliée, un oreiller sur la tête, les fesses sortant de la couette. Il lui arrivait souvent de dormir dans cette position, aussi incongrue soit-elle. La télévision était allumée – Lynn reconnut la série *Laguna Beach*.

Avec ses écouteurs d'iPod enfoncés dans les oreilles, Caitlin semblait morte.

L'espace d'un instant, Lynn paniqua. Elle se précipita vers elle, se prenant les pieds dans le câble du chargeur de portable, et effleura son bras maigre.

— Je dors, maugréa Caitlin.

Lynn soupira de soulagement. La maladie avait détraqué ses cycles de sommeil. Elle sourit, s'assit au bord du lit et lui caressa le dos.

Plus maigre que mince, l'allure dégingandée, Caitlin ressemblait à une marionnette, avec des cheveux bruns coupés courts, pleins de gel.

— Comment tu te sens ?

— Ça gratte.

— Tu veux manger quelque chose ? demanda-t-elle, pleine d'espoir.

Caitlin n'était pas à 100 % anorexique, mais presque. Obsédée par son poids, elle détestait les féculents et les fromages. Elle refusait de « manger du gras », comme elle disait, et passait son temps sur la balance.

Elle déclina la proposition de sa mère.

— Il faut que je te parle, ma chérie, déclara-t-elle en consultant sa montre.

Il était 10 h 05. Elle avait prévenu sa chef qu'elle serait en retard, et elle allait devoir appeler pour dire qu'elle ne viendrait pas de la journée. Le médecin disposait d'une dizaine de minutes en milieu d'après-midi.

— Je suis occupée, grommela l'adolescente.

Agacée, Lynn lui retira ses écouteurs.

— C'est important.

— *Keep cool !*

Lynn se mordit la lèvre, pensive.

— On a rendez-vous avec le Dr Hunter à 14 h 30.

— Tu me saoules. Je vois Luke cet aprème.

Luke était son petit ami. Il suivait des cours d'informatique à l'université de Brighton, mais Lynn n'avait jamais compris en quoi consistait cette formation. À ses yeux, il détenait la palme dans la catégorie « bon à rien ». Caitlin sortait avec lui depuis plus d'un an. Lynn n'avait jamais réussi à lui extraire plus de quatre mots : ouais, OK, bref et genre. Elle commençait à se rendre à l'évidence : ces deux-là s'aimaient parce qu'ils venaient de la même planète, d'un monde à part situé au fin fond de la galaxie.

Elle embrassa la joue de sa fille, puis caressa tendrement ses cheveux raides.

— À part les démangeaisons, comment tu te sens, mon ange ?

— Pas trop mal. Je suis juste fatiguée.

— Je viens de voir le Dr Hunter, j'ai quelque chose à te dire.

— Pas maintenant. Je me repose, là, tu vois pas ?

Lynn respira profondément pour garder son calme.

— Chérie, c'est très important. Le Dr Hunter veut t'aider à guérir et il semblerait que le seul moyen soit une greffe du foie. Il aimerait en parler avec toi.

Caitlin hocha la tête.

— Tu veux bien me rendre mes écouteurs ? C'est mon titre préféré.

— Qu'est-ce que tu écoutes ?

— Rihanna.

— Tu as entendu ce que j'ai dit à propos de la transplantation ?

— M'en fous, marmonna-t-elle.

9

Progressant sans encombre à une vitesse de douze nœuds, l'*Arco Dee* mit une heure et demie à atteindre la zone d'extraction. Malcolm Beckett consacra ce temps à vérifier, comme chaque jour, le bon fonctionnement des quarante-deux avertisseurs sonores et lumineux. Trois avaient nécessité une intervention – dans la salle des moteurs, en fond de cale et celui du propulseur d'étrave. Après réparation, il était monté sur la passerelle de commandement pour tester chacun d'eux.

La brise était fraîche, piquante, mais le soleil et la petite houle rendaient la navigation très agréable. En règle générale, c'étaient ses conditions préférées, mais, aujourd'hui, un nuage obscurcissait le ciel : Caitlin.

Il consulta le bulletin météo et constata avec plaisir que toute la journée serait placée sous le signe du beau temps. Pour le lendemain, on annonçait un vent de sud-ouest force 5 à 7, tournant ouest force 5 à 6, une mer peu agitée à agitée, et des pluies éparses. Moins agréable, certes, mais rien de bien méchant. L'*Arco Dee* était opérationnel par force 7. Au-delà, les conditions étaient dangereuses pour l'équipage et risquaient d'endommager l'élinde, notamment le bec, en contact avec le fond.

Bâti pour travailler dans les estuaires, ce navire sablier à fond plat avait un tirant d'eau de quatre mètres cales pleines, ce qui était pratique pour accéder aux ports avec bancs de sable, comme celui de Shoreham, où certains bateaux avaient du mal à pénétrer à marée basse. L'*Arco Dee* pouvait aller et venir à n'importe quelle heure de la journée, mais il tanguait par gros temps.

Sur la passerelle de commandement spacieuse, chauffée et high-tech, régnait une atmosphère studieuse. À environ 10 milles marins de Brighton, ils n'étaient plus très loin du site. Sur l'écran de contrôle apparurent les lignes jaunes, vertes et bleues, en forme de rectangle irrégulier, délimitant les 160 kilomètres carrés alloués par le gouvernement britannique au groupe Hanson, propriétaire de la flotte dont faisait partie l'*Arco Dee*. La zone était aussi précise qu'une carrière à ciel ouvert, et ceux qui ne la respectaient pas risquaient une lourde amende, voire une suspension de permis.

Ce site était d'ailleurs, en un sens, une carrière sous-marine. Le sable et le gravier aspirés étaient triés et vendus à la filière BTP. Les plus beaux galets finiraient sur de luxueuses voies privées, le sable serait utilisé dans la fabrication de ciment, et le tout-venant serait soit concassé pour faire du béton ou du macadam, soit coulé dans les fondations de bâtiments, de routes ou de tunnels.

Danny Marshall, le capitaine, était un homme mince et énergique, de bonne constitution. Debout à la barre, il gérait les deux leviers qui permettaient de manœuvrer les hélices, système plus maniable que le traditionnel gouvernail. Quarante-cinq ans, une barbe de trois jours, il portait un bonnet à pompon, un gros pull en laine bleu sur une chemise de même couleur, un jean et des bottes de pont. Emmitouflé dans une tenue similaire, le premier officier fixait l'écran d'ordinateur sur lequel apparaissait la zone d'extraction.

Marshall alluma la radio et se pencha vers le micro.

— Ici l'*Arco Dee*, Mike Mike Whisky Écho.

Quand le garde-côtes accusa réception, il communiqua sa position. Ce secteur de la Manche étant très fréquenté, et la visibilité étant réduite par temps de brouillard, il était important de transmettre régulièrement sa localisation.

Comme ses sept compagnons, avec lesquels il travaillait depuis près de dix ans, Malcolm Beckett avait la mer dans le sang. Enfant indiscipliné, il avait quitté le foyer familial dès que possible, s'était engagé dans la Royal Navy en tant qu'ouvrier mécanicien et avait parcouru toutes les mers du globe. Mais, comme beaucoup sur ce bateau, il avait fait ses adieux à la haute mer à la naissance de sa fille et modifié son plan de carrière pour avoir un semblant de vie de famille, sans pour autant rester à quai.

La marine marchande présentait tous les avantages. Il ne travaillait jamais plus de trois semaines d'affilée et revenait au port deux fois par jour. Quand son navire était basé à Shoreham ou à Newhaven, il arrivait même à s'éclipser pendant une heure pour faire un saut chez lui.

Le capitaine ralentit. Malcolm jeta un œil aux compte-tours et aux indicateurs de température, puis regarda l'heure. Il aurait du réseau dans cinq heures. À 17 heures. L'appel de Lynn le perturbait. Il savait très bien que Caitlin était une enfant difficile, mais il l'aimait tendrement et se reconnaissait en elle. Quand ils passaient du temps ensemble, il l'écoutait se plaindre de sa mère. Les sujets de discorde entre elles étaient ceux qu'il avait eus avec son ex-femme, ce qui le faisait sourire. Lynn souffrait d'une anxiété excessive. Et Caitlin lui donnait mille et une raisons de s'en faire.

Mais cette fois la situation semblait plus grave que d'habitude et il était frustré de ne pas avoir pu mener la conversation jusqu'au bout. Il se faisait un sang d'encre.

Il enfila son casque et son gilet fluorescent, s'élança dans l'escalier en métal ajouré, et se retrouva sur le pont principal. Luttant contre le vent froid, il se positionna de façon à superviser la mise en place de l'élinde.

Certains de ses anciens collègues de la Royal Navy, qu'il revoyait de temps en temps autour d'un verre, disaient en plaisantant que les navires sabliers n'étaient guère plus que des aspirateurs flottants. Ils n'avaient pas tort. L'*Arco Dee* pesait 2 000 tonnes à vide, 3 500 quand son sac était plein.

L'élinde, à savoir la conduite de 30 mètres de long permettant la remontée des sédiments, était fixée à tribord. Malcolm adorait la regarder s'enfoncer dans les eaux troubles. Le navire semblait alors prendre vie. Quand la pompe se mettait en marche, avec un bruit d'aspiration, la surface entrait en ébullition et le mélange d'eau, de sédiments et de granulats remontait vers le cœur du navire, transformant la cale en un chaudron de soupe boueuse.

Il arrivait qu'un objet inattendu, comme un canon ou une pièce d'avion datant de la Seconde Guerre mondiale, voire une bombe – et ce fut la panique à bord –, soit aspiré et bloque le bec d'élinde. Au cours des années, tant de reliques historiques avaient été repêchées qu'il existait désormais des directives officielles. Mais rien n'était prévu pour ce que l'*Arco Dee* s'apprêtait à découvrir.

Quand la cale était pleine, une fois que l'eau avait été évacuée par les déversoirs, Malcolm aimait arpenter cette montagne de sable et de galets, tandis que le navire prenait le chemin du retour. Écrasant des centaines de coquillages, il lui arrivait de tomber sur un poisson ou un crabe pris au piège. Il y avait quelques années de cela, il avait repéré un os qui avait, par la suite, été identifié comme un tibia. Il ressentait toujours une émotion enfantine face aux mystères des fonds marins.

★

Dans vingt minutes, ce serait l'heure de remonter l'élinde. Profitant d'une petite pause, seul dans le mess des officiers, il s'affala dans un canapé défoncé avec une tasse de thé et un scone. La télévision était allumée, mais l'image était trop mauvaise pour que l'on puisse suivre l'émission. Il tomba sur le menu du dîner, écrit en rouge sur un tableau blanc : crème de poireaux, petit pain, œufs à l'écossaise, frites, salade verte, génoise et crème pâtissière. Arrivés au port, ils avaient plusieurs heures de dur labeur avant le repas. Et, décharger la cargaison, ça creuse. Préoccupé par l'état de santé de sa fille, Mal ne réussit pas à finir sa brioche, qu'il jeta à peine entamée. C'est alors qu'on l'appela.

Se retournant, il vit son second, un grand gaillard originaire de Liverpool en bleu de travail, casque et gants.

— Mal, le bec est bloqué. Je pense qu'il va falloir remonter l'élinde.

Il attrapa son casque et le suivit sur le pont, constatant que très peu d'eau sortait de la gaine d'évacuation des gravats. Il était rare que le système se bloque, car de grosses pinces empêchaient les objets volumineux d'entrer, mais il arrivait qu'un filet de pêche soit ainsi aspiré.

Criant des instructions à ses deux officiers, Mal attendit que la drague aspiratrice soit éteinte pour activer sa remontée. Fixant le bouillonnement à la surface de l'eau, il découvrit, pris en tenaille, la cause du problème. Sa gorge se serra.

— Nom de Dieu, s'exclama le second.

Un silence de plomb les écrasa.

10

Roy Grace était de plus en plus persuadé que la vie se résumait à une course contre la montre. Il avait l'impression d'être le candidat d'un jeu télévisé, dans lequel il n'y avait rien à gagner. Quand il arrivait à répondre à un mail, il en recevait cinquante dans la foulée. Quand il arrivait à boucler un dossier, on lui en confiait dix nouveaux. En général, c'était Eleanor Hodgson, son assistante personnelle, qui les lui apportait, mais ces derniers temps Emily Gaylor, de l'unité liaison justice, qui l'aidait à préparer les procès en cours, semblait prendre un malin plaisir à déposer des montagnes de documents sur son bureau.

Il était de permanence cette semaine ; autrement dit, si un crime avait lieu dans la région, ce serait à lui de mener l'enquête. Il adressa une prière au saint des policiers – si tant est qu'il y en ait un – pour que les prochains jours soient calmes.

Mais, celui-ci étant aux abonnés absents, Grace ne fut pas entendu.

Son téléphone sonna. C'était Ron King, de l'état-major.

— Roy, je viens de recevoir un appel du garde-côte.

Un navire sablier a repêché un corps à 10 milles environ au large de Shoreham.

Génial ! songea Grace. *Exactement ce dont j'avais besoin.* Des dizaines de cadavres retrouvés dans les eaux territoriales de Brighton chaque année. Noyade, suicide, chute accidentelle d'un yacht… Et, parfois, des pêcheurs ne respectaient pas les zones réservées aux funérailles en mer et repêchaient un corps dans leurs filets. En général, un simple lieutenant gérait l'affaire, mais, si Grace avait été contacté, c'est que la situation était plus grave.

— Quels sont les éléments dont nous disposons ? s'enquit-il, en prenant garde à ne pas demander à King des nouvelles de ses chats – la dernière fois, il avait eu droit à dix minutes d'anecdotes.

— Individu de sexe masculin, treize-quinze ans, emballé dans une bâche, lesté. La mort semble récente.

— Il ne s'agit pas de funérailles en mer ?

— Non, et il n'a pas le profil d'un noyé. Selon le garde-côtes, le capitaine aurait mentionné une sorte de sacrifice humain. Une incision suspecte a été pratiquée. Vous voulez que je lui demande d'envoyer un bateau pour le récupérer ?

Grace passa en mode « enquêteur ». Il allait tout mettre en *stand*-*by* jusqu'à ce qu'il ait vu la victime.

— Il est sur le pont ou dans la cale ?

— Coincé dans le bec d'élinde. Ils ont coupé la bâche pour voir ce qu'il y avait à l'intérieur, mais n'ont touché à rien.

— Ils draguaient au large de Shoreham, c'est ça ?

— Oui.

Grace avait eu l'occasion de monter sur un navire sablier pour des raisons similaires, il y avait de cela quelques années, et il se souvenait vaguement de son mode de fonctionnement.

— Que personne ne touche à rien.

Des pièces à conviction étaient susceptibles de s'être logées dans la conduite.

— Dis-leur de respecter au mieux cette consigne et de noter l'endroit exact où le corps a été repêché.

Grace raccrocha et passa une série de coups de fil pour former une équipe. Il appela tout d'abord le coroner et demanda à ce qu'un légiste maison se libère. La plupart du temps, un responsable de la morgue récupérait la dépouille, le SAMU ou un médecin procédait à un examen rapide, déclarait la personne officiellement morte – même si c'était évident – et une autopsie était pratiquée pour déterminer si la mort était suspecte ou pas. Dans le cas présent, Grace sentait bien qu'elle n'avait rien de naturel.

Trente minutes plus tard, au volant d'une Hyundai de fonction, il approchait du port. Il était accompagné de la commandante Lizzie Mantle, qui, en plus d'être très compétente, était plutôt jolie. Châtain clair, visage régulier, elle portait, comme toujours, un chemisier blanc immaculé et un tailleur-pantalon. Celui d'aujourd'hui était bleu à fines rayures. Certaines femmes auraient pu paraître masculines dans une telle tenue, mais sur elle cela faisait à la fois professionnel et élégant.

Ils allèrent jusqu'au bout du port, passant devant l'impasse privée où vivaient des stars, dont Heather Mills.

Voyant que Grace tournait la tête, dans l'espoir d'apercevoir l'ex de Paul McCartney, elle lui demanda :

— Tu as déjà rencontré McCartney ?

— Non.

— La musique, c'est ton truc, non ?

— Ouais.

— Tu aurais aimé être une rock star ? Un des Beatles, par exemple ?

Grace considéra la question.

— Je ne pense pas, non...

— Pourquoi ?

— Parce que...

Il hésita, ralentit, regarda à droite.

— Parce que je chante comme une casserole !

Elle sourit.

— Mais, même si j'avais eu une belle voix, je n'aurais pas été chanteur. Ce que je voulais, c'était changer le monde, du moins essayer. C'est pour ça que je suis entré dans la police. Ça peut sembler cliché, mais c'est pour ça que je fais ce métier.

— Tu penses qu'un flic est plus apte à changer le monde qu'une rock star ?

— Je pense qu'on corrompt moins de gens, plaisanta-t-il.

— Mais est-ce qu'on fait avancer les choses ?

Après la scierie, Grace aperçut une camionnette vert foncé aux armoiries dorées de la Ville – celle du coroner –, garée au bord du quai. Il l'imita. Le reste de l'équipe n'était pas encore arrivé.

— Je croyais que le bateau était censé être là, lâcha-t-il, un peu tendu.

Il avait prévu d'aller fêter la retraite de Jim Wilkinson, histoire de faire de la lèche à ses supérieurs, et il voulait être à l'heure. Ce qui semblait désormais compromis.

— Ils ont sans doute été retardés au niveau de l'écluse.

Grace hocha la tête, sortit du véhicule et boita jusqu'au bord de l'eau, pas totalement remis de la course-poursuite au cours de laquelle il avait été blessé, quelques semaines plus tôt. Il s'arrêta près d'une bitte d'amarrage ; le vent lui glaçait le visage. Le jour était tombé rapidement. Si le ciel n'avait pas été parfaitement dégagé, il aurait fait presque nuit. À un kilomètre environ, il distingua les portes de l'écluse, fermées, et une silhouette orange – sans doute la drague. Il s'emmitoufla dans son manteau et sortit ses gants en cuir de ses poches. Puis il jeta un coup d'œil à sa montre.

16 h 50. La soirée commençait à 19 heures, à l'autre bout de Worthing. Il avait prévu de rentrer chez lui se changer et de passer prendre Cleo. Mais selon ce

qu'ils allaient découvrir, selon les examens que le légiste aurait l'intention de pratiquer *in situ*, il y avait de grandes chances pour qu'il rate purement et simplement la cérémonie. La seule bonne nouvelle, c'est que Nadiuska De Sancha avait été dépêchée pour cette affaire, et qu'elle était la plus rapide – et la plus drôle – des deux médecins avec lesquels la police avait l'habitude de travailler. À l'autre bout du port, il vit un imposant navire de pêche s'éloigner en toussotant, lumières allumées. L'eau était couleur d'encre.

Des portières claquèrent derrière lui et quelqu'un lança, d'une voix enjouée :

— Oh là là, tu vas te faire engueuler par madame si tu es en retard. J'aimerais pas être à ta place, Roy !

Il se retourna. Walter Hordern, le responsable des cimetières de Brighton et Hove, se trouvait derrière lui. Costume noir, chemise blanche, cravate noire, cet homme élancé, toujours tiré à quatre épingles, était, entre autres, chargé de rapatrier les corps et de remplir la paperasse inhérente à chaque décès. Malgré l'austérité de son boulot, il avait un sacré sens de l'humour et adorait taquiner Roy.

— Qu'est-ce qui te fait dire ça, Walter ?

— Elle a claqué une fortune chez le coiffeur pour la petite sauterie. Elle t'en voudra à mort si tu lui poses un lapin.

— Je ne compte pas lui faire faux bond.

Walter tapota le cadran de sa montre et grimaça.

— Et au pire, je te confie l'affaire, Walter ! ajouta-t-il.

— Nan, moi, je ne m'occupe que des macchabées. Jamais un mot de travers. Ils sont bons comme du bon pain.

Grace sourit.

— Et Darren, il est où ?

Darren était l'assistant de Cleo, à la morgue.

Walter leva le pouce en direction du van.

55

— Au téléphone, il se prend la tête avec sa copine.
Il haussa les épaules, puis soupira, désabusé :
— Ah, les femmes !
Grace acquiesça et envoya un texto :

Bateau tjs pas là. Vais être en retard. On se retrouve là-bas. Bisous

Tandis qu'il fourrait son portable dans sa poche, celui-ci bipa. Il regarda l'écran. C'était la réponse de Cleo :

Sois pas trop en retard. G kkchose à te dire.

Il fronça les sourcils, déstabilisé par le ton du message, et par l'absence de « bisous » à la fin. S'éloignant de Walter et de Lizzie, qui venaient de sortir de leur voiture, il composa le numéro de Cleo. Celle-ci décrocha dès la première sonnerie.
— Je peux pas te parler, une famille vient d'arriver pour identifier un corps.
— Qu'est-ce que tu voulais me dire ? demanda-t-il d'une voix anxieuse.
— Je ne peux pas au téléphone. Je préfère attendre de te voir, OK ?
Elle raccrocha. Il fixa son portable, encore plus inquiet.
Il n'aimait pas du tout la tournure qu'avait prise leur conversation.

11

Simona avait appris à sniffer les vapeurs d'Aurolac dans un sachet. Une petite bombe de peinture, facile à voler, lui durait plusieurs jours. C'est Romeo qui lui avait montré comment subtiliser la bouteille, souffler dans le sac pour mélanger la peinture et l'air, puis inhaler.

Quand elle avait sa dose, la faim disparaissait. Quand elle avait sa dose, la vie devenait tolérable.

Elle avait toujours vécu ici – ou plutôt elle n'avait pas envie de se remémorer des souvenirs plus anciens. Pour arriver à ce squat, il fallait se glisser dans une faille au niveau du trottoir et descendre une échelle métallique sous une route inachevée. On se retrouvait alors dans une cavité creusée pour la maintenance des canalisations municipales. L'énorme tuyau de quatre mètres de diamètre assurait le chauffage de la plupart des immeubles de la ville. Du coup, l'espace était chaud et sec en hiver, mais caniculaire au printemps, jusqu'à ce que l'alimentation soit coupée pour l'été.

Pour sa part, elle s'était installée dans un coin entre la canalisation et le mur. Son territoire était marqué par une vieille couette récupérée dans une décharge et

Gogu, qu'elle trimballait depuis la nuit des temps. Elle avait baptisé Gogu le vieux bout de fausse fourrure qu'elle serrait contre son visage pour s'endormir. Elle ne possédait rien, à part les vêtements qu'elle portait et son doudou.

Ils étaient cinq à vivre ici, six en comptant le bébé. Il arrivait que des gens squattent quelque temps, mais ils finissaient toujours par repartir. L'endroit était éclairé à la bougie ; quand ils avaient des piles, ils passaient de la musique jour et nuit. De la pop. Parfois, les chansons lui remontaient le moral, parfois, elles lui tapaient sur les nerfs, car c'était toujours très fort. Ils n'arrêtaient pas de se disputer à propos du lecteur CD, ce qui ne les empêchait pas de l'écouter sans arrêt.

En ce moment, c'était Beyoncé. Elle l'aimait bien. Un jour, elle serait comme elle, chanterait comme elle. Un jour, elle habiterait dans une vraie maison. Dans ses rêves…

Romeo lui répétait qu'elle était si jolie qu'elle deviendrait riche et célèbre.

Le bébé pleurait. Une odeur de caca flottait dans l'air. Antonio, huit mois, était le fils de Valeria. Grâce à la petite bande, elle avait réussi à le cacher aux autorités, sans quoi on lui aurait déjà supprimé la garde de l'enfant.

Valeria était la plus âgée. À vingt-huit ans, marquée par l'existence, elle ressemblait à une vieille dame. Elle avait dû être belle, dans le temps, avec ses longs cheveux bruns, raides, et son regard, autrefois sensuel, aujourd'hui éteint. Elle portait une doudoune vert émeraude, un bas de jogging élimé turquoise, jaune et rose, et des sandales en plastique rouges récupérées, comme la plupart de ses vêtements, dans les poubelles des quartiers riches, ou dans des centres de distribution pour les plus démunis.

Elle berçait le bébé, qui était emmitouflé dans un manteau en velours doublé de fourrure. Les cris du nourrisson étaient pires que la musique. Simona savait pourquoi il pleurait : parce que, comme eux tous, il avait tout le temps faim. Ils se nourrissaient de ce qu'ils volaient ou achetaient en faisant la manche. Parfois, ils gagnaient trois francs six sous en revendant de vieux journaux. Le reste du temps, ils piquaient les porte-monnaie, les portables, les appareils photos des touristes et les revendaient.

Romeo courait vite, ça oui ! D'immenses yeux bleus, un visage innocent, des cheveux noirs coiffés en avant, il devait avoir treize ou quatorze ans. Il ne savait pas. Simona non plus ne connaissait pas son âge. Les trucs dont Valeria lui avait parlé n'avaient pas commencé, donc elle devait avoir douze ou treize ans.

Elle s'en fichait un peu. Ce qu'elle voulait, c'était faire plaisir aux gens avec qui elle vivait, sa famille. Et ils étaient contents lorsque Romeo et elle leur ramenaient de l'argent ou de la nourriture, ou mieux encore, les deux. Ou parfois simplement des piles. Ils aimaient bien quand elle revenait dans leur antre qui sentait le soufre, la poussière, la crasse et les excréments de bébé, ces odeurs si familières.

Lorsqu'elle se remémorait son passé, elle entendait des clochettes. Des clochettes accrochées au manteau ou à la veste d'un homme fort, avec un grand bâton. Elle devait lui dérober son portefeuille sans faire sonner les grelots. Si l'un d'eux bougeait, il la rouait de coups. Pas un, mais cinq, dix, parfois plus. En général, elle s'évanouissait avant qu'il ait fini.

Mais maintenant elle se sentait en sécurité. Et ils formaient une sacrée équipe : elle, en doudoune sans manches bleue sur un jogging multicolore, bonnet et baskets, Romeo, en sweat à capuche, jean et tennis, et Artur, le chien marron qui vivait dans une sorte de niche faite de grillage défoncé, dans la rue.

Romeo lui avait expliqué comment identifier les meilleures proies – les touristes d'un certain âge. Ils les abordaient à trois, Artur en laisse. Romeo montrait sa main atrophiée. Si les gens, mal à l'aise, leur faisaient signe de s'éloigner, elle en profitait pour subtiliser le portefeuille du mari. Si l'homme mettait la main à la poche pour leur donner quelques pièces, elle en profitait pour piocher dans le sac de la femme. Quant à ceux assis à la terrasse des cafés, ils les délestaient de leur portable ou de leur appareil photo, avant de prendre la fuite en courant.

La musique changea. C'était Rihanna maintenant.

Elle l'aimait bien aussi.

Le bébé cessa de pleurer.

La journée avait été mauvaise. Pas de touristes. Pas d'argent. Un petit bout de pain à partager.

Simona serra le sachet entre ses lèvres et inspira à fond.

Elle se sentit mieux. Ça marchait à tous les coups. Elle arrivait à oublier, à défaut d'espérer.

12

Il était 17 h 45 et pour la troisième fois de la journée Lynn patientait dans une salle d'attente – celle de l'hépatologue, cette fois. Le *bow-window* donnait sur une rue peu passante de Hove. La nuit était tombée, les lumières brillaient. Il faisait nuit dans son cœur aussi. Une nuit noire, froide, terrifiante. La pièce mal éclairée et sa décoration hors d'âge, comme au cabinet du Dr Hunter, la déprimaient. Quelques notes de musique sortaient des écouteurs de sa fille.

Sans crier gare, Caitlin se leva et se mit à tituber en se grattant furieusement les mains. Lynn savait que c'était un symptôme de sa maladie, et que, malgré les apparences, elle n'était pas ivre – elles avaient passé l'après-midi ensemble.

— Assieds-toi, ma chérie, lui dit-elle, anxieuse.

— Je suis fatiguée. On est obligées d'attendre ?

— C'est très important que l'on voie le spécialiste aujourd'hui.

— OK, mais moi aussi, je suis très importante, non ? répliqua-t-elle, pince-sans-rire.

Lynn sourit.

— Tu es la chose la plus importante au monde. Comment tu te sens ?

Caitlin s'immobilisa, fixa l'un des magazines sur la table basse, respira à fond et avoua :

— J'ai peur, maman.

Lynn se leva et passa un bras autour de ses épaules. Contrairement à son habitude, sa fille ne la repoussa pas, mais se réfugia dans ses bras et serra fort sa main.

Caitlin avait grandi de plusieurs centimètres l'année précédente, et Lynn devait désormais lever les yeux pour la regarder – elle ne s'y faisait pas. Pour ça, elle avait hérité des gènes de son père. Sa silhouette dégingandée lui donnait, plus que jamais, des airs de poupée. Une poupée d'une grande beauté.

Elle avait adopté le style grunge, débraillé, des adolescents : tee-shirt, pull gris et bordeaux, collier de pierres enfilées sur un lien en cuir, jean usé et vieilles baskets sans lacets. Pour se protéger du froid ou peut-être pour cacher son ventre proéminent, elle portait un *duffel-coat* camel usé, acheté dans une friperie.

Ses cheveux corbeau, coupés courts, ébouriffés par du gel, sortaient de son large bandeau aux motifs aztèques. Ses piercings lui donnaient un air vaguement gothique. Elle en avait un au milieu du menton, sur la langue et au sourcil gauche. Quand elle se déshabillerait pour être auscultée par le médecin, il constaterait la présence d'un anneau au sein droit, au nombril et au clitoris. Elle avait d'ailleurs avoué à sa mère, lors d'un rare moment d'intimité, que l'insertion de ce dernier avait été des plus embarrassant.

La journée de Lynn avait pris des allures de course contre la mort. Ses deux rendez-vous avec le docteur Hunter, le premier seule, le second avec Caitlin, avaient bouleversé le cours de son existence.

Son téléphone sonna. Elle le sortit de son sac à main : c'était Malcolm.

— Salut, dit-elle, tu es où ?

— Je viens de passer l'écluse de Shoreham. Sale journée, on a repêché un corps. Bref. Donne-moi plutôt des nouvelles de Caitlin.

Elle lui résuma les propos du docteur Hunter sans quitter sa fille des yeux. Caitlin faisait les cent pas dans la salle d'attente, qui était trois fois plus petite que celle du généraliste. Elle soulevait chaque magazine avec envie, comme si elle voulait tous les lire, mais ne savait par où commencer.

— J'en saurai plus dans une heure. On enchaîne avec le Dr Granger. Tu seras joignable combien de temps ?

— Au moins quatre heures, peut-être davantage.

— OK.

La secrétaire, une matrone d'une cinquantaine d'années, coiffée d'un chignon, sourire distant, apparut.

— Le docteur va vous recevoir.

— Je te rappelle, dit Lynn.

Autant le cabinet de Ross Hunter était spacieux, autant celui du docteur Granger était étriqué – il y avait à peine la place pour deux chaises devant son petit bureau. Et la première chose qui sautait aux yeux, c'était les photos encadrées, posées bien en évidence, de sa magnifique épouse, souriante, et de leurs trois adorables enfants.

Bien bâti, la quarantaine, un nez aquilin et une calvitie naissante, le médecin portait un costume rayé, une chemise amidonnée et une cravate distinguée. D'allure réservée, il aurait tout aussi bien pu passer pour un avocat.

— Asseyez-vous, je vous prie, dit-il en ouvrant un dossier marron dans lequel Lynn remarqua une lettre de Ross Hunter, qu'il entreprit de lire.

Elle serra gentiment la main de sa fille, qui n'opposa aucune résistance. Elle n'était pas à l'aise avec cet homme distant, qui faisait étalage de son bonheur familial. Chaque photo semblait dire : « Je suis en bonne

63

santé, pas vous. Ce que je vais vous annoncer n'aura aucune incidence sur ma vie. Je rentrerai chez moi, dînerai, regarderai la télé et peut-être même que je demanderai à ma femme si elle veut bien faire l'amour. Tandis que pour vous... eh bien... ce sera l'enfer. Et demain, comme chaque matin, je me lèverai en pleine forme, auprès de mes tendres chérubins. »

Quand il eut terminé sa lecture, il se pencha en avant, légèrement plus avenant que d'habitude.

— Comment te sens-tu, Caitlin ?

Elle haussa les épaules sans rien dire. Lynn n'intervint pas. Caitlin lâcha sa mère pour se gratter les mains.

— Ça me démange partout, j'ai des fourmillements jusque sur les lèvres.

— Autre chose ?

— Je suis fatiguée.

Elle se renfrogna, ce qui ne la changeait pas de d'habitude.

— Je veux guérir. J'en ai marre d'être malade.

— As-tu parfois des vertiges ?

Elle se mordit la lèvre et acquiesça.

— Le Dr Hunter vous a communiqué les résultats, n'est-ce pas ?

Caitlin hocha la tête tout en fouillant dans son sac zébré à la recherche de son portable.

Le médecin trouva étrange tant de détachement.

— Ouais, il m'a dit, confirma-t-elle, tout en répondant à un texto.

— Oui, s'empressa d'enchaîner Lynn. Il nous a annoncé que... enfin... ce que vous lui avez expliqué. Merci de nous recevoir aussi vite.

Une alarme de voiture se mit à retentir, au loin.

Le praticien considéra longuement Caitlin, tandis qu'elle envoyait son message et rangeait son téléphone.

— Il n'y a plus de temps à perdre, conclut-il.

— Je ne comprends pas vraiment ce qui a changé, avoua Caitlin. Vous pourriez me le répéter dans des termes simples ? Version « La médecine pour les nuls » ?

Il sourit.

— Je vais essayer. Comme tu le sais, tu souffres depuis six ans de cholangite sclérosante primitive. Au début, le développement de la pathologie était modéré – si je puis m'exprimer ainsi –, mais ces derniers mois il s'est accéléré et a pris la forme adulte. Pendant six ans, nous avons tenté de la contrôler au moyen de médicaments et d'opérations, dans l'espoir que le foie guérisse de lui-même, mais c'est rarissime, et cela n'a pas été ton cas. Aujourd'hui, ton foie est dans un état tel qu'il met ta vie en danger si nous n'intervenons pas.

— Conclusion, je vais mourir, c'est ça ? murmura Caitlin d'une toute petite voix.

Lynn lui prit la main et la serra de toutes ses forces.

— Non, ma chérie, pas du tout. Tu vas t'en sortir, affirma-t-elle en cherchant des yeux l'approbation du médecin.

— Je suis en contact avec l'hôpital royal du sud de Londres et j'ai fait en sorte que tu y sois admise ce soir, en attendant la greffe, l'informa-t-il d'une voix neutre.

— Je déteste cet endroit, répondit Caitlin.

— C'est le meilleur service d'hépatologie du pays. Il y en a d'autres, mais c'est celui avec lequel nous avons l'habitude de travailler.

L'adolescente fouilla de nouveau dans son sac.

— Le problème, c'est que je vais voir un concert, ce soir, avec Luke, au Digital.

— Caitlin, se lança le spécialiste avec une tendresse que Lynn ne soupçonnait pas, tu ne vas pas bien du tout. Ce ne serait pas raisonnable de sortir. Tu dois te rendre immédiatement à l'hôpital. Je vais te trouver un foie dans les meilleurs délais.

Caitlin leva vers lui ses yeux jaunis par l'ictère.

— C'est quoi, pour vous « aller bien » ?

Le médecin sourit.

— Tu veux connaître ma définition ?

— Oui.

— Eh bien, je dirais être en vie et ne pas être malade, pour commencer. Qu'en dis-tu ?

Caitlin haussa les épaules.

— C'est pas mal, concéda-t-elle en réfléchissant au sens de chaque mot.

— Si on te greffe un foie, tu as de grandes chances de guérir et de reprendre une vie normale.

— Et si on ne le fait pas ?

Lynn fut tentée d'intervenir, de lui annoncer ce qui se passerait, mais elle savait qu'elle devait rester à sa place de mère.

— Si on ne fait rien, tu mourras, dit-il sans détour. Tu n'en as plus pour très longtemps. Tout au plus quelques mois. Peut-être moins.

Il y eut un long silence. Lynn sentit sa fille agripper sa main et la serrer de toutes ses forces.

— Je vais mourir ?

Sa voix tremblait. Elle se tourna vers sa mère, traumatisée. Ne sachant pas quoi dire, Lynn esquissa un sourire.

— C'est vrai, maman ? C'est ce qu'ils t'ont dit ?

— Tu es gravement malade, ma chérie. Mais si on procède à une transplantation, tu t'en sortiras et tu pourras mener une vie tout à fait normale.

Caitlin ne répondit pas. Elle glissa un doigt dans sa bouche, geste qu'elle n'avait pas fait depuis une éternité. Il y eut un son strident, et le fax se mit à imprimer un document.

— Je me suis renseignée sur Internet, lança Caitlin. Les foies greffés proviennent de personnes décédées, c'est bien ça ?

— La plupart du temps, oui.

— Je vais donc récupérer celui d'un cadavre ?

— Ce n'est pas encore sûr que nous en trouverons un.

Lynn le regarda droit dans les yeux.

— Comment ça, pas sûr ?

— Il faut que vous soyez conscientes, dit-il sur un ton qui lui donna envie de le gifler, que nous manquons de foies et que ton groupe sanguin est très rare, ce qui complique encore les choses. Je vais essayer de te faire figurer parmi les personnes prioritaires, mais comme ta pathologie est « chronique » et non « aiguë », je ne garantis rien. Je vais défendre ta cause. Tu es jeune et bien portante, ce qui joue en ta faveur.

— Donc, si tant est que j'en reçoive un, je vais passer le reste de ma vie avec le foie d'une morte ?

— Ou d'un mort.

— Si c'est pas génial...

— C'est mieux que l'autre alternative, non, ma chérie ? intervint Lynn en essayant, en vain, de lui reprendre la main.

— Ce sera un donneur d'organes ?

— Oui, répondit Neil Granger.

— Donc je me lèverai tous les jours en pensant à cette personne décédée que je porterai en moi.

— Je peux te donner des brochures sur le sujet. Et à Londres, tu rencontreras de nombreux médecins, dont des psychologues, avec lesquels tu pourras discuter. Il ne faut pas oublier que les proches et parents du disparu sont souvent heureux de savoir que cet être cher n'est pas mort pour rien, qu'il a permis de sauver une vie.

Caitlin réfléchit.

— Super. Vous voulez que j'aie une transplantation pour que quelqu'un se sente mieux, après avoir perdu une fille, un fils ou un mari ?

— Non. Je veux juste que tu vives.

— La vie, c'est de la merde, non ?

— La mort, c'est pire, répliqua le praticien.

13

Susan Cooper avait constaté que la vue était particulièrement jolie depuis cette fenêtre, située au septième étage de l'hôpital royal du Sussex, juste à côté des ascenseurs. Au-delà des toits de Kemp Town, on distinguait la Manche. Aujourd'hui, elle avait étincelé d'un bleu intense, mais, à 18 heures, fin novembre, elle brillait d'un noir profond.

Susan fixait ce vide spectral, derrière les lumières de la ville. Les mains posées sur le radiateur, davantage pour ne pas tomber que pour se réchauffer, elle regardait son reflet dans la vitre. Mal isolées, les fenêtres laissaient passer un courant d'air. C'était d'ailleurs la seule chose qu'elle sentait, du fond de son engourdissement. Elle n'arrivait pas à croire ce qui s'était passé.

Elle se remémora les personnes à appeler : le frère de Nat, sa sœur, en Australie, et ses amis. Elle repoussait cette épreuve. Ses parents étant morts relativement jeunes, vers cinquante ans (son père d'une crise cardiaque, sa mère d'un cancer), Nat disait souvent en plaisantant qu'il ne ferait pas de vieux os. Tu parles d'une plaisanterie.

Elle retourna dans le service des soins intensifs et sonna. Une infirmière lui ouvrit. Il faisait plus chaud que dans le couloir. La température était maintenue autour de 34-35 °C pour que les patients puissent passer la journée en pyjama, ou nus, sans prendre froid. Elle avait travaillé dans ce service. C'était dans cet hôpital qu'ils s'étaient rencontrés, alors qu'il commençait sa carrière de jeune chef de clinique. Drôle de coïncidence, se dit-elle, sans s'appesantir sur le sujet.

Elle sentit quelque chose bouger en elle. Le bébé donnait des coups de pied. *Leur* bébé. Un fœtus de trente semaines. Un petit garçon.

En tournant à droite, elle passa devant le bureau des infirmières, où une prothèse de jambe avait été abandonnée sur une chaise. Elle entendit le bruit d'un rideau que l'on tire. Elle regarda au bout du dortoir : le lit 14, celui de Nat, venait d'être protégé des regards indiscrets. Son cœur se serra. Les médecins s'apprêtaient à procéder à de nouveaux tests. Elle n'avait pas vraiment le courage d'y assister. Mais elle avait passé la journée à son chevet et voulait y retourner pour continuer à lui parler. Continuer à espérer.

Il souffrait de multiples fractures du crâne ; une lésion de la moelle épinière au niveau des cervicales le laisserait sans doute tétraplégique. S'il survivait. Il avait également la clavicule droite et le bassin fracturés – des détails, vu son état général.

Elle qui n'avait pas prié depuis des années se surprit à répéter les mêmes mots : *Mon Dieu, je vous en prie, ne le laissez pas mourir. Par pitié, ne le laissez pas mourir.*

Elle se sentait impuissante. Ses compétences d'infirmière ne lui servaient à rien. Tout ce qu'elle pouvait faire, c'était lui parler, en attendant une réponse qui ne venait pas. Mais peut-être allait-il se réveiller...

Sur sa droite, elle remarqua une femme obèse alitée. Des bourrelets de chair dégoulinaient de son visage et son corps ressemblait à une carte en 3D.

Une pancarte : « Ne pas nourrir la patiente » avait été accrochée au bout de son lit. Quelqu'un lui avait dit qu'elle pesait deux cent cinquante kilos.

À sa gauche, un homme d'une quarantaine d'années, blanc comme un linge, était couvert de tubes et de câbles électriques reliés à son crâne et à sa poitrine. Grâce à ses connaissances médicales, elle en conclut qu'il avait sans doute subi un pontage coronarien. Une grande carte « Bon rétablissement » était posée sur une table de chevet métallique. Lui, au moins, était en voie de guérison, et pouvait espérer sortir de l'hôpital autrement que les pieds devant.

Ce qui n'était pas le cas de Nat.

Son état n'avait fait qu'empirer et, même si elle s'accrochait à un espoir irrationnel, elle commençait à envisager le pire.

Son téléphone vibrait toutes les dix minutes environ. Elle s'éloignait pour répondre à quelques appels. Sa mère. Le frère de Nat, qui était passé dans la matinée, venait aux nouvelles. Sa sœur aussi, depuis Sydney. Sa meilleure amie, Jane, qu'elle avait jointe, en pleurs, une heure après son arrivée à l'hôpital, pour lui dire que Nat était entre la vie et la mort.

Elle ignorait les autres appels. Elle voulait se consacrer à son mari, l'aider à s'en sortir.

Des appareils de *monitoring* bipaient régulièrement. Dans la salle planaient des odeurs de produits chimiques, d'eau de Cologne, et celle, singulière, du matériel électronique.

Allongé sur un lit incliné à 30°, Nat ressemblait à un extraterrestre, avec ses bandages, ses câblages et ses tubes enfoncés dans sa bouche et dans ses narines. Un capteur mesurait sa tension intracrânienne, un autre avait été placé à l'extrémité d'un doigt, des drains et des perfusions sortaient de ses bras et de son abdomen. Les yeux fermés, il gisait, inconscient, au milieu d'une forêt d'appareils qui contrôlaient ses différents réflexes et le maintenaient en vie. Deux écrans à sa droite, ainsi qu'un ordinateur portable, au pied de son lit, reprenaient toutes les données le concernant.

— Me revoilà, mon amour, dit-elle en consultant son électroencéphalogramme.

Aucune réaction.

Le tube qui sortait de sa bouche se terminait par une petite poche à moitié remplie de fluides noirâtres. Susan lut les étiquettes des produits en intraveineuse : mannitol, pentastarch, morphine, midazolam, noradrénaline. Juste de quoi l'empêcher de sombrer.

Les seules preuves qu'il était encore vivant étaient les mouvements de sa poitrine et les lumières clignotantes des appareils.

Ses yeux se portèrent vers les aiguilles plantées dans ses mains, vers le bracelet en plastique bleu portant le nom de son mari, puis vers du matériel électronique qu'elle ne connaissait pas. Il n'y avait que cinq ans qu'elle avait quitté l'hôpital pour un poste dans l'industrie pharmaceutique, et pourtant, dans ce court laps de temps, la technologie avait évolué.

Le visage de Nat était couvert d'hématomes et de plaies, sa peau était livide. Lui qui jouait régulièrement au squash avait toujours un teint éclatant, malgré ses longues heures de travail. Il était grand, musclé, et très beau, avec ses cheveux longs – presque trop longs pour un médecin.

Elle ferma les yeux pour retenir ses larmes. Comme il était beau... *Allez, mon amour, reste avec moi. Tu vas t'en sortir. Je t'aime, Nat. Je t'aime tellement. J'ai besoin de toi. On a besoin de toi*, ajouta-t-elle en sentant un tressautement dans son ventre.

Elle consulta les écrans, cherchant, en vain, un signe d'espoir. Son pouls était faible et irrégulier, son niveau d'oxygène bien trop bas et l'activité de son cerveau pratiquement inexistante. Mais il allait se réveiller, il dormait, tout simplement...

Elle était arrivée à l'hôpital à 10 heures, juste après avoir été prévenue par la police. Elle se trouvait chez elle, et non dans les locaux de Harcourt Pharmaceuticals, où elle testait de nouveaux médicaments, car elle avait pris sa demi-journée pour faire une échographie, ici même.

Comme elle connaissait bien les lieux et le personnel, on lui avait permis de rencontrer l'équipe qui avait pris Nat en charge, et on ne lui avait pas servi les platitudes d'usage, mais la vérité, aussi crue soit-elle.

Quand elle était arrivée, une heure après lui, ils étaient en train de lui faire un scanner cérébral. S'il avait eu un caillot, il aurait été transféré au service neurologie de Hurstwood Park pour subir une opération. Mais il souffrait d'une hémorragie interne, ce qui empêchait toute intervention. Il fallait attendre, même si les dégâts semblaient irréversibles.

Les médecins urgentistes l'avaient stabilisé depuis quatre heures. Son état ne s'était pas empiré, mais il ne répondait toujours à aucun stimulus.

Nat avait obtenu 3 sur 15, sur l'échelle de Glasgow. Il ne réagissait pas aux ordres, ni à la douleur, n'ouvrait pas les yeux, n'offrait aucune réponse motrice, ni verbale. Les personnes parfaitement conscientes obtenaient 15, celles en coma profond 3.

Susan savait ce que cela impliquait. Ce n'était pas certain à 100 %, mais c'était l'indicateur d'une mort cérébrale. Seulement, elle voulait croire au miracle. Elle avait vu des gens avec un score de 3 récupérer toutes leurs capacités. Pas beaucoup, c'est vrai, mais Nat était fort, il y arriverait !

Saleha, la petite infirmière malaisienne qui n'avait pas quitté Nat de l'après-midi, lui sourit gentiment.

— Vous devriez rentrer chez vous et vous reposer.

Susan secoua la tête.

— Je veux continuer à lui parler. Les patients réagissent parfois. Je l'ai déjà constaté.

— Quel est son groupe préféré ? s'enquit l'aide-soignante.

— Snow Patrol. Et les Eagles.

— Vous pourriez aller chercher des CD. Vous avez un iPod ?

— Oui, à la maison.

— Pourquoi ne pas aller le chercher ? Vous pourriez également apporter sa trousse de toilette, du savon, un gant, une brosse à dents, son kit de rasage, du déodorant...

— Je ne veux pas le laisser, au cas où...

Elle frissonna.

— Il est stable, le rassura Saleha. Et je vous appellerai si j'estime qu'il y a urgence.

— Il dépend des appareils, n'est-ce pas ? Que se passerait-il si on les éteignait ?

Les deux femmes connaissaient la réponse. L'infirmière rompit le silence.

— Il faut espérer que son état s'améliore dans la nuit, déclara-t-elle avec entrain.

— Oui, répondit Susan, dans un sanglot.

Elle regarda le visage de Nat, ses paupières immobiles, en priant pour qu'elles bougent, pour qu'il ouvre les yeux et les lèvres, pour qu'il sourie.

Mais ses vœux ne furent pas exaucés.

14

David Browne, le chef de l'équipe médico-légale, et James Gartrell, photographe spécialisé, étaient déjà sur les lieux. La petite quarantaine, Browne était bien bâti. Coupe courte, cheveux roux, taches de rousseur, un visage avenant, il portait un gros anorak, un jean et des baskets. Avec Gartrell, homme élancé au regard intense et aux cheveux bruns, ils s'affairaient sur le pont principal de l'*Arco Dee*, photographiant et filmant le corps.

David Browne et Roy Grace étaient convenus qu'il n'était pas nécessaire de considérer le bateau comme une scène de crime, donc personne n'avait pris la peine d'enfiler sa tenue de protection. Grace s'était contenté de délimiter un périmètre de sécurité autour du bec d'élinde.

Debout près de la rubalise, une tasse de café chaud entre les mains, le commissaire discutait de façon informelle avec le capitaine et le chef mécanicien, tandis que Lizzie Mantle prenait des notes. Il jeta un œil à sa montre : 18 h 10.

Danny Marshall, le capitaine, portait une veste fluorescente sur un gros pull, un jean et des bottes de pont. Barbe de trois jours, il avait l'air inquiet et n'arrêtait pas de vérifier l'heure. Malcolm Beckett, le chef mécanicien, en combinaison sale et casque de chantier, semblait moins nerveux, mais Grace sentait que les deux hommes étaient tendus. Non seulement la découverte d'un cadavre les bouleversait, mais en plus ils prenaient du retard sur leur journée de travail.

Un autre marin leur apporta un document désignant l'endroit exact où le corps avait été repêché.

Lizzie recopia les informations dans son carnet, puis mit la feuille imprimée sous scellé. Le corps avait été très bien lesté, mais Grace savait que les courants étaient puissants et qu'il avait pu dériver. Il demanderait aux plongeurs de calculer d'où il avait pu être jeté.

Il entendit soudain un bruit de moto. Son talkie-walkie s'alluma et une jeune femme flic, qu'il avait postée en amont pour s'assurer que personne ne monte à bord sans sa permission, lui annonça que le SAMU approchait.

— J'arrive.

En traversant le pont, Roy distingua plus nettement les pétarades et nota qu'un faisceau balayait le quai. Quelques secondes plus tard, éclairée par les phares du navire, il aperçut une BMW aux couleurs du SAMU, et vit le motard en descendre et mettre la béquille. Graham Lewis vérifia que l'engin était bien stable, ôta son casque, ses gants en cuir et sortit son sac d'intervention du *top-case*.

Même si la mort était évidente, la loi exigeait qu'elle soit constatée, sur les lieux, par un médecin qualifié. Dans le temps, un policier spécialisé pouvait faire l'affaire, mais aujourd'hui, à moins qu'il ne reste plus que des os ou que la victime ait été décapitée, c'était le SAMU qui s'acquittait de cette tâche.

D'un pas incertain, Grace emprunta la passerelle d'embarquement, passa devant l'officier de garde et constata avec plaisir qu'aucun journaliste ne s'était encore matérialisé. En général, ils se ruaient sur les histoires sordides comme les mouches bleues sur les corps en décomposition.

Cheveux gris bouclés, de petite taille, l'urgentiste avait un visage souriant et une expression qui rassurait les victimes. Et ce, malgré les horreurs dont il était témoin au quotidien.

— Comment vas-tu, Roy ? lui lança-t-il, enjoué.

— Mieux que le pauvre garçon qu'ils ont repêché.

Quoique. S'il ratait la soirée, il risquait de se faire trucider.

— À mon humble avis, tu n'auras pas besoin de ton sac. Il est on ne peut plus mort.

Il accompagna Graham Lewis sur le pont, enjambant une nouvelle fois la passerelle instable, sous les feux des projecteurs, passant devant le tapis roulant qui aurait dû être en train de décharger les agrégats, mais demeurait toujours à l'arrêt. Puis il le mena jusqu'à l'extrémité du navire.

Le bec d'élinde, suspendu à quelques centimètres du sol, ressemblait à des pinces de crabe géantes. Il serrait en étau une bâche noire, fermée par des cordes passées dans des œillets. Les parpaings ayant servi à la lester reposaient sur le sol métallique orange.

— Il est dans la bâche, l'informa Grace. Ils l'ont incisée, mais n'ont pas touché au corps.

Graham Lewis jeta un œil à la longue fente. Roy Grace ne put s'empêcher de regarder lui aussi, dans un élan de curiosité mêlée d'effroi.

L'urgentiste enfila une paire de gants en latex et ouvrit la bâche. Les deux hommes découvrirent le corps grisâtre, presque transparent, d'un adolescent. Il ne devait pas avoir séjourné dans l'eau très longtemps.

Ça sentait le plastique, mais le cadavre ne puait pas, comme c'est le cas des corps en décomposition.

La mort devait remonter à quelques jours. Grace comptait sur l'autopsie pour déterminer la date.

Le jeune homme était maigre, comme s'il avait souffert de malnutrition. Roy remarqua l'absence de muscles. Il mesurait un peu plus d'un mètre soixante-dix, avait un visage angulaire assez étrange, les cheveux courts dont une mèche noire barrait son front. Graham bougea légèrement sa tête.

— *A priori*, il n'y a pas eu de traumatisme crânien.

Grace acquiesça, tout en portant son attention sur une autre partie du corps : l'abdomen. Plus particulièrement sur de gros points de suture qui fermaient une incision verticale pratiquée de la gorge au pubis. Il échangea un regard avec son collègue, puis le reporta à nouveau sur la cicatrice. Le pénis, presque noir, gisait dans une épaisse toison pubienne, tout fripé, comme un serpent qui aurait mué. Par le passé, Grace avait remarqué que le sexe d'un homme mort le plongeait dans une profonde tristesse, comme si l'ultime symbole de la virilité incarnait l'ultime symbole de la mort.

— Qu'est-ce que c'est que ce truc ? demanda Lewis. Les points ont dû être effectués juste après le décès. La cicatrisation n'a pas commencé.

— C'est du travail de professionnel, non ? Une opération chirurgicale ?

Danny Marshall, qui se tenait en retrait, demanda à la commandante Mantle s'ils en avaient encore pour longtemps. Il attendait que le cadavre soit transféré pour pouvoir repartir. Ils avaient pris une heure de retard sur le déchargement. Et comme l'*Arco Dee* coûtait 19 millions de livres à ses armateurs, il devait tourner 7 jours sur 7, 24 heures sur 24. S'ils perdaient une heure de plus, ils rateraient la marée.

Elle lui répondit que c'était à Roy Grace de décider.

Pour la première fois de sa carrière, Marshall comprit pourquoi certains collègues lui avaient avoué avoir pêché des corps et les avoir rejetés à la mer aussitôt, pour éviter les interminables procédures policières.

— Ce qui est sûr, déclara Lewis, c'est que ce n'est pas une plaie. Le pauvre gosse a été opéré, mais...

— Mais quoi ? le pressa Grace.

— Selon moi, il était mort avant l'incision.

— Vous savez pour combien de temps vous en avez, commissaire ? les interrompit le capitaine.

— Ça dépendra du légiste, s'excusa Grace.

Son téléphone se mit à sonner.

— Quand on parle du loup...

C'était Nadiuska De Sancha, le légiste attitré de la police du Sussex.

— Roy, je suis désolée. J'ai été appelée en urgence. Je ne sais pas quand je pourrai vous rejoindre. J'en ai pour quatre, peut-être cinq heures.

— OK, je te rappelle.

L'urgentiste prenait le pouls du jeune homme, pour la forme.

Influencé par son désir d'aller à la soirée, mais surtout par la réalité des faits, Grace prit sa décision. Il avait interrogé les huit marins de la drague : tous avaient confirmé que le cadavre avait bien été repêché par l'élinde. Le photographe avait pris tous les clichés dont ils auraient besoin, et avait filmé la scène dans son intégralité. Le corps était enveloppé dans une bâche, donc il était peu probable que des pièces à conviction aient échoué sur le pont. S'il y en avait, elles avaient dû se perdre pendant le treuillage.

Stricto sensu, il était en droit d'exiger l'immobilisation du navire sablier, mais il n'en voyait pas l'intérêt. L'*Arco Dee* s'était contenté de remonter le corps, comme l'aurait fait un hélicoptère repêchant un noyé. La cause de la mort serait déterminée à la morgue.

— J'ai une bonne nouvelle pour vous, annonça-t-il à Danny Marshall. Quand j'aurai noté les coordonnées des membres d'équipage, vous pourrez vaquer à vos occupations. Portons le corps jusqu'au quai, enroulé dans la bâche, poursuivit-il à l'adresse de Lewis.

— Ça ne vous dérange pas si je vous envoie le rapport demain ? lui demanda ce dernier. J'entraîne une équipe de minimes ce soir.

— Tu es entraîneur ?

— Ouais !

— Entraîneur de rugby ?

— C'est ça.

— Je l'ignorais. Je m'occupe de l'équipe de la PJ. On cherche un nouvel entraîneur.

— Ah bon ? Appelle-moi.

— Sans faute. Et pas de souci : tu peux m'envoyer le rapport demain.

Il considéra une dernière fois le corps mutilé, d'une grande maigreur. *Qui es-tu ? D'où viens-tu ? Qui t'a ouvert l'abdomen ? Et pourquoi ?*

Toujours cette même question : pourquoi ?

Roy Grace se la posait à chaque fois qu'il découvrait une personne assassinée. Et pour un homme de son âge, il en avait vu plus souvent qu'à son tour.

Trop pour être encore choqué.

Mais pas assez pour ne plus être bouleversé.

15

Lynn détestait l'A23, cette autoroute très empruntée qui reliait Brighton à la capitale. C'était pourtant le seul moyen de rejoindre l'hôpital royal du sud de Londres, dans le quartier de Denmark Hill, où Caitlin allait passer les quatre prochains jours à se faire examiner pour un bilan préopératoire.

La dernière fois qu'elles l'avaient empruntée, c'était en avril, quand elle avait accompagné Caitlin chez Ikea pour qu'elle choisisse de nouveaux meubles pour sa chambre. Elles s'étaient bien amusées – si tant est qu'une personne normalement constituée puisse apprécier le bain de foule d'un dimanche après-midi dans ce magasin.

Et, après l'effort, elles s'étaient offert un peu de réconfort. Une double récompense, pour Lynn, dans la mesure où Caitlin s'était comportée de façon exceptionnelle : non seulement elle avait mangé un repas complet, qu'elle aurait habituellement refusé, sous prétexte que c'était « mauvais pour la santé », mais elle l'avait dévoré avec appétit !

Après une queue interminable à la caisse, elles s'étaient installées au restaurant avec leurs achats – une table de chevet, une lampe, un édredon, du papier peint et des rideaux. Elles avaient choisi des boulettes de viande, des pommes de terre nouvelles et de la glace en dessert. Pour couronner le tout, elles avaient pris deux hot-dogs dégoulinants de ketchup et de moutarde, à emporter pour leur dîner, qu'elles avaient finalement avalés dans la voiture. Lynn avait eu peur que Caitlin lui demande de s'arrêter pour vomir, mais non. Elle avait fait tout le trajet sans sourciller, sourire aux lèvres, se léchant les babines, affirmant que c'était « méga-cool » !

Ç'avait été l'une des rares fois où Lynn avait vu Caitlin manger de bon cœur, et elle avait espéré – en vain – que cet événement marquerait le début de l'épanouissement de sa fille.

À leur gauche se trouvait le grand magasin, reconnaissable à sa cheminée jaune et bleu éclairée par de puissants projecteurs. Elle se tourna vers sa fille, qui, assise à côté d'elle, n'avait pas arrêté de recevoir et d'envoyer des textos depuis leur départ. Les phares des voitures en sens inverse projetaient sur son visage des ombres jaunâtres, fantomatiques.

— Ça te dirait, des boulettes de viande, chérie ?

— C'est ça... répondit-elle sans lever les yeux, aussi enthousiaste que si sa mère lui proposait de se pendre.

— On est au niveau d'Ikea, on pourrait s'arrêter.

Elle termina un message.

— Ils sont fermés, à cette heure-ci.

— Il n'est que huit heures moins le quart, je crois qu'ils sont ouverts jusqu'à 10 heures.

— Des boulettes ? Beurk. Tu veux m'empoisonner ?

— Rappelle-toi, quand on est venues en avril pour redécorer ta chambre, tu t'étais régalée.

— Depuis, j'ai lu des articles sur Internet, dit-elle en sortant de sa torpeur. C'est plein de gras et de trucs horribles. Dans certaines, on retrouve des os et des bouts de sabots. C'est comme pour les hamburgers. Ils mettent la bête entière dans leur machine à broyer : la tête, la peau, les intestins, tout. Et ils appellent ça du 100 % bœuf.

— Pas chez Ikea.

— Ah oui, j'oubliais que tu vénères cette marque comme s'il s'agissait d'une divinité nordique.

Lynn sourit et saisit le poignet de sa fille.

— Ce ne serait pas pire que ce qu'ils vont te servir à l'hôpital.

— Ne t'inquiète pas, je ne compte pas manger pendant quatre jours. Et, de toute façon, on vient de dîner, conclut-elle en se concentrant de nouveau sur son portable.

— *Je* viens de dîner. Tu n'as pas touché à ton assiette.

— C'est pareil. En fait, non, ce n'est pas vrai : j'ai mangé un yaourt, dit-elle en bâillant, sans cesse de tapoter sur son téléphone.

Lynn s'arrêta au feu, retira sa main pour passer au point mort, puis la reposa sur celle de Caitlin.

— Tu devrais manger quelque chose ce soir.

— Pourquoi ?

— Pour prendre des forces.

— Je suis forte.

Elle serra le poignet de sa fille, mais n'obtint pas de réaction.

Elle sortit une carte du vide-poches et vérifia rapidement leur itinéraire. Le pot d'échappement chevrota quand la petite Peugeot s'immobilisa. Le feu passa au vert. Elle rangea précipitamment la carte, passa la première et démarra.

— Comment te sens-tu ?

— J'ai peur. Et je suis crevée.

Lynn passa la deuxième, puis la troisième et témoigna de nouveau son soutien à sa fille.

— Tout va bien se passer. Tu es entre de très bonnes mains.

— Luke a regardé sur Internet et m'a envoyé un message. Aux États-Unis, neuf personnes sur dix meurent en attendant une greffe. En Grande-Bretagne, trois personnes meurent chaque jour, faute de transplantation. Et dans les deux pays, 140 000 personnes sont sur liste d'attente.

Furieuse, Lynn ne remarqua pas que les véhicules devant elle freinaient et faillit percuter la camionnette qui la précédait. Elle écrasa si fort la pédale que les roues se bloquèrent. Internet ! Maudit Internet. Et cet incapable n'avait-il rien de mieux à faire que terroriser sa fille ?

— Luke se trompe. J'en ai parlé avec le docteur Hunter. Ces chiffres sont faux. La vérité, c'est que des personnes sont ajoutées sur ces listes bien trop tard, ce qui n'est pas ton cas.

Elle chercha d'autres arguments qui parleraient à sa fille, mais n'en trouva aucun. Le spécialiste leur avait bien précisé qu'il *essaierait* de la traiter en priorité, mais qu'il ne pouvait rien garantir. Et Caitlin était d'un groupe sanguin plutôt rare...

Elles continuèrent leur trajet en silence. Le téléphone bipait régulièrement pour signaler un nouveau message.

— Tu veux écouter de la musique, chérie ?

— L'un de tes horribles CD ? Non merci, répondit-elle en plaisantant.

— Mets la radio, si tu veux.

— *Why not ?* fit-elle en se penchant.

C'était une vieille chanson des Scissor Sisters : *I Don't Feel Like Dancing.*

— Moi non plus, je ne suis pas d'humeur à danser, commenta Caitlin.

Lynn esquissa un sourire sans joie. À la lueur d'un réverbère, elle devina le même sourire, énigmatique, sur le visage du fantôme efflanqué assis à ses côtés.

16

Le commissaire Grace et la commandante Mantle venaient de traverser la passerelle quand ils aperçurent un journaliste du quotidien local, l'*Argus*.

— Eh, eh, qui voilà ? Encore plus rapide que les mouches de la viande, cette fois ! lança Roy Grace en faisant semblant de se réjouir.

À n'importe quelle heure du jour et de la nuit, Kevin Spinella était toujours le premier reporter sur les lieux, surtout lorsqu'il s'agissait d'une mort suspecte.

Peut-être détectait-il l'odeur de putréfaction aussi loin que les mouches bleues.

Ou alors il avait trouvé un moyen d'intercepter les conversations hautement sécurisées entre policiers. À moins qu'il ait un indic au sein même de la PJ. Grace privilégiait cette piste et s'était promis de résoudre ce mystère, un jour, mais, en ce moment, il n'avait pas du tout la tête à ça.

Il était pressé de rejoindre la fête de Jim Wilkinson pour écouter ce que Cleo avait à lui dire, elle qui lui avait annoncé froidement : « Pas au téléphone. Je préfère attendre de te voir. »

Il l'aimait tant... Pourquoi avait-elle employé un ton si détaché ? Avait-elle l'intention de le larguer ?

Avait-elle rencontré quelqu'un d'autre ? Voulait-elle se remettre avec son ex, un avocat à deux balles, adepte du mouvement chrétien *born again* ? OK, il était diplômé d'une grande école, et Grace n'avait pas reçu la même éducation. Il n'était pas issu de la même classe sociale qu'elle, ne boxerait jamais dans sa catégorie. Elle avait suivi ses études dans le privé, ses parents pouvaient se le permettre, et elle était d'une intelligence à toute épreuve.

Lui n'était qu'un pauvre flic, fils de flic, pur produit de la classe moyenne. Ses ambitions s'arrêtaient là. Il adorait son boulot et ses collègues. S'il en avait le pouvoir, il n'hésiterait pas à arrêter le temps pour vivre éternellement la vie qu'il menait actuellement.

Cleo s'en était-elle rendu compte ?

Et malgré tous ses efforts pour pouvoir échanger avec elle, qui prenait des cours de philosophie par correspondance, il avait du mal à suivre le rythme. En avait-elle conclu qu'il n'était pas assez bien pour elle ?

— Ravi de vous voir, commissaire Grace, commandante Mantle, les salua le journaliste avec un sourire éclatant.

Quand Spinella se mit en travers de son chemin, leurs visages se frôlèrent, à tel point que Grace sentit son haleine mentholée.

— Qu'est-ce qui amène deux gradés comme vous dans un port, à cette heure avancée ?

Le reporter mince, au regard perçant, arborait une coupe courte, à la mode. Ce soir, il portait un imperméable beige, col relevé, sur un costume léger et une cravate soigneusement nouée. En revanche, ses mocassins à glands noirs étaient très ordinaires.

— Vous n'êtes pas équipé pour la pêche, le taquina Lizzie.

— La pêche aux infos ? répliqua-t-il en haussant les sourcils. Je me suis plutôt habillé pour... *draguer,* si je puis dire !

La camionnette de la morgue démarra. Spinella la suivit des yeux, puis s'adressa aux deux enquêteurs.

— Auriez-vous un instant à m'accorder ?

— Pas pour le moment, répondit Grace. J'organiserai peut-être une conférence de presse demain, après l'autopsie.

Spinella sortit son calepin.

— Dans ce cas-là, on a sûrement affaire à une simple noyade. Vous confirmez, commissaire Grace ?

— Désolé, je n'ai aucun commentaire à faire.

— Des funérailles en mer ?

Roy passa devant lui. Spinella le colla de près.

— Bizarres, ces parpaings, non ?

— Vous avez mon numéro de portable. Appelez-moi demain, vers midi. J'en saurai peut-être davantage.

— Davantage sur la nature de l'incision, par exemple ?

Grace se figea et se garda à grand-peine de toute remarque désobligeante. D'où est-ce qu'il tenait cette info, bordel ? Il avait dû soudoyer l'un des membres d'équipage. Il était passé maître en la matière.

Satisfait d'avoir pris l'enquêteur à contre-pied, le journaliste lui adressa un large sourire.

— Un rituel macabre ? De la magie noire ?

Grace n'avait aucune envie de lire un article incendiaire, susceptible de paniquer les lecteurs, dans l'édition du lendemain. Mais Spinella n'avait pas tout à fait tort. La marque était des plus étranges. D'après Graham Lewis, elle ressemblait à une cicatrice effectuée durant une autopsie. Un rite funéraire ?

— OK, voilà ce que je vous propose. Si vous vous contentez d'énoncer les faits – une drague a repêché un corps non identifié –, je vous file des tuyaux demain. Ça baigne ?

— Parfait, commissaire, tout baigne. Et j'apprécie le jeu de mots !

17

Simona était trempée et affamée. Elle avait arpenté les rues sombres toute la journée, sous une pluie battante. C'était une mauvaise période : il faisait tellement froid que les gens restaient chez eux et les touristes étaient peu nombreux. La situation s'améliorerait autour de Noël, quand tout le monde ferait son shopping. Elle passa devant une banque fermée en se demandant ce que faisaient les gens importants et riches, dans les banques. Elle se traîna jusqu'à un hôtel. Le portier la dévisagea avec méfiance, pour bien lui faire comprendre qu'il protégeait ses clients des petites voleuses dans son genre. Elle jeta un œil à la vitrine d'une supérette fermée, salivant devant les boîtes de conserve et les bocaux de pickles.

Elle n'avait plus de peinture à sniffer pour calmer ses fringales. En début de soirée, elle et Romeo s'étaient disputés, et avaient renversé leur dernière bouteille dans le caniveau. Il avait décidé de rentrer au squat avec le chien et le peu de peinture qui restait – il en avait marre de la pluie. Elle était trop affamée pour le suivre. Et elle supportait de plus en plus mal les pleurs incessants du bébé.

Depuis hier, elle n'avait avalé que quelques frites minuscules trouvées dans un cornet vide sur le trottoir, devant un McDo. Pendant quelques minutes, elle fit la manche devant un restaurant chic dont s'échappaient de délicieux effluves de viande et d'ail grillés. Mais les clients repus montaient dans leur voiture sans lui prêter attention. Elle était invisible.

Des voitures et des taxis l'éclaboussèrent. Elle se remit en route, les pieds trempés, indifférente aux flaques. Puis elle décida d'aller s'abriter dans la Gara de Nord, la principale gare de Bucarest. Elle rencontrerait sans doute quelques amis, avant que les flics les chassent, à minuit. Peut-être auraient-ils quelque chose à manger, sinon, elle subtiliserait une barre chocolatée dans la petite boutique, encore ouverte.

Elle monta les marches et entra dans l'immense hall mal éclairé. Les lampes au sodium, installées par paire, jusqu'à perte de vue, projetaient d'étranges reflets sur le sol luisant. Le panneau électronique au-dessus de sa tête affichait les départs – *plecari*. Il était 23 h 36.

Toutes les destinations des trains de nuit et du petit matin y figuraient. Elle en connaissait quelques-unes, mais la plupart ne lui disaient rien. Elle avait déjà surpris des conversations affirmant qu'ailleurs, dans d'autres pays, on pouvait trouver du travail, gagner sa vie, vivre dans une belle maison, au soleil. Elle fut tentée de sauter dans un train, n'importe lequel, dans l'espoir d'arriver dans une ville où elle ne manquerait de rien, où il ferait chaud, où les bébés ne pleureraient pas.

Elle longea un café fermé dont l'enseigne, en blanc sur fond bleu, indiquait : METROPOL. Un vieux barbu, vêtu de haillons, d'un bonnet en laine et de bottes en caoutchouc, descendait une bouteille d'alcool, assis par terre. Un duvet crasseux et un chariot contenant toute sa vie se trouvaient à côté de lui. Il hocha

88

la tête en direction de Simona, qui lui rendit son salut. La plupart des vagabonds se connaissaient de vue, pas de nom.

Deux flics en gilet jaune fluo fumaient à sa gauche. L'air mauvais, ils semblaient s'ennuyer. Ils attendaient minuit pour sortir leurs matraques et chasser les sans-abri.

À sa droite, le marchand de journaux et de confiseries brillait de mille feux. Une machine à café estampillée NESCAFÉ se trouvait devant la vitrine. De part et d'autre du comptoir, des frigos proposaient jus de fruit, sodas et bières. Un homme élégant d'une cinquantaine d'années, en veste marron, pantalon bleu marine, chemise blanche ouverte, chaussures noires polies, faisait une razzia sur les biscuits, bonbons, chocolats, fruits secs et boissons. Elle envisagea de chaparder un truc, mais le gérant l'avait repérée et la surveillait de loin. Si elle lui échappait, il enverrait les deux policiers, et elle en serait quitte pour un passage à tabac. Et elle n'avait pas envie de passer la nuit au poste. Quoique... On lui donnerait une collation et elle serait au sec. Mais ensuite ils la renverraient au centre de détention pour mineurs.

Elle y avait passé quelques mois. Ils l'avaient scolarisée, et elle avait bien aimé aller en classe. Si elle voulait s'en sortir, elle devait apprendre plein de choses, elle en était consciente. Mais elle avait détesté l'internat. Les autres filles étaient des garces et le directeur l'obligeait à le toucher. Quand elle refusait de le prendre dans sa bouche, il la battait et la mettait au cachot, dans le noir, avec les rats, pendant plusieurs jours.

Elle ne voulait pas y retourner, ça non.

Au bout du quai, elle regarda un train prendre de la vitesse et s'éloigner. Un homme vêtu lui aussi d'un gilet jaune balayait le sol glissant.

Et soudain, elle les aperçut, entassés dans un coin, à moitié cachés par un pilier en béton. Elle sauta de joie. Six visages familiers – sept en comptant le bébé. Elle les rejoignit.

Tavian, grand et mince, avait du sang rom dans les veines. Il la repéra en premier et sourit. Il souriait tout le temps. Et c'était rare, dans l'entourage de Simona, les gens qui avaient l'air content. Elle trouvait ça chouette. Elle aimait bien son joli visage, ses yeux noirs, chaleureux, et ses épais sourcils, très masculins. Il portait un bonnet péruvien bleu, une veste militaire à motif camouflage, un coupe-vent en nylon gris, ainsi que plusieurs couches de vêtements. Il tenait dans ses bras le bébé, habillé d'une combinaison en velours côtelé, enveloppé dans une couverture. C'était son troisième enfant, et il n'avait que dix-neuf ans. Les deux autres lui avaient été enlevés par l'Assistance publique.

À ses côtés se trouvait Cici, la mère de l'enfant. Dix-sept ans environ, elle aussi était toujours gaie, comme si la vie n'était qu'une vaste blague. Toute petite, encore rondelette suite à sa grossesse, elle avait de bonnes joues et un sourire édenté. Elle portait un jogging vert XL, un sweat à capuche rayé bleu et blanc et des tennis blanches tellement neuves qu'elle avait dû les voler le jour même. Simona, qui avait vu des photos en cours de géographie, lui trouvait des airs d'Esquimau.

Elle ne connaissait pas le nom des autres. Un garçon de treize ans, environ, avec une grosse veste noire, un bonnet, en jean et baskets, se tenait les mains dans les poches, comme à son habitude. À côté de lui, un jeune homme – sans doute son grand frère –, visage de fouine, fine moustache, mèche brune rabattue en avant, fumait une roulée.

Il y avait deux filles. La plus âgée, vingt-cinq ans environ, devait elle aussi être rom, avec ses longs cheveux sombres abîmés et sa peau desséché par des années au grand air. L'autre, qui avait vingt ans, mais en faisait quarante, emmitouflée dans une veste en peau retournée et un pantalon de ski, tenait une cigarette dans une main et une bombe de peinture, qu'elle sniffait régulièrement, les yeux clos, dans l'autre.

— Simona ! s'écria Tavian en lui faisant signe.

Ils se tapèrent dans la main, à l'américaine.

— Comment tu vas ? Où est Romeo ?

Elle haussa les épaules.

— Je l'ai croisé tout à l'heure. Et toi, comment ça va ? Et le bébé ?

Cici lui adressa un grand sourire sans lui répondre. Elle parlait peu. Tavian le faisait pour elle.

— Ils ont essayé de l'emmener, il y a deux nuits de ça, mais on s'est échappés !

Simona hocha la tête. Les autorités avaient pour habitude d'enlever les petits, pour les placer dans des sortes de foyers, et de laisser les adultes se débrouiller. Elle aussi avait été placée. Dès qu'elle avait eu huit ans, elle avait tenté de fuguer et depuis trois ou quatre ans, elle vivait dans la rue.

Le petit groupe l'observait sans rien dire. Tavian et Cici d'un regard bienveillant, les autres avec indifférence, comme s'ils attendaient quelque chose d'elle – de la nourriture ou bien des nouvelles.

— Vous avez trouvé un endroit où dormir ? demanda-t-elle.

Tavian prit un air grave et secoua la tête.

— Non, et les flics sont déchaînés, en ce moment. Ils n'arrêtent pas de nous frapper et quand ils n'ont rien de mieux à faire, ils nous pourchassent toute la nuit.

— Ceux qui ont essayé de voler le bébé ?

— Non, d'autres, une unité spéciale, expliqua-t-il en sortant un mégot de cigarette d'une boîte, tout en berçant doucement le nourrisson.

— Je connais un endroit bien, très grand, près des canalisations de chauffage.

Il ne sembla pas intéressé.

— Ne t'inquiète pas, on s'en sort.

Simona ne comprenait pas ces gens. Ils vivaient pourtant comme elle, ne possédaient pas davantage, mais elle avait un endroit où dormir. Eux vivaient comme de véritables nomades et dormaient n'importe où, devant des magasins, dans la rue, serrés les uns contre les autres pour se réchauffer. Ils connaissaient l'existence des souterrains, avec leurs énormes tuyaux d'eau chaude, mais ne s'y réfugiaient jamais. Ça dépassait son entendement. Mais, bon, il y avait tellement de choses qui la dépassaient chez les gens, en général...

Cet homme qui s'approchait d'eux, par exemple, avec ses sachets. Celui qu'elle avait vu chez le marchand de bonbons. Son air suffisant ne lui inspirait pas confiance.

— Vous semblez affamés, je vous ai acheté à manger, annonça-t-il, rayonnant, en leur tendant les sacs.

Le petit groupe la bouscula pour s'emparer du butin. L'homme semblait content de lui. Entre deux âges, il était baraqué, bien coiffé, l'air cultivé. Il portait une tenue chic, mais pas de manteau, alors qu'il avait de toute évidence les moyens de s'en offrir un. Ce détail n'échappa pas à Simona.

Quand les autres se furent éloignés pour inspecter ces cadeaux tombés du ciel, il tendit un sachet qu'il avait gardé pour elle. Elle jeta un œil à cette montagne de bonbons et de biscuits.

— Je t'en prie, prends tout. C'est pour toi ! dit-il en la fixant intensément.

Elle sortit un Mars, le déchira et le mordit goulûment. Que c'était bon ! Elle n'en fit qu'une bouchée, de peur que quelqu'un lui reprenne son trésor. Tout en mâchant avec difficulté le caramel, elle plongea la main dans le sac et déballa un biscuit au chocolat.

Puis elle sentit un coup violent sur son épaule et

hurla de douleur, lâchant les friandises. Juste derrière elle, un policier la menaçait, matraque levée, prêt à frapper une deuxième fois. Elle leva les mains pour se protéger et fut touchée au poignet, si fort qu'elle crut qu'il était cassé. Le visage haineux s'apprêtait à cogner de nouveau. Les flics – sept ou huit, peut-être plus – les encerclaient.

Elle entendit un craquement et vit Tavian tomber.

— Mon bébé, mon bébé, hurla Cici.

Le policier lui assena une droite dans la mâchoire – sa gencive se mit à saigner abondamment.

Les coups pleuvaient.

Et soudain, Simona fut tirée en arrière. En se retournant, elle vit l'homme aux bonbons. Un policier maigre, avec une face de rat, les menaça de sa matraque, en les insultant. L'homme sortit une liasse de billets de sa poche.

Le flic prit l'argent et leur fit signe de s'éloigner, puis se tourna et passa ses nerfs sur une autre personne du groupe – Simona ne vit pas qui.

Épouvantée, elle regarda l'homme qui la tirait par la main.

— Dépêche-toi, je vais te sortir de là.

Elle hésita. Pouvait-elle lui faire confiance ? Elle jeta un regard vers la mêlée. Cici, à genoux, poussait des cris hystériques. Sa bouche saignait, le bébé avait disparu. Le groupe formait un tas informe, sanguinolent. Les flics riaient. Ils prenaient leur pied. C'était un hobby, pour eux.

Quelques secondes plus tard, toujours tenue par le poignet, elle dévalait les marches de la gare et, sous une pluie battante, fut poussée dans une grosse Mercedes noire, dont la portière arrière était ouverte.

18

Le problème, avec les buffets, c'est qu'on remplit son assiette de petits fours sans étudier au préalable toutes les mignardises. Et une fois qu'on n'a plus de place, on remarque les superbes crevettes, pointes d'asperges, et autres mets irrésistibles.

Mais ce soir le commissaire n'était pas tenté. Il n'avait pas mangé grand-chose de la journée, mais n'avait guère d'appétit. Il était pressé d'entraîner Cleo au calme pour comprendre le sens de son message.

Mais, lorsqu'il arriva à la soirée, Cleo discutait avec des gars des renseignements généraux et n'avait esquissé qu'un vague sourire en le voyant.

Mais qu'est-ce qui se tramait ? Elle était d'une beauté renversante, dans sa robe toute simple, en satin bleu, parfaite pour l'occasion.

— Comment vas-tu, Roy ? l'aborda Julie Coll, l'épouse d'un commissaire de l'unité liaison justice, en le rejoignant devant le buffet.

— Bien, merci, et toi ? répondit-il, avant de se souvenir qu'elle venait de plaquer son ancien boulot pour devenir hôtesse de l'air. Tu aimes ton nouveau job ?

— Je l'adore !

— Tu travailles pour Virgin, n'est-ce pas ?

— Oui. Je te recommande les petits oignons marinés, faits maison, par Josie, dit-elle en désignant un bol de condiments. Ils sont délicieux.

— Je retourne à mon siège, je veux bien que tu en ajoutes quelques-uns sur mon plateau-repas.

Elle sourit.

— Idiot, je suis en repos aujourd'hui ! plaisanta-t-elle en se servant. Au fait, toujours pas de nouvelles ?

Il fronça les sourcils, se demandant pendant quelques secondes à quoi elle faisait référence. Et il comprit. Ça ne s'arrêterait donc jamais. Il avait beau faire des efforts pour oublier, il y aurait toujours quelqu'un pour évoquer la disparition de Sandy.

— Non.

— C'est ta nouvelle amie, la grande blonde là-bas ?

Il hocha la tête tout en se demandant si c'était toujours le cas.

— Elle est magnifique.

— Merci.

— Tu te souviens de notre conversation, à la fête de Dave Gaylor, il y a deux ans, à propos des voyants ?

Explorant les méandres de son cerveau, il se souvint que Julie avait perdu un proche et lui avait demandé les coordonnées de médiums. Les détails de la conversation ne lui revenaient pas.

— Oui.

— Eh bien, je viens d'en trouver une géniale. Très perspicace.

— Comment s'appelle-t-elle ?

— Janet Porter.

— Janet Porter ?

Le nom ne lui disait rien.

— Je n'ai pas son numéro sur moi, mais elle est dans l'annuaire. Elle consulte sur le bord de mer, près du Grand Hôtel. Appelle-moi demain, je te le communiquerai. Tu vas être impressionné.

Ces neuf dernières années, Grace avait fait appel à tous les voyants de la terre, la plupart lui ayant été chaudement recommandés, tout comme Janet Porter. Aucun ne lui avait fourni d'éléments concrets. L'un d'eux lui avait confié que Sandy collaborait, par la pensée, avec un guérisseur et qu'elle était heureuse d'avoir rejoint sa mère. Sauf que sa mère n'était pas morte du tout...

Les plus crédibles lui avaient affirmé qu'elle ne faisait pas partie du monde des esprits, ce qui voulait dire qu'elle était encore vivante. En bref, il n'en savait pas plus aujourd'hui que le jour de sa disparition.

— Merci, Julie, je vais y réfléchir. Mais, à vrai dire, j'essaie de tourner la page.

— Tu as tout à fait raison, Roy, je te comprends.

Elle s'éloigna, le laissant seul devant le buffet. Il jeta un coup d'œil vers le nouveau directeur de la police, Tom Martinson, qui n'était en poste dans le Sussex que depuis quelques semaines. Il voulait absolument se présenter à lui. Quarante-neuf ans, brun, un peu plus petit que lui, Martinson était un homme musclé, bien bâti, direct – et ça se voyait. Il piochait dans son assiette tout en menant une conversation animée avec un groupe d'officiers qui lui faisaient la cour.

Grace déposa une petite tranche de jambon et une cuillerée de salade de pommes de terre dans son assiette et mangea sur place.

Quand il se retourna, il tomba nez à nez avec Cleo, un verre d'eau pétillante à la main. Arborant un grand sourire engageant, elle semblait d'excellente humeur – contrairement à ce qu'elle avait laissé entendre au téléphone.

— Bonsoir, mon chéri. Bravo, tu n'es pas si en retard que ça. Comment ça s'est passé ?

— Bien. Nadiuska était d'accord pour commencer l'autopsie demain. Et toi, comment ça va ?

Elle lui fit signe de le suivre. Dans le même temps, le directeur se détachait du groupe de courtisans. C'était l'instant rêvé pour des présentations !

Mais il ne voulait pas que Cleo engage une conversation avec d'autres collègues, car il mourait d'envie de savoir ce qu'elle avait à lui dire.

Il la suivit dans le jardin d'hiver, plein à craquer, en saluant poliment quelques connaissances, puis se retrouva avec elle dans le jardin de derrière. Il faisait encore plus froid que sur le port ; un nuage de fumée planait au-dessus d'un groupe d'hommes et de femmes serrés les uns contre les autres. S'il avait eu son paquet, il aurait volontiers allumé une cigarette. Ça lui aurait d'ailleurs fait le plus grand bien. Cleo poussa le portail et longea les poubelles, jusqu'à la Ford Focus de Wilkinson, sous un auvent, devant la maison. Personne ne les dérangerait.

— Eh bien, j'ai quelque chose à te dire, lança-t-elle en se frottant les mains, non pas pour se réchauffer, mais pour se donner une contenance.

— Je t'écoute.

Elle hésita quelques secondes, puis sourit, l'air gêné.

— Je ne sais pas comment tu vas le prendre... poursuivit-elle, embarrassée comme une enfant. Je suis enceinte.

19

L'homme s'engagea dans l'escalier en colimaçon, puis s'arrêta pour vérifier que le ticket de son vestiaire et celui de son véhicule, confié à un voiturier, se trouvaient bien dans son portefeuille en croco. Du haut des marches, il scruta longuement la salle de jeu du casino Le Rendez-Vous, à la manière d'un policier.

Pas encore cinquante ans, il avait le physique d'un homme qui fréquente les salles de sport. Un visage taillé à la serpe, il coiffait ses fins cheveux noirs en arrière. La lumière tamisée était flatteuse, mais à la lueur du jour il avait les traits plutôt épais. Il portait un blouson en cachemire, une chemise à carreaux, col ouvert, une grosse chaîne en or, un jean de grande marque, des bottes en peau de serpent à talons cubains et, aussi invraisemblable que cela puisse paraître, à 22 heures, à l'intérieur, une paire de lunettes de soleil aviateur. À un poignet, il portait une montre Panerai Luminor, à l'autre une grosse gourmette en or. Il avait beau donner l'impression d'être plutôt du genre à fréquenter des établissements plus luxueux, c'était un habitué du Rendez-Vous.

Caché derrière ses verres teintés, mâchant un chewing-gum, il observa les quatre roulettes, les tables de black-jack, celles de poker à trois cartes, les machines à sous, et le restaurant, tout au bout. Quand il fut satisfait, il se dirigea sans se presser vers sa table favorite, sa table « porte-bonheur ».

Quatre joueurs semblaient s'y trouver depuis un certain temps : une Chinoise entre deux âges – une habituée –, un jeune couple en tenue de soirée et un homme râblé, barbu, avec un épais pull-over, qui aurait moins détonné à une conférence sur la géologie.

La roulette tournait lentement. L'homme posa 10 000 livres en billets de 50 sur le tapis vert, tout en fixant le croupier. Celui-ci hocha la tête, puis annonça :

— Les jeux sont faits.

La bille tomba, sautilla entre les chicanes, puis s'immobilisa. Tout le monde, sauf l'homme aux lunettes, se pencha, tandis que la roulette ralentissait.

— 17 noir, lança le croupier d'un ton parfaitement neutre.

Le nombre s'afficha au tableau électronique. La Chinoise, qui avait misé sur quasiment tous les numéros sauf ceux autour du 17, pesta. La jeune femme légèrement éméchée, dont les seins débordaient de sa petite robe noire, poussa un cri de joie. Le croupier prit les mises perdantes, puis indiqua les mises gagnantes, dans un ordre décroissant, tandis que l'homme fixait ses billets.

Le croupier prit la liasse et compta les coupures de ses doigts agiles. Il connaissait d'avance le total, pour avoir répété ce geste des centaines de fois.

— 10 000 livres, articula-t-il à l'attention des autres joueurs et du système d'enregistrement.

La Chinoise se tourna vers l'homme avec un regard respectueux : dans ce casino, on n'était pas habitué à de telles mises. Le croupier avança ses jetons.

L'homme couvrit les douze numéros du tiers, en plaça d'autres dans la case « impair » et misa la majorité sur les six derniers numéros gagnants affichés au tableau, à cheval et en carré. Quelques instants plus tard, ses jetons couvraient quasiment la totalité de la table, comme des petits drapeaux indiquant les territoires conquis sur une carte. Quand le croupier lança la roulette – il avait pour directive de le faire toutes les 90 secondes –, les autres joueurs se dépêchèrent de placer leurs mises sur les tas existants. Le croupier lâcha la bille.

Un étage en dessous, le responsable de la vidéo-surveillance annonça à Campbell Macaulay, muni d'une oreillette :

— Clint vient d'arriver.

— Même place que d'habitude ? murmura-t-il sans bouger les lèvres.

— Table quatre.

Campbell Macaulay avait fait carrière dans les casinos. De croupier, il était devenu chef de partie, puis gérant, et enfin directeur. Il adorait l'atmosphère, mélange de calme et d'énergie, aimait les horaires décalés et appréciait le fait qu'au bout du compte, même si certains parieurs gagnaient gros, la maison avait toujours l'avantage.

Seules deux choses lui déplaisaient : les joueurs impulsifs qui se ruinaient et qui, au final, nuisaient au commerce et les appels en pleine nuit lui annonçant qu'un habitué, ou un étranger, venait de miser 60 000 livres, par exemple – ça sentait l'arnaque. Tous les individus suspects étaient surveillés.

Les meilleurs joueurs étaient ceux qui s'y connaissaient suffisamment pour limiter leurs pertes. Au blackjack et aux dés, il était même possible de passer une soirée à égalité avec le casino. Mais la plupart des gens étaient des amateurs, guère patients, renflouant généreusement les caisses de la maison, qui remportait en moyenne 20 % des mises.

Tiré à quatre épingles comme d'habitude – costume

sombre, chemise immaculée, élégante cravate en soie et richelieus brillants –, impeccablement coiffés, Macaulay déambulait sans bruit entre les tables de poker du rez-de-chaussée. Le tournoi en cours était très couru. Chacune des cinq tables était prise d'assaut par dix joueurs. Aucun n'avait fait d'effort vestimentaire, l'ensemble donnait l'impression d'un groupe un peu miteux en jean et sweat-shirt, ou arborant la panoplie casquette de base-ball et baskets. Mais tous étaient des gens honnêtes et droits qui avaient payé leur entrée.

Au début de sa carrière, il y avait vingt-sept ans de cela, une tenue correcte était exigée dans la plupart des établissements. Il regrettait ce temps-là. Mais bon, pour attirer le chaland, il faut vivre avec son temps. Si son casino refusait ces flambeurs, d'autres les accepteraient.

Il fit un tour en cuisine pour saluer le chef et ses seconds, vit passer un plateau composé de tranches de saumon fumé et de crevettes cocktail, puis monta dans la salle de jeux principale.

Elle commençait à se remplir gentiment. Deux tiers des machines à sous étaient occupées. Toutes les tables de black-jack, de poker, de roulette et de dés tournaient. Bien. Il y avait souvent une période creuse juste avant Noël, mais la situation s'améliorait : la veille, il avait encaissé 10 % de plus que la semaine précédente.

Il passa entre les tables en s'assurant que chaque croupier et chaque chef de partie remarquent sa présence, puis emprunta l'escalator jusqu'à l'étage des gros joueurs. Et il constata immédiatement que Clint, droit comme un i, se trouvait à sa table habituelle.

Trois soirs par semaine, il arrivait vers 22 heures et repartait entre 2 et 4 heures du matin. Ils le surnommaient ainsi car Jacqueline, son assistante, lui trouvait des faux airs de Clint Eastwood. Avant l'interdiction de fumer, il avait toujours un cigarillo aux lèvres, comme l'acteur, dans ses premiers westerns. Aujourd'hui, il mâchait du chewing-gum. Il lui arrivait de venir seul, comme ce soir, ou avec une jeune femme, rarement la même, mais toujours du même style. L'avant-veille, il était accompagné d'une bimbo aux cheveux noir de jais en minijupe et cuissardes en cuir, qui, comme les autres, semblait offrir des services tarifés.

Clint arrivait toujours au volant d'un coupé Mercedes noir SL500 ; il donnait 10 livres de pourboire au voiturier en arrivant, et 10 livres en partant, et ce, quel que soit le montant de ses gains ou de ses pertes. Il réservait le même traitement à la fille du vestiaire.

Il ne disait pas un mot, se contentait d'un grognement quand il était contrarié, et se présentait invariablement avec la même somme, en liquide. Il achetait ses jetons à la table et récupérait son argent auprès du caissier, à l'entrée.

Il achetait pour 10 000 livres de plaques, mais ne pariait que 2 000 à la fois – soit dix fois plus que le joueur lambda. Il maîtrisait les subtilités du jeu : il pariait gros, mais prudemment, en équilibrant ses mises, ce qui lui garantissait des petits gains, mais aussi des petites pertes. Selon l'ordinateur du casino, il perdait 10 % de sa mise en moyenne, soit 600 livres par semaine, et 30 000 par an.

Ce qui faisait de lui un très bon client.

Mais Campbell Macaulay était curieux. Quand il avait le temps, il l'observait depuis la salle de vidéo-surveillance. Clint avait quelque chose en tête, mais il ignorait quoi au juste. Il n'essayait pas d'arnaquer la maison. Si tel avait été le cas, il aurait tenté sa chance depuis longtemps. Et il était plus facile de tricher au black-jack, avec l'aide d'un croupier corrompu ou en comptant les cartes.

Clint devait être là pour blanchir de l'argent. Et

Campbell n'y voyait pas d'inconvénient. Ou plutôt il n'avait pas envie de perdre un habitué.

Les directeurs n'ont pas pour vocation d'interroger leurs clients sur l'origine de leur fortune. Dans ce genre d'établissement, payer en cash est une tradition.

Mais bon. Un jour, pour couvrir ses arrières, plus que par zèle, au cas où Clint préparerait un mauvais coup, il avait transmis son nom au commandant Wauchope, le chef de la brigade des jeux. Mais c'était surtout à sa société, Harrah's, basée à Las Vegas, qu'il rendait des comptes. Et ses patrons lui en étaient reconnaissants.

Chez lui, Clint signait Joe Baker. Macaulay avait donc été surpris d'apprendre de la bouche du policier, qui, lui aussi, voulait le garder dans ses petits papiers, que la Mercedes, immatriculée au nom de Joseph Richard Baker, appartenait à un certain Vlad Cosmescu, l'un des pseudos de son client.

Ce qu'il ne savait pas, en revanche, c'est qu'il était dans le radar d'Interpol depuis longtemps. Pour le moment, il ne faisait l'objet d'aucun mandat d'arrêt international, mais était connu des fichiers.

20

Le chauffeur de la Mercedes garée devant la Gara de Nord claqua sa lourde portière. L'espace d'un instant, protégée par le silence de l'habitacle, enfoncée dans un siège trop grand pour elle, enveloppée par des odeurs de cuir, Simona se sentit en sécurité. Son sauveur s'installa à ses côtés en passant de l'autre côté.

Son cœur battait la chamade.

Le chauffeur prit place et démarra. Les veilleuses s'éteignirent. Elle entendit un bruit métallique, comme si quelqu'un venait de verrouiller sa porte. Elle paniqua. Qui était cet homme ?

Assis derrière l'énorme accoudoir qui les séparait, il lui sourit.

— Tu n'es pas blessée ? lui demanda-t-il d'une voix douce, rassurante.

Elle secoua la tête, bouleversée par la scène à laquelle elle venait d'assister.

— Tu as faim ?

Son air suffisant ne lui inspirait toujours pas confiance, mais il ne semblait pas méchant. Il arrivait – pas souvent, mais parfois – que des étrangers vous offrent de l'argent ou de la nourriture. Cela semblait être le cas.

Elle hocha la tête.

— Comment t'appelles-tu ?

— Simona.

— Quel est ton plat préféré ?

Elle ne savait pas. Personne ne lui avait posé cette question.

— Tu aimes la viande ? Le porc ?

— Oui, répondit-elle, après une seconde d'hésitation.

— Les pommes de terre ?

Elle acquiesça.

— Les saucisses grillées ?

Elle acquiesça derechef.

L'homme se pencha, sortit un verre du minibar, servit un whisky et le lui tendit. Elle but une longue gorgée, puis se raidit immédiatement, surprise par la sensation de brûlure dans sa gorge. Puis une agréable chaleur l'envahit. Étirant ses jambes, elle vida le verre d'un trait.

Elle n'en avait bu qu'une fois dans sa vie – une bouteille volée par Romeo –, mais celui-ci lui sembla bien plus doux, bien meilleur.

Un portable sonna. L'homme répondit, tout en la resservant, et se mit à parler affaires avec un interlocuteur aux États-Unis. Elle s'en rendit compte, car il demanda quel temps il faisait à New York. Il avait beau négocier sérieusement, il prenait le temps de se tourner vers elle. À chaque nouvelle gorgée, elle avait un peu plus confiance.

Le chauffeur conduisait en silence. À la lueur des phares, Simona remarqua soudain le tatouage qui sortait du col de sa chemise : une tête de serpent, avec sa langue fourchue, s'enroulait sur sa nuque dégagée. Dehors, les lumières de Bucarest glissaient sur les vitres humides.

Simona, qui n'avait jamais pris l'avion, se demanda

si ce qu'elle ressentait ne s'apparentait pas à la sensation que l'on a en volant. Derrière elle, la voix d'un chanteur sortait d'un haut-parleur, une voix chaude, anglaise ou américaine. Elle entendait ce qu'il disait – *I've Got You Under My Skin* –, mais ne parlait pas assez bien anglais pour comprendre.

Pour reprendre ses esprits, elle se concentra sur le paysage qui défilait. Ils se trouvaient devant un édifice bâti par l'ancien président, lui avait expliqué Romeo. « La maison du peuple ». Elle n'y était jamais entrée. Ce monument appartenait à un monde qui n'était pas le sien, tout comme cette voiture, cet homme et cette musique. Mais le whisky arrangeait tout. L'homme lui plaisait de plus en plus, tout comme cette ville, qu'elle avait parcourue dans le froid, l'estomac dans les talons, et qui, à présent, se déroulait comme un film.

Peut-être que sa vie allait changer.

La voiture tourna dans une rue qu'elle ne connaissait pas et ralentit. Devant eux, un portail électrique s'ouvrit et ils avancèrent jusqu'à une grande bâtisse au perron très éclairé.

Le chauffeur l'invita à sortir en lui tenant la portière et prit le verre vide. Éméchée, elle tituba dans l'air frais, sous la pluie. L'homme passa un bras autour de ses épaules et l'aida à gravir les quelques marches. Une femme en uniforme, entre deux âges – une bonne, sans doute –, leur ouvrit.

La maison sentait la cire, le musée.

— Elle s'appelle Simona, elle aurait besoin d'un bon repas et d'un bain chaud, dit-il.

La dame lui sourit gentiment.

— Suis-moi. Tu as très faim ?

Simona acquiesça.

Elles empruntèrent un couloir en marbre décoré de part et d'autre de beaux tableaux, de statues et de meubles de collection, et arrivèrent dans une immense cuisine moderne. L'écran de télévision fixé au mur était éteint.

Simona n'en croyait pas ses yeux. Elle n'avait jamais vu un décor si somptueux, sauf dans des magazines et à la télé du foyer, quand elle avait été placée.

La femme l'invita à s'asseoir à table et lui apporta une magnifique assiette couverte de rôti de porc, de saucisses, de lard, de fromage, de pastèque confite, de tomates et de pommes de terre, ainsi que des petits pains croustillants et un verre de Coca-Cola.

Simona s'empara de la nourriture à pleines mains et l'enfourna dans sa bouche aussi vite que possible, de peur qu'on la lui reprenne avant qu'elle ait terminé. Assise en face d'elle, la femme l'observait sans rien dire, hochant la tête pour l'encourager.

— Tu vis dans la rue ? s'enquit-elle

Simona hocha la tête.

— C'est comment ?

— Ça va. On a un endroit près des canalisations d'eau chaude, répondit-elle la bouche pleine.

— Mais pas assez à manger, pas vrai ?

Simona approuva.

— À quand remonte ton dernier bain ?

Un bain ? se demanda-t-elle en mâchant un bout de couenne grillée.

Impossible de s'en souvenir. Pas depuis qu'elle s'était enfuie de cette maison de redressement… Pas depuis des années. Quand il ne faisait pas trop froid, elle se lavait avec des bouteilles d'eau remplies au tuyau.

— Un merveilleux bain t'attend.

Quand Simona eut terminé son plat, la femme lui apporta un beignet couvert de glace à la vanille fondue. Simona l'avala sans se soucier de la petite cuillère à sa disposition. Elle le déchira, le mastiqua le plus vite possible, puis, toujours avec ses doigts, termina la glace et lécha l'assiette.

Son estomac avait du mal à suivre, le whisky lui montait à la tête ; elle se sentit nauséeuse.

La femme se leva et l'invita à la suivre. Simona essuya sa main sur son jogging et monta un sublime escalier en marbre jusqu'à un couloir orné de toiles majestueuses. Arrivée à la salle de bains, elle eut le souffle coupé.

Sa taille et sa splendeur étaient indescriptibles. Et elle avait du mal à croire qu'on lui avait fait couler un bain chaud, juste pour elle.

Il y avait des nuages et des anges peints au plafond. Les murs et le sol étaient carrelés en noir et blanc. Au centre trônait une baignoire à débordement remplie de mousse, assez grande pour accueillir plusieurs personnes, entourée de statues d'hommes et de femmes nus.

— Que c'est beau, murmura-t-elle.

La femme sourit.

— Tu as de la chance. M. Lazarovici est gentil. Il aime venir en aide aux démunis. C'est un monsieur très bien.

Elle la déshabilla. Simona lui tendit une main pour se stabiliser, et descendit dans l'eau merveilleusement chaude, presque trop.

La femme soutint sa nuque jusqu'à ce que ses cheveux soient mouillés, puis lui massa le crâne avec un shampooing à l'odeur envoûtante. Elle lui rinça la tête, avant de recommencer l'opération.

Les yeux au plafond, profitant de chaque instant, Simona se demanda si ce n'était pas cela que ressentaient les anges. Ses nausées étaient atténuées par le plaisir d'avoir le ventre plein et les effets euphorisants de l'alcool. Elle faillit s'endormir, au moment où la femme lui savonnait le corps. Elle sortit finalement de l'eau, s'enveloppa dans un drap de bain blanc, tandis que la bonne l'essuyait, avant de l'accompagner dans la chambre attenante, au décor encore plus spectaculaire.

Au centre se trouvait un gigantesque lit à balda-quin. Son regard fut attiré par les peintures érotiques, dans des cadres dorés – des hommes, des femmes, mais également des couples. Elle remarqua un homme et une femme faisant l'amour, deux femmes se léchant le sexe, et deux hommes imbriqués. Les fenêtres, qui montaient jusqu'au plafond, étaient ornées de luxueux rideaux drapés. Une méridienne, entre autres meubles raffinés, complétait le tableau.

— La chambre te convient ? lui demanda la femme.

Simona hocha la tête, un sourire aux lèvres, som-nolente.

La femme lui ôta la serviette, l'aida à se glisser entre les draps en satin blanc et quitta la pièce.

Baignée par la douce lumière de deux lampes de chevet surdimensionnées, elle plongea dans le som-meil. Quelques minutes plus tard, la porte grinça. Elle ouvrit les yeux instantanément.

Nu sous un peignoir en soie noire ouvert sur son ventre bedonnant et son pénis en érection, M. Laza-rovici entra.

— Comment va mon ange de la Gara de Nord ? gloussa-t-il en s'approchant du lit.

L'inquiétude la saisit, malgré sa légère ébriété.

— Très bien, merci pour tout, murmura-t-elle. Je suis si fatiguée.

Il posa son pénis contre sa joue gauche.

— Suce-moi, lui ordonna-t-il froidement.

Elle reprit ses esprits et l'observa sans comprendre. Il avait les yeux cernés, le regard menaçant.

— Suce-moi, répéta-t-il. Tu ne veux pas me mon-trer ta gratitude ?

Il monta sur le lit, son sexe en érection à quelques centimètres seulement de son visage. Elle le saisit et le mit maladroitement dans sa bouche. Il avait un goût de sueur rance.

— Suce, salope !

Elle ferma la bouche et fit des mouvements de va-et-vient.

— Eh, idiote, tu veux que je t'arrache les dents ?

Elle leva des yeux affolés vers lui. Les effets de l'alcool avaient disparu.

Et soudain, il la saisit par le menton et lui fit lâcher prise.

— Espèce d'ingrate !

Il tira violemment sur ses épaules, la retourna et écrasa son visage dans l'oreiller. Pendant quelques secondes, elle crut qu'il allait l'étouffer.

Puis elle sentit ses doigts se frayer un chemin dans son vagin et eut un haut-le-cœur. Il les retira pour les enfoncer dans son anus. Et soudain, elle comprit qu'il essayait d'y faire entrer son sexe.

— Non ! Gogu ! hurla-t-elle en s'étouffant avec sa bile.

Quand il pénétra en elle, elle ressentit une douleur indescriptible.

Elle se tortilla pour tenter de se libérer. Il attrapa une mèche de ses cheveux et tira si fort qu'elle en eut le souffle coupé.

Il poussa davantage.

Elle gémit, cria « Gogu, gogu, gogu ! », luttant contre la douleur, se tordant pour respirer.

— Petite pute ingrate, susurra-t-il à son oreille.

Elle tourna la tête et réussit à hurler.

— Ta gueule ! cracha-t-il, en lui envoyant son poing dans la figure. Va te faire foutre, petite traînée !

Pour la faire taire, il coinça sa tête contre l'oreiller, l'empêchant de respirer. Au-delà de la douleur, la panique l'envahit. Elle s'agita en vain : elle était comme empalée. À bout de souffle, elle sentit la fin venir quand il lui releva le visage pour l'embrasser goulûment sur les lèvres. Bouche contre bouche, elle inspira de l'air, son air, celui de ses poumons. Il se détacha d'elle.

— Dis-moi que tu aimes ça. Remercie-moi. Dis-moi que je t'ai sauvé la vie, dis-moi merci ! répéta-t-il en collant son visage au sien.

— Je te hais ! hurla-t-elle.

Il la frappa au visage. Puis il agrippa ses cheveux des deux mains, si fort qu'elle eut l'impression qu'il les lui arrachait. Sans lâcher prise, il éjacula. Elle vomit.

★

Un peu plus tard – Simona avait perdu toute notion du temps –, elle se retrouva à l'arrière de la grosse voiture noire. La même chanson, suave, dont elle ne comprenait pas les paroles, *I've Got You Under My Skin*, tournait en boucle.

Il faisait toujours nuit. Bucarest glissait derrière la vitre. Elle avait mal partout. Son visage était tuméfié. Quand elle était arrivée à la Gara de Nord, elle était crasseuse. À présent, sa peau était propre, mais son corps était sali de l'intérieur.

Elle avait trop mal pour pleurer. Et elle ne voulait pas montrer sa vulnérabilité au chauffeur tatoué, qui la surveillait sans rien dire, l'air lubrique, dans le rétroviseur.

Elle voulait rentrer chez elle. Retrouver Romeo, le chien, le bébé en pleurs. Ces gens qui tenaient à elle. Sa famille.

Le véhicule s'arrêta. Elle ne reconnut pas la ruelle sombre. Le chauffeur ouvrit la portière, la poussa pour s'asseoir à côté d'elle, puis agita des billets sous son nez.

— Hum, de l'argent, fit-il en grimaçant.

Il les lui donna et ouvrit sa braguette.

Elle fixa le serpent tatoué sur son cou, tandis qu'il sortait son sexe de son pantalon.

— De l'argent pour toi ! répéta-t-il.

Et il attrapa ses cheveux, comme Lazarovici avant lui, et la força à se baisser.

Elle referma ses lèvres autour de son gland et mordit aussi fort que possible, jusqu'à ce qu'elle sente le goût du sang dans sa bouche, jusqu'à ce que les cris de l'homme deviennent insupportables. Puis elle ouvrit la portière, sortit, chancela et s'élança dans la nuit noire.

Elle courut à perdre haleine sans savoir où elle était, dans un dédale de rues commerçantes. Elle savait qu'elle finirait par se repérer et par retrouver son refuge souterrain.

Dans son profond désarroi, elle ne remarqua pas que la voiture noire, conduite d'une main incertaine, la suivait discrètement.

21

Après plusieurs minutes de slalom entre les différentes unités de l'hôpital royal du sud de Londres, Lynn s'arrêta, désespérée, devant les urgences, dont l'accès était protégé par une barrière. Il était 21 h 30 tout juste passées.

— Seigneur, s'exclama-t-elle, comment se repère-t-on dans ce labyrinthe ?

À chaque fois, elles se perdaient au milieu des travaux, comme si le service d'hépatologie changeait sans cesse de bâtiment. Et depuis leur dernière visite, qui remontait à plus de deux ans, les voies de circulation entre les parkings semblaient avoir été elles aussi modifiées.

Elle examina les façades impressionnantes qui les entouraient. Plusieurs styles architecturaux se côtoyaient. Elle plissa les yeux pour déchiffrer la forêt de panneaux rouges, jaunes et vert clair, éclairés par les phares. Elles avaient rendez-vous dans le bâtiment Rosslyn, auquel on accédait par le bâtiment Bannerman. Et ce nom n'apparaissait nulle part.

— Ça ne doit pas être ici, grommela Caitlin sans lever les yeux de son téléphone.

— C'est donc ça… plaisanta Lynn, sur un ton plus léger qu'elle s'en serait crue capable.

— Ben ouais. Sinon, on l'aurait déjà trouvé, non ? poursuivit-elle, concentrée sur son texto.

Malgré sa fatigue, ses peurs et sa frustration, Lynn ne put s'empêcher de sourire en entendant l'étrange raisonnement de sa fille.

— Tu n'as pas tort.

— J'ai toujours raison. Il suffit de me demander. Je suis l'Oracle.

— L'Oracle peut-elle me dire quelle direction suivre ?

— Commence par faire demi-tour.

Lynn recula jusqu'à trouver d'autres panneaux. Hopgood. Jubilé d'or. Entrée principale de l'hôpital, Consultations externes du service de pédiatrie…

— Mais où se trouve ce foutu Bannerman ?

Caitlin détacha son regard de son téléphone.

— *Keep cool*, c'est comme un jeu télévisé.

— Je déteste quand tu me dis ça !

— Quoi ? Jeu télévisé ? la taquina sa fille.

— Non : *keep cool*. J'aime pas cette expression, OK ?

— Ouais, mais bon, tu es tellement stressée que tu me stresses.

Lynn se tourna pour reprendre sa marche arrière.

— La vie, c'est un jeu.

— Comment ça ?

— Si tu gagnes, tu vis, si tu perds, tu meurs.

Lynn s'arrêta pour dévisager sa fille.

— C'est vraiment ce que tu penses ?

— Ouais. Ils ont caché un foie neuf dans cet établissement, si on le trouve à temps, je vis, sinon, on est dans la merde !

Lynn gloussa. Elle passa un bras autour de ses épaules et l'embrassa à la tempe, inhalant le parfum de son shampooing.

— Je t'aime tellement, ma chérie !

— Je sais et je le mérite, confirma-t-elle d'une voix monocorde.

— Parfois, pas toujours ! répliqua sa mère

Caitlin acquiesça, résignée, et se plongea dans la rédaction d'un nouveau message.

Lynn fit demi-tour sur Crystal Hill et trouva enfin l'entrée principale. Elle tourna à gauche, passa une série d'ambulances jaunes garées le long d'une façade vitrée incurvée, d'une modernité étonnante, finit par trouver le panneau Bannerman, et tourna à droite après un bâtiment de style victorien fraîchement ravalé.

Elle se gara, sortit de la voiture avec le fourre-tout de Caitlin et se dirigea vers le porche. Un homme en pyjama, emmitouflé dans un manteau, fumait sa cigarette sur un banc, sous une statue éclairée par des spots. Vêtue d'un sweat à capuche vert clair, d'un jean déchiré et d'une paire de baskets sans lacets, Caitlin traînait la patte derrière sa mère.

Les mots « Hôpital royal du sud de Londres » étaient gravés sur deux plaques en Plexiglas ; une enfilade de colonnes blanches jalonnait le couloir. À droite se trouvait l'accueil des visiteurs. La standardiste, une femme noire, corpulente, était au téléphone. Lynn attendit qu'elle raccroche en regardant autour d'elle.

Un homme aux cheveux gris se promenait, en pantoufles, avec un sac rouge dans une main et un sac noir dans l'autre. Dans la salle d'attente, à leur gauche, il y avait un vieil homme dans un fauteuil roulant électrique ; un autre, en survêtement et bonnet, était affalé sur une chaise verte, une canne en bois devant lui ; un ado en sweat à capuche gris et jean écoutait son iPod ; un jeune homme en tee-shirt bleu, jean et tennis était penché en avant, les mains agrippées à ses cuisses, comme s'il attendait quelqu'un, ou quelque chose, mais sans grand espoir.

La pièce semblait emplie d'une atmosphère d'épuisement et de désespoir muet. Un peu plus loin, une petite boutique vendait des confiseries et des fleurs. Une femme d'un certain âge, en jogging, cheveux blancs, légèrement bleutés, en sortit avec une barre chocolatée.

La standardiste raccrocha et leva les yeux vers elle.

— Je peux vous aider ? lui demanda-t-elle, avenante.

— Oui, merci. Nous avons rendez-vous avec Shirley Linsell, du bâtiment Rosslyn.

— Puis-je prendre vos noms ?

— Caitlin Beckett et sa mère.

— Je la préviens. Prenez l'ascenseur jusqu'au troisième étage, où elle vous accueillera, expliqua-t-elle en indiquant le couloir.

Des affiches « Respectez l'interdiction de fumer en milieu hospitalier » et « Mesures de prévention contre les risques d'infection » étaient collées aux murs. Des patients désorientés venaient à leur rencontre. Lynn trouvait les hôpitaux déprimants. Ils lui rappelaient les interminables visites à son père, quand celui-ci avait été admis à Shoreham à la suite d'une crise cardiaque. Il faut dire que, mis à part dans les maternités, les hôpitaux ne respiraient pas la joie de vivre. Ils étaient plutôt synonymes d'épreuves, pour soi ou ses proches. Au bout du couloir, l'ascenseur était baigné d'une lumière violette iridescente, comme dans une boîte de nuit ou un film de science-fiction.

Caitlin s'arrêta de pianoter sur son téléphone.

— Cool, fit-elle, tout excitée. Tu sais quoi ? C'est un indice, maman !

— Un indice ?

— Ouais. Du genre : téléportation ! Comme dans *Star Trek*. Ils l'ont allumée pour nous.

— OK. Mais pourquoi ?

— Pour qu'on trouve le troisième étage, pardi !

Dans l'ascenseur, Lynn fut soulagée de voir sa fille en forme. Elle avait toujours eu des sautes d'humeur, mais cela avait empiré depuis sa maladie. Mais l'essentiel, c'était qu'elle aborde son hospitalisation de façon positive, ce qui semblait être le cas.

Une infirmière d'environ trente-cinq ans les accueillit. Jolie, avec un visage très anglais encadré de longs cheveux châtains, elle portait un petit haut en maille rose et un pantalon noir sous sa blouse blanche. Elle adressa un grand sourire à Caitlin, puis à Lynn, qui remarqua un minuscule point rouge dans son œil gauche.

— Caitlin ? Je suis Shirley, la coordinatrice de l'équipe de transplantation. Je vais m'occuper de toi ces prochains jours.

L'adolescente la jaugea sans rien dire. Puis elle envoya un dernier texto.

— Shirley Linsell ? demanda Lynn.

— Oui, et vous devez être la maman, n'est-ce pas ?

— Enchantée, confirma-t-elle en souriant.

— Je vais te montrer ta chambre. Tu en as une pour toi toute seule. Et vous aussi, vous pourrez passer la nuit ici, madame Beckett. Je me tiens à votre disposition pour répondre à toutes vos questions, n'hésitez pas à me solliciter.

— Est-ce que je vais mourir ? demanda Caitlin sans lever le nez de son portable.

— Bien sûr que non, ma chérie ! la rassura sa mère.

— Je demandais à Shirley.

Il y eut un court instant de silence gêné avant que la coordinatrice réponde :

— Qu'est-ce qui te fait dire ça, Caitlin ?

— Ce serait totalement idiot de ma part de ne pas me poser la question, non ?

22

Roy Grace avait du mal à suivre l'Audi TT noire qui roulait à toute allure. Cleo ne saisissait pas l'utilité des limitations de vitesse, ni celle des feux de signalisation.

Au croisement entre Sackville et Neville Road, le feu passa à l'orange, mais Cleo ne freina pas.

Merde. Il sentit son cœur s'emballer.

Les accidents aux croisements étaient souvent les pires. Et il n'y avait pas que Cleo, au volant. Il y avait aussi leur enfant.

Le feu passa au rouge. Deux secondes plus tard, l'Audi franchissait le carrefour. Roy s'agrippa à son volant. Quelques instants plus tard, elle était hors de danger, et filait sur Old Shoreham Road, en direction de Hove Park.

Lui ralentit et marqua l'arrêt. Il mourait d'envie de l'appeler pour la supplier d'être plus prudente, mais il savait que cela ne servirait à rien – c'était sa façon de conduire. Ils ne sortaient ensemble que depuis cinq mois, mais il n'avait pas tardé à remarquer qu'elle était pire chauffard que son collègue Glenn Branson, qui venait d'être habilité à conduire des véhicules rapides, et adorait exercer ses talents. Ou plutôt de son absence de talents, selon Roy.

Mais pourquoi conduisait-elle ainsi, elle qui était si scrupuleuse dans tous les autres domaines ? On pourrait penser que les gens qui travaillent dans des morgues, qui examinent chaque jour des corps déchiquetés dans des accidents de la route, ne prennent aucun risque, non ? Et pourtant... Le médecin légiste Nigel Churchman, par exemple, qui venait d'être muté dans le nord du pays, participait à des rallyes tous les week-ends. Peut-être que ceux qui côtoyaient la mort voulaient la défier...

Le feu passa au vert. Il s'assura que personne, à droite ni à gauche, ne s'apprêtait à lui faire un coup « à la Cleo » et accéléra, sans oublier que deux radars l'attendaient un peu plus loin. Cleo refusait d'admettre qu'elle conduisait trop vite. Son inconscience l'effrayait. Il l'aimait tellement... Ce soir plus que jamais. L'idée même qu'il lui arrive quelque chose lui était insupportable.

Depuis la disparition de Sandy, il avait été incapable de nouer une relation stable avec une femme. Jusqu'à ce qu'il la rencontre. Pendant près de dix ans, il avait cherché Sandy, inlassablement, espérant qu'elle l'appellerait ou qu'elle reviendrait un beau jour, sans crier gare. Mais c'était différent désormais. Il aimait Cleo peut-être plus qu'il n'avait jamais aimé Sandy. Si celle-ci débarquait, même avec une bonne explication, il ne quitterait pas Cleo pour elle. Il était quasiment sûr d'avoir tourné la page une bonne fois pour toutes.

Et à présent, cette incroyable nouvelle : elle était enceinte ! Elle en avait eu la confirmation le matin même. Six semaines de grossesse. Elle portait leur enfant.

Sandy n'avait jamais réussi à tomber enceinte. Les premières années, ils ne s'étaient pas posé la question, ils voulaient attendre un peu avant de fonder une famille. Mais quand ils avaient désiré un bébé, ça n'avait pas marché. Un an environ avant la disparition de Sandy, tous deux avaient passé des tests de fertilité. Un spécialiste leur avait expliqué qu'elle avait un problème de viscosité du mucus des trompes de Fallope.

Sandy avait suivi un traitement, tout en sachant qu'il n'y avait qu'une chance sur deux pour qu'il soit efficace. Ce problème d'infertilité l'avait profondément blessée. Elle qui aimait prendre les choses en main – décorer la maison dans un style zen, entretenir le jardin, s'affirmer au volant, préparer leurs voyages – avait sans doute été très affectée, peut-être au point de faire une véritable dépression. Il se demandait parfois si ce pouvait être la cause de sa disparition.

Il y avait tant de questions restées sans réponse.

Mais cette impression de vide avait disparu. Cleo le rendait plus heureux qu'il aurait osé rêver l'être. Et voilà qu'elle lui annonçait cette incroyable nouvelle !

Il vit sa voiture s'arrêter au croisement avec Shirley Drive, où se trouvait une caméra de vidéosurveillance.

Je t'en prie, ma chérie, sois un peu plus prudente au volant ! On vient juste de se rencontrer, la vie, pour nous, va commencer, je n'ai pas envie de t'extirper d'un amas de tôles ! D'autant plus qu'un petit être grandit en toi.

Elle freina en passant devant un radar ; il réussit à la rattraper aux feux suivants. Il la suivit sur Dyke Road, puis jusqu'au rond-point des Seven Dials. Le quartier, densément peuplé, était encore assez animé pour un mercredi soir, à 23 h 30.

Roy ne put s'empêcher de passer en revue chaque visage. Et il en repéra un qu'il connaissait. Miles Penney. Un dealer à la petite semaine, qui leur servait d'indic. La tête baissée, cigarette aux lèvres, il arpentait le trottoir en traînant les pieds – de toute évidence, il n'avait rien à vendre ni à acheter. Qui plus est, Grace n'en avait rien à secouer. Tant qu'il n'y avait ni viol, ni mort d'homme, il n'avait pas à intervenir ce soir.

Cleo passa la gare, puis s'engagea dans les rues étroites du quartier de North Laine, où cohabitaient cafés, restaurants, boutiques, antiquaires et immeubles d'habitation. Elle trouva une place réservée aux résidents près de chez elle. Grace se gara sur une ligne jaune pas très loin. En sortant de sa voiture, animé par un instinct deux fois plus développé qu'avant, il vérifia qu'aucun danger n'était tapi dans l'ombre.

Il la rejoignit devant le portail de sa résidence, un ancien entrepôt réhabilité, et l'enlaça au moment où elle tapait son code.

Il glissa une main sous la longue cape noire qu'elle portait sur sa robe et la posa sur son ventre.

— C'est merveilleux, murmura-t-il.

— Tu es sûr d'être d'accord ? lui demanda-t-elle en le fixant de ses grands yeux confiants.

Il prit son visage entre ses mains.

— Non seulement je suis d'accord, mais je suis incroyablement heureux. Je ne sais pas comment l'exprimer, mais c'est la chose la plus formidable qui puisse nous arriver. Tu feras une excellente maman. Je le pense du fond du cœur.

— Et toi, tu feras un papa génial.

Ils s'embrassèrent. Il jeta un œil inquiet aux alentours.

— Juste une chose...

— Quoi ?

— Ta conduite... Lewis Hamilton a du souci à se faire !

— Tu es bien placé pour parler : ta voiture a fait le saut de l'ange du haut de Beachy Head !

— OK, mais c'était dans le cadre d'une course-poursuite. Toi, tu roulais à 130 dans une zone limitée à 65, et tu as grillé un feu rouge sans raison.

— Et alors ? Tu veux m'arrêter ?

Les yeux dans les yeux, il lui dit en riant :

— Qu'est-ce que tu peux être garce, parfois.

— Et toi, qu'est-ce que tu peux être psychorigide, parfois.

— Je t'aime.

— Ah bon ?

— Oui, je t'adore.

— Tu m'aimes comment ?

Il l'attira plus près et lui chuchota à l'oreille :

— Quand tu seras nue, je te montrerai.

— C'est la proposition la plus alléchante de la soirée.

Elle composa son code. Le portail émit un clic et s'ouvrit.

Ils traversèrent la cour pavée de galets et montèrent chez elle. Quand elle ouvrit sa porte, ils découvrirent que l'appartement avait été dévasté.

Une tornade noire fonça sur Cleo et l'atteignit au nombril, la renversant presque.

— Humphrey, au pied ! cria-t-elle.

Sans crier gare, le chien sauta sur Grace, atterrissant sur ses parties génitales.

Ce dernier fit un pas en arrière, plié en deux.

— Humphrey ! répéta Cleo au chiot – un croisement entre un labrador et un border collie.

Celui-ci traversa le champ de bataille et revint auprès de sa maîtresse avec un nœud rose dans la gueule.

Grimaçant de douleur, Grace contempla ce qui restait du salon, d'habitude impeccablement rangé. Les plantes étaient renversées ; les coussins des deux canapés rouges étaient par terre, certains éventrés ; le parquet en chêne était couvert de plumes et de mousse ; des bougies mâchées, des pages de journal et un exemplaire du magazine *Sussex Life*, dont la couverture était déchiquetée, gisaient sur le sol.

— C'est pas bien, pas bien du tout, le gronda Cleo.

Humphrey remua la queue.

— Je ne suis pas contente. Je suis très en colère, tu comprends ?

Le chien se contenta de lui sauter dessus.

Elle serra sa gueule entre ses mains et s'agenouilla.

Grace ne put s'empêcher de sourire.

— Et puis merde, s'exclama Cleo, impuissante.

Humphrey se dégagea et fonça de nouveau vers Grace, qui réussit cette fois à intercepter ses pattes.

— Pas bien ! fit-il au chien qui semblait très satisfait de lui.

— Laisse tomber. On nettoiera plus tard. Whisky ?

— Volontiers, répondit Grace en repoussant l'animal, qui repassa à l'attaque à grands coups de langue.

Cleo l'attrapa au collet et le sortit dans la cour. Une fois dehors, celui-ci se mit à gémir.

— Il lui faut deux heures d'exercice par jour, expliqua Cleo à Grace, en le rejoignant dans la cuisine. Mais pas avant un an, sinon, c'est mauvais pour ses hanches.

— Et pour les meubles.

— Très drôle.

Elle récupéra quelques glaçons grâce au système intégré à son Frigo high-tech, versa une bonne dose de Glennfiddich dans un verre et du Schweppes dans l'autre.

— Je vais me contenter d'un soda, c'est raisonnable, pas vrai ?

Grace eut soudain envie d'une cigarette, mais se souvint qu'il avait fait exprès de ne pas en prendre.

— Je suis sûr que le bébé ne verra pas d'inconvénient à ce que tu boives une goutte d'alcool. Et autant lui faire goûter tant qu'il ou elle est jeune !

Cleo porta un toast.

— À la tienne, Étienne.

Grace enchaîna :

— Tu parles, Charles.

Et elle compléta le dicton :

— Tout juste, Auguste !

Il but son verre cul sec, puis plongea son regard dans le sien, tandis que Humphrey leur faisait la sérénade. Il ou elle... Il n'y avait pas encore réfléchi. Allaient-ils avoir une fille ou un fils ? Cela lui était égal. Il adorerait cet enfant. Cleo ferait une très bonne mère, il en était persuadé. Et lui ? Ferait-il un bon père ?

Cleo contemplait l'ampleur des dégâts.

— Tu veux que je t'aide à ranger ?

— Non, répondit-elle. J'ai plutôt besoin d'un orgasme. Tu penses pouvoir m'en offrir un ? susurra-t-elle, les lèvres collées aux siennes.

— Un seul, tu es sûre ? C'est comme si c'était fait.

— Prétentieux, va.

23

Mâchant son chewing-gum, Vlad Cosmescu suivait des yeux la bille en ivoire qui tournait autour du cylindre, tressautait entre les chicanes, avant de finir sa course sur le 24 noir.

Ajustant ses lunettes, il constata avec satisfaction qu'il avait placé un tas de jetons de 5 livres à cheval entre le 23 et le 24. Le croupier ramassa toutes les autres mises. Comescu projeta son poignet en avant pour regarder l'heure : 0 h 10. Il n'avait pas de veine. Il avait déjà perdu 1 800 livres, c'est-à-dire quasiment ce qu'il s'autorisait à laisser chaque soir. Mais peut-être sa chance allait-elle tourner : sa stratégie du tiers venait de porter ses fruits deux fois de suite.

Cosmescu misa la moitié de ses gains et le reste de ses jetons, bientôt imité par la Chinoise, qui n'avait toujours pas quitté le jeu, et d'autres joueurs, arrivés récemment. Au moment où le croupier annonça : « Les jeux sont faits », la quasi-totalité de la table était couverte de jetons.

Il utilisait deux systèmes : par sécurité, il misait toujours sur le tiers – les numéros dans l'arc de cercle opposé au zéro –, ce qui lui permettait de ne pas perdre trop, de rester dans le jeu pendant des heures et de peaufiner la stratégie qu'il développait depuis des années. Cosmescu était un homme patient et prévoyant. C'est pourquoi le coup de fil qu'il s'apprêtait à recevoir allait autant l'agacer.

Sa méthode consistait en un mélange de mathématiques et de probabilité. La roulette européenne comportant trente-sept numéros, en comptant le zéro, Cosmescu savait qu'il y avait une chance sur plusieurs millions que tous les nombres sortent à la suite. Certains tomberaient deux fois, d'autres trois ou quatre fois, mais certains jamais. C'est pourquoi il misait sur des combinaisons ayant déjà rapporté de l'argent dans la même soirée.

Concentré sur le 24, il pressa deux fois son gros orteil contre le bouton intégré dans sa botte droite et quatre fois contre celui dans la gauche. En rentrant chez lui, il transférerait dans son ordinateur les données stockées par la puce enfoncée dans sa poche.

Son système n'était pas encore au point, mais avec le temps il perdait de moins en moins.

Il était persuadé qu'il battrait bientôt le casino et qu'il ferait fortune, ce qui lui permettrait de ne plus vivre sous les ordres de quelqu'un. Et s'il n'y arrivait pas... Eh bien, il continuerait à jouer pour tuer le temps. Car, du temps, il en avait à revendre.

À Brighton, il vivait comme un ermite. Il travaillait de son appartement, au sommet d'une tour en verre et métal, en centre-ville, sans voir personne. Quand il recevait des ordres de son chef, il obéissait, puis blanchissait l'argent au casino, comme on le lui avait demandé. L'arrangement lui convenait. Son boss – son *sef* – avait besoin de quelqu'un de suffisamment endurci pour faire le boulot, un homme de confiance qui ne le plumerait pas. Ils parlaient la même langue. Ou plutôt les deux : le roumain et celle de l'argent.

Vlad Cosmescu ne s'intéressait pas à grand-chose en dehors de l'argent. Il ne lisait ni livres, ni magazines. Il lui arrivait de regarder un film d'action à la télé. Il aimait bien la saga Jason Bourne, et les *Transporter*, parce qu'il s'identifiait au personnage solitaire joué par Jason Statham. Quand il passait la nuit avec une des filles, il lui arrivait de mater un porno. Et il faisait de la muscu deux heures par jour, dans un grand club. Mais tout le reste l'ennuyait. Même manger. Pour lui, la nourriture n'était qu'une source d'énergie. Il mangeait quand il en avait besoin, jamais plus que nécessaire, et ne comprenait pas l'obsession des Britanniques pour les émissions culinaires.

Il aimait les casinos, car l'argent y régnait en maître : on pouvait le voir, le respirer, l'entendre, et même le caresser. L'argent était son plat préféré. Il était pour lui synonyme de pouvoir et de liberté. Il lui avait permis d'améliorer son train de vie et celui de sa famille. De transférer Lenuta, sa sœur handicapée, d'un hospice public de Plataresti, un village situé à 40 kilomètres de Bucarest, à un magnifique foyer spécialisé sur les hauteurs de Montreux, en Suisse, avec vue sur le lac Léman.

Quand il l'avait vue pour la première fois, dix ans plus tôt, après une longue quête et de multiples pots de vin, elle était classée « irrécupérable ».

À onze ans, elle était enfermée dans un petit lit à barreaux. Nourrie de lait et de céréales concassées, elle était cadavérique, le ventre gonflé par la faim. Vêtue de haillons qui lui servaient de couche, elle semblait sortie d'un camp de concentration.

La pièce comportait trente lits identiques, collés les uns aux autres, telles des cages pour animaux de laboratoire. Elle puait la diarrhée et le vomi.

Les enfants les plus costauds, déjà adolescents, étaient au même régime lait et céréales. Malgré leurs handicaps, ils se débrouillaient pour voler la nourriture des plus faibles. N'étant pas qualifiée pour intervenir, l'unique surveillante laissait faire, impuissante.

La bille tournait de nouveau quand le portable de Cosmescu vibra dans sa poche. Il le sortit sans quitter la roulette des yeux : numéro 19. *Merde*. Il n'avait rien misé dessus. S'éloignant de la table, il enregistra la partie avec ses orteils, et lut le message du *sef* :

Besoin de te parler tout de suite.

Cosmescu quitta discrètement le casino, traversa le parking et entra dans le pub Wetherspoon, sachant qu'il y avait une cabine téléphonique au sous-sol. Il envoya le numéro par texto et attendit. Moins d'une minute plus tard, le téléphone sonna. Le pub étant très bruyant, il colla l'écouteur à son oreille.

— Oui ? fit-il en décrochant.

— Tu as merdé. Et pas qu'un peu.

La discussion dura plusieurs minutes. Quand il retourna au casino, Cosmescu était déconcentré. Il perdit 2 300 livres, puis 2 500. Et au lieu de lâcher l'affaire, animé par la colère et la fièvre du jeu, il s'accrocha.

À 3 h 20, quand il se décida à partir, il avait perdu un peu plus de 5 000 livres, ce qui ne lui était jamais arrivé.

Et malgré tout, fidèle à son habitude, il laissa à la fille du vestiaire et au voiturier un billet de 10 chacun.

24

Vêtu d'un jogging, d'une casquette de base-ball et de chaussures de sport, Roy Grace quitta l'appartement de Cleo peu avant 5 h 30, sans faire de bruit. L'air marin et l'aube brumeuse l'accueillirent de leur lumière orangée.

Il était tellement excité par la grossesse de Cleo qu'il avait à peine fermé l'œil de la nuit. Un sentiment difficile à décrire le galvanisait – mélange de toute-puissance, de conscience des responsabilités à venir et, pour la première fois dans sa carrière, de nouvelles priorités.

Il traversa la cour, passa le portail, puis vérifia, à droite et à gauche, que la rue était calme. Tous les flics de sa connaissance avaient le même réflexe. Où qu'ils soient – dans la rue, dans un magasin, dans un restaurant –, ils jetaient un coup d'œil inquisiteur autour d'eux. Grace appelait ça : la culture du soupçon à bon escient. Elle lui avait d'ailleurs rendu service à de multiples reprises.

Et en ce petit matin de novembre, alors même qu'il était d'une humeur très protectrice à l'égard de Cleo, rien, dans les rues désertes de Brighton, n'attira son attention. Ignorant une douleur lancinante dans les côtes et dans le dos, consécutive à son récent accident de voiture, il s'élança dans les rues piétonnes pavées du quartier de Kensington Gardens, passa devant ses cafés, boutiques, antiquaires, bric-à-brac, puis déboucha dans Gardner Street, devant chez Luigi, le magasin où Glenn Branson, qui s'était autoproclamé styliste personnel, voulait qu'il renouvelle sa garde-robe.

Quand il arriva dans North Street, il vit des phares et entendit un puissant moteur. Quelques secondes plus tard, un coupé Mercedes noir, modèle SL, le dépassa sans qu'il ait eu le temps de distinguer davantage qu'une silhouette masculine, élancée, à travers les vitres teintées. Grace se demanda ce que cet individu faisait dehors à cette heure. Revenait-il d'une soirée ? Fonçait-il vers un port ou un aéroport ? Il était rare de croiser des véhicules de cet acabit si tôt le matin. En général, à cette heure-là c'était des vieilles voitures et des camionnettes d'ouvriers qui circulaient. La Mercedes avait sans doute de bonnes raisons de se trouver là, mais Grace ne put s'empêcher de noter sa plaque : GX57 CKL.

Il traversa et s'engouffra dans les ruelles tortueuses du quartier des Lanes, avant de rejoindre le bord de mer, désert. Seul un homme âgé promenait un teckel grassouillet. Maintenant qu'il était échauffé, Grace boitait moins. Il descendit la rampe, passa devant le Honey Club, une boîte de nuit fermée, puis s'arrêta pour faire quelques étirements. La plage sentait le sel, le pétrole, le poisson pourri, le vernis à bateau et l'algue en décomposition. Il s'imprégna du bruit des vagues, tout en appréciant la fraîcheur de la bruine sur son visage.

Il adorait se retrouver au bord de l'océan, surtout au petit matin. La mer lui faisait l'effet d'une drogue. Il adorait son chant, ses effluves, ses couleurs, ses changements d'humeur... Et les mystères qu'elle cachait, les secrets qu'elle recelait, comme ce corps, repêché la veille. Il ne concevait pas de vivre loin du littoral.

Le Palace Pier, l'un des monuments les plus connus de la ville, était éclairé. Ses nouveaux propriétaires l'avaient rebaptisé Brighton Pier, mais pour lui, comme pour de nombreux citoyens, il s'appellerait toujours le Palace Pier. Des dizaines de milliers d'ampoules, alignées sur les arêtes de la voûte, lui donnaient des allures de phare. Grace se demanda combien de temps cela prendrait avant qu'on leur impose de les éteindre, pour faire des économies d'énergie.

Il tourna à gauche et allongea la foulée, dans l'ombre de cet imposant édifice. C'était ici qu'il avait embrassé Sandy pour la première fois. Son fils, ou sa fille, aura-t-il un coup de foudre au même endroit ? Il poursuivit sa course sur un petit kilomètre, puis fit demi-tour pour revenir chez Cleo. Ce circuit n'était pas très long – vingt minutes environ –, mais il lui permettait de prendre l'air et de recharger les batteries.

Cleo et Humphrey n'étaient pas réveillés. Il prit une douche rapide, réchauffa le bol de porridge que Cleo lui avait préparé la veille, l'avala tout en feuilletant l'*Argus*, puis se mit en route. Il était 6 h 45 quand il se gara sur le parking du QG de la PJ.

Dans le meilleur des cas, si personne ne venait le déranger, il avait une heure et demie devant lui pour consulter ses mails et remplir la paperasserie la plus urgente, avant de foncer à la morgue pour assister à l'autopsie de l'*homme non identifié* – le garçon repêché par la drague.

Il entra son mot de passe dans son ordinateur et examina les incidents de la nuit : une agression à caractère homophobe contre deux hommes sur Eastern Road, un cambriolage dans un bureau, une rixe en état d'ébriété, lors d'une veillée funèbre, dans une cité HLM de Moulescoomb, un poids lourd renversé sur l'A27 et six voitures forcées sur Tidy Street. Il lut attentivement cette info, car c'était le quartier de Cleo, mais la brève n'était guère détaillée. Il passa aux deux suivantes : une bagarre à un arrêt de bus sur London Road au petit matin et une mobylette volée.

La routine, se dit-il.

Puis sa porte s'ouvrit.

— Salut, vieux ! lança une voix très, voire trop, familière. Tu es matinal ou tu as passé une longue nuit au bureau ?

— Très drôle, fit-il en levant les yeux vers son ami – et désormais colocataire – Glenn Branson, qui, comme à l'accoutumée, était tiré à quatre épingles. Grand, noir, le crâne rasé et luisant comme une boule de billard, le commandant savait s'habiller. Aujourd'hui, il portait un costume trois pièces gris brillant, une chemise rayée blanc et gris, des mocassins noirs et une cravate rouge foncé. Plus une tasse de café à la main.

— J'ai entendu dire que tu avais fait la cour au nouveau boss hier soir. Tu lui as léché les bottes ?

Grace sourit. La grossesse de Cleo l'avait tellement bouleversé qu'il avait eu du mal à trouver quoi que ce soit d'intelligent à dire à son chef, quand il avait enfin réussi à lui mettre la main dessus. Il était conscient de ne pas avoir fait forte impression. Mais il s'en moquait. Cleo était enceinte ! Elle portait leur enfant. Le reste n'avait que peu d'importance. Il aurait adoré annoncer la nouvelle à Glenn, mais ils avaient décidé de ne pas en parler. Six semaines de grossesse, c'est peu, ils n'étaient pas à l'abri d'un accident de parcours. C'est pourquoi il se contenta de répondre :

— Ouais, et il se fait du souci pour toi.

— Pour moi, répéta-t-il, inquiet. Pourquoi ? Qu'est-ce qu'il t'a dit ?

— Problème avec la musique que tu écoutes. Il pense que les gens qui ont tes goûts musicaux ne peuvent pas faire de bons policiers.

Le commandant grimaça.

— Enfoiré, tu me fais marcher, l'invectiva-t-il d'un doigt accusateur.

Grace afficha un grand sourire.

— Quoi de neuf ? Quand est-ce que je récupère ma maison ?

— Tu me mets dehors ? demanda Branson, soudain déconfit.

— Je tuerais père et mère pour un café. Tu m'en prépares un, et on est quitte pour le prochain mois de loyer, ça te convient ?

— Plutôt deux fois qu'une. Je t'aurais bien offert le mien, mais il est sucré.

— Le sucre, c'est l'infarctus garanti, désapprouva Grace.

— Le plus tôt sera le mieux, commenta Branson d'un ton lugubre, avant de s'éclipser.

Cinq minutes plus tard, il revint s'asseoir dans le bureau de son collègue.

Grace lui jeta un regard suspicieux.

— Tu n'aurais pas mis du sucre ?

— Oh, merde ! Je t'en fais un autre.

— Non, c'est bon, je ne vais pas mélanger.

Branson semblait en piteux état.

— Tu as pensé à nourrir Marlon ?

— Ouais. On est devenus potes.

— Ah bon ? Ne t'approche pas trop de lui.

Marlon était le poisson rouge que Grace avait gagné dans une fête foraine. Il avait neuf ans et était en pleine forme. Cette créature hargneuse, asociale, avait dévoré tous les compagnons qui lui avaient été présentés. Mais bon. Avec son mètre quatre-vingt-dix, le commandant ne risquait pas grand-chose.

Consultant son écran d'ordinateur, Grace constata que deux jeunes avaient été arrêtés dans le cadre des effractions sur Tidy Street : une caméra de vidéosurveillance les avait repérés à l'angle de Trafalgar Street.

Bien, songea-t-il, soulagé. Sauf qu'ils seraient sans doute relâchés, et de nouveau opérationnels ce soir.

— Quoi de neuf sur le front matrimonial ?

Quelques mois auparavant, Glenn avait essayé de sauver son mariage en offrant, grâce à l'indemnité reçue suite à un accident de travail, un bel étalon à sa femme Ari. Mais ce cadeau n'avait été qu'une trêve de courte durée dans la guerre ouverte qui les opposait.

— Tu comptes lui acheter un deuxième canasson ?

— Hier soir, quand je suis passé voir les gosses, elle m'a dit que j'allais recevoir une lettre de son avocat.

— Un avocat pour le divorce ?

Il acquiesça, dépité.

Grace était triste pour son ami – et un peu contrarié à l'idée de devoir le loger pendant une durée indéterminée. Mais il n'avait pas la force de le mettre à la porte.

— Ça te dirait de prendre un verre, ce soir ? lui proposa Branson.

— Ouais, pourquoi pas ? répondit-il sans enthousiasme.

Il adorait ce gars, mais quand il se mettait à parler de son épouse, c'était toujours la même rengaine. Non seulement elle ne l'aimait plus, mais elle ne le supportait plus. Grace la suspectait d'être du genre impossible à satisfaire, mais quand il abordait le sujet avec Glenn, celui-ci la défendait, persuadé qu'il y avait une solution, mais laquelle ?...

— J'ai une idée, mec. Tu es occupé ce matin ?

— Oui, mais rien d'urgent. Pourquoi ?

— Une drague a repêché un corps hier soir. J'avais demandé à la commandante Mantle de m'accompagner, mais elle est en formation à l'école de police de Bramshill aujourd'hui et demain. Tu peux peut-être assister à l'autopsie avec moi ?

Branson fit les gros yeux, faussement choqué.

— Waouh. Toi, tu sais comment consoler un dépressif. Tu comptes me remonter le moral en me proposant une visite à la morgue, un matin pluvieux de novembre ? Une bonne tranche de rigolade en perspective.

— Ben ouais. Ça te fera du bien de voir quelqu'un dans un pire état que le tien.

— Merci.

— Et puis c'est Nadiuska qui dirige les opérations.

À quarante-huit ans, cette femme sculpturale faisait dix ans de moins que son âge. Enjouée, mais très professionnelle, c'était le légiste avec lequel tous les policiers du secteur aimaient collaborer. Bien que mariée avec un éminent chirurgien esthétique, cette beauté de sang russe était une grande séductrice, dotée d'un féroce sens de l'humour.

— Ah, ben voilà ! s'exclama Branson. Il suffisait de le dire.

— Dis-moi que ce n'est pas sa présence qui te fait changer d'avis...

— C'est toi le chef. Je me contente de suivre les ordres.

— Ah bon ? Je n'avais jamais remarqué.

25

La commandante Tania Whitlock frissonna. Un courant d'air soufflait en permanence sous la fenêtre à côté de son bureau. Elle avait le côté droit du visage complètement gelé. Elle but une gorgée de café et regarda l'heure. 11 h 10. La journée était bien entamée et la pile de rapports et de formulaires qui encombrait son bureau était toujours très haute. Dehors, le ciel était gris, il crachinait.

Son bureau donnait sur la piste d'atterrissage et le parking de l'aéroport de Shoreham, le plus ancien aéroport civil du monde. Construit en 1910, à l'ouest de Brighton et Hove, il était désormais utilisé par des appareils privés et des écoles d'aviation. Quelques années auparavant, une zone industrielle avait été créée et c'était dans l'un de ces bâtiments – un entrepôt converti en bureaux – que l'unité spéciale de recherches était basée.

Quasiment aucun engin n'avait décollé, ni atterri, de la matinée. Ni avion, ni hélicoptère. Les conditions météorologiques dissuadaient notamment les pilotes n'ayant pas l'habitude de voler avec une très faible visibilité.

Pourvu que toute la journée soit aussi calme, pria Tania en se concentrant sur son dossier en cours. Il s'agissait d'un rapport du coroner, dans lequel elle devait indiquer où les membres de son équipe avaient plongé, vendredi dernier, dans la marina de Brighton, pour récupérer le corps d'un plaisancier tombé d'une passerelle – en état d'ébriété, selon les témoins – alors qu'il portait un moteur de hors-bord sur son dos.

Vingt-neuf ans, petite, mince, un joli visage aux traits vifs, de longs cheveux bruns, la commandante portait une polaire bleue sur un tee-shirt bleu, aux couleurs de la police, un pantalon bleu et des godillots. Malgré cet accoutrement, elle avait l'air si fragile que personne n'aurait pu deviner que, cinq ans plus tôt, elle faisait partie de l'unité d'élite de la police de Brighton et Hove, et se trouvait aux avant-postes lors des raids ou des manifestations susceptibles de dégénérer.

L'unité qu'elle dirigeait à présent comptait neuf officiers. L'un d'eux, Steve Hargrave, avait été plongeur professionnel avant d'entrer dans la police. Les autres étaient des flics formés à l'école de plongée de Newcastle. Parmi eux se trouvaient un ex-Marine et un ancien agent de la circulation, qui s'était fait remarquer en verbalisant son propre père, alors qu'il conduisait sans ceinture. Tania était la seule femme de cette équipe qui, de l'avis de tous, devait accomplir les tâches les plus sordides du monde : récupérer des corps, des membres déchiquetés ou des pièces à conviction dans des zones considérées comme traumatisantes, ou trop dangereuses, pour les policiers ordinaires.

Le plus souvent, ils étaient amenés à plonger en mer, dans des canaux, des rivières, des lacs ou des puits, mais leurs attributions n'étaient pas clairement définies. Ces douze derniers mois, ils avaient par exemple récupéré quarante-sept fragments humains après un horrible carambolage dans lequel six personnes avaient péri, ou encore les restes carbonisés de quatre personnes mortes dans un accident d'avion de tourisme.

Une remorque aux couleurs de la police, contenant suffisamment de housses mortuaires en cas de crash d'un long-courrier, lui bloquait en partie la vue sur l'aéroport.

Dans cette unité, où l'humour allait bon train, chacun avait un pseudo. Le sien, c'était Schtroumpfette, parce qu'elle était petite et virait au bleu quand elle se retrouvait dans l'eau froide. Son équipe était composée de gens fantastiques. Elle aimait et respectait chacun de ses collègues, et ce sentiment était réciproque.

Le bâtiment abritait leur équipement de plongée, un ballon dirigeable suffisamment grand pour une dizaine de personnes et une buanderie. Leur camion comportait tout le nécessaire pour plonger, faire de l'escalade ou de la spéléologie. L'équipe se tenait prête à intervenir 24 heures sur 24.

Le petit bureau de Tania comportait plusieurs meubles de rangement. Sur l'un d'eux, quelqu'un avait placé un gros autocollant jaune : matières radioactives. Un tableau blanc récapitulait, au marqueur turquoise, les tâches à accomplir en priorité. À côté se trouvaient un calendrier et une photo de Maddie, sa nièce de quatre ans. Sa table de travail croulait sous les dossiers et les formulaires, sans compter son ordinateur portable, sa *lunch box*, une lampe et un téléphone.

Malgré le chauffage d'appoint placé à ses pieds, il faisait tellement froid qu'elle préférait garder sa polaire. Ses doigts étaient si engourdis qu'elle avait du mal à tenir son stylo-bille. *Il doit faire meilleur au fond de l'océan*, se dit-elle.

Elle passa à la page suivante et ajouta quelques notes au dossier. Alors qu'elle était très concentrée, le téléphone sonna.

— Commandante Whitlock, j'écoute, répondit-elle, la tête ailleurs.

C'était le commissaire Roy Grace du QJ de la PJ. Comme il était peu probable qu'il l'appelle pour parler de la pluie et du beau temps, elle lui accorda toute son attention.

— Salut, comment va ?

— Bien, Roy, fit-elle d'une voix enjouée, même si elle ne l'était pas particulièrement.

— Il paraît que tu t'es mariée récemment ?

— Oui, cet été, répondit-elle.

— Quel petit veinard !

— Merci, Roy ! J'espère qu'il en est conscient... Que puis-je faire pour toi ?

— Je suis à la morgue. On autopsie un garçon repêché hier par une drague, l'*Arco Dee*, à 10 milles au sud du port de Shoreham.

— Je connais l'*Arco Dee*. Il opère entre Shoreham et Newhaven.

— Exact. J'aimerais que ton équipe ratisse le banc de sable, au cas où il y aurait d'autres trucs suspects.

— Tu as des informations ?

— On a identifié le secteur de façon assez précise. Le corps avait été enveloppé dans une bâche, puis lesté. Peut-être des funérailles en mer, mais j'en doute.

— J'imagine que l'*Arco Dee* l'a trouvé sur un site d'extraction ?

— Oui.

— Les immersions professionnelles obéissent à une charte. Le cadavre a peut-être dérivé, mais c'est peu probable. Tu veux que je te rejoigne ?

— Ça ne te dérange pas ?

— Je serai là dans une demi-heure.

— Merci.

Elle raccrocha et fit la grimace. Elle avait prévu de rentrer tôt pour préparer un bon petit plat à son mari, Rob. Comme il adorait la cuisine thaï, elle avait acheté tout ce dont elle avait besoin, notamment des crevettes et un joli bar. Rob, qui était pilote sur les longs-courriers de British Airways, repartait le lendemain pour neuf jours. Elle allait devoir faire une croix sur leur dîner romantique.

Steve Hargrave, surnommé Gonzo, passa la tête à la porte.

— Tu es occupée, chef, ou est-ce que tu aurais deux minutes à m'accorder ?

Elle lui décocha un sourire en coin qui en disait long. Levant un doigt, il battit en retraite.

— J'ai mal choisi mon moment, n'est-ce pas ?

Son expression ironique confirma son intuition.

26

Qui es-tu ? se demanda Grace en fixant le corps dénudé de l'homme non identifié allongé sur la table au centre de la salle d'autopsie, sous une lumière crue. Il devait avoir des parents. Peut-être des frères et sœurs. *Qui tenait à toi ? Qui va être dévasté en apprenant ta mort ?*

Avant l'arrivée de Cleo Morey au poste de thanatopractrice en chef, Grace avait les jetons à chaque fois qu'il devait assister à une autopsie. Mais tout change... Désormais, il se rendait à la morgue à la première occasion. Car même avec sa blouse bleue, son tablier en plastique vert et ses bottes en caoutchouc blanches, Cleo était incroyablement sexy.

À moins que le dicton dise vrai – l'amour rend aveugle.

Les morgues, c'est un peu comme les cabinets d'avocats : rares sont ceux qui s'y rendent le sourire aux lèvres. Il y a ceux qui y vont les pieds devant – raides depuis plus ou moins longtemps – et les visiteurs, qui viennent de perdre un être cher, souvent d'une mort brutale.

La morgue municipale se trouvait dans un long

bâtiment en crépi gris. On y accédait par le rond-point de Lewes Road, qui desservait aussi le magnifique cimetière vallonné de Woodvale. Elle se composait d'une salle de réception, d'un bureau, d'une chapelle multiconfessionnelle, d'une baie vitrée, de deux espaces de stockage repensés pour accueillir des frigos plus grands – vu qu'il y avait de plus en plus de cadavres obèses –, d'une pièce spéciale pour les maladies contagieuses, comme le sida et, enfin, de la salle d'autopsie, où Grace se trouvait à présent.

Les travaux dans l'espace de stockage ne passaient pas inaperçus.

La grisaille du ciel s'accordait à merveille avec l'ambiance sinistre qui régnait autour du cadavre. Tout était gris : la lumière diffusée par les fenêtres opaques, les carreaux aux murs... Quant à ceux au sol, mouchetés de marron, ils n'étaient pas sans rappeler un cerveau humain. Les seules touches de couleur étaient apportées par les blouses bleues des visiteurs, les vertes des thanatopracteurs et du légiste, et le flacon de détergent rose vif posé à l'envers près du lavabo.

Il flottait dans l'air des effluves de soude caustique et de javel, quand ce n'était pas des odeurs atroces de cadavres fraîchement disséqués.

Et, comme toujours lors d'une autopsie pratiquée par l'un des légistes attitrés de la police locale, la pièce était bondée. En plus de Nadiuska et Cleo, il y avait Darren Wallace, l'assistant, un jeune homme de vingt-deux ans qui avait fait ses classes en tant qu'apprenti boucher ; Michael Forman, la trentaine, l'air sérieux, employé au bureau du coroner ; James Gartrell, le photographe spécialisé, taillé comme une armoire à glace et enfin Glenn Branson, qui n'avait pas l'air dans son assiette. Ce n'était pas la première fois que Grace remarquait qu'en dépit de son physique impressionnant, son ami n'en menait pas large en salle d'autopsie.

La peau de la victime était cireuse, ce qui semblait indiquer que la décomposition n'avait pas encore commencé, donc qu'elle n'était pas décédée depuis longtemps. L'eau et les basses températures avaient peut-être retardé le processus, mais il était clair que l'homme non identifié n'avait pas séjourné longtemps au fond de la Manche.

Nadiuska De Sancha avait attaché ses cheveux roux avec une pince. Les lunettes en écailles perchées au bout de son joli nez, elle annonça que la mort remontait à quatre ou cinq jours. Étant donné que la plupart des organes vitaux étaient absents, elle ne pouvait être plus précise et ne pouvait pas non plus établir – du moins, pour le moment – les causes exactes du décès.

Le jeune homme avait un joli visage, avec ses cheveux bruns coupés ras, son nez droit et ses yeux marron, grands ouverts. Sa maigreur et son absence de muscles étaient signe de malnutrition. Ses parties génitales étaient pudiquement couvertes par un triangle de peau prélevé sur son sternum et placé là par Nadiuska, afin de lui offrir un semblant de dignité. Le légiste avait également clippé la chair de chaque côté de son imposante incision, qui courait jusqu'au nombril, révélant une cage thoracique étonnamment vide. Ne restaient plus que les intestins, lovés tels un long ver de terre brillant.

Un tableau récapitulant le poids de chaque organe (cerveau, poumons, cœur, foie, reins et rate) était accroché au mur. Aucune case n'était remplie, sauf celle du cerveau, le seul organe vital encore présent.

Le médecin préleva la vessie, la posa sur le plateau de dissection, placé à cheval au niveau des cuisses du jeune homme, et l'incisa. Puis elle recueillit dans un flacon, qu'elle scella, le fluide à analyser.

— Quelle est ton intuition, pour le moment ? lui demanda Grace.

— Eh bien, la cause de la mort n'est pas absolue, répondit-elle dans son anglais délicieusement approximatif. Il n'y a pas eu d'hémorragie pétéchiale, indiquant noyade ou asphyxie. Sans les poumons, je ne peux pas dire s'il était décédé avant immersion. Mais, vu que les organes avaient été prélevés, je suppose que c'est le cas.

— Peu de chirurgiens opèrent sous l'eau, plaisanta Michael Forman.

— Le contenu de l'estomac ne nous apprend pas grand-chose, car il a été en partie digéré, même si le processus est ralenti *post mortem*. Ce qui est intéressant, c'est que je remarque des particules de poulet, de pomme de terre et de brocoli, ce qui semblerait indiquer qu'il a ingéré un vrai repas quelques heures avant sa mort. Ce qui n'est pas cohérent avec l'absence d'organes.

— Dans quel sens ? demanda Grace, conscient d'être observé par le représentant du coroner et Glenn Branson.

— Eh bien, dit-elle en agitant son scalpel au-dessus de la cage thoracique ouverte, c'est le genre d'incision que pratique un chirurgien en cas de don d'organes. Toutes les interventions ont été faites par un professionnel. De plus, les vaisseaux sanguins ont été suturés avant d'être coupés, pour prélever les organes. Et la graisse périrénale (la graisse de rognon, comme on dit en cuisine) a été disséquée à l'aide d'une lame.

Grace se dit qu'il n'allait pas manger de rognon de sitôt.

— Tout cela nous indique que nous sommes en présence d'un donneur d'organes. Et pour confirmer cette impression, j'attire votre attention sur ces signes d'intervention médicale, dit-elle en montrant le dos de la main de la victime. Ceci est une piqûre. Et en voici une autre, poursuivit-elle en désignant le coude droit. C'est là qu'on installe en général les perfusions.

Puis, armée d'une petite lampe, elle ouvrit délicatement la bouche de la victime et éclaira le fond de sa gorge.

— En regardant bien, vous verrez une irritation de la trachée, juste en dessous du larynx, causée par le gonflement du ballonnet de la canule de trachéotomie.

Grace acquiesça.

— Mais il n'a pas pu manger avec cette canule, n'est-ce pas ?

— Tu as tout à fait raison, Roy. C'est ce qui m'échappe.

— Peut-être s'agit-il d'un donneur d'organes qui souhaitait des funérailles en mer, et qui a dérivé, suggéra Glenn Branson.

— C'est possible, concéda-t-elle. Mais la majorité des donneurs d'organes passent du temps en soins intensifs, intubés, nourris par intraveineuse. C'est bizarre qu'il y ait des aliments non digérés dans son estomac. Quand on aura les résultats des tests toxicologiques, on saura peut-être si des antispasmodiques ou autres médicaments ont été injectés, comme c'est l'usage pour le prélèvement d'organes.

— Pourrais-tu nous dire à combien d'heures avant la mort remonte le dernier repas ?

— Quatre à six maximum, d'après l'état de la nourriture.

— Peut-être qu'il est mort brutalement ? suggéra Grace. D'une crise cardiaque, d'un accident de voiture ou de moto...

— Il ne présente aucune blessure suggérant un grave accident. Pas de traumatisme crânien, par exemple. Un infarctus ou une crise d'asthme, pourquoi pas ? mais à son âge c'est peu probable. Je pense qu'il faut chercher une autre cause.

— C'est-à-dire ? demanda Grace en notant une piste sur son carnet.

— Je ne veux pas spéculer à ce stade. J'espère que

les analyses donneront quelque chose. Ce serait bien aussi de l'identifier.

— On y travaille.

— Je suis sûre que les analyses vont nous faire avancer. En revanche, je ne pense pas que la recherche d'empreintes ou de fibres nous révélera quoi que ce soit : la bâche n'était pas étanche. Une dernière chose à propos de la nourriture dans l'estomac. Au Royaume-Uni, le prélèvement d'organes requiert l'accord des proches, et il faut souvent plusieurs heures, après la mort cérébrale, pour l'obtenir. Mais dans des pays comme l'Autriche ou l'Espagne, la procédure est plus souple et plus rapide : tout le monde est donneur d'office, à moins de s'y opposer formellement. Peut-être vient-il de l'un de ces endroits...

Grace réfléchit.

— OK, mais s'il est mort en Espagne ou en Autriche, comment s'est-il retrouvé à 10 milles des côtes britanniques ?

On sonna à la porte. Darren, l'assistant, se précipita pour ouvrir et revint, quelques minutes plus tard, avec la commandante Tania Whitlock, qui avait enfilé la blouse et les bottes de rigueur.

Roy Grace lui résuma la situation. Elle demanda à voir la bâche et les parpaings. Cleo l'accompagna dans l'espace de stockage, puis elles revinrent dans la salle d'autopsie. Le légiste enregistrait ses observations sur son dictaphone. Grace, Glenn et Michael Forman se tenaient près du cadavre. Le photographe sortit de la pièce pour aller faire des gros plans de la bâche et du cordage.

— Tu penses qu'il peut avoir dérivé, après avoir été immergé dans une zone réservée aux rites funéraires ? demanda Grace à Tania.

— C'est possible, dit-elle en respirant par la bouche, à cause de l'odeur de putréfaction. Mais ces blocs de béton sont lourds, et la mer était calme, ces derniers jours. Je peux éventuellement calculer la dérive, en imaginant que le corps ait été moins lesté.

— Je veux bien. Penses-tu que les pompes funèbres maritimes puissent s'être trompées d'endroit ?

— Ce n'est pas exclu. Mais j'ai vérifié auprès de l'équipage de l'*Arco Dee*. Ils l'ont retrouvé à 15 milles nautiques à l'est de la zone réservée aux funérailles. La marge d'erreur me semble trop importante.

— C'est mon avis aussi. La position du navire au moment de la découverte du corps est plutôt précise, non ?

— Très. À 150 mètres près.

— Ce serait bien que vous alliez inspecter les fonds marins dès que possible, l'informa Grace. Vous pourriez commencer aujourd'hui ?

Tania consulta l'horloge au mur puis, incrédule, vérifia l'heure à sa grosse montre de plongée.

— La nuit tombera vers 16 heures aujourd'hui. À 10 milles de la côte, la mer sera un peu agitée. Il faudrait louer une embarcation plus stable que notre Zodiac. Il nous reste trois heures. Ce que je propose, c'est qu'on prépare un bateau de plongée et qu'on démarre au petit matin. En cette saison, plusieurs bateaux de pêche en haute mer sont disponibles à la location. Dans l'immédiat, on peut sortir en Zodiac et délimiter la zone qui nous intéresse avec des bouées afin que les dragues ne s'y aventurent pas.

— Super !

— On est là pour ça, répondit-elle le cœur léger.

Cette initiative, simple à mettre en place, ne l'empêcherait pas d'organiser le dîner romantique qu'elle avait prévu.

— Tu m'as l'air patraque, fit Grace en se tournant vers Glenn Branson.

— C'est la morgue qui me file le cafard.

— Tu sais ce qui te ferait du bien ?

— Quoi ?

— Une bouffée d'air marin, une jolie petite croisière.

— Une croisière, ça me plairait bien.

— Bon, alors tu accompagneras Tania demain, lui annonça-t-il avec une petite tape dans le dos.

Branson fit la grimace en montrant du doigt la chape de plomb.

— Mec, il va faire un temps pourri ! Je pensais aux Caraïbes, moi !

— Commence par la Manche. C'est un bon endroit pour se faire la main.

— En plus, je n'ai rien à me mettre pour naviguer.

— Pas la peine, tu te la couleras douce en première classe.

Tania dévisagea Glenn d'un air sceptique.

— Les prévisions météo ne sont pas terribles, tu as le pied marin ?

— Pas du tout ! Et tu peux me croire sur parole.

27

L'état de Nat ne s'était pas détérioré, ce qui était une bonne nouvelle, tentait de se convaincre Susan pour garder le moral, après une longue veille au chevet de son mari. Mais il ne s'était pas amélioré non plus. À moitié assis dans un lit surélevé à 30°, branché à une multitude d'appareils destinés à surveiller ses constantes et à le maintenir en vie, il était toujours inconscient.

L'horloge ronde indiquait 12 h 50. Bientôt l'heure du déjeuner. Mais ce n'était pas comme si Nat et ses frères d'infortune devaient se plier à des horaires de repas : ils étaient nourris jour et nuit par sonde nasogastrique.

Et soudain, malgré la fatigue, Susan sourit. Nat était tout le temps en retard quand il s'agissait de passer à table. Souvent, il était retenu par son boulot, mais même quand il était à la maison, il avait toujours « un dernier mail à lire, chérie ».

Au moins, ici, tu n'es pas en retard pour déjeuner, songea-t-elle. Elle sortit un mouchoir de la poche de son jean et essuya ses larmes.

Merde. C'est pas comme ça que ça finit, hein ?

Comme pour la rassurer, le bébé lui donna un petit coup de pied.

— Merci, chuchota-t-elle.

Depuis que le spécialiste, vêtu d'une chemise ouverte et d'un pantalon gris, avait fait sa ronde, une demi-heure plus tôt, accompagné d'une nuée de blouses blanches, le service des soins intensifs semblait étrangement calme.

Des alarmes sonnaient de temps en temps, ce qui commençait à lui taper sur les nerfs. Tous les patients étaient sous surveillance, et chacun d'eux pris en charge par une infirmière. Et pourtant, le lieu semblait désert. Quelqu'un s'affairait derrière le rideau bleu du lit d'en face, et une femme nettoyait le sol, non loin d'un plot jaune « sol glissant ». Deux lits plus loin, un kinésithérapeute massait les jambes d'un vieil homme intubé. Certains patients dormaient, d'autres regardaient fixement devant eux, sans bruit. Susan avait vu plusieurs visiteurs aller et venir, mais à présent elle était seule dans ce dortoir.

Une alarme émit de nouveau trois petits sons presque musicaux, comme quand un passager impatient appelle une hôtesse de l'air. Elle semblait provenir de l'autre bout de la pièce.

Nat était dans le lit 14. L'infirmière de nuit lui avait expliqué que les lits étaient numérotés de 1 à 17, mais qu'il n'y en avait que 16 au total, puisque le numéro 13 n'existait pas. Ce qui voulait dire que le 14 était en réalité le 13.

Nat était un bon médecin. Il pensait à tout, analysait tout, rationalisait tout. Il ne laissait jamais rien au hasard. Susan, en revanche, avait toujours été superstitieuse. Elle n'aimait pas croiser un chat noir, n'aurait jamais posé un chapeau sur un lit, et évitait soigneusement de passer sous une échelle. Elle n'était donc pas du tout rassurée qu'il ait été placé dans ce lit. Mais le service étant plein, elle pouvait difficilement demander à ce qu'il soit déplacé.

Elle se leva, étouffa un bâillement et fit quelques pas jusqu'à l'ordinateur de l'infirmière, qui se trouvait sur un chariot.

La nuit d'avant, elle avait veillé son mari jusqu'à minuit, puis était rentrée chez elle. Incapable de trouver le sommeil, elle s'était relevée, douchée, et avait avalé un café serré. Puis elle avait pris les CD des Eagles et de Snow Patrol, ainsi que la trousse de toilette de Nat, comme on le lui avait conseillé, et était retournée à l'hôpital.

Il écoutait de la musique depuis plusieurs heures, mais n'affichait aucune réaction. D'habitude, quand il enfonçait ses écouteurs, assis à son bureau, il dodelinait de la tête et balançait les épaules et les bras au ralenti. C'était un bon danseur, quand il osait. Elle se souvenait avoir été impressionnée par son sens du rythme, quand ils s'étaient lancés dans un rock endiablé, lors de leur première rencontre, à l'anniversaire d'une collègue.

À présent, elle observait l'installation pour que le drap ne repose pas sur ses jambes cassées, le tube transparent, nervuré, enfoncé dans sa bouche, la minuscule sonde posée sur son crâne pour mesurer la pression intracrânienne, tout cet attirail électronique dont il dépendait.

Puis elle se concentra sur l'écran, où défilaient les courbes relatives à ses fonctions vitales.

Son cœur battait à 77 pulsations/minute, ce qui était dans les normes. Sa pression artérielle était de 16/9, c'est-à-dire acceptable. Son taux d'oxygène dans le sang était correct. Sa pression intracrânienne oscillait entre 15 et 20 mmHg. Sachant que la moyenne se situait sous les 10, il ne fallait surtout pas qu'il dépasse les 25.

— Mon chéri, je suis là, dit-elle en touchant son bras droit, au-dessus du bracelet d'identification et des pansements maintenant les perfusions.

Puis elle retira délicatement les écouteurs et approcha sa bouche de son oreille droite.

— Je suis avec toi, mon amour, dit-elle d'une voix encourageante. Je t'aime. Notre bébé bouge bien. Tu m'entends ? Comment tu te sens ? Tu vas t'en sortir, tu sais ? Tu te maintiens très bien, ça va aller. Tout va très bien se passer !

Elle attendit quelques instants, remit le casque en place, puis contourna l'anneau auquel étaient fixées de nombreuses poches, dont les perfusions qui stabilisaient sa pression artérielle. Elle fit le tour du lit, ouvrit le rideau bleu et s'approcha de la fenêtre aux stores vénitiens bleus, tout comme le linoléum. À gauche, de nombreux véhicules, en file indienne, cherchaient une place de parking. En contrebas, dans une cour pavée de style contemporain, se trouvaient des bancs, des tables de pique-nique et une statue effrayante, tout en rondeurs, tel un fantôme. Elle était de nouveau en larmes. Elle épongeait ses yeux quand une alarme retentit, très fort, tout près. Elle se retourna et vérifia les diagrammes sur l'écran de contrôle de Nat, en proie à une soudaine panique.

— Infirmière ! cria-t-elle en jetant des regards désespérés autour d'elle. Infirmière ! répéta-t-elle en s'élançant dans le couloir.

L'alarme sonnait de plus en plus fort.

Puis elle vit le grand chauve qui avait pris son poste à 7 h 30 ce matin se précipiter vers Nat, visiblement très inquiet.

28

Le bébé était calme depuis plusieurs heures, mais à présent c'était Simona qui pleurait. Allongée en position fœtale contre une canalisation du réseau de chauffage, elle serrait Gogu contre son visage. Elle sanglota, s'endormit, se réveilla et sanglota de nouveau.

Les autres étaient sortis ; elle était seule avec Valeria et le bébé. Le lecteur CD défectueux jouait *Fast Car*, de Tracy Chapman. Telle une berceuse, cet album avait le don d'apaiser le bébé. Dehors, il faisait froid et humide, la pluie se transformait en neige fondue. Un courant d'air glacial soufflait dans le squat. Les flammes des chandelles, au sommet de stalagmites de cire fondue sur le sol en béton, tremblotaient, projetant des ombres indomptables.

Comme ils n'avaient pas l'électricité, ils ne s'éclairaient qu'à la bougie, et prenaient garde à ne pas les gaspiller. Ils les achetaient avec l'argent qu'ils piquaient dans les poches et les sacs à main, mais le plus simple restait de les chaparder dans des supérettes.

Quand ils n'en avaient vraiment plus, ils en dérobaient dans les églises orthodoxes. Mais Simona n'aimait pas du tout ça. En duo avec Romeo, ils se débrouillaient pour détourner l'attention des fidèles et se remplissaient les poches de longues tiges fines, brunes, que les personnes en deuil, ou ayant un proche en difficulté, achetaient et plaçaient dans de grandes boîtes métalliques triangulaires ; une pour les vivants, une pour les morts.

Simona avait peur que Dieu la punisse pour cela. Elle se demanda d'ailleurs si ce qu'elle venait de subir n'était pas un châtiment divin.

Elle n'était jamais allée à l'église, personne ne lui avait appris à prier, mais lorsqu'elle avait été placée en foyer, son tuteur lui avait dit que Dieu voyait tout ce qu'elle faisait et qu'il la punirait si elle se conduisait mal.

Au-delà de la zone éclairée, là où les ombres ne dansaient jamais, le tunnel était plongé dans l'obscurité, jusqu'à l'endroit où la canalisation sortait de terre.

Dans la banlieue de Crângași, des SDF avaient construit des villages de fortune autour de cette source de chaleur, mais les huttes étaient minuscules et les toits souvent percés.

Simona avait testé : elle préférait vivre ici, c'était plus grand et plus sec. Elle n'aimait cependant pas y rester toute seule. Elle avait peur du noir, des souris, des rats et des araignées – et Dieu sait quoi, pire encore – qui vivaient dans les coins mal éclairés.

Romeo s'y aventurait parfois. Il n'avait jamais rien trouvé d'autre que des cadavres de rongeurs et un chariot de supermarché cassé. Un jour, Marianna avait invité un homme. Ce n'était pas rare qu'elle fasse l'amour bruyamment, devant tout le monde, mais cet homme-là leur avait foutu les jetons. Il avait un catogan, une croix en argent autour du cou et une Bible. Il lui avait dit qu'il ne voulait pas coucher avec elle, mais lui parler de Dieu et du diable. Selon lui, le diable vivait ici, dans les coins sombres, car, comme eux, il aimait la chaleur.

Il leur avait dit qu'il les surveillait, qu'ils étaient damnés, pauvres pécheurs, et qu'ils devaient se méfier, la nuit, car il pouvait leur sauter dessus, dans leur sommeil.

— Valeria, c'est Dieu qui me punit ? s'écria soudain Simona.

Laissant le bébé endormi dans une veste matelassée, qui faisait office de berceau, Valeria s'approcha d'elle, arc-boutée pour éviter de s'écorcher aux rivets qui dépassaient des poutres métalliques soutenant la route, au-dessus de leurs têtes. Elle portait les mêmes vêtements que d'habitude : une doudoune vert émeraude et un jogging aux couleurs criardes. Ses longs cheveux bruns, raides, encadraient son visage marqué. Elle passa son bras autour de Simona.

— Non, ce n'était pas une punition de Dieu, juste une mauvaise personne, c'est tout.

— J'en ai marre de cette vie. Je veux aller ailleurs.

— Où ?

Simona haussa les épaules et éclata en sanglots.

— Moi, j'aimerais vivre en Angleterre, déclara Valeria.

Elle esquissa un sourire désabusé, puis son visage s'anima.

— On fait partie de l'UE, maintenant, on peut voyager, ajouta-t-elle.

Simona sécha ses larmes.

— C'est quoi, l'UE ?

— C'est un truc qui veut dire que les Roumains peuvent s'installer en Angleterre.

— Et ce serait mieux, là-bas ?

— J'ai rencontré des filles qui se préparaient à partir. Elles avaient trouvé du boulot comme danseuses érotiques. Ça paye bien. Toi et moi, on pourrait peut-être faire ça.

— Je ne sais pas danser, balbutia-t-elle.

— Il y a d'autres jobs, dans un bar, un restaurant, peut-être même dans une boulangerie.

— Ça me plairait, je veux y aller tout de suite. Tu viendrais aussi ? Toi, moi, Romeo... et le bébé, bien sûr.

— Y a des gens qui peuvent nous aider. Je vais chercher. Tu penses que Romeo aimerait nous accompagner ?

Sa voix retentit soudain.

— Eh ! Me revoilà. Et je ne reviens pas les mains vides !

Il sauta de l'échelle et s'approcha d'elles, trempé, malgré sa capuche.

— J'ai couru. Longtemps. Partout, tu sais. Ils nous surveillent. Ils nous connaissent. J'ai dû aller loin, mais j'ai réussi ! s'écria-t-il, les yeux brillants, en révélant un sachet en plastique rose caché sous sa veste.

Il fut pris d'une quinte de toux, puis sortit une bouteille de peinture, la dévissa et retira l'opercule.

Oubliant tout le reste, Simona le regarda faire, fascinée.

Il versa un peu du liquide épais dans le sac, le ferma et le lui passa, en vérifiant qu'elle le tenait bien.

Elle porta l'ouverture à sa bouche, gonfla la poche comme un ballon, puis inspira profondément par la bouche, souffla et inhala une deuxième et une troisième fois. Les traits de son visage se détendirent. Elle sourit aux anges. Ses yeux roulèrent, vitreux.

Pendant un court instant, la douleur s'effaça.

*

Les pneus crissant sur la chaussée détrempée, la Mercedes passa lentement devant une supérette, un café, une boucherie, une église orthodoxe couverte d'échafaudages, un lave-auto, où trois hommes astiquaient une camionnette blanche, et une meute de chiens, dont le pelage ondoyait dans le vent.

Il y avait deux passagers à l'arrière : un homme à l'allure soignée, quarante-huit ans environ, en manteau noir et col roulé gris, et une femme un peu plus jeune, avec un joli visage avenant et des cheveux blonds, en veste en peau retournée, pull large, jean serré et bottes en daim noir, arborant de gros bijoux fantaisie. Peut-être une ancienne starlette, ou une rock star de deuxième zone.

Le chauffeur s'arrêta devant un immeuble décrépit où le linge pendait aux fenêtres et où les antennes paraboliques fleurissaient de toutes parts, et éteignit le contact. À travers le pare-brise, il montra du doigt une ouverture pratiquée entre le bitume et le trottoir.

— C'est là qu'elle vit.

— Ils seront plusieurs, n'est-ce pas ? demanda l'homme à l'arrière.

— Sûrement. Mais méfiez-vous de celle dont je vous ai parlé. C'est une teigne.

Les essuie-glaces ayant cessé leur va-et-vient, les gouttes d'eau s'accumulèrent et les piétons se transformèrent en silhouettes floues. Très bien. Dans ce quartier où les véhicules ressemblaient à des épaves, tout le monde se retournait sur la Mercedes Classe S aux vitres teintées, mais personne ne distinguait ses passagers.

— OK, allons-y, trancha la femme.

La voiture démarra.

Sous le tarmac, le bébé dormait, Valeria lisait un vieux journal, Tracy Chapman chantait de nouveau *Fast Car*, Romeo portait régulièrement le sachet à sa bouche, et Simona rêvait de l'Angleterre, allongée sur son matelas, sereine. Elle imagina une grande tour nommée Big Ben, quelques glaçons dans un verre, du whisky... Les lumières de la ville glissaient sur elle. Les gens souriaient. Riaient. Elle se trouvait dans une vaste pièce remplie de tableaux et de statues. Au sec. Son corps et son cœur ne lui faisaient plus mal.

Quand elle se réveilla, bien plus tard, sa décision était prise.

29

Lynn Beckett se réveilla en sursaut, sans savoir où elle se trouvait. Sa jambe droite était ankylosée et elle avait très mal au dos. À la télévision, suspendue au mur par un bras mécanique, passait un dessin animé. Un homme attaché à une catapulte était projeté dans un mur en brique qu'il traversait allégrement, en laissant son empreinte.

Elle se souvint. Elle malaxa l'une de ses cuisses pour rétablir la circulation sanguine. Elle se trouvait dans la chambre individuelle de Caitlin, dans le service hépatobiliaire de l'hôpital royal du sud de Londres. Elle avait dû s'assoupir. Elle sentit des odeurs de purée, de désinfectant et de cire. Puis elle vit Caitlin, allongée, en chemise de nuit, les cheveux ébouriffés, fixant, comme d'habitude, l'écran de son téléphone. En regardant par la fenêtre, elle distingua un bout de grue, des parpaings et la structure métallique d'un immeuble en construction.

La veille, elle s'était endormie dans ce fauteuil, à côté de sa fille, puis, trop courbaturée pour retrouver le sommeil, elle s'était glissée dans son lit et avait passé le reste de la nuit lovée contre elle.

Elles avaient été réveillées au petit matin. On avait emmené Caitlin en chaise roulante passer un scanner. À son retour, plusieurs infirmières lui avaient fait des prises de sang. À 9 heures, Lynn – qui aurait volontiers pris une douche – avait appelé sa boss, Liv Thomas, pour l'informer qu'elle ne savait pas quand elle rentrerait à Brighton. Douce, mais ferme, Liv s'était montrée compréhensive, tout en lui suggérant de rattraper son retard en fin de semaine afin d'atteindre ses objectifs. Lynn avait promis de faire de son mieux.

Car l'argent, elle en avait besoin. Ce séjour lui coûtait une fortune : 3 livres par jour pour la télévision et le téléphone, 15 pour le parking, plus la nourriture. Et pendant tout ce temps, elle craignait que ses employeurs se lassent et la virent. Elle avait utilisé la modeste prestation compensatoire versée par son mari comme acompte pour louer la maison où elle vivait. Elle tenait à élever sa fille dans un cadre normal, sécurisé. Mais elle avait toujours du mal à joindre les deux bouts. Et, dans l'immédiat, elle devait trouver un garagiste, si elle voulait que sa voiture passe le contrôle technique.

Son boulot n'était pas mal payé, seulement, comme pour les commerciaux, son salaire dépendait de ses performances. Elle devait multiplier les heures pour atteindre les objectifs et, chaque semaine, elle vivait dans l'espoir fou de remporter la cagnotte du meilleur employé. En temps normal, elle gagnait beaucoup plus qu'une secrétaire/réceptionniste, et vu qu'elle n'avait guère de diplômes, elle s'estimait heureuse. Mais après avoir payé les factures, l'essence, les leçons de guitare et tous les trucs dont sa fille avait besoin, comme son téléphone, son ordinateur, ses vêtements, ainsi que quelques extras, à l'instar de leurs vacances organisées à Charm el-Cheikh l'été dernier, il ne lui restait pas grand-chose. Sans compter que Caitlin était constamment à découvert et que Lynn régularisait au plus vite la situation. Après huit ans passés dans son agence de recouvrement, elle avait développé une peur panique à l'idée d'être endettée, raison pour laquelle elle s'interdisait de vivre à crédit.

Malcolm avait été généreux lors du partage des biens et aidait sa fille de temps en temps – et elle était trop fière pour lui demander davantage. Sa mère faisait ce qu'elle pouvait, mais elle non plus ne roulait pas sur l'or. En un an, elle avait réussi à mettre 1 000 livres de côté pour offrir de beaux cadeaux à Caitlin – si tant est que Noël, les anniversaires, ou même le mot « tradition » aient une quelconque signification pour elle.

Elle ne voulait pas laisser sa fille seule pour aller travailler. Consciente qu'elle n'aimait pas cet endroit et qu'elle était d'une humeur bizarre, plus révoltée qu'effrayée, elle redoutait que Caitlin trouve un moyen de fuguer.

Elle regarda sa montre : 12 h 50. À l'écran, un personnage enflait sous le coup de la colère, courait vers la porte d'entrée et emportait la façade avec lui. Lynn se surprit à sourire. Elle adorait les dessins animés.

Caitlin tapait à présent un message.

— Je suis désolée, ma chérie, j'ai dû m'assoupir.

— Pas de souci, répondit Caitlin en souriant, sans détacher ses yeux de son portable. Les personnes âgées ont besoin d'un certain quota de sommeil.

— Merci beaucoup, répliqua Lynn en riant de bon cœur.

— C'est vrai. Je viens de voir une émission sur le sujet. J'ai failli te réveiller, parce qu'elle t'aurait intéressée, mais comme ils disaient qu'il fallait laisser dormir les vieux, c'est ce que j'ai fait.

— Petite chipie !

Lynn essaya en vain de bouger ses deux jambes. Le chantier faisait un bruit de tous les diables. La coordinatrice qu'elles avaient rencontrée la veille entra.

Reposée, à la lumière du jour, Shirley Linsell était encore plus ravissante, avec sa blouse blanche, son cardigan sans manches bleu et son pantalon marron foncé.

— Bonjour, comment allez-vous, mesdames ?

Caitlin l'ignora.

— Bien ! répondit Lynn en se levant d'un bond, sans cesser de marteler ses cuisses. J'ai juste des crampes, ajouta-t-elle en guise d'explication.

L'aide-soignante lui adressa un sourire de compassion.

— Nous allons maintenant pratiquer une biopsie du foie, dit-elle en s'approchant de Caitlin. Tu es occupée ? Tu reçois beaucoup de textos ?

— J'envoie mes dernières volontés. Ce que je veux qu'on fasse de mon corps, tout ça.

Lynn lut le choc sur le visage de la coordinatrice et observa l'expression de sa fille – impossible de dire si elle plaisantait ou pas.

— Nous avons de nombreuses solutions pour améliorer ton état, Caitlin, expliqua Shirley Linsell d'un ton léger et convaincant, sans lui faire la morale.

Les lèvres serrées, Caitlin leva vers elle des yeux mélancoliques.

— Ouais, enfin, peu importe. Il vaut mieux s'attendre au pire, non ?

— Le mieux, c'est de rester optimiste, répondit l'aide soignante.

Caitlin dodelina de la tête, comme si elle pesait le pour et le contre.

— OK, finit-elle par trancher.

— Ce qu'on aimerait, c'est faire une anesthésie locale pour prélever un tout petit bout de ton foie, au moyen d'une aiguille. C'est indolore. Le docteur Suddle sera là dans une minute pour t'en dire davantage.

Abid Suddle était le spécialiste qui suivait Caitlin. Ce bel homme de trente-sept ans, d'origine afghane, était, selon Lynn, le seul médecin avec lequel sa fille semblait à l'aise. Mais comme l'équipe tournait en permanence, il n'était pas toujours disponible.

— Vous n'allez pas en prélever trop, au moins ?

— Non, très peu.

— Je sais qu'il est foutu, mais j'ai besoin de ce qui reste, justement.

La jeune femme lui jeta un regard intrigué, déstabilisée à nouveau.

— On prendra le minimum. Ne t'inquiète pas. Ce sera infinitésimal.

— J'espère, sinon je serais vraiment dégoûtée.

— On peut aussi ne pas pratiquer cette intervention, si tu n'en as pas envie, la rassura-t-elle.

— C'est ça. Et dans ce cas, on passe au plan B, n'est-ce pas ?

— Que veux-tu dire par là ? s'enquit-elle d'une voix douce.

— Plan B : je meurs. Personnellement, je trouverais ça nul.

30

Après l'autopsie de l'homme non identifié, Roy Grace retourna au QG de la PJ. Pendant tout le trajet, il discuta, grâce à son kit mains libres, avec Christine Morgan, la coordinatrice des transplantations de l'hôpital royal du Sussex, pour en savoir davantage sur le don d'organes, en particulier sur les procédures administratives.

Il raccrocha en arrivant sur le parking de la Sussex House, contourna un plot qui réservait un emplacement à un visiteur et se gara à sa place. Il éteignit le contact et resta immobile quelques minutes, plongé dans ses pensées – qui était donc cet adolescent, que lui était-il arrivé ?

La pluie tambourinait sur le toit du véhicule et coulait en torrent sur le pare-brise, transformant la façade blanche du bâtiment en un tableau impressionniste.

Le médecin légiste était convaincu que les organes avaient été prélevés par un chirurgien. Manquaient le cœur, les poumons, les reins et le foie, mais ni l'estomac, ni l'intestin, ni la vessie. Cleo, qui avait eu l'occasion de recevoir plusieurs dépouilles de donneurs d'organes à la morgue, avait confirmé que les familles acceptaient généralement que soient donnés ces organes, mais qu'elles étaient réticentes pour tout ce qui concernait la peau et les yeux.

Le hic, c'est que la victime avait ingurgité un vrai repas quelques heures avant l'opération. Six heures, pas plus, selon Nadiuska. Christine Morgan venait de lui confirmer que, même en cas de mort accidentelle d'une personne figurant dans le registre national, portant sa carte de donneur sur elle, le prélèvement n'aurait pu avoir lieu en si peu de temps. Rien n'était fait sans un accord signé des parents proches. Il fallait consulter la base de données pour déterminer les receveurs potentiels ; des équipes spécialisées devaient être envoyées dans les différents établissements où se trouvaient les malades choisis pour bénéficier des organes. En général, même en cas de mort cérébrale, le corps était conservé en soins intensifs pour être alimenté en sang, en oxygène et en nutriments, et le prélèvement n'avait lieu que plusieurs heures, voire plusieurs jours, plus tard.

Le timing n'était pas impossible, avait-elle expliqué à Roy, mais elle n'avait jamais été confrontée à ce genre de situation et elle était certaine que le jeune homme n'avait pas été opéré dans son hôpital.

Roy attrapa son carnet posé sur le siège passager, s'appuya contre le volant et nota : Autriche ? Espagne ? Autres pays avec le même système ? Se pouvait-il que l'homme non identifié soit un donneur autrichien ou espagnol inhumé en mer ? L'Autriche ne possède aucune côte ; s'il venait d'Espagne, pouvait-il avoir dérivé plus de 100 milles marins en quelques jours seulement ?

Non.

Il eut soudain faim et consulta l'horloge de son tableau de bord : 14 h 15. En général, il n'avait pas beaucoup d'appétit après une autopsie, mais il n'avait avalé qu'un bol de céréales dans la journée.

Il leva le col de son imper, traversa la route en courant, enjamba un muret en brique, emprunta le chemin boueux et se glissa à travers une brèche dans la haie, comme le faisaient tous les habitués qui connaissaient ce raccourci menant au supermarché Asda, la cantine non officielle de la Sussex House.

★

Dix minutes plus tard, assis à son bureau, il déballait son sandwich saumon-concombre – un choix follement raisonnable. Depuis quelque temps, Cleo l'interrogeait sur ce qu'il mangeait quand ils n'étaient pas ensemble, consciente qu'il avait tendance à abuser du fast-food le midi et que, depuis neuf ans, il se nourrissait en exclusivité de surgelés le soir.

Cette fois, il pourrait, sans mentir, se vanter d'avoir déjeuné sainement. Il oublierait juste de mentionner le Coca, le Kit Kat et le doughnut au caramel.

Il parcourut rapidement la pile de courrier qu'Eleanor, son assistante personnelle, avait posée sur son bureau. Sur une note dactylographiée se trouvait le renseignement demandé au système d'immatriculation des véhicules : la Mercedes qu'il avait aperçue ce matin, GX57 CKL, appartenait à un certain Joseph Richard Baker, domicilié dans une résidence du bord de mer, derrière l'hôtel Metropole. Le nom lui sembla familier, mais sans plus. Le véhicule n'était pas recherché par la police, mais il connaissait un certain Joe Baker qui possédait plusieurs saunas et autres salons de massage dans un quartier douteux de Brighton. Et il imaginait bien ce genre de personnage rentrer chez lui en Mercedes flashy au petit matin.

Il ouvrit sa boîte mail, remarqua que certains messages exigeaient une réponse rapide, puis se connecta au fil d'infos interne. Rien de particulier, hormis les habituels vols à l'arraché, disputes conjugales, cambriolages, vols de scooters et autres accidents de la route. En mordant dans son sandwich, il regretta de ne pas avoir choisi le « spécial petit déjeuner anglais » – œuf, bacon et saucisse. Débouchant sa bouteille de Coca, il se souvint de la promesse faite au journaliste de l'*Argus*. Il fit tourner son Rolodex, trouva sa fiche et composa son numéro sur son portable.

Kevin Spinella décrocha immédiatement. Selon toute vraisemblance, lui aussi était en train de déjeuner.

— Je n'ai pas grand-chose pour vous, précisa Grace. Je ne vais pas organiser de conférence de presse. Je vais me contenter d'un simple communiqué et je vous ai réservé une exclusivité.

— C'est très aimable de votre part, commissaire. J'apprécie votre geste.

— Ouais, mais bon, je pense que vous savez déjà ce que je vais vous dire. L'*Arco Dee* a repêché le corps d'un adolescent hier après-midi, à 10 milles au large du port de Shoreham, dans le secteur où il est autorisé à draguer. L'autopsie a été pratiquée ce matin, la cause de la mort reste indéterminée.

— Peut-être parce que les organes vitaux sont manquants, commissaire ?

Comment est-ce que tu sais cela, nom de Dieu ? Ça commençait à devenir un vrai problème, réalisa Grace. Où Spinella récupérait-il ses infos ? À la PJ, à la police de proximité, auprès du coroner, à la morgue ? Il soupesa chacun de ses mots avant de répondre, tandis que le journaliste mâchait bruyamment un chewing-gum.

— Je peux confirmer que la victime a subi une opération chirurgicale.

— Don d'organes, pas vrai ?

— Je préférerais que vous ne parliez pas de cela dans votre papier.

Long silence.

— Mais j'ai raison, hein ?

— Contentez-vous de l'opération chirurgicale.
Nouveau silence.

— OK, lâcha Spinella à contrecœur. Que pouvez-vous me dire de plus ? ajouta-t-il en mastiquant.

— Nous estimons qu'il n'a passé que quelques jours dans l'eau.

— Sa nationalité ?

— Inconnue. On enquête sur son identité. Ce serait bien de stipuler que la police du Sussex souhaiterait recueillir tout témoignage concernant un adolescent ayant été opéré ces derniers jours.

— Et vous suspectez une mort violente, j'imagine...

— Il s'agit peut-être d'une mort naturelle, suivie d'une inhumation en mer.

— Mais vous n'excluez pas la piste criminelle, n'est-ce pas ?

Grace hésita une nouvelle fois avant de répondre. Chaque conversation avec Spinella s'apparentait à une partie d'échecs. S'il parvenait à le convaincre de présenter les choses sous un certain angle, il obtiendrait sans doute des témoignages importants. Mais si l'article prenait une tout autre tournure, les lecteurs de Brighton n'en dormiraient plus la nuit.

— Bon, dit-il, si je vous donne une info en exclu, vous promettez de ne pas parler des organes ?

Mastication. Bruit de papier froissé.

— OK, marché conclu.

— La police considère cette mort comme suspecte.

— Génial, merci !

— Une dernière chose. Je vais demander aux plongeurs de la police de ratisser la zone demain. Cela reste entre nous.

— Vous me communiquerez les résultats de cette opération ?

Grace le lui promit et raccrocha. Puis il termina son déjeuner avec une sensation de lourdeur sur l'estomac. La faute au beignet, sans doute.

Il trouva la note suivante dans son agenda électronique : demander au laboratoire privé d'Abingdon de vérifier si les nouveaux ADN de la base de données ne correspondent pas à des affaires classées.

Certains criminels ayant réussi à échapper à la police commettaient parfois des infractions aussi anodines qu'une conduite en état d'ivresse, et la police pouvait alors prélever leur ADN. Il arrivait aussi que l'ADN de parents, enfants, frères et sœurs permettent d'identifier un meurtrier. Cette vérification bisannuelle représentait une dépense importante pour la police, mais la fin justifiait les moyens. Il fit un mail à son assistante pour qu'elle rappelle au labo de procéder à cette opération.

Attendre patiemment... Le travail d'un policier s'apparentait souvent à la pêche au gros. Grace leva les yeux vers la truite brune empaillée de quinze centimètres, accrochée au mur, et l'énorme carpe que Cleo lui avait offerte, sous laquelle on pouvait lire ce jeu de mots aussi parfait que cynique : *carpe diem*. Il lui arrivait souvent de faire une blague, on ne peut plus éculée, sur la patience et les gros poissons.

Puis il se concentra sur son enquête et passa une série de coups de fil pour former son équipe. Ce faisant, son regard revenait sans cesse vers les poissons. L'eau. La mer. Les poissons d'eau douce et d'eau salée... Et il comprit soudain pourquoi.

Il y avait quelques années de cela, on avait retrouvé le torse décapité, membres sectionnés, d'un garçon d'origine africaine dans la Tamise, et Grace était quasiment sûr que ses organes internes avaient été prélevés chez lui aussi. L'enquête avait conclu à un sacrifice rituel.

Sentant l'adrénaline monter, il se mit à la recherche du dossier qu'il avait conservé quelque part dans son ordinateur.

31

Grace se demandait parfois si les ordinateurs n'avaient pas une âme. Ou tout du moins un certain sens de l'humour. L'enquête sur l'homme non identifié n'avait pas encore été qualifiée de prioritaire, mais le protocole exigeait qu'un nom lui soit alloué. L'ordinateur de la police, qui disposait d'un programme à cet effet, en avait choisi un particulièrement approprié : *opération Neptune*.

Les cinq policiers auxquels Grace faisait le plus confiance étaient assis autour de la petite table ronde de son bureau. Le lieutenant Nick Nicholl, la trentaine, cheveux courts, une grande asperge, qui s'était mis au rugby sur les conseils de Grace – désormais président du club de la police –, traînait des valises sous les yeux, épuisé par sa récente paternité.

La jeune Emma-Jane Boutwood, mince, visage alerte, de longs cheveux blonds remontés en chignon, avait failli mourir écrasée contre un mur par une camionnette volée lors d'une récente opération de police. Elle aurait pu profiter de son congé maladie, mais avait supplié Grace de la reprendre dans son équipe ; elle s'était d'ailleurs révélée particulièrement efficace dans le cadre d'une précédente enquête.

Mal fagoté, une mèche rabattue en avant, le commandant Norman Potting, qui sentait le tabac froid, était un policier à l'ancienne, politiquement incorrect, brut de décoffrage, pas du tout intéressé par les promotions internes. Il n'avait jamais voulu endosser de responsabilités, mais n'avait pas non plus souhaité prendre sa retraite à cinquante-cinq ans, l'âge normal. Ce qu'il aimait, c'était *labourer et creuser*; en d'autres termes, ratisser le terrain et chercher la vérité aussi loin que nécessaire. Après trois divorces, il venait de se marier avec une jeune Thaïlandaise trouvée sur Internet (et ne s'en cachait pas).

La commandante Bella Moy, une jolie femme de trente-cinq ans environ, cheveux colorés au henné, célibataire – ou plus exactement mariée à son métier, comme bon nombre de flics –, vivait avec sa mère âgée.

Le cinquième fidèle était Glenn Branson.

David Browne, chef des techniciens de scène de crime, et Juliet Jones, spécialiste du logiciel HOLMES, assistaient également à la réunion.

Un téléphone sonna. Tout le monde tourna la tête. D'autant plus embarrassé qu'il avait choisi comme sonnerie *Greensleeves*, Nick Nicholl sortit son portable de sa poche.

Quelques secondes plus tard, la mélodie d'*Indiana Jones* s'éleva. Potting jeta un œil à l'écran de son téléphone et rejeta l'appel.

Devant Grace se trouvaient son bloc-notes format A4, son porte-documents rouge et les notes qu'Eleanor Hodgson avait dactylographiées pour lui. Il entama la réunion.

— Il est 16 h 30, jeudi 27 novembre. Ceci est la première réunion relative à l'opération Neptune, enquête sur la mort d'un homme non identifié retrouvé hier, 26 novembre, dans la Manche, à environ 10 milles au sud du port de Shoreham, par la drague *Arco Dee*. Notre prochaine réunion aura lieu dans mon bureau à

8 h 30 demain, et nous garderons ce rythme jusqu'à nouvel ordre.

Puis il entama la lecture du résumé de l'autopsie pratiquée par Nadiuska De Sancha. Un téléphone sonna à nouveau. Cette fois, c'est David Browne qui fouilla dans sa poche pour l'éteindre.

Quand Grace eut terminé sa lecture, il précisa :

— Notre priorité est d'établir l'identité du jeune homme. Tout ce que nous savons pour le moment, c'est que ses organes ont, selon toute vraisemblance, été prélevés par un chirurgien. Ses empreintes digitales ne figurent pas dans la base de données britannique. Nous avons envoyé son ADN au labo, mais nous n'aurons pas les résultats avant trois jours, soit lundi. Qui plus est, j'ai le pressentiment que son ADN sera lui aussi inconnu.

Il marqua une pause et se tourna vers la commandante Moy.

— Bella, j'aimerais que tu épluches les relevés dentaires. C'est un boulot de titan, mais nous commencerons par ceux des dentistes du coin et nous verrons si cela nous mène quelque part.

— Les funérailles en mer n'ont lieu que sur une zone définie, n'est-ce pas, chef ? demanda Norman Potting.

— Oui. À 15 milles à l'est de Brighton. C'est là que sont inhumées les personnes décédées dans le Sussex, répondit Roy.

— Les vents et courants vont pourtant d'ouest en est, si ma mémoire est bonne, poursuivit le commandant.

— Si tu as appris cela au collège, ça ne nous rajeunit pas, lança Bella, qui ne ratait jamais une occasion de lui rappeler son âge.

Grace lui jeta un regard réprobateur.

— Norman a raison, intervint Nick. J'ai quelques notions de voile.

171

— Il aurait fallu une sacrée tempête pour faire dériver le corps sur une si longue distance en si peu de temps, reprit Potting. D'autant plus qu'il était lesté. Je viens de discuter avec un garde-côtes. Il pourrait déterminer la trajectoire en fonction du poids.

— Tania Whitlock est sur le coup. Ce qu'il faudrait, c'est demander à tous les coordinateurs de transplantation du Royaume-Uni si cet adolescent a été admis dans leur service. Norman, je te confie cette tâche. Sache que nous avons déjà eu une réponse négative de la part de l'hôpital royal du Sussex.

Potting hocha la tête et prit note.

— Nous ne pouvons pas exclure l'éventualité que le corps ait dérivé, si ? demanda Bella Moy.

— Non, en effet, répondit Grace. Peut-être vient-il d'une autre région, voire d'un autre pays. Il faudra consulter nos homologues français, ainsi que nos collègues espagnols, ajouta-t-il avant de développer cet argument.

— Je m'en occupe tout de suite.

— On ne connaît pas la cause de la mort, si ? s'enquit Nick Nicholl.

— Pas encore. J'aimerais que tu contactes tous les RG du pays pour voir s'il y a eu d'autres cas similaires. Et il faudrait que tu passes en revue la liste des personnes portées disparues dans les provinces du Sussex, du Kent et du Hampshire.

Grace était conscient que c'était un sacré boulot. Chaque année, 5 000 personnes étaient portées disparues dans le Sussex, le plus souvent pendant une courte durée.

Il tendit un dossier à Emma-Jane.

— Voici les notes qu'on nous a données en septembre, à Las Vegas, lors d'un congrès de l'Association internationale des enquêteurs criminels, relatives au garçon d'origine nigériane retrouvé décapité, sans membres, ni organes vitaux, dans la Tamise, en 2001.

172

L'enquête n'est pas terminée, mais ils penchent pour un rituel. Vois si ce cas est comparable à celui qui nous intéresse.

— Quelqu'un a vérifié s'il n'y avait pas d'autres pièces à conviction au fond de l'océan ? demanda Norman Potting.

— Les plongeurs se rendront sur les lieux au petit matin. Glenn va d'ailleurs les accompagner.

Il jeta un coup d'œil à son collègue, qui fit la grimace.

— Tu pousses le bouchon, mec, je te l'ai dit ce matin, je n'ai pas le pied marin. La dernière fois que j'ai traversé la Manche, j'ai vomi, alors que c'était calme plat. Et ils annoncent de la houle pour demain.

— Je suis sûr que le budget nous permettra d'acheter des médicaments contre le mal de mer, répondit Grace, désinvolte.

32

Surtout, ne pas penser au mal de mer, se répétait Glenn Branson, l'estomac déjà retourné par les ralentisseurs, la gueule de bois de la veille et la dispute qui venait d'exploser entre sa femme et lui.

À l'approche du port de Shoreham, il était d'une humeur massacrante, aussi sombre que le ciel menaçant de ce vendredi matin. À sa gauche s'étendait une plage de galets, à sa droite les immenses entrepôts, portiques, conteneurs, tapis roulants, centrales électriques, barbelés et autres bunkers du port de commerce.

— Tu ne vois pas que je travaille, nom de Dieu, lança-t-il, équipé de son kit mains libres.

— J'ai un TD à 15 heures, lui répliqua sa femme. Tu pourrais aller chercher les gosses et les surveiller jusqu'à ce que je rentre ?

— Ari, je suis en mission.

— Un jour tu te plains de ne pas voir tes enfants, le lendemain tu es trop occupé pour les garder. Soit cohérent. Tu veux être père de famille ou flic ?

— Tu ne peux pas me demander de choisir.

— C'est pourtant ce que je fais, Glenn. Notre relation est déséquilibrée depuis cinq ans. À chaque fois que je te demande de m'aider à trouver du temps pour moi, tu me réponds : « je ne peux pas, je file au boulot », « je suis sur une opération », ou encore « je dois aller voir ce satané commissaire Grace ».

— Ari, mon cœur, sois raisonnable. C'est toi qui m'as encouragé à entrer dans la police. Je ne comprends pas pourquoi tout t'énerve.

— Parce que je suis ta femme, que je t'ai épousé pour vivre avec toi et qu'au final on ne se voit jamais.

— Que veux-tu que je fasse ? Que je redevienne videur ?

— On était heureux à l'époque.

L'endroit où il devait tourner n'était plus très loin. Il mit son clignotant et attendit qu'une bétonnière qui fonçait en sens inverse passe son chemin, effleuré par l'idée qu'il suffirait de se mettre en travers de la route pour en finir.

Il entendit un clic. La garce lui avait raccroché au nez.

— Va te faire voir ! s'exclama-t-il.

Il passa devant une scierie, des centaines de planches empilées, et vit le bassin d'Aldrington. Il ralentit, composa le numéro de son téléphone fixe et tomba directement sur le répondeur.

— Oh, Ari, arrête ton cirque, murmura-t-il.

Il se gara à droite d'un véhicule qu'il connaissait bien : l'énorme camion jaune des enquêteurs spécialisés avec écrit police en grosses lettres bleues sous un logo.

Il essaya une nouvelle fois de joindre son épouse, en vain. Pendant quelques secondes, il pressa ses index contre ses tempes pour soulager sa migraine.

Il s'était couché trop tard, il le savait, mais, depuis qu'il ne dormait plus chez lui, il ne trouvait plus le sommeil. Il avait passé la majeure partie de la nuit assis par terre dans le salon de Roy Grace, en pleurs, à boire son whisky (il fallait qu'il pense à remplacer la bouteille, d'ailleurs) et à écouter des chansons qui lui rappelaient des souvenirs heureux avec Ari. Ils avaient été si amoureux. Et leurs enfants, Sammy et Remi, lui manquaient terriblement. Il perdait tous ses repères sans eux.

Les yeux humides, il sortit de sa voiture et, malgré le vent froid et iodé qui lui giflait le visage, il prit un air bravache. Comme chaque jour, il se devait de faire bonne figure. Il respira à fond une odeur de carburant et de planches fraîchement coupées. Une mouette que les vents contraires empêchaient d'avancer cria au-dessus de lui. Tania Whitlock et son équipe, tous vêtus de coupe-vent rouges, pantalons noirs, bottes noires et casquettes de base-ball aux couleurs de la police, chargeaient leur matériel sur le *Scoob-Eee*, un bateau de pêche amarré au quai.

Même à l'abri, dans le port, l'embarcation, qui n'avait plus l'air toute jeune, était malmenée par les vagues. Au loin, on devinait des citernes d'essence blanches, la route d'accès, des contreforts couverts d'herbe, et les premiers lotissements.

Vêtu d'un imperméable crème, d'un complet beige et de chaussures bateau camel, le commandant s'avança vers l'équipe. Il en connaissait chaque membre, car cette unité collaborait de façon étroite avec la PJ sur les scènes de crimes nécessitant des techniques de recherche spéciales, notamment pour les endroits difficiles d'accès comme les égouts, les caves, les rives, ou même les carcasses de voitures calcinées.

— Bonjour, tout le monde !

Neuf têtes se tournèrent vers lui.

— Lord Branson ! Bienvenue à bord ! Combien d'oreillers souhaitez-vous dans votre cabine ?

— Salut, Glenn ! lui fit Tania sans relever la blague, tout en tendant des flexibles jaunes à l'un de ses collègues.

176

— Tu vas où, habillé comme ça ? lui demanda Jon Lelliott. Sur le *Queen Mary* ?

Mince et musclé, le crâne rasé, Lelliott était surnommé IBHO – Imbécile Boosté aux Hormones. Il passa une housse mortuaire qui sentait la soude caustique à Arf, la quarantaine bien entamée, visage poupon, et des cheveux déjà blancs, qui l'attrapa et la rangea soigneusement.

— Ouais, j'ai réservé en première, avec majordome, répondit Glenn Branson en souriant. J'imagine que ceci est la navette qui me conduira au paquebot, ajouta-t-il en désignant le bateau de pêche.

— Dans tes rêves.

— OK. Je peux vous aider ?

Arf lui tendit un gros anorak rouge.

— Tu en auras besoin quand on sera au large.

— Ça ira, merci.

Arf, qui était à la fois le plus âgé et le plus expérimenté, lui jeta un regard amusé.

— Tu es sûr ? À mon avis, il te faudra aussi des bottes.

Glenn remonta son pantalon pour dévoiler une délicate chaussette jaune.

— Mes chaussures sont antidérapantes.

— À mon avis, le plus gros risque n'est pas la glissade, intervint Lelliott.

Glenn dévoila son poignet.

— Regarde, Arf, tu vois de quelle couleur je suis ? Noir, pas vrai ? Mes ancêtres ont traversé l'Atlantique à la rame. J'ai la mer dans le sang !

★

Quand ils eurent terminé le chargement, ils se rassemblèrent sur le quai pour assister à une courte réunion dirigée par Tania Whitlock, qui lut les notes qu'elle avait préparées.

— Nous interviendrons à 10 milles au sud-est du port de Shoreham. Le garde-côtes sera informé de notre situation. En termes de risques, nous nous trouverons sur la route de nombreux navires, donc tout le monde à bord devra être vigilant si un bâtiment s'approche trop de nous. Les plus grands cargos ont un tirant d'eau tel qu'ils touchent presque le fond, et représentent donc un réel danger pour les plongeurs.

Elle marqua une pause pour laisser tout le monde digérer l'information.

— À part ça, les risques sont relativement faibles.

Bien sûr, pensa Steve Hargrave. *Si l'on fait abstraction des noyades, accidents de décompression et emmêlements des flexibles.*

— Nous plongerons à 20 mètres environ, la visibilité sera faible, mais comme il s'agit d'une zone d'extraction, le fond marin ne présentera aucun obstacle. L'*Arco Dee* travaille ailleurs ce matin. Hier, nous avons identifié deux anomalies au sonar. Nous porterons des bottes lestées plutôt que des palmes. Des questions ?

— Pensez-vous que ces « anomalies » soient des cadavres ? demanda Glenn.

— Nan, juste un couple de passagers de première classe profitant des installations balnéaires, plaisanta Rod Walker, surnommé Jonah.

Ignorant les gloussements, Tania Whitlock reprit :

— Je plongerai en premier, puis ce sera au tour de IBHO. Je serai assistée par Gonzo, IBHO par Arf. Quand on aura filmé les anomalies, on les remontera à la surface, si nécessaire, et on décidera, ou pas, d'élargir la zone de recherche. C'est clair pour tout le monde ?

Deux minutes plus tard, Lee Simms, un ancien Marine, attrapait fermement la main de Glenn Branson pour l'aider à prendre appui sur le pont glissant.

178

Glenn sentit immédiatement le roulis sous ses pieds. Des odeurs de poisson pourri et de vernis pour bateau l'assaillirent. Il vit des filets, des casiers à homards et un panier. Le moteur démarra, le pont se mit à vibrer et des vapeurs de diesel s'élevèrent.

Tandis qu'ils s'éloignaient de la côte, sous une pluie battante, personne d'autre que Glenn ne remarqua le reflet de jumelles braquées sur eux, près d'une citerne d'essence, de l'autre côté du port. Il plissa les yeux, à travers le brouillard, pour vérifier ce qu'il venait d'entrevoir, en vain. Avait-il rêvé ?

*

Vlad Cosmescu portait un bonnet en laine noir, un bleu de travail et de grosses bottes de chantier. Son tricot de corps thermolactyl le protégeait efficacement du froid, mais il regrettait que ses gants en cuir ne soient pas doublés, car ses doigts étaient tout engourdis.

Il se trouvait au port depuis 4 heures du matin. De loin, il avait vu Jim Towers affréter son bateau pour le prêter aux policiers. Ce vieux loup de mer barbu avait rempli les réservoirs d'eau et d'essence, puis quitté le yacht-club pour rejoindre le bassin d'Aldrington. Comme convenu, il avait accroché son esquif et s'était éloigné, ayant confié aux enquêteurs spécialisés un double des clés de contact et des casiers.

Ironique, songea Cosmescu, que la police ait choisi la même embarcation que lui, alors qu'il y en avait tant à cette période de l'année. Mais il ne croyait pas aux coïncidences, plutôt aux faits avérés et aux probabilités mathématiques.

Ce n'est qu'au large, en discutant avec Jim Towers, qu'il avait appris que celui-ci avait été détective privé avant de se lancer dans le tourisme et les promenades en mer. Cosmescu n'était pas sans savoir que les détectives avaient souvent plein d'amis dans la police, quand ils n'étaient pas eux-mêmes d'anciens flics. Il lui avait sacrément graissé la patte. Pour cette balade, Towers avait gagné plus qu'en un an de travail. Et pourtant, quelques jours plus tard, le voilà qui prêtait son bateau à des policiers !

Vlad Cosmescu n'aimait pas la tournure que prenaient les événements.

Il avait foi en ce vieil adage : gardez-moi de mes amis, mes ennemis, je m'en charge.

À présent, il s'occupait de Jim Towers, attaché par du gros scotch, telle une momie, à l'arrière d'un petit van blanc immatriculé au nom d'une société de construction fictive.

Cette camionnette, qui sortait rarement de son garage sécurisé, était garée dans une rue adjacente, à quelques centaines de mètres de là. Pas très loin, au cas où.

★

Vingt minutes plus tard, le bateau passa la porte d'écluse, sortit du port et se retrouva en pleine mer. Les vagues se firent plus hautes et la coquille de noix se mit à tanguer sous l'effet du vent de terre.

Glenn avait pris place sur un tabouret sous l'abri de la cabine ouverte, à peine plus grand qu'un auvent, à côté de Jonah, qui tenait la barre. Le commandant s'accrochait à l'habitacle, jetant régulièrement un œil à son téléphone, espérant, en vain, un texto d'Ari. Une demi-heure plus tard, il avait le mal de mer.

L'équipage se faisait une joie de le taquiner.

— Tu t'habilles toujours comme ça pour naviguer, Glenn ? lui demanda Chris Dicks, *alias* Clyde.

— Ben ouais, parce qu'en général j'ai une cabine privée avec balcon.

— Ça paye bien, la PJ, on dirait ?

Le bateau vibrait et tanguait. Glenn inspirait profondément les vapeurs d'échappement, les odeurs de vernis et de poisson pourri, et les relents de soude caustique qui lui rappelaient la morgue. Il avait tellement mal au cœur qu'il commençait à voir flou.

— J'espère que tu as prévu un smoking, lui dit IBHO, parce qu'une tenue correcte est exigée pour dîner à la table du capitaine, ce soir.

— Bien sûr, répliqua Glenn, qui avait de plus en plus de mal à parler et tremblait de froid.

— Regarde l'horizon si tu ne te sens pas bien, lui conseilla gentiment Tania.

Glenn essaya, mais il avait beaucoup de mal à différencier le ciel gris de la mer démontée. Son estomac jouait au yo-yo et son cerveau ne suivait plus le mouvement.

Le sonar se trouvait entre Branson et Jonah, qui tenait fermement le gouvernail.

— Voici les anomalies que nous avons repérées hier, lui indiqua Tania Whitlock en montrant du doigt de minuscules ombres noires sur un petit écran bleu. Ce sont peut-être des cadavres, précisa-t-elle.

Glenn avait du mal à distinguer quoi que ce soit, d'autant plus que les ombres avaient la taille de fourmis.

— Ces trucs-là ? demanda-t-il.

— Oui. Nous les atteindrons dans une heure. Tu veux du café ?

Glenn Branson secoua la tête. *Une heure,* songea-t-il, *encore une heure à tenir...* Il aurait été incapable d'avaler quoi que ce soit. Il regarda au loin, mais cela ne fit qu'empirer les choses.

— Non merci, tout va bien, répondit-il.

— Tu es sûr ? Tu n'as pas l'air dans ton assiette, s'enquit Tania.

— Je me porte comme un charme !

Dix secondes plus tard, il bondissait de son siège

pour se pencher à la balustrade et vomir ses tripes. Les lasagnes congelées de la veille y passèrent, accompagnées par une généreuse quantité de whisky et la tranche de pain de son petit déjeuner.

Heureusement pour lui, et pour l'équipage, il était sous le vent.

33

Un peu plus tard, Glenn fut réveillé par le bruit de l'ancre que l'on jette à la mer. Le pont s'arrêta de vibrer ; le moteur venait d'être coupé. Le bateau tanguait toujours. Glenn sentait son corps monter, descendre, basculer de gauche à droite. Il entendit le crissement d'une corde, le grincement d'un treuil, le *clac* d'une canette que l'on décapsule, les craquements d'une radio, puis la voix de Tania.

— Hôtel Uniforme Oscar Oscar. Ici Suspol, Suspol à bord du *Scoob-Eee*, pour le garde-côtes de Solent.

Suspol était le nom de code de la police nautique du Sussex.

La réponse arriva, accompagnée de grésillements.

— Garde-côtes de Solent, garde-côtes de Solent. Canal 67. À vous.

— Ici Suspol. Nous avons dix personnes à bord Nous nous trouvons à 10 milles au sud-est du port de Shoreham, dit-elle avant de donner les coordonnées précises de son bâtiment. Nous allons commencer notre mission.

— Combien de plongeurs sur le bateau, combien dans l'eau ?

— Neuf à bord, deux vont descendre.

Glenn était vaguement conscient d'être sous une couverture ou une bâche. Le fait est qu'il avait moins froid. Sa tête tournait. Il aurait voulu être n'importe où, absolument n'importe où, sauf ici. Arf l'observait. Son visage rassurant, à moitié mangé par sa casquette de base-ball noire, était encadré par des touffes de cheveux blancs.

— Comment te sens-tu, Glenn ?

— Mal, répondit une voix blanche qui ressemblait vaguement à la sienne.

L'odeur de soude était encore plus marquée.

— Il existe deux sortes de mal de mer, tu le savais ? lui demanda Arf.

Glenn secoua légèrement la tête.

— La première, c'est quand tu as peur de mourir.

Glenn lui jeta un regard interrogateur.

— La seconde, c'est quand tu as peur de ne *pas* mourir.

Glenn entendit des rires autour de lui.

Il y en avait une troisième, se dit-il : celle qu'il vivait actuellement. Non seulement il était mort, mais son âme n'arrivait pas à quitter son corps.

★

Vêtue de sa combinaison, Tania coupait les coins d'une housse mortuaire pour éviter que l'eau n'en reste prisonnière, au cas où elle l'utiliserait pour remonter l'anomalie. Comme la plupart des équipements, ces housses n'étaient pas prévues pour aller dans l'eau, c'est pourquoi il fallait les retoucher.

Après avoir branché son tube lui servant à respirer et à communiquer, elle vérifia que son masque ne fuyait pas, puis inspira profondément dans son scaphandre. Gonzo, son assistant, lui donna le feu vert. Elle regarda l'heure.

Les plongeurs expérimentés n'étaient pas à l'abri d'accidents de décompression. Pour les éviter, il convenait de remonter par paliers, en marquant des pauses plus ou moins longues selon la durée de la plongée. Ces accidents pouvant être extrêmement douloureux, voire mortels, les plongeurs chronométraient leur descente dès qu'ils quittaient la surface.

Tania vérifia une nouvelle fois son tube, ainsi que la position de la bouée rose qui se trouvait à quelques mètres du bateau, puis se laissa tomber en arrière.

Elle respira quelques secondes sous l'eau, goûtant au calme absolu, rythmé par sa respiration. Puis elle ressortit la tête et fut assaillie par les vagues. Elle fit signe à Gonzo que tout allait bien.

Elle avait beau avoir plongé des milliers de fois, que ce soit pour son travail ou en vacances, à chaque fois qu'elle entrait dans l'eau, elle ressentait une poussée d'adrénaline. Chaque plongée était différente. Elle ne savait jamais ce qu'elle allait expérimenter. Elle était très heureuse d'avoir décroché ce boulot, qui lui permettait de plonger quasiment toutes les semaines.

Même si récupérer des cadavres dans des canaux sales, encombrés de vieux frigos, chaises de jardin, rouleaux de fils barbelés, caddies de supermarché et autres voitures volées n'était pas comparable aux balades au milieu de la faune tropicale des Maldives.

Elle chercha des yeux la bouée rose, qui avait momentanément disparu derrière une vague, nagea tant bien que mal dans sa direction, saisit le câble de ses mains gantées et descendit de quelques mètres.

Le silence revint aussitôt. Elle adorait ce moment où, après les vagues et le vent, elle pénétrait dans un monde complètement différent. Elle commença à descendre de manière régulière, en avalant sa salive pour décompresser, sans lâcher la corde. La visibilité diminuait vite et elle se retrouva bientôt dans l'obscurité. Quand elle toucha le fond, ses pieds s'enfoncèrent.

Les jours de beau temps, la visibilité n'était pas mauvaise, mais, aujourd'hui, les courants soulevaient le sable et le limon et formaient des nuages opaques ; il faisait noir comme dans un four. Inutile de sortir sa caméra ou même sa lampe de poche – elle allait devoir naviguer à vue.

Elle consulta le profondimètre lumineux qu'elle portait à son poignet : 20,40 mètres. Deux minutes s'étaient écoulées.

— Je viens de toucher le fond, je me mets au boulot, dit-elle à son coéquipier grâce au système de communication.

Elle chercha à l'aveugle le câble horizontal lesté qu'ils avaient installé hier pour quadriller la zone.

Quand elle l'eut trouvé, elle coinça la housse mortuaire sous son bras gauche et se mit à ratisser la surface, sans lâcher la corde, en dessinant des arcs de cercle de son bras droit. Dans l'éventualité où elle atteindrait la fin du câble sans avoir trouvé ce qu'elle cherchait, elle ferait deux pas à droite et reprendrait sa recherche en parallèle, jusqu'à revenir à son point de départ.

Le scanner n'était pas assez sophistiqué pour identifier les anomalies, mais il leur avait indiqué la taille et la forme : chacune mesurait environ un mètre quatre vingt et une soixantaine de centimètres de large, ce qui s'apparentait à un corps humain. Enfin, rien de sûr pour le moment. Ce pouvait être du matériel ou des détritus jetés d'un bateau, une torpille qui n'aurait pas explosé, des restes d'un avion qui se serait crashé en mer ou autre. Le plus dangereux, quand il fallait travailler dans l'obscurité totale, c'était de se cogner à un objet tranchant.

Un poisson heurta son masque ; sans doute un carrelet, un flet, voire une anguille, se dit-elle.

À chaque fois qu'elle devait travailler dans ces conditions, son esprit lui jouait des tours : elle ne pouvait s'empêcher de repenser à tous les films d'horreur qu'elle avait vus, où monstres et démons attendaient, tapis au fond de l'eau.

Mais elle avait plongé dans des endroits bien plus dangereux qu'en haute mer. Une fois, elle avait repêché le corps d'un garçon de dix ans dans un canal. Il lui était arrivé d'inspecter des châteaux d'eau, des fosses et des grottes. Elle était consciente que rien ni personne ne lui sauterait dessus. Ce qu'elle cherchait, c'était de simples « anomalies ».

Et soudain, sa main toucha quelque chose. Un visage sous une bâche en plastique. Son cœur s'emballa, et elle faillit arracher son masque sous le choc. Son sang se glaça. *Merde merde merde.*

Son mari, qui était pilote chez British Airways, ne pratiquait pas la plongée sous-marine. Lorsqu'elle tentait de lui expliquer l'excitation que cela lui procurait, il lui répondait que, dans la cabine de son Boeing 747, il avait tout ce dont il avait besoin en termes d'émotions fortes : du thé et du café, les petits plats de la première classe, le tout au chaud et au sec. À ce moment précis, elle comprit son point de vue.

Elle palpa le visage. Le crâne. Les épaules. Le dos. Les fesses. Les cuisses. Les jambes. Et enfin les pieds. Le tout emballé dans du plastique.

34

— C'est un joli chien que tu as là, dit la femme.
C'est quelle race ?

Elle avait un accent étranger. Sa question était
idiote. Personne, à Bucarest, ne la lui aurait posée.
Agenouillé dans l'herbe, Romeo, qui était en train de
lui donner à manger, était bien incapable d'y répondre.
Comme la plupart des milliers de chiens errants des
banlieues, c'était un bâtard. Vingt-neuf ans avant la
naissance de Romeo, Ceausescu avait mis les bour-
geois à la rue ; leurs chiens étaient devenus sauvages
avec le temps.

Mais ces animaux sont intelligents : ils savent que
s'ils sont agressifs les gens leur donnent des coups de
pied et leur jettent des pierres ; en revanche, s'ils sont
gentils, les gens les nourrissent. Les chiens errants et
les SDF s'étaient liés d'amitié. Les animaux proté-
geaient les hommes qui, en contrepartie, leur trouvaient de la viande.

— À mon avis, c'est un *Schnauzer*, dit-elle.

Bien que crasseux, Romeo était un joli garçon, avec
ses grands yeux bleus et ses cheveux bruns mal coupés. Sa main gauche était atrophiée. Il portait un jean

élimé, un sweat-shirt à capuche râpé et des baskets usées. La femme l'observait attentivement, comme si elle l'inspectait. Elle savait très bien dans quel monde il vivait, et comment retenir son attention.

Le garçon aimait bien son visage. Elle était élégante, avec ses cheveux blonds qui volaient au vent. Sa tenue à la fois chic et décontractée – veste en cuir cintrée, col relevé, pull noir en cachemire, jean clouté et bottes en daim noir – indiquait qu'elle ne vivait pas dans le quartier. C'était plutôt le genre de femme que l'on imagine sortant d'une limousine devant un grand hôtel, chargée de sacs, ou entrant dans un restaurant huppé. Il était conscient qu'elle évoluait dans un monde complètement différent du sien.

— Il s'appelle Artur, dit-il.

— Quel joli nom !

Elle sourit et répéta :

— Artur... Artur, ça lui va très bien.

Le garçon sortit d'un sac en plastique des reins et les tendit au chien, qui les avala avidement. Le boucher du coin était sympa : il lui offrait chaque jour des morceaux invendus.

— Et comment est-ce que tu t'appelles ?

— Romeo.

Le garçon savait lui aussi à qui il avait affaire ; elle était riche et il avait très envie de la dépouiller. Il sortit du sachet un pied de porc que le chien coinça dans sa gueule.

La femme sourit.

— Tu habites dans le quartier ? lui demanda-t-elle, alors qu'elle savait très bien où, et de quoi, il vivait.

Il hocha la tête en l'observant. Son sac à main en cuir froufrouté, avec des chaînes, des boucles et un énorme fermoir, retenait toute son attention. Il songeait à tous les objets de valeur qu'il devait contenir : un portefeuille plein à craquer, un téléphone, peut-être même un iPod – autant d'objets qu'il pourrait revendre. En jetant un coup d'œil autour d'eux, il constata qu'elle n'était pas accompagnée et qu'il n'y avait pas de voiture de luxe à l'horizon. Il envisagea de le lui arracher et de prendre la fuite.

Mais, pour le moment, elle le portait à l'épaule, la chaîne passée autour de son bras gauche et la main refermée dessus, comme si elle lisait dans ses pensées. Il allait devoir détourner son attention.

— D'où venez-vous ? lui demanda-t-il.

— D'Allemagne. *München*. Munich. Tu es déjà allé en Allemagne ?

— Non.

— Tu aimerais ?

Il haussa les épaules.

— Quel pays est-ce que tu aimerais visiter ?

— Bof. L'Angleterre, peut-être.

Elle ouvrit de grands yeux.

— Pourquoi l'Angleterre ?

Le chien avait presque terminé l'énorme pied de porc et suppliait son maître du regard.

— Il y a du travail, là-bas. On peut gagner de l'argent et s'acheter un bel appartement.

— Ah bon ? fit-elle en feignant la surprise.

— C'est ce qu'on m'a dit.

Romeo vérifia s'il restait quelque chose au fond du sachet, puis le lâcha. Le vent l'emporta. Un autre chien, marron et blanc, mal fichu, courut après, bondit et mordit dedans.

La femme tenait toujours son sac à main.

— Ça te plairait, un billet d'avion pour l'Angleterre ? Je peux peut-être me débrouiller pour t'en trouver un, si tu en as très envie. Et je pourrais te trouver du travail.

Il leva le regard vers elle. Elle avait de très beaux yeux bleu acier. Le sourire aux lèvres, elle semblait sincère. Il vérifia s'il pouvait s'emparer du sac, mais elle le serra encore davantage contre elle.

— Quel genre de travail ?

— Qu'est-ce qui te plairait ? Qu'est-ce que tu sais faire ?

Un camion passa lentement près d'eux : il regarda ses immenses roues sales, son châssis rouillé, ses tuyaux d'échappement. C'était un bon moment pour la pousser, attraper le sac et prendre la fuite.

Mais soudain il était intéressé par ce qu'elle disait. Qu'est-ce qu'il savait faire ? Un garçon qui avait vécu avec eux lui avait raconté que son frère gagnait plus de 400 lei par jour – une fortune ! – en travaillant comme serveur à Londres. Quelqu'un d'autre lui avait dit qu'on pouvait gagner sa vie en faisant le ménage dans des chambres d'hôtel. Bien que n'ayant aucune expérience en la matière, il bluffa.

— Je sais faire des cocktails et le ménage.

— Tu as des amis à Londres, Romeo ?

Artur gémit, il avait encore faim.

La femme ouvrit son sac à main et en sortit un énorme porte-monnaie. Elle lui tendit un billet de 100 lei.

— Tu achèteras de la viande pour Artur, OK ?

Il leva les yeux, puis hocha solennellement la tête.

Elle sortit un autre billet, de 500 cette fois.

— Et tu t'achèteras ce dont tu as envie.

Il observa le billet, puis, de peur qu'elle change d'avis, l'attrapa et l'enfonça dans la poche de son pantalon.

— Vous êtes gentille.

— Je veux t'aider.

— Comment vous appelez-vous ?

— Marlene.

Malgré son sourire et sa générosité, Romeo se méfiait d'elle. Il savait que certaines associations caritatives aidaient les gens qui vivaient dans la rue, mais il n'en avait jamais rencontré. On lui avait expliqué que, parfois, elles plaçaient les enfants dans des institutions.

Mais peut-être que cette femme voulait réellement l'aider à aller en Angleterre.

— Vous êtes bénévole ? lui demanda-t-il. Vous travaillez pour une œuvre de charité ?

Elle hésita, puis acquiesça avec conviction.

— Oui, exactement, pour une œuvre de charité !

35

Malgré l'arrivée à la morgue de deux cadavres repêchés le matin même dans la Manche, Roy Grace était d'excellente humeur.

Il était 14 h 45, un vendredi après-midi, et les autopsies allaient, selon l'heure à laquelle Nadiuska de Sancha arriverait, lui ruiner la soirée, mais il s'en fichait.

Il allait être papa ! Il ne pensait qu'à ça. Et la veille au soir, il avait gagné la somme record de 550 livres au poker.

Il adorait le poker pour deux raisons : le plaisir de passer une bonne soirée avec des copains et des collègues et la dimension psychologique du jeu. Ceux qui arrivaient déprimés avaient peu de chances de gagner. Ceux qui étaient en forme pouvaient, même avec des cartes modestes, dominer la partie. Et, hier soir, il avait non seulement un moral d'acier, mais un jeu incroyable : quatre dix, des brelans, des fulls, des suites et des mains hautes en pagaille.

Il profita de quelques minutes d'intimité avec Cleo, dans le petit bureau de la morgue, pour l'enlacer et l'embrasser, tandis que l'eau du thé bouillait.

— Je t'aime, lui dit-il.

— Ah bon ? répondit-elle en souriant. Vraiment ? Même habillée comme ça ? ajouta-t-elle en désignant sa tenue de travail.

— Tu es plus belle que Miss Monde.

Il était sincère.

Après sa partie, il était rentré chez elle et avait lancé les billets au-dessus du lit. Puis il s'était allongé à ses côtés, trop excité pour dormir. Il avait pensé à Sandy, et à Cleo. Il voulait l'épouser, c'était son souhait le plus cher. Il avait décidé d'entreprendre les démarches officielles, repoussées depuis trop longtemps, pour que Sandy soit déclarée morte. Au petit matin, il avait appelé Susan Ansell, une avocate qu'on lui avait recommandée, et avait pris rendez-vous avec elle.

Cleo l'embrassa.

— Miss Monde, c'est tout ?

Il sourit, vérifia que personne n'était sur le point de les déranger, et l'embrassa à nouveau.

— OK, tu préfères Miss Univers ?

— C'est mieux, dit-elle en agitant ses doigts pour l'encourager à poursuivre.

— Tu es la plus belle femme de cet univers et de ceux que l'on découvrira peut-être un jour.

— Voilà, tu vois quand tu veux !

Elle l'embrassa. Il se figea, regrettant d'avoir fait cette analogie. Sandy était fan du *Guide du voyageur galactique*. Son préféré, c'était le deuxième tome : *Le dernier restaurant avant la fin du monde*. Pourquoi Sandy jetait-elle son ombre sur ses moments les plus heureux ? Il avait parfois l'impression d'être poursuivi par un fantôme.

— Quelque chose ne va pas ? lui demanda Cleo.

— Tout va bien !

— Tu as eu un moment d'absence.

— J'étais foudroyé par ta beauté.

Elle sourit.

— Tu mens pas mal du tout, tu le sais, ça ?

— Mais je ne mentais pas !

— Tu passes ton temps à interroger des criminels qui te racontent des salades et tu penses que ça ne déteint pas sur toi ?

Il la prit par les épaules et la regarda droit dans les yeux.

— Je ne te mentirai jamais. Jamais.

— Moi non plus, souffla-t-elle.

Ils laissèrent un silence flotter entre eux ; l'eau atteignit son point d'ébullition et la bouilloire s'éteignit. Roy jeta un coup d'œil à la pièce : deux rangées de chaises en L, un bureau mal rangé, un petit arbre de Noël décoré dans un coin, et, accrochés aux murs, des diplômes encadrés, une photo du Brighton Pier au crépuscule, un calendrier et les tableaux détaillant les contenus des frigos de la morgue. Un exemplaire de l'*Argus* avait été abandonné sur une chaise.

L'article de Kevin Spinella – une petite colonne reprenant plus ou moins ce que Grace lui avait communiqué, ainsi que l'appel à témoins – se trouvait page 5. Le journaliste avait tenu parole et n'avait pas parlé des organes.

On sonna à la porte.

Cleo jeta un œil aux écrans de vidéosurveillance et annonça :

— C'est ton pote.

Grace découvrit à son tour le visage de Glenn Branson, qui n'avait pas l'air en forme.

— J'y vais, dit-il.

Il emprunta le petit couloir, passa devant les vestiaires et ouvrit la porte. Et ce fut le choc. Il n'avait jamais vu Glenn autrement que tiré à quatre épingles. Et l'homme qui se tenait à présent devant lui, sous la pluie, était une véritable épave. Ses chaussures étaient détrempées, sa chemise blanche maculée de taches sombres, sa cravate en soie de travers, et son imperméable crème un patchwork marron, mélange de rouille, d'essence et d'écailles de poisson.

— D'où tu sors, mon pote ? lui demanda Grace. Tu as fait du kick-boxing dans un abattoir ou de la lutte romaine dans un marché aux poissons ?

— Très drôle, vieux. La prochaine fois que tu me proposes une croisière, c'est moi qui ferai les réservations.

Grace recula pour le laisser entrer.

— Nadiuska est là ? demanda Branson.

— Elle vient d'appeler, elle arrive dans dix minutes. Je croyais que tu voulais repasser par la maison pour te changer ?

— C'est ce que j'ai fait, ça ne se voit pas ? Je suis passé chez toi et j'ai trouvé deux lettres pour moi.

— N'hésite pas à faire réexpédier ton courrier.

Branson hésita : il ne savait pas si c'était une blague ou pas. Il décida d'ignorer sa remarque.

— La première provenait de l'avocate d'Ari. Elle m'informait que ma femme avait entamé une procédure de divorce et m'invitait à choisir également un avocat, comme si j'étais tombé de la dernière pluie et que j'ignorais ce genre de choses.

Grace ferma la porte derrière lui.

— Il va falloir que tu trouves quelqu'un *ASAP*.

— C'est déjà fait.

— Tu as choisi celui qui représente les *losers* ?

— C'est pas un homme, c'est une femme.

— Bien vu. Elles peuvent être encore plus impitoyables que les hommes.

Glenn perdit soudain l'équilibre et se rattrapa au mur. Grace se demanda s'il n'était pas ivre.

— Le sol bouge encore. Cela fait plus de deux heures que je suis sur la terre ferme et je sens encore les vagues sous mes pieds.

— Et cette histoire d'ancêtres qui ont traversé l'Atlantique ? Tu n'as pas la mer dans le sang, alors ?

— Qui t'a parlé de ça ?

— Ta réputation te précède.

— Tu as vu le film *Master & Commander* ?

— Avec Russel Crowe ? Ouais, pourquoi ?

— Eh bien, c'est comme ça que je me sens : comme celui qui vient de prendre un boulet de canon dans le ventre.

— Écoute-moi, mec. Peut-être qu'Ari en a marre de toi, mais ça ne lui donne pas le droit de foutre ta vie en l'air.

— Tu te trompes. Tu te souviens de *Kramer contre Kramer* ?

— Avec Meryl Streep ?

Glenn Branson esquissa un sourire.

— Merde alors, je suis impressionné. C'est le deuxième film d'affilée que tu as vu ! Oui, avec Meryl Streep et Dustin Hoffman. Eh bien, c'est ce que je vis.

— Sauf que tu n'es pas aussi beau que Dustin Hoffman.

— Tu n'hésites pas à frapper un homme quand il est à terre, toi !

— Dans les testicules, toujours.

Branson retira son imperméable.

— La deuxième lettre venait du tribunal. Tu ne vas pas croire ce qu'elle leur a raconté, bordel ! Selon elle, la rupture est inévitable, car j'ai un comportement « déraisonnable ». Elle prétend que je n'ai plus envie d'elle, que je bois trop – elle n'a pas tort, mais c'est de sa faute. Et elle me reproche mon « manque d'affection ».

Il sortit des documents pliés de la poche de son imperméable et lut le premier.

— Je refuse de participer à la vie de famille. Je lui crie dessus quand on est en voiture. Je ne lui laisse pas assez d'argent pour vivre – alors que je viens de lui acheter un cheval ! Et, accroche-toi bien, je ne suis pas assez reconnaissant pour le temps qu'elle consacre à nos enfants.

Il secoua la tête

— Incroyable, non ? Qu'est-ce que je suis censé faire ? Dire à tout le monde : « Désolé, je sais qu'il y a eu meurtre, mais je dois rentrer chez moi donner le bain à Remi » ?

Roy frissonna. Il venait de réaliser qu'il allait être confronté à ce genre de situation quand son enfant serait né. Actuellement, il travaillait de 7 heures à 20 heures, parfois plus. Quand il aurait un bébé, pourrait-il adapter son emploi du temps ? Pas sans nuire à sa carrière.

Il croisa le regard interrogateur de Glenn. Il savait que le commandant n'allait pas aimer la réponse qu'il allait lui faire. Pour être un bon policier, il fallait être dévoué corps et âme à son métier. Pendant trente ans, voire plus pour ceux qui le souhaitaient, le boulot passait avant le reste. Ceux qui avaient de la chance rencontraient un partenaire compréhensif. Mais la plupart, comme Glenn, tombaient sur une femme qui n'acceptait pas cette situation.

— Tu sais ce que c'est, le pire ? lui demanda Grace.

Branson secoua la tête.

— C'est qu'elle n'a pas vraiment tort. Elle n'y va pas avec le dos de la cuillère, certes, mais au fond elle a raison. Tu vas devoir choisir entre ta carrière et ton couple. Certains arrivent à combiner les deux, mais seulement si l'épouse est très tolérante.

— Mais je suis devenu policier pour que mes enfants soient fiers de moi.

— Ils peuvent l'être.

— Et le seront-ils si je jette l'éponge ?

— Si tu redevenais videur ? Ou agent de sécurité à l'aéroport de Gatwick ? Ce n'est pas la nature du travail qui est en jeu, mais l'homme que tu es. Certains videurs sont très pro, certains agents très vigilants, certains flics complètement nuls. L'important, ce n'est pas tant l'uniforme que l'homme.

— Je sais bien, mais tu vois ce que je veux dire.

— Je ne suis pas bien placé pour donner des conseils matrimoniaux, tu connais ma situation. Mais tu veux savoir ce que j'en pense ? Si Ari t'aimait vraiment, elle s'accrocherait. Cette procédure de divorce... La nature de ses reproches... Je ne suis pas sûr qu'elle tienne à toi. À mon avis, même si tu changeais de métier pour être conciliant, à un moment donné, elle exigerait autre chose encore. Cela ne lui suffirait qu'un temps. Je pense qu'elle est insatisfaite de nature. Que tu ne la combleras jamais que sur le court terme. Donc, si j'étais toi, je me concentrerais sur ma carrière.

Branson hocha tristement la tête.

— Tu sais ce que Winston Churchill disait à propos de la conciliation ? lui demanda Roy.

— Non, dis-moi.

— Un conciliateur, c'est quelqu'un qui nourrit un crocodile en espérant qu'il sera le dernier à être mangé.

36

Les deux corps avaient été retrouvés comme le premier homme non identifié : enveloppés dans du plastique, ligotés par de la corde bleue et lestés par des parpaings.

Ils étaient arrivés à la morgue sous deux couches supplémentaires, la housse blanche utilisée par les plongeurs pour les remonter à la surface et la noire, plus épaisse, pour les hisser sur le bateau.

Nadiuska avait méticuleusement déballé le premier corps, celui d'un adolescent âgé d'un an ou deux de plus que le précédent. Son visage, marqué par l'acné, avec un nez aquilin, était moins fin que celui de son compagnon d'infortune. Son cœur, ses poumons, ses reins et son foie avaient été prélevés de façon professionnelle.

Elle découpait à présent les différentes protections qui enveloppaient le corps d'une jeune fille d'une quinzaine d'années. Comme la mort gomme les expressions, il était difficile d'imaginer à quoi ils ressemblaient, vivants. Mais malgré sa peau pâle, et ses longs cheveux bruns, emmêlés, Grace devinait qu'elle avait dû être plutôt jolie, quoique extrêmement maigre.

Le légiste était d'avis que les trois corps avaient été immergés en même temps.

Ce qui conférait une tout autre dimension à l'enquête. Il fallait désormais exclure l'hypothèse de corps inhumés en toute légalité. Qui étaient ces trois adolescents ? D'où venaient-ils ? Qui étaient leurs parents ? À qui manquaient-ils ? Avaient-ils été jetés d'un de ces navires marchands, battant pavillon étranger, qui traversent la Manche sans arrêt ?

Le corps du deuxième garçon ne portait aucune marque suggérant un accident ou une commotion cérébrale. Comme dans le cas précédent, les points de suture confirmaient la piste d'un prélèvement d'organes.

Grace avait un mauvais pressentiment. Il passa le plus clair de son temps au téléphone, dans le couloir. Son premier coup de fil avait été pour son assistante personnelle, Eleanor Hodgson, afin qu'elle annule tous ses rendez-vous dans les jours à venir. Il espérait pouvoir en conserver deux : le match de foot de ce soir au Crew Club de Whitehawk – il avait promis à un ami d'y assister – et le dîner dansant de la PJ du lendemain. Pour le premier, c'était jouable si la commandante Mantle présidait la réunion de 18 h 30 à sa place ; pour le second, ce serait plus compliqué. Cette soirée à laquelle on attendait plus de 450 invités promettait d'être mémorable. L'année avait été chargée, il avait bien envie de passer un bon moment avec ses collègues. Peut-être aurait-il aussi l'occasion de faire une meilleure impression sur le nouveau directeur que mercredi dernier. Et maintenant que leur relation était officielle, il s'afficherait avec Cleo. Elle avait passé des semaines à se demander ce qu'elle allait mettre, puis dépensé l'équivalent du PIB d'un pays émergeant dans une robe ; elle serait très déçue si cela tombait à l'eau.

Après avoir réorganisé son emploi du temps, Grace avait passé une série d'appels pour étoffer son équipe de 6 à 22 membres. À présent, il s'entretenait avec Tony Case, le chef du siège de la Sussex House, pour qu'il lui réserve suffisamment de places dans le centre opérationnel numéro un. Pendant ce temps-là, Nadiuska prélevait les fibres sur le cordage, espérant trouver une squame ou une particule du gant appartenant à celui qui avait emballé les corps. Après avoir appliqué les bandes collantes sur toute la longueur, elle les mit sous scellés, pour les observer au microscope plus tard.

Michael Forman, l'assistant du coroner, contemplait attentivement la scène et prenait des notes, tout en consultant son BlackBerry. David Browne, le chef des techniciens de scènes de crimes, était venu avec deux membres de son équipe. Le photographe spécialisé James Gartrell archivait chaque étape, tandis que l'autre examinait les bâches. Sur une table, Cleo et Darren recousaient l'homme non identifié n° 2.

Roy Grace, qui pensait avoir tout vu, était horrifié par ces découvertes. Il avait entendu ces histoires d'hommes qui, en Turquie ou en Amérique du Sud, rencontraient de superbes filles dans des bars et se réveillaient quelques heures plus tard dans des baignoires pleines de glaçons, avec un rein en moins. Mais, jusqu'à présent, il ne croyait pas à ce genre de légendes urbaines. Qui plus est, il n'aimait pas tirer de conclusions hâtives.

Mais ces trois jeunes gens retrouvés au fond de la mer, sans leurs organes vitaux, opérés par un chirurgien...

Les journaux allaient s'en donner à cœur joie. Les habitants de Brighton et Hove seraient affolés. Kevin Spinella lui avait laissé deux messages urgents sur son répondeur. Il allait devoir jouer serré, de façon à optimiser les appels à témoins sans causer de fausses frayeurs. Seulement, il savait que le meilleur moyen d'attirer l'attention était d'opter pour un titre racoleur.

Peu de journalistes assistaient aux conférences de presse le week-end. Cela lui laissait jusqu'à lundi pour préparer son communiqué. Il lui faudrait néanmoins lâcher quelques infos à Spinella, car l'*Argus* lui serait utile à court terme.

Qu'allait-il lui dire ? Ou plutôt qu'allait-il lui cacher ? Il savait par expérience qu'il valait mieux garder secrets les éléments clés que seul le meurtrier pouvait connaître, afin d'éviter les faux témoignages.

Il se concentra sur les trois corps. Dans son carnet, il nota *rituels macabres ?* en entourant ces mots. Tout à fait possible.

Les trois jeunes gens pouvaient-ils avoir donné leurs organes avant d'être inhumés en mer ? Fort peu probable.

Un tueur en série ? Mais pourquoi aurait-il – ou aurait-elle – pris le temps de recoudre les corps ? Pour brouiller les pistes ? Pourquoi pas ? Ne pas éliminer cette piste pour le moment.

Trafic d'organes ?

Soudain, il songea au principe du rasoir d'Ockham. Ce moine philosophe du XIVe siècle conseillait d'éliminer tout sauf l'explication la plus évidente. Selon lui, c'était là que résidait la vérité. Grace partageait cette opinion.

Sherlock Holmes, son héros préféré, avait d'ailleurs pour habitude de dire : « Lorsque vous avez éliminé l'impossible, ce qui reste, si improbable soit-il, est nécessairement la vérité. »

Il regarda Glenn Branson, qui se trouvait dans un coin de la pièce, pendu à son téléphone, l'air inquiet. Cela lui ferait du bien d'avoir un défi à relever, quelque chose à se mettre sous la dent pour lui éviter de ruminer ses problèmes avec Ari, que Grace, soit dit en passant, n'avait jamais aimée. Il attendit qu'il eût terminé son coup de fil pour lui dire :

— J'aimerais que tu me rendes un service. Pourrais-tu te renseigner sur le trafic d'organes dans le monde ?

— Il te faut un nouveau foie, vieux ? Cela ne me surprend pas.

— Ouais, ouais, très drôle. Demande à Norman Potting de t'aider. Il est fort sur ce terrain.

— *Dirty Pretty Things* ! s'exclama Branson. Tu as vu ce film ?

Grace secoua la tête.

— Le scénario tournait autour de clandestins vendant leurs reins dans un hôtel miteux de Londres.

Le commissaire tendit l'oreille.

— Ah bon ? Dis-m'en davantage.

— Roy, cria Nadiuska, viens voir, c'est très intéressant !

Grace, suivi de Glenn Branson, s'approcha du cadavre et découvrit le minuscule tatouage qu'elle montrait du doigt. Il fronça les sourcils.

— Ça veut dire quoi ?

— Je ne sais pas, répondit-elle.

Il se tourna vers Glenn Branson. Celui-ci haussa les épaules et se contenta d'énoncer une évidence :

— Ce n'est pas de l'anglais.

37

Romeo descendit l'échelle en acier avec un énorme sac de victuailles sous le bras. Assise sur son vieux matelas, appuyée contre le mur en béton, Valeria berçait son bébé endormi. Tracy Chapman chantait *Fast Car* en boucle. Cette chanson commençait à lui taper sur le système.

Il remarqua trois étrangers, d'une quinzaine d'années, affalés contre le mur en face de Valeria. Défoncés à l'Aurolac. Une bouteille en plastique portant une étiquette jaune et rouge *Lac Bronz Argintiu* gisait devant eux. Comme chaque fois, la puanteur du squat – un mélange de moisi, d'odeurs corporelles, de vêtements crasseux et de couches sales – l'agressa. Elle lui sembla d'autant plus insupportable que, dehors, l'air était frais.

— À table ! s'écria-t-il. On m'a donné de l'argent et j'ai acheté des trucs incroyables !

Seule Valeria réagit. Ses grands yeux tristes roulèrent comme s'ils allaient sortir de leurs orbites.

— Qui t'a donné de l'argent ?

— Une âme charitable. Elle donne de l'argent à ceux qui vivent dans la rue, comme nous.

Elle haussa les épaules, désabusée.

— Ceux qui te donnent de l'argent veulent toujours quelque chose en retour.

Il secoua vigoureusement la tête.

— Non, pas cette femme. Elle était magnifique ! Magnifique de l'intérieur.

Il s'avança vers Valeria et ouvrit le sachet.

— Regarde, j'ai acheté à manger pour le bébé !

Valeria plongea la main et sortit une boîte de lait concentré.

— Je me fais du souci pour Simona, dit-elle en déchiffrant l'étiquette. Elle n'a pas bougé de la journée et n'arrête pas de pleurer.

Romeo s'approcha d'elle, s'accroupit et passa un bras autour de ses épaules.

— Je t'ai acheté du chocolat, ton préféré : du chocolat noir !

Elle renifla et demanda :

— Pourquoi ? Pourquoi ?

Il sortit la tablette et la lui mit sous le nez.

— Pourquoi ? Parce que je voulais te faire plaisir.

— Je veux mourir. Voilà ce qui me ferait plaisir.

— Hier, tu disais que tu voulais aller en Angleterre. Tu as changé d'avis ?

— C'était un rêve, dit-elle, les yeux dans le vague. Et les rêves ne deviennent pas réalité, pas pour les gens comme nous.

— J'ai rencontré une femme qui peut nous emmener en Angleterre. Tu aimerais la connaître ?

— Pourquoi ? Pourquoi est-ce qu'elle nous emmènerait en Angleterre ?

— Par gentillesse ! Elle a envie d'aider les gens dans la rue. Je lui ai parlé de notre cas. Elle peut nous trouver des boulots en Angleterre !

— C'est ça, en tant que strip-teaseurs ?

— Comme on veut. Dans des bars. Dans des hôtels.

— Elle est comme l'homme que j'ai rencontré à la gare ?

— Non, elle est gentille.

Les larmes continuaient à couler sur ses joues.

— On ne peut pas rester sans rien faire. Tu veux qu'on vive ici toute notre vie ?

— Je n'ai pas envie qu'on me fasse mal une nouvelle fois.

— Tu ne me fais pas confiance, Simona ? C'est ça ?

— C'est quoi, faire confiance ?

— On a vu des images de l'Angleterre à la télévision. Dans les journaux. C'est un beau pays. On pourrait avoir un appartement là-bas, une nouvelle vie !

Simona éclata en sanglots.

— Je ne veux plus d'une nouvelle vie. Tout ce que je veux, c'est mourir. Ce serait plus simple.

— Elle passera nous voir demain. Tu voudras bien lui parler, au moins ?

— Pourquoi est-ce que quelqu'un nous aiderait, Romeo ? On n'est rien.

— Certaines personnes sont gentilles.

— C'est ce que tu crois ?

— Oui.

Il déballa la tablette de chocolat, cassa une barre et la lui tendit.

— Regarde. Elle m'a donné de l'argent pour acheter de la nourriture et des bonbons. C'est une bonne personne.

— Moi aussi, je pensais que l'homme de la gare était une bonne personne.

— Tu nous imagines en Angleterre ? À Londres ? On pourrait gagner de l'argent. Quitter ce trou à rats. Peut-être qu'on croiserait des rock stars. J'ai entendu dire qu'il y en avait beaucoup là-bas.

— La vie, c'est de la merde, répondit-elle.

— Je t'en prie, Simona, rencontre-la demain.

Elle tendit la main et prit le chocolat.

— Tu veux vraiment passer un hiver de plus ici ? lui demanda-t-il.

— Ici, on n'a pas froid.

— Et tu ne veux plus aller à Londres parce qu'on n'a pas froid ? Je rêve ! Peut-être qu'il ne fait pas froid à Londres non plus.

— Va te faire foutre !

Il sourit. Elle reprenait du poil de la bête.

— Valeria aussi veut venir.

— Avec le bébé ?

— Bien sûr, pourquoi pas ?

— Tu dis qu'elle repasse demain, cette femme ?

— Oui.

Simona mordit dans un carré de chocolat, puis dévora la tablette en entier.

38

Sur la touche du terrain de foot inondé de lumière, les mains enfoncées dans les poches de son imperméable, Roy Grace frissonnait. Un vent glacial soufflait sur les hauteurs de Whitehawk. Il ne pleuvait plus et le ciel étoilé était parfaitement dégagé. Il devait faire près de 0° C.

Ce soir, les juniors du Crew Club rencontraient une équipe de la police. Arrivé dix minutes avant la fin du match, Grace tombait à pic pour assister à la déroute des policiers, menés trois buts à zéro.

L'agglomération de Brighton et Hove était entourée de plusieurs collines. Celle sur laquelle s'étendait Whitehawk était la plus haute. Construite dans les années 1920, cette cité composée en majorité de maisons en mitoyenneté et d'immeubles de taille moyenne avait été bâtie sur d'anciens marécages. Certaines rues offraient une vue imprenable sur Brighton et sur la Manche. Elle avait depuis longtemps la réputation – en partie injustifiée – d'être dangereuse. En réalité, seules quelques familles trempaient dans le crime organisé, et toute la population en pâtissait.

Mais ces dernières années une initiative citoyenne, soutenue par la police, avait changé la donne. Le Crew Club, sponsorisé par l'industrie locale à hauteur de 2 millions de livres, jouait un rôle primordial dans ce renouveau. Un complexe ultramoderne, architecturalement audacieux, qui aurait pu être signé Le Corbusier, abritait une salle informatique, un studio d'enregistrement audio et vidéo, une immense salle des fêtes, des espaces de réunion et, à l'extérieur, de nombreuses installations sportives, dont le stade.

Ce lieu était populaire, car il avait été créé par des gens prenant fait et cause pour le projet, et non par des bureaucrates. Les jeunes du coin y traînaient volontiers, car c'était un endroit cool. Un couple, Darren et Lorraine Snow, était à l'origine de ce beau projet.

Enveloppés dans leurs manteaux, écharpes et chapeaux, ils se tenaient de part et d'autre de Roy Grace, avec d'autres parents de sportifs et collègues. C'était la première fois qu'il assistait à un match à Whitehawk ; en tant que président de l'équipe de rugby de la police, il se demandait si ce stade pourrait accueillir ses gars.

Certains jeunes en voulaient vraiment. Grace prenait un malin plaisir à les voir dominer les adultes.

Une poignée de joueurs passa devant eux en se bousculant et en grognant. Le ballon sortit en touche. L'arbitre siffla.

Mais Grace ne pouvait s'empêcher de penser aux autopsies auxquelles il avait assisté, hier et aujourd'hui, et à l'immensité de la tâche qui l'attendait. Il sortit son carnet et prit quelques notes, les doigts ankylosés.

Des cris s'élevèrent. Il leva les yeux ; un but venait d'être marqué, mais dans quel camp ?

Les applaudissements et commentaires lui apprirent que c'était par le Crew Club, qui menait maintenant quatre à zéro.

Il esquissa un sourire. L'entraîneur de l'équipe de la police était Dave Gaylor, commissaire divisionnaire à la retraite, arbitre de haut niveau – un vieil ami. Grace se ferait une joie de le taquiner après le match.

Il leva les yeux vers les étoiles et repensa soudain à son enfance. Son père possédait un petit télescope sur trépied et passait des heures à observer le ciel, encourageant Roy à faire de même. Il adorait regarder les anneaux de Saturne et, à l'époque, il connaissait toutes les constellations. Aujourd'hui, il aurait été incapable de les citer, à part peut-être la Grande Ourse. Il fallait qu'il réactive ses connaissances pour pouvoir les transmettre à son enfant, si tant est qu'il n'ait pas tout oublié !

Il se reconcentra sur son enquête. Trois adolescents. Deux garçons et une fille. Trois cadavres repêchés sans leurs organes vitaux. Une seule piste : un tatouage mal exécuté sur le bras de l'adolescente. Un nom, peut-être...

Un prénom inconnu, mais qui leur permettrait sans doute de les identifier.

Venaient-ils de Brighton ? Sinon, d'où ? Il nota sur son carnet : *Rapport du garde-côtes. Dérive ?*

Ils ne pouvaient par être allés bien loin, lestés comme ils l'étaient. Ils étaient donc certainement morts en Angleterre.

Un monstre vivait-il au large, prêt à tuer et à prélever des organes ?

Chirurgien, écrivit-il en se souvenant des termes de Nadiuska De Sancha.

Il leva les yeux vers les étoiles, puis regarda de nouveau le terrain.

L'équipe de Tania Whitlock avait ratissé la zone sans trouver d'autre corps. Pour le moment.

Mais la Manche est plus large que la Tamise.

39

— Vous savez, Jim, la Manche est plus large que la Tamise, lança Vlad Cosmescu.

Ligoté de la tête aux pieds avec du gaffer, bouche scotchée, Jim Towers ne pouvait communiquer avec son ravisseur qu'avec les yeux. Il était allongé sur le pont de la cabine de proue du *Scoob-Eee*, invisible depuis le quai, car dissimulé sous une bâche qui sentait le vomi.

Équipé de bottes en caoutchouc, Cosmescu manœuvrait pour sortir du port de Shoreham. Le vent du nord et la houle étaient plus forts que prévu, ce qui l'inquiéta. Il avait allumé les feux pour indiquer au garde-côtes, ou à d'éventuels indiscrets, qu'il s'agissait d'un simple bateau allant pêcher au large pour la nuit.

Grimaçant à cause des odeurs de diesel que le vent ramenait, Cosmescu regardait le compas de navigation flotter dans son habitacle. Il mit le cap au sud-est, loin de la zone de drague, qu'il avait mémorisée grâce à une carte marine.

Un téléphone portable sonna. L'espace d'un instant, le Roumain se demanda si cela ne venait pas de la cale, puis il réalisa que ce devait être celui du détective à la retraite. La sonnerie cessa.

Towers le fixait avec des yeux de merlan frit.

— On va pouvoir discuter, maintenant, on dirait qu'il n'y a plus grand monde à la ronde.

Il coupa les gaz, entra dans la cabine et arracha le scotch qui entravait la bouche de Jim.

Towers eut l'impression qu'on lui arrachait la moitié du visage.

— C'est mon anniversaire de mariage aujourd'hui, souffla-t-il.

— Vous auriez dû me le dire plus tôt, je vous aurais offert une carte, répliqua Cosmescu, non sans humour, avant de reprendre précipitamment les commandes.

— Vous ne m'en avez pas laissé le temps. Ma femme m'attend, elle doit se faire du souci. Elle a sûrement prévenu le garde-côtes et la police, à l'heure qu'il est. Et c'était sans doute elle qui appelait.

Comme si c'était écrit dans le scénario, son téléphone bipa deux fois pour indiquer l'arrivée d'un message.

— Ah bon, fit Cosmescu, sans que sa voix ne trahisse aucune émotion.

Il gardait un œil rivé sur un autre bateau de pêche qui approchait et sur un gros navire qui naviguait à bâbord.

— Dans ce cas, on va devoir se dépêcher ! Dites-moi ce que vous avez à me dire.

— J'ai fait une erreur, confessa Towers. J'ai merdé, OK ?

— Une erreur ?

Cosmescu sortit un paquet de Marlboro light de sa poche. Il en alluma une avec son briquet en or, inspira profondément et expira la fumée dans le visage de son détenu. La douce odeur de tabac l'enivra.

— Je peux vous en taper une, s'il vous plaît ?

Cosmescu secoua la tête.

— Fumer, c'est très mauvais pour la santé. Et, en Angleterre, si je ne m'abuse, c'est interdit sur son lieu de travail. Et vous êtes sur votre lieu de travail.

Il expira longuement sa fumée dans le nez de son interlocuteur.

— M. Baker, je suis sûr qu'on peut trouver une solution pour vous dédommager.

— Je suis tout à fait d'accord, répondit Cosmescu, en s'accrochant aux manettes pour négocier une grosse vague.

Il regarda l'indicateur de profondeur : 1,80 m. Ce n'était pas assez. Ils naviguèrent quelques instants en silence.

— Je t'ai donné 20 000 livres, je pensais que c'était très généreux de ma part et que cela marquerait le début d'une collaboration agréable pour nous deux.

— Oui oui, c'était extrêmement généreux.

— Mais pas assez ?

— Si si.

— Je ne crois pas. Vous êtes un marin expérimenté et vous connaissez la région. Vous savez ce que je pense ? Que vous m'avez attiré vers la zone d'extraction volontairement, pour que les corps soient découverts.

— Non, vous vous trompez !

Ignorant sa remarque, Cosmescu poursuivit :

— J'adore les jeux de hasard. Je calcule les probabilités. La Manche mesure 75 000 km². Je vous ai graissé la patte pour que vous me montriez un endroit où les cadavres ne seraient jamais repêchés et vous m'avez conduit sur une zone qui mesure 250 km². Faites le calcul.

— Vous devez me croire, je vous en prie !

— J'ai fait le calcul. Les dragues ne sont opérationnelles qu'à 30 m de profondeur. Avec 10 m de plus, personne ne les aurait trouvés, M. Towers. Vous êtes un vieux loup de mer et vous travaillez à Shoreham depuis des années, vous n'allez pas me dire que vous ne connaissiez pas ce secteur.

— J'ai fait une erreur de navigation, je le jure !

Cosmescu termina sa cigarette en silence.

— J'aime prendre des paris, M. Towers, et j'ai l'impression que vous aussi. Vous avez misé sur cette zone et vous avez eu de la chance. Vous avez pensé que si les corps étaient découverts, vous pourriez me faire chanter et m'extirper davantage pour garder le silence.

— Ce n'est pas du tout ça.

— Si vous aviez eu le temps de me connaître, vous auriez su que je joue toujours en fonction des probabilités. On ne gagne peut-être pas beaucoup, mais ça permet de rester plus longtemps dans la partie.

Cosmescu jeta sa cigarette par-dessus bord et regarda le bout incandescent toucher les eaux noires.

— Je suis sûr qu'on peut trouver une solution, le supplia Towers.

Cosmescu consulta le compas, puis donna un coup de volant pour corriger sa course.

— Et maintenant, M. Towers, je dois faire un pari sur l'avenir. Si je vous tue, je risque de me faire prendre. Mais si je ne le fais pas, je risque également l'arrestation. Et je suis au regret de vous dire que, dans le second cas, le risque est plus élevé.

Cosmescu sortit un rouleau de gaffer de la poche de son coupe-vent, ainsi que le canif au manche en os qu'il portait toujours sur lui et auquel il avait souvent recours. Un bouton sur le côté permettait de dégainer la lame. Un simple mouvement du poignet suffisait pour la ranger. Il avait eu l'occasion de constater qu'elle était assez solide pour ne pas se casser lorsqu'elle rencontrait un os humain, et assez aiguisée pour faire office de rasoir, lors de ses déplacements.

— Bon, nous nous sommes tout dit, n'est-ce pas ?

— Attendez, je pourrais…

Mais, avant qu'il ait pu terminer sa phrase, le Roumain lui avait de nouveau scotché la bouche.

★

Quarante minutes plus tard, les lumières de Brighton, toujours visibles à l'horizon, disparaissaient régulièrement derrière les grandes vagues d'un noir d'encre. Terminant une cigarette, Cosmescu éteignit le moteur et ses feux de navigation. La profondeur de l'eau était de quarante-cinq mètres, ce qui suffisait pour ce qu'il avait à faire.

Il n'avait toujours pas digéré le coup de fil reçu deux soirs plus tôt, alors qu'il était au casino, quand son boss lui avait dit sans détour qu'il avait merdé. Et c'était vrai. Il avait enfreint la règle qui veut qu'on n'implique jamais un tiers, sauf en cas d'absolue nécessité. Il aurait dû se charger des corps lui-même. Car, au final, manœuvrer une coquille de noix, c'est un jeu d'enfant.

Mais il avait eu de bonnes raisons d'agir ainsi – du moins, le pensait-il. S'il avait loué, à plusieurs reprises, un bateau, en plein hiver, il aurait attiré l'attention. Des gens suspicieux surveillaient les allées et venues dans le port. Mais il s'était dit que le garde-côtes n'y verrait que du feu s'il était accompagné par un pêcheur.

Avec pour seul témoin les étoiles et le propriétaire du bateau, bâillonné, il déverrouilla et souleva une trappe, puis repéra les valves grâce à une lampe torche. Il en ouvrit une ; de l'eau s'engouffra aussitôt. Parfait. Towers entretenait bien son bateau.

Il se dirigea vers la poupe, déroula le Zodiac gonflable gris qu'il avait acheté la veille, et retira la bouteille d'oxygène, le réservoir d'essence, le moteur Yamaha ainsi que la pagaie rangés à l'intérieur.

Dix minutes plus tard, le hors-bord était à l'eau, accroché au bateau de pêche, moteur au ralenti. Les vagues le secouaient de façon inquiétante, mais le pneumatique serait sans doute plus stable une fois qu'il serait dessus, se dit Cosmescu, épuisé par tant d'efforts.

Avec les deux robinets ouverts, le pont était désormais inondé. L'eau arrivait sous le menton de Towers. Se félicitant d'avoir pensé aux bottes, Cosmescu dirigea le faisceau de sa lampe vers l'homme qui bougeait frénétiquement les yeux pour essayer de communiquer avec lui. L'eau lui couvrait désormais le menton. Cosmescu éteignit sa lampe et observa l'horizon. À part les lumières de Brighton et les reflets au sommet des vagues, il faisait complètement noir. Les vagues clapotaient contre la coque. Le *Scoob-Eee* s'enfonçait de plus en plus rapidement dans l'océan.

Après avoir rallumé sa torche, il constata que Jim essayait en vain de maintenir sa tête hors de l'eau.

— Si vous voulez un conseil, M. Towers, respirez un grand coup juste avant que l'eau n'atteigne vos narines. Vous vivrez ainsi une minute de plus. C'est fou ce qu'un homme peut faire en soixante secondes. Si vous êtes en forme, vous en aurez peut-être quatre-vingt-dix.

Mais cette fois il n'était pas sûr d'avoir été entendu, vu que son interlocuteur avait tout le visage sous l'eau.

Le canoë de sauvetage se trouvait toujours amarré au bateau de pêche.

Leçon numéro un : ne jamais quitter un bateau en train de sombrer si vous n'avez pas de plan B. Il monta dans son hors-bord, le détacha, puis décrivit quelques cercles autour du *Scoob-Eee*, jusqu'à ce que sa silhouette ait complètement sombré dans un magma tourbillonnant.

Il accéléra, le nez du Zodiac pointa vers le ciel avant de sauter sur une vague, puis sur une autre. De l'eau glaciale l'éclaboussa. Ballottée de droite à gauche, la petite embarcation faillit se retourner. Cosmescu paniqua mais en voyant les lumières de Brighton, toutes floues, se rapprocher lentement, il reprit espoir.

La mer se calmait au fur et à mesure qu'il approchait de la côte. Il distingua les lumières du Brighton Pier et de la marina, juste à côté. Un peu plus loin se trouvait un sentier, au pied de la falaise. Nul ne s'y aventurerait une nuit de novembre. Et il n'y aurait sans doute personne sur les plages non plus.

Jim Towers devait-il réellement fêter son anniversaire de mariage ce soir ou lui avait-il menti ? Sa femme avait-elle appelé la police ou le garde-côtes ? Encore un truc à vérifier pour éviter de merder. Sa disparition figurerait peut-être dans le journal local. Il allait devoir le lire attentivement et naviguer à vue.

Vingt minutes plus tard, arrivé sous la falaise, assez loin de la marina, il accéléra, puis coupa le moteur. Il dévissa les deux papillons qui le retenaient au Zodiac et le jeta à la mer.

Le hors-bord poursuivit sa route sur quelques mètres. Sous la falaise, il n'y avait quasiment pas de vent pour le ralentir. Cosmescu pagaya pour maintenir le cap vers la plage, tandis que le bruit des vagues sur les galets s'accentuait.

Et soudain, une vague s'écrasa sur lui.

Furieux, il sauta de son embarcation et constata que l'eau était beaucoup plus froide et beaucoup plus profonde que prévu – elle lui arrivait aux épaules. Un courant l'attira vers le large, il perdit pied et s'affola. Penché en avant, il réussit à tirer le Zodiac, puis trébucha.

Une autre vague s'abattit sur l'embarcation qui cogna contre l'arrière de son crâne. Il jura à nouveau.

Il se redressa péniblement, avec l'impression d'avancer sur des sables mouvants. Petit à petit, le canoë devint un simple poids mort derrière lui. Il le hissa sur la plage, puis vérifia qu'il était bien seul. Rien. Personne. Aucun bruit, à part le ressac.

Il dégonfla le hors-bord, le roula en expulsant l'air, puis sortit son canif et le découpa en larges bandes, qu'il rassembla en paquet.

Il rejoignit ensuite sa camionnette, garée sous la falaise, sur le parking du supermarché Asda, puis jeta les bouts du canot pneumatique dans plusieurs poubelles qu'il croisa sur sa route.

Il était bientôt minuit. Il aurait bien aimé boire un coup et passer une heure ou deux à jouer à la roulette du Rendez-Vous, histoire de décompresser, mais, vu son allure débraillée, ce n'était pas une bonne idée.

40

En comptant les enquêteurs et leurs assistants, l'équipe de Roy Grace comptait vingt-deux personnes et occupait deux des trois postes de travail du centre opérationnel numéro un, au dernier étage de la Sussex House.

L'espace réservé aux enquêteurs, qui se trouvait au bout d'un dédale de couloirs beige, représentait un tiers de cet étage. Il comprenait deux centres opérationnels, le CO1 étant le plus grand, avec ses deux salles d'interrogatoire, celle pour les conférences de presse, les laboratoires des techniciens de scènes de crimes, ainsi que plusieurs bureaux pour les commissaires extérieurs qui s'installaient à la Sussex House le temps de leur enquête.

Le CO1 était spacieux, d'allure moderne, avec ses petites fenêtres en hauteur, ses stores à bandes et sa verrière, sur laquelle tombait la pluie. Aucune décoration ne venait distraire le regard.

Aux murs se trouvaient des tableaux blancs où étaient aimantées des photographies des trois victimes de l'opération Neptune. Le premier jeune homme apparaissait dans une bâche en plastique, à l'intérieur du bec d'élinde de l'*Arco Dee*, puis pendant son autopsie. Les deuxième et troisième victimes avaient été photographiées sur le pont du *Scoob-Eee* et durant leur autopsie. Sur un gros plan, on pouvait voir le bras de l'adolescente, son tatouage, ainsi qu'un double décimètre, pour donner une idée de l'échelle.

Quelqu'un avait également mis, sous les mots opération Neptune, une photo de l'album *Yellow Submarine* des Beatles, histoire de détendre l'atmosphère. Il était fréquent d'illustrer le nom de l'opération par une image, mais, cette fois, c'était sans doute Guy Batchelor, le petit plaisantin de l'équipe, qui s'en était chargé.

Un exemplaire de l'*Argus* du jour se trouvait sur le bureau imitation bois de Grace, à côté des notes que son assistante personnelle avait dactylographiées. Kevin Spinella avait titré son article : *Deux cadavres supplémentaires repêchés dans la Manche.*

Et il avait fait preuve d'une étonnante sobriété en reprenant à peu près ce que Grace lui avait raconté, à savoir que, selon la police, les corps avaient probablement été jetés à la mer depuis un navire. Cela suffisait à informer les citoyens et à les inviter à témoigner s'ils connaissaient des adolescents ayant subi une opération – et ce, sans provoquer de mouvement de panique.

Pour Grace, cette affaire prenait une autre tournure. Tom Martinson, le nouveau directeur de la police, se retrouvait avec un triple homicide dans son fief. Le commissaire principal Alison Vosper lui avait sans doute dit tout le mal qu'elle pensait de Grace, qui n'avait fait que confirmer cette opinion par sa piètre prestation lors du pot de départ à la retraite de Jim Wilkinson. Au dîner dansant de ce soir, Grace entendait lui faire comprendre que l'enquête était entre de bonnes mains.

Comme on était samedi, il s'était habillé d'une façon plus décontractée que d'habitude – blouson en cuir, pull rayé, tee-shirt blanc, jean et baskets. Il ouvrit la réunion.

— Il est 8 h 30, samedi 29 novembre. Ceci est la quatrième réunion de l'opération Neptune, enquête sur la mort de trois personnes non identifiées, désignées ainsi : homme non identifié 1, homme non identifié 2 et femme non identifiée. Cette opération est dirigée par moi-même et par la commandante Mantle en mon absence.

Il fit un geste en direction de Lizzie pour ceux qui, autour de la table, ne la connaissaient pas. Contrairement aux autres, elle portait la même tenue qu'en semaine : un tailleur-pantalon. Celui-ci était à fines rayures, marron et blanc. Seul un col roulé foncé à la place d'un chemisier lui conférait une allure moins stricte.

— Je sais que plusieurs d'entre vous ont l'intention d'assister au bal de la PJ ce soir. D'autre part, comme c'est le week-end, nos interlocuteurs seront difficiles à joindre. Je vais donc dispenser certains d'entre vous de venir demain. Pour les autres, nous ferons une réunion à midi, afin que ceux qui seront sortis aient le temps de cuver, dit-il en souriant. Nous reprendrons les horaires habituels lundi, à 8 h 30.

Grace s'estimait heureux, car Cleo savait qu'il devait parfois travailler à des heures indues et ne lui en tenait pas rigueur. Contrairement à Sandy, qui ne supportait pas qu'il travaille le week-end.

Il jeta un œil à ses notes.

— Nous n'aurons pas les résultats d'analyse toxicologique, qui nous permettront peut-être de déterminer la cause de la mort, avant lundi. En attendant, je vais faire un tour de table de vos avancées relatives à l'homme non identifié 1.

Il se tourna vers Bella Moy, devant laquelle se trouvait sa traditionnelle boîte de Maltesers – sa drogue.

— Bella, du nouveau du côté des relevés dentaires ?

— Nous n'avons pas de relevés correspondant aux empreintes réalisées par le légiste, mais j'ai des informations intéressantes : les deux dentistes que j'ai consultés m'ont dit que les dents du jeune homme étaient très abîmées pour son âge, qu'il souffrait visiblement de malnutrition, et qu'il y avait peut-être eu usage de drogues. Il est fort probable qu'il venait d'un milieu défavorisé.

— Aucun soin susceptible de nous renseigner sur sa nationalité ? demanda Lizzie Mantle.

— Non, répondit Bella. Il n'est d'ailleurs sans doute jamais allé chez le dentiste, auquel cas nous aurons du mal à retrouver son identité par sa dentition.

— Nous aurons les trois relevés lundi, soit trois fois plus de chances, précisa Grace.

— J'aimerais bien du renfort.

— OK, je ferai le point sur les ressources humaines après la réunion.

— Norman, tu étais censé contacter les coordinateurs des services de transplantation. Des résultats ?

— J'ai entrepris d'interroger les hôpitaux situés à 150 kilomètres à la ronde. Pour le moment, je n'ai rien découvert d'intéressant, mais j'ai des infos importantes ! dit-il avant de marquer une pause interminable, tout sourire.

— Dont tu aimerais nous faire part ? le relança Grace.

Le commandant portait sa veste « spécial week-end », qu'il arborait été comme hiver – un truc en tweed usé avec des épaulettes et d'immenses poches. Il plongea sa main dans l'une d'elles, comme pour en ressortir quelque chose de fantastique, mais se contenta d'agiter les pièces de monnaie qui s'y trouvaient.

— Il y a une pénurie d'organes dans le monde, annonça-t-il solennellement. Notamment en matière de reins et de foies. Vous savez pourquoi ?

— Non, mais je suis sûre que tu vas nous le dire,

l'interrompit Bella, exaspérée, avant d'envoyer un Maltesers au fond de sa gorge.

— À cause des ceintures de sécurité ! s'écria Potting, triomphant. Les meilleurs donneurs sont ceux qui meurent d'une commotion cérébrale, car leurs organes vitaux demeurent intacts. Maintenant que les gens portent des ceintures de sécurité, ils ne claquent que s'ils sont complètement broyés, ou bien brûlés. Dans le temps, les victimes s'écrasaient contre le pare-brise. Maintenant, il n'y a plus guère que les motards pour foncer tête la première.

— Merci, Norman, dit Grace.

— Autre chose, reprit Potting. À Manille, aux Philippines, la moitié des habitants vivent avec un seul rein.

— Arrête ton char, lança Bella, cynique. C'est une légende urbaine !

Grace leva une main.

— Pourquoi est-ce que tu nous parles de ça, Norman ?

— Parce que c'est là-bas que vont certains riches Occidentaux en attente d'une greffe. Les donneurs empochent entre 40 000 et 60 000.

— Livres ? compléta Grace, abasourdi.

— Et pour un foie, il faut compter cinq, voire six fois cette somme, confirma Potting. Ceux qui sont sur liste d'attente depuis des années sont prêts à payer n'importe quel prix.

— Mais les adolescents morts ne sont pas philippins, souligna Bella.

— J'ai contacté le garde-côtes, reprit Potting en ignorant sa remarque, pour lui communiquer le poids des parpaings. Selon lui, vu les conditions météorologiques de la semaine dernière, il est impossible que les corps aient dérivé. Les courants passent en surface. Il aurait fallu un tsunami pour les déplacer.

— Merci, conclut Grace en prenant note. Nick ?

Glenn Branson, qui avait l'air toujours aussi mal en point, se manifesta.

— Désolé de vous interrompre, j'aimerais juste une précision. Roy, tu as déclaré que ces trois personnes ont peut-être été tuées dans un autre pays, voire sur un navire, puis jetées à la mer, n'est-ce pas ? C'est du moins ce qu'on peut lire dans l'*Argus*.

— Tout à fait. Si elles avaient été retrouvées quelques kilomètres plus loin, nous n'aurions pas été concernés. Mais comme elles étaient dans les eaux territoriales britanniques, c'est à nous de les identifier. J'ai demandé à deux de nos assistants de dresser la liste des navires ayant traversé la Manche ces sept derniers jours. Je ne sais pas combien de temps il leur faudra, ni même si ça vaut le coup…

— Les corps ont été repêchés à une vingtaine de mètres de profondeur, reprit Branson. S'ils n'ont pas dérivé, c'est qu'ils ont été jetés dans ce secteur d'un bateau, d'un avion ou d'un hélicoptère. Les gros cargos ont un trop grand tirant d'eau pour approcher autant de la côte, ce qui en élimine un certain nombre. Et, à mon avis, tous les marins savent qu'il s'agit d'un site d'extraction et donc qu'il vaut mieux éviter d'y balancer des cadavres si l'on ne veut pas qu'ils soient découverts. Les pilotes d'avion ou d'hélicoptère ne connaissent peut-être pas aussi bien les cartes marines. Selon moi, il faudrait chercher du côté des aéroports, notamment celui de Shoreham.

— Je suis d'accord avec Glenn, intervint la commandante Mantle. Le problème, c'est que certains appareils décollent d'aéroports privés sans remplir de plan de vol. Si le pilote avait pour mission de larguer des cadavres, j'imagine que c'est ce qu'il a fait.

— Possible aussi que l'engin ait décollé de l'étranger, avança Nick Nicholl.

— Ça m'étonnerait, fit Grace. En admettant que ce soit un avion français, il n'aurait pas pris la peine de traverser la Manche pour entrer dans l'espace aérien britannique.

— Désolé, chef, mais je ne suis pas d'accord, intervint Branson. Peut-être l'ont-ils justement fait exprès.

— Comment ça ? lui demanda la commandante.

— Pour bluffer, expliqua Branson. Pour que l'on concentre nos efforts sur la Grande-Bretagne.

Grace sourit.

— À mon avis, Glenn, tu vas trop au cinéma. Ceux qui se sont débarrassés des corps ne souhaitaient pas qu'on les retrouve. Ç'aurait été stupide de leur part de s'approcher autant de la côte anglaise. Mais vérifions quand même auprès des aéro-clubs et aérodromes locaux, interrogeons les contrôleurs aériens. L'avantage, c'est qu'ils travaillent le week-end.

David Browne leva la main. La petite quarantaine, il aurait pu se faire passer pour le frère de l'acteur Daniel Craig. À l'époque où les producteurs cherchaient leur nouveau James Bond, ses collègues avaient d'ailleurs affirmé, pour plaisanter, qu'Hollywood aurait dû lui envoyer le contrat, à lui. Vêtu d'une veste en polaire, chemise ouverte, jean et baskets, il avait le profil parfait de l'homme d'action. Mais ses épaules carrées et sa coupe en brosse ne l'empêchaient pas d'être extrêmement méticuleux. L'attention qu'il portait aux détails lui avait d'ailleurs permis de devenir chef des techniciens de scènes de crimes.

— Les trois corps étaient emballés dans une bâche en PVC, ligotés par de la corde. Ces matériaux sont disponibles dans n'importe quel magasin de bricolage. Selon moi, celui ou celle qui les a largués pensait que l'affaire était réglée, qu'ils ne remonteraient jamais à la surface.

— Tu es sûr que la bâche et la corde se trouvent n'importe où ? insista Grace.

— Oui. Et comme ce n'était sans doute pas en grande quantité, personne ne s'en souviendra. Des centaines de magasins vendent ces matériaux. Mais ça vaudrait le coup de faire le tour des boutiques de Brighton. La plupart d'entre elles seront ouvertes ce week-end.

Grace ajouta cet élément à la liste, puis s'adressa de nouveau au lieutenant Nicholl.

— Nick ?

— J'ai épluché le fichier des personnes portées disparues. Un certain nombre d'adolescents pourraient correspondre. Il me faudrait les photos des victimes.

— Les photos ont été transmises à Chris Heaver, le spécialiste en reconnaissance faciale. Il les retouche pour qu'on puisse les transmettre à la presse lundi. Tu pourras les envoyer au service des personnes portées disparues dès qu'elles seront prêtes.

— Nous les transmettrons également à tous les postes de police de la région et nous contacterons l'émission *Crimewatch* si nous n'arrivons à rien d'ici là. Quand a lieu la prochaine ?

— Mardi en huit, répondit Bella.

Grace grimaça – d'ici à dix jours, de l'eau aura coulé sous les ponts. Il se tourna vers le jeune lieutenant Emma-Jane Boutwood.

— E-J ?

— Eh bien, dit-elle avec son accent de jeune fille de bonne famille, je me suis penchée sur le cas du garçon retrouvé dans la Tamise en 2001, décapité, sans membres. Il n'a jamais été identifié. Les policiers lui ont attribué un nom : Adam. Ils ont déterminé qu'il venait du Nigéria en examinant de microscopiques graines retrouvées dans ses intestins. L'expert était le Dr Hazel Wilkinson, du laboratoire Jodrell, à Kew Gardens.

David Browne demanda la parole.

— Roy, on connaît bien Hazel. On a l'habitude de travailler avec elle.

— Super. E-J., tu lui demanderas ce dont elle a besoin pour se mettre au travail et tu te le procureras auprès de Nadiuska ?

— D'accord. Autre chose. Quand j'étais hospitalisée,

je me suis renseignée sur le sujet. Autant mettre à profit ce temps de repos imposé ! dit-elle avec un sourire modeste. L'un des laboratoires auxquels on fait appel en matière d'ADN, Cellmark Forensics, a une maison mère aux États-Unis : Orchid Cellmark. J'ai été en contact avec Matt Greenhalgh, le directeur du département médico-légal. Il m'a expliqué que leurs labos ont accompli d'énormes progrès dans l'analyse des isotopes des enzymes d'ADN. Ils ont constaté que les aliments, en particulier les minéraux, peuvent permettre de déterminer la zone géographique, voire le pays d'origine de la victime. Des échantillons prélevés sur l'homme non identifié 1 leur ont été envoyés ; nous devrions avoir des résultats en début de semaine.

— Très bien, merci E-J.

Grace prit le temps de digérer cette information. Même si la nourriture était désormais exportée dans le monde entier, ça valait le coup d'essayer. Il se leva et s'approcha de l'un des tableaux blancs pour pointer le gros plan du bras de l'adolescente.

— Tout le monde voit bien ?

Son équipe hocha la tête. Il s'agissait d'un grossier tatouage d'environ 2,5 centimètres de long.

— Rares ? lut Norman Potting à voix haute. Peut-être est-ce le mot *rage* mal orthographié. Elle était contagieuse et voulait le faire savoir ! lança-t-il en riant à sa propre blague.

— À mon avis, il s'agit d'un prénom, déclara Grace sans relever. J'imagine qu'il s'agit du nom de son petit ami et qu'elle l'a effectué elle-même. Quelqu'un connaît ce prénom ?

Aucune réaction.

— Norman et E-J, j'aimerais que vous vous renseigniez pour savoir si ce nom existe. Si oui, dans quel pays, sinon, vous nous direz ce que cela veut dire.

— Lizzie, je sais que tu as été absente quelques

jours pour ta formation. As-tu besoin d'informations supplémentaires ?

— Non, pas pour le moment, Roy.

— Parfait.

Grace se tourna vers Juliet Johns, une brunette avec un tee-shirt à rayures marron, spécialiste du logiciel Holmes.

— J'aimerais que tu vérifies si un cas similaire s'est présenté dans le reste du pays. Pour le moment, nous ne sommes pas sûrs qu'il s'agisse de trafic d'organes. Tout semble l'indiquer, mais il ne faut pas exclure la piste du psychopathe. Nadiuska est d'avis que les ablations ont été pratiquées par un chirurgien. Tu nous diras si des chirurgiens, ou des docteurs ayant ces compétences, ont été libérés de prison ou d'un hôpital psychiatrique ces deux dernières années. Essaie aussi de savoir si certains, rayés de l'Ordre, auraient des raisons d'agir ainsi par vengeance.

— Et en ce qui concerne Internet, Roy ? proposa David Browne. Je me souviens avoir vu une annonce de rein en vente sur eBay, il y a quelques années. Ça vaut le coup de se pencher sur ce business.

— Très bonne remarque.

Il se tourna vers Lizzie Mantle.

— Tu pourrais demander à la cybercriminalité de traquer les éventuelles publicités de ventes d'organes ?

— Tu penses vraiment que quelqu'un tuerait pour revendre des organes ? s'étonna Bella.

Depuis longtemps Grace ne se demandait plus jusqu'où pouvait aller la barbarie. Imaginez l'acte le plus horrible, multipliez-le par dix en termes de dépravation et vous serez encore loin de la réalité.

— Oui, répondit-il, je pense que c'est possible, malheureusement.

41

Il n'était que 15 h 30 et la nuit commençait déjà à tomber. Debout près de la table de la cuisine, Lynn regardait par la fenêtre en attendant que le micro-ondes, qui faisait autant de bruit qu'une tronçonneuse découpant des chaînes, finisse son programme. Battu par la pluie, le jardin, qu'elle entretenait fièrement pendant quasiment toute l'année, avait l'air abandonné.

Le rosier d'automne avait besoin d'être taillé, et la pelouse, sous un tapis de feuilles mortes, besoin d'être tondue, alors même qu'on était fin novembre. *Bonjour le réchauffement planétaire,* se dit-elle. Peut-être, le week-end prochain, aurait-elle l'énergie, si...

Si...

Si elle arrivait à se débarrasser de cette angoisse à l'égard de Caitlin, cette peur qui paralysait son cerveau et l'empêchait de se concentrer sur quoi que ce soit, ne serait-ce que sur le journal.

Aussi loin qu'elle s'en souvienne, Lynn n'avait jamais aimé les dimanches après-midi. La fin du week-end et le retour à la vie réelle, le lendemain, la terrorisaient. Et aujourd'hui, il n'y avait pas que ça. Elle se faisait un sang d'encre pour Caitlin ; elle était impuissante, et furieuse de l'être. Ces derniers jours, à l'hôpital, elle n'avait rien pu faire d'autre, pour sa fille affolée, que lui offrir quelques mots de soutien, des magazines et des CD.

Elle avait pourtant toujours été douée pour aider les gens. Adolescente, elle s'était occupée de sa jeune sœur, Lorraine, clouée au lit pendant deux ans après s'être fait renverser en vélo par un camion. Grâce à ses soins, elle avait guéri et était parvenue à remarcher. Il y avait cinq ans de cela, elle l'avait de nouveau accompagnée lors d'un divorce difficile, puis une bataille contre un cancer du sein – bataille qu'elle avait perdue.

Après son propre divorce, c'était sa mère qui l'avait soutenue. Mais elle vieillissait et, même si elle était encore vaillante, elle partirait tôt ou tard. Lynn savait que si elle perdait aussi sa fille, elle serait seule au monde, et cette considération égoïste l'effrayait presque autant que voir Caitlin souffrir.

Le séjour à l'hôpital royal du sud de Londres avait été un véritable enfer. L'Armée du Salut lui avait proposé une chambre, juste en face, mais elle n'y avait quasiment pas mis les pieds pour ne rater aucun des examens de sa fille. Pendant les trois nuits, elle avait préféré dormir dans un fauteuil, à côté de son lit.

Entre les membres de l'équipe de transplantation, les assistantes sociales, les infirmières, l'anesthésiste, l'hépatologue, le chirurgien et le chef de clinique, Lynn ne savait plus combien de professionnels s'étaient succédé au chevet de sa fille. Sans compter les scanners, prises de sang, radios, examen des poumons, du cœur, etc.

— Je suis devenue un rat de laboratoire, c'est ça ? soupira Caitlin.

La seule personne à laquelle elle semblait faire confiance était le spécialiste, le Dr Abid Suddle. Il leur avait répété ce matin qu'il trouverait un foie compatible dans les meilleurs délais, quelques jours au maximum, malgré la rareté de son groupe sanguin.

Il avait un discours rassurant. Lynn appréciait son énergie, sa sollicitude et ses égards. Malgré ses journées de travail interminables, elle le sentait capable de déplacer des montagnes pour sa fille, même si, en effet, les greffes de foie étaient rares, et si son groupe sanguin amenuisait encore ses chances. Sans compter que Caitlin souffrait d'hépatite chronique, et que priorité était donnée à ceux qui souffraient d'une inflammation aiguë.

Mais le docteur Suddle leur avait précisé que d'autres groupes sanguins étaient compatibles, qu'elles ne devaient pas se faire de souci pour cela. *Caitlin va s'en sortir*, avait-il déclaré. Et Lynn savait qu'il le pensait sincèrement.

Pourtant, elle était consciente qu'il n'était qu'un pion sur l'échiquier. Un simple membre dans une immense équipe surchargée, exténuée, mais dévouée. Ce que Luke avait trouvé sur Internet la paniquait tant qu'elle avait vérifié par elle-même. Il n'était pas facile de trouver le nombre de personnes en attente d'une greffe de foie au Royaume-Uni. Le docteur lui avait avoué, de façon non officielle, que 19 % des patients de son service décédaient faute d'avoir pu être greffés. Elle avait senti qu'il ne lui disait pas toute la vérité. Chaque mercredi, leur équipe se réunissait pour déterminer les patients prioritaires. Quand elle avait du temps libre, Lynn rencontrait des patients ayant été relégués en fin de liste, au profit d'autres en moins bonne santé qu'eux.

C'était une loterie.

Elle se sentait complètement démunie.

Le journal du dimanche, *The Observer*, se trouvait sur la table, ainsi que tous ses suppléments. Elle jeta un œil à l'un des titres de la une : les économistes prévoyaient une récession économique, une chute de l'immobilier et une augmentation du nombre de banqueroutes. Et demain, quand elle irait au travail, elle serait confrontée aux conséquences réelles de ces prévisions désastreuses.

Elle avait pitié de quasiment toutes les personnes qu'elle devait relancer par téléphone. Il s'agissait, pour la plupart, de gens ordinaires, qui avaient mis le doigt dans un engrenage. Une certaine Anne Florence, sensiblement du même âge qu'elle, et mère d'une adolescente malade, avait acheté une voiture à crédit pour 15 000 livres, mais elle n'avait pas réussi à prendre d'assurance et se l'était fait voler. Au final, elle s'était retrouvée sans voiture, avec l'emprunt à rembourser.

Ne pouvant en acheter de nouvelle, elle avait souscrit auprès d'autres organismes de crédit et utilisé les sommes autorisées par chacune des cartes pour rembourser les précédentes.

Depuis un an, Lynn renégociait chaque semaine ses mensualités à la baisse pour atteindre les 5 000 livres qu'elle devait à la banque, cliente de son entreprise. Mais, pour ne rien arranger, elle avait des arriérés sur son hypothèque. Lynn savait que, tôt ou tard, cette pauvre femme perdrait sa maison – et tout le reste.

Elle aurait bien aimé avoir une baguette magique pour régler tous les problèmes d'Anne Florence et des dizaines de personnes avec lesquelles elle négociait chaque jour, seulement tout ce qu'elle pouvait faire, c'était être sympathique, mais ferme. Et elle était d'ailleurs beaucoup plus sympathique que ferme.

Max, leur chat tigré, se frotta contre sa jambe. Elle se baissa pour le caresser. Son doux pelage lui fit du bien.

— Tu as de la chance, tu sais, de ne pas être confronté aux problèmes des humains.

Max se contenta de ronronner. S'il avait des soucis, il les cachait bien.

Lynn décrocha son téléphone et composa le numéro de sa meilleure amie, Sue Shackleton, sur laquelle elle pouvait compter pour lui remonter le moral en toutes circonstances. Mais elle tomba sur sa boîte vocale. Elle se souvint vaguement que Sue lui avait parlé d'un week-end à Rome avec son nouveau petit ami. Elle laissa un message et raccrocha, la mort dans l'âme.

Au même moment, le micro-ondes sonna. Elle attendit une minute, puis en sortit une pizza qu'elle découpa en parts avant de la mettre sur un plateau et de la porter dans le salon.

Elle ouvrit la porte ; la télévision était à fond. Sur l'écran, elle reconnut deux des personnages de *Laguna Beach*, l'une des séries fétiches de sa fille. Caitlin était allongée sur le canapé, sa tête reposant sur la poitrine de Luke, pieds nus ; deux canettes de Coca ouvertes sur la table basse en verre. Elle observa le visage de sa fille, qui, totalement absorbée par l'écran, souriait. Elle eut soudain très envie de la serrer dans ses bras.

Sa fille avait besoin d'être rassurée, *méritait* de l'être. Et elle méritait bien mieux que cet abruti coiffé n'importe comment, affalé sur le canapé.

Elle lui en voulait encore d'avoir effrayé sa fille avec les statistiques, les listes d'attente et autres taux de mortalité.

— Pizza, annonça-t-elle d'une voix faussement enjouée.

Vêtu d'un sweat-shirt à capuche, d'un jean déchiré et de baskets sans lacets, Luke leva les yeux, sous sa mèche, puis fit un geste, tel un agent de la circulation.

— Ouais, cool ! Ça me va, de la pizza.

Ça t'irait encore mieux si je t'en faisais une casquette, pensa Lynn, envisageant de la lui renverser sur la tête. Mais elle garda son calme, posa le plateau, sortit de la pièce et retourna dans la cuisine. Ignorant le journal du week-end, elle prit son roman policier – un Val McDermid –, espérant s'y immerger pendant une heure ou deux.

Dans le roman, un jeune homme torturait sa victime avec un instrument de l'époque médiévale. Lynn eut soudain très envie de faire subir le même sort au jeune homme qui squattait son salon.

Elle posa le livre et éclata en sanglots.

42

Susan Cooper était exténuée. Elle avait perdu toute notion du temps depuis l'accident de Nat. À part quelques allers-retours chez elle pour prendre une douche et se changer, elle était restée auprès de son mari, en soins intensifs, depuis mercredi. Selon le *Daily Mail*, qui se trouvait sur ses genoux, on était lundi.

Le journal débordait de publicités et d'articles sur les fêtes de fin d'année et leur cortège de conseils. *Comment éviter la gueule de bois à Noël ! Comment éviter de prendre des kilos ! Comment décorer votre sapin en recyclant des déchets ménagers ! Cent idées cadeaux ! Offrez à votre homme le présent qu'il n'oubliera jamais !*

Mais, comme par hasard, rien sur : *Comment aider votre homme à survivre jusqu'à Noël ?* se dit-elle, dépitée. Ou encore : *Comment aider votre mari à vivre jusqu'à la naissance de votre enfant ?*

Ces cinq derniers jours – les plus longs de sa vie –, il n'y avait eu aucune évolution. Et elle en avait marre de ce service, où tout était bleu. Marre des murs bleu clair, des rideaux bleus tirés autour du lit de Nat, des stores vénitiens, de la tenue bleue des aides-soignants et des médecins. Les seules touches de couleurs provenaient des cartes « prompt rétablissement » qu'il avait reçues. Et des fleurs, qu'elle avait dû donner, vu qu'il n'y avait pas de place pour un vase.

Elle eut soudain envie de s'approcher de son mari, d'ouvrir le rideau, mais trop de docteurs se pressaient autour de lui en ce moment. Une alarme retentit soudain. *Bip, bip, bong.* Puis s'arrêta. Elle détestait cette sonnerie, qui lui foutait la trouille. Une autre s'éleva au fond du dortoir. Elle posa le journal et se leva.

Nouvelle alarme – encore un appareil autour du lit de Nat. Susan fut de nouveau tentée de s'en approcher. Mais elle n'avait pas arrêté de harceler l'équipe médicale, elle devait les rendre dingues... Elle décida de sortir du service, histoire de changer d'air.

Elle passa devant plusieurs lits sur lesquels les patients étaient intubés, silencieux, soit endormis, soit les yeux dans le vague, et s'arrêta devant un distributeur de gel antimicrobien, fixé au mur près de la porte. Elle le pressa et se frotta les mains pour faire pénétrer le produit, puis appuya sur un bouton vert ; la porte s'ouvrit et elle sortit. Comme un zombie, elle emprunta le couloir, passa devant la salle de repos à gauche, et la salle d'attente, tout aussi lugubre, à droite, puis devant un tableau abstrait qui représentait une sorte de collision entre deux camions remplis de seiches multicolores. Elle marcha jusqu'à la fenêtre près de l'ascenseur.

C'était devenu sa fenêtre sur le monde.

C'était là qu'elle regardait le paysage – les toits, les mouettes et la Manche, en toile de fond – et imaginait une réalité parallèle. Un monde tranquille et normal. Un monde où Nat n'aurait pas eu d'accident. Où les bateaux gris glissaient sur l'horizon et où, hier, elle avait regardé les voiles blanches des yachts disputer la traditionnelle régate hivernale, les Frostbite Series. Elle connaissait cette course, car, pendant deux ans, quand il était en congé le dimanche matin, Nat avait fait partie d'une équipe. Il aimait prendre l'air, et, comme le squash, ce sport lui permettait d'oublier l'hôpital et son stress.

Et puis il avait acheté cette moto et avait passé ses dimanches matin à foncer à travers la campagne avec un groupe de trentenaires amateurs d'émotions fortes. Dieu qu'elle détestait cette moto.

Oh non ! Merde, merde, merde, se dit-elle.

Comme s'il ressentait son désespoir, son bébé lui donna des petits coups.

— Salut, toi.

Elle sortit son téléphone portable. Huit appels en absence. Autant de messages. Le frère de Nat, ses amis du club de voile, son partenaire de squash, sa sœur, des copines à elles, dont Jane, sa meilleure amie.

Elle entendit des pas approcher. Légers et grinçants, sur le linoléum. Puis une voix féminine qu'elle ne connaissait pas.

— Mme Cooper ?

Elle se retourna et vit une jolie femme qui tenait des documents dans ses bras. La trentaine bien entamée, elle avait de longs cheveux bruns remontés en chignon, un haut rayé marron et crème et des ballerines noires. Sur son badge, on pouvait lire : *infirmière spécialisée.*

— Je m'appelle Chris Jackson, dit-elle en lui souriant gentiment. Comment allez-vous ?

Susan haussa les épaules et esquissa un sourire.

— Pas très bien, à la vérité.

Il y eut une seconde d'hésitation, que Susan trouva étrange, comme si une mauvaise nouvelle allait lui être annoncée.

— Auriez-vous quelques minutes à m'accorder, Mme Cooper ? Si je ne vous dérange pas, bien sûr.

— Dites-moi.

— Je vous propose d'aller dans un endroit calme. Puis-je vous offrir une tasse de thé ?

— Volontiers.

— Comment l'aimez-vous ?

— Avec du lait, sans sucre.

Quelques minutes plus tard, Susan se trouvait dans un fauteuil vert avec des accoudoirs en bois, dans une petite salle de repos sans fenêtre. Sur une table se trouvait une lampe de chevet avec un abat-jour à franges et un minuscule ventilateur éteint. Sur l'un des murs était accroché un petit miroir, sur l'autre une reproduction d'un paysage lugubre. L'ambiance était déprimante.

Chris Jackson revint avec deux tasses et prit place en face d'elle. Elle souriait amicalement, mais bizarrement.

— Puis-je vous appeler par votre prénom ?

Susan hocha la tête.

— Je suis désolée, Susan, mais la situation ne se présente pas bien, dit-elle en tournant sa cuillère dans son thé. Nous avons fait tout ce qui était en notre pouvoir pour votre mari, voire plus même, étant donné l'affection que nous lui portons tous. Mais, en cinq jours, il n'a montré aucune réaction et il y a eu un changement ce matin.

— Un changement ?

— L'examen du fond de l'œil a révélé une hypertension intracrânienne.

— Ses pupilles sont complètement dilatées, c'est ça ?

Chris Jackson acquiesça.

— Oui, c'est vrai, vous êtes du métier.

— Et je connais la gravité de sa commotion cérébrale. Combien de temps pensez-vous qu'il... qu'il restera parmi nous ? ajouta-t-elle en hoquetant.

— Nous devons procéder à d'autres tests, mais celui-ci est malheureusement rédhibitoire. Aimeriez-vous appeler quelqu'un ? Des membres de sa famille qui pourraient lui dire au revoir et vous soutenir ?

Susan posa sa tasse et sa sous-tasse, chercha un mouchoir dans son sac à main, épongea ses yeux et hocha la tête.

— Son frère arrive de Londres. Il est en route. Il sera là d'un moment à l'autre. Je...

Elle secoua la tête, renifla et respira un grand coup pour essayer de se calmer et lutter contre les larmes.

— Vous êtes sûre qu'il... ?

— Sa tension a grimpé à 22/11, avant de plonger à 9/4. Vous êtes infirmière, vous savez ce que cela signifie.

— Oui, répondit Susan, les yeux pleins de larmes. Il est mort, c'est ça ?

— Malheureusement, oui, répondit Chris Jackson à mi-voix.

Susan essuya ses yeux, tandis que son interlocutrice gardait le silence. Quelques minutes plus tard, elle but une gorgée de thé.

— Il y a autre chose dont j'aimerais vous parler, reprit Chris Jackson. Votre mari est hospitalisé, son corps est presque intact, vous pouvez décider de faire don de ses organes vitaux pour sauver d'autres vies.

Elle marqua une pause, pour lui laisser le temps de réfléchir.

Susan fixait silencieusement sa tasse.

— Beaucoup de gens trouvent du réconfort dans cet acte, car la mort de l'être cher sert au moins à sauver des malades. Quelque chose de positif résulte de sa disparition.

— Je suis enceinte, dit-elle, je porte son enfant. Il ne le verra pas, n'est-ce pas ?

— Non, mais quelque chose de lui survivra à travers ce bébé.

Susan s'absorba de nouveau dans la contemplation de son thé. La gorge serrée.

— Comment... Enfin, je veux dire, si je... S'il donne ses organes, sera-t-il... défiguré ?

— Il bénéficiera des mêmes soins que s'il était vivant. Il ne sera pas défiguré. On lui fera une simple incision sur le torse.

— Je sais que Nat était pour le don d'organes, déclara Susan après un long silence.

— Mais il ne possédait pas de carte, si ?

— Il l'aurait fait en temps et en heure, dit-elle en s'essuyant de nouveau les yeux. Je pense qu'il ne s'attendait pas à...

L'infirmière hocha la tête pour lui éviter d'avoir à finir sa phrase.

— Peu de personnes s'y attendent.

Susan rit amèrement.

— Je détestais cette moto. Je ne voulais pas qu'il en fasse. Si seulement j'avais été plus ferme.

— Il est très difficile d'empêcher les personnes déterminées de faire ce dont elles ont envie. Vous ne pouvez pas vous reprocher quoi que ce soit, Susan, ni aujourd'hui ni plus tard.

— Si je vous autorise à prélever ses organes, pratiquerez-vous une anesthésie ?

— Si vous le souhaitez, mais ce ne serait pas nécessaire dans son cas.

— Que prélèverez-vous ?

— Ce que vous souhaitez.

— Je ne veux pas que vous touchiez à ses yeux.

— Pas de soucis, je comprends.

Son *pager* sonna. Elle consulta l'écran, puis le remit dans son étui.

— Voulez-vous une autre tasse ?

Susan haussa les épaules.

— Je vais vous en préparer une et vous apporter les formulaires. J'ai quelques questions à vous poser sur les opérations qu'il a subies, d'éventuelles allergies, traitements, etc.

— Vous savez à qui iront ses organes ? l'interrompit Susan.

— Pas pour le moment. Il existe une base de données nationale pour les reins, le cœur, le foie, les poumons, le pancréas et l'intestin grêle. Huit mille personnes sont en attente. Les organes de votre mari seront attribués selon des critères de compatibilité et de priorité. Les bénéficiaires seront ceux qui présentent les plus fortes chances de réussite. Nous vous écrirons pour vous communiquer leurs noms.

Susan ferma les yeux afin que les larmes cessent de couler.

— Allez chercher ces fichus formulaires avant que je change d'avis.

43

La société de recouvrement Denarii, pour laquelle Lynn Beckett travaillait, occupait deux étages d'un des immeubles de bureaux les plus modernes de Brighton, dans le quartier tendance de New England, près de la gare.

Baptisée d'après une ancienne monnaie romaine, cette agence avait pour clients toutes sortes de sociétés offrant des crédits à la consommation : des banques, des sociétés d'investissement et de crédit immobilier, des catalogues de vente par correspondance, des grands magasins proposant leurs propres cartes, ainsi que des sociétés de *leasing*. Et vu le climat économique actuel, cette branche était en plein essor. Il s'agissait, pour Denarii, de récupérer des impayés pour des clients, qui, le plus souvent, leur confiaient plusieurs dossiers, selon le principe du recouvrement en nombre.

Il était 17 h 15, lundi après-midi, et Lynn se trouvait à sa place habituelle, assise à une plate-forme d'appels pouvant accueillir dix téléconseillers. Chaque équipe portait un nom, noté sur un panneau suspendu au plafond. La sienne s'appelait les *Jaguars Aguerris*. Ses concurrents directs s'appelaient les *Requins Rapaces*, les

Léopards de l'Enfer et les *Démons de Denarii*. À l'autre bout de *l'open-space* se trouvait le service des litiges, tenu par les *Aigles de la Loi*, et, encore plus loin, les managers, qui surveillaient les appels.

En temps normal, elle aimait travailler ici. L'esprit de camaraderie et la rivalité bon enfant lui plaisaient. D'immenses écrans plats affichaient en permanence les primes à gagner, qui allaient d'une boîte de chocolats à des sorties, comme un dîner dans un restaurant chic ou une course de lévriers. L'atmosphère lui évoquait celle des casinos. Sur l'écran qu'elle regardait actuellement, on pouvait voir le dessin d'un chaudron débordant de pièces de monnaie, ainsi que le mot BONUS : £673.

À la fin de la semaine, il serait encore plus élevé et l'un des agents de son équipe, ou d'une équipe rivale, l'empocherait. *Ce ne serait pas de refus*, se dit-elle. Et ce n'était pas hors de sa portée. Malgré les interruptions, elle avait bien entamé la semaine.

Mon Dieu, qu'est-ce que j'aimerais la remporter ! songea-t-elle. Elle pourrait ainsi faire réviser sa voiture, acheter un cadeau à Caitlin, voire rembourser une partie de ses factures, de plus en plus élevées à la fin du mois.

Malgré la nuit qui était déjà tombée, la vue sur Brighton était très agréable, mais elle n'en profitait pas, tant elle se concentrait sur son travail. Casque sur la tête, une tasse de thé devant elle, elle parcourait la liste des appels à passer.

Elle s'arrêta un instant, comme elle le faisait régulièrement, pour regarder une photo de Caitlin accrochée à la cloison rouge, juste au-dessus de son ordinateur. Bronzée, en short et tee-shirt, avec des lunettes de soleil à la mode, sa fille posait, appuyée contre une maison blanche de Charm el-Cheikh, en imitant la moue blasée des mannequins.

Revenant à sa feuille d'appels, elle composa un numéro. Une grosse voix masculine avec un fort accent du Nord-Est lui répondit.

— Ouais ?

— Bonjour, dit-elle poliment, pourrais-je parler à M. Ernest Moorhouse ?

— Hum, qui est à l'appareil ? répondit-il, méfiant.

— Je m'appelle Lynn Beckett. Êtes-vous M. Moorhouse ?

— Mouais, peut-être bien.

— Je vous appelle de la part de la société de recouvrement Denarii, suite à une lettre que nous vous avons envoyée, concernant la somme de 872 livres que vous devez à l'entreprise de bâtiment HomeFixIt. Puis-je vérifier votre identité ?

— Ah, fit-il, je suis désolé, j'avais mal compris, je ne suis pas M. Moorhouse, vous devez vous être trompée de numéro.

Il lui raccrocha au nez.

Lynn recomposa le numéro ; la même voix décrocha.

— M. Moorhouse ? C'est Lynn Beckett, de Denarii. Je pense que nous avons été coupés.

— Je viens de vous dire que je n'étais pas M. Moorhouse. Maintenant, laissez-moi tranquille ou bien je viendrai dans votre joli quartier de New England vous enfoncer votre téléphone dans le cul.

— Vous avez donc bien reçu notre lettre ? poursuivit-elle, imperturbable.

Le ton monta de plusieurs octaves et de plusieurs décibels.

— Je ne suis pas M. Moorhouse, putain, c'est clair, espèce de débile mentale ?

— Comment savez-vous où je travaille si vous n'avez pas reçu la lettre, M. Moorhouse ? demanda-t-elle, toujours aussi calme et polie.

Elle souleva son casque pour éviter le torrent d'insultes. Soudain, son portable sonna. Elle le sortit de son sac à main et consulta l'écran : *Numéro privé*. Elle rejeta l'appel.

Quand il eut terminé de débiter son flot d'injures, elle reprit :

— Permettez-moi de vous prévenir que tous nos appels sont enregistrés à des fins de formation, M. Moorhouse.

— Ah bon ? Eh bien, permettez-moi de vous prévenir, Mlle Barnett, que je ne veux plus jamais que vous m'appeliez à cette heure pour me parler d'argent, c'est compris ?

— Quelle heure vous conviendrait mieux ?

— Aucune heure du jour ou de la nuit, pigé ?

— J'aimerais voir avec vous si nous pourrions convenir d'un remboursement hebdomadaire raisonnable.

Elle dut de nouveau éloigner son casque.

— Aucun montant ne sera raisonnable, vous m'entendez ? J'ai perdu mon putain d'emploi. J'ai le fisc et des huissiers à ma porte pour des dettes autrement plus élevées que ça. Donc, maintenant, foutez-moi la paix et ne m'appelez plus jamais. C'est clair ?

Lynn respira un grand coup.

— Et si nous commencions par 10 livres par semaine ? Nous tenons à vous faciliter les choses, à trouver l'échéancier qui vous convienne.

— Mais vous êtes sourde, ma parole !

Il lui raccrocha une nouvelle fois au nez. Presque au même moment, son portable bipa pour annoncer un message.

Lynn nota dans son dossier d'envoyer une nouvelle lettre à Ernest Moorhouse, puis de l'appeler la semaine suivante. Si cela ne suffisait pas, et ce serait certainement le cas, elle devrait confier l'affaire au service des litiges.

Subrepticement, parce que les appels privés n'étaient pas bien vus, elle sortit son téléphone et écouta le message.

C'était la coordinatrice du service de transplantation de l'hôpital royal du sud de Londres qui lui demandait de la rappeler de toute urgence.

44

Il y avait eu une autre mort suspecte pendant le week-end, celle d'un dealer de 40 ans, nommé Niall Foster, qui avait sauté du septième étage de son appartement, situé en bord de mer. Tout portait à croire qu'il s'agissait d'un suicide, mais ni le coroner, ni la police ne voulaient tirer de conclusion hâtive. La petite équipe qui avait été formée pour cette enquête occupait le troisième poste de travail du CO1. Pour ne pas les interrompre, et pour que ses vingt-deux coéquipiers soient plus à l'aise, Grace décida d'organiser ses réunions dans la salle de conférences, en face.

Son équipe prit place sur les chaises rouges disposées autour de la table rectangulaire. Au fond de la pièce, juste derrière le commissaire, se trouvait un tableau bleu clair et bleu foncé avec l'adresse www.sussex.police.uk, cinq badges disposés harmonieusement, et le nom et numéro de *Crimestoppers* en évidence sous chacun d'eux. Sur le mur d'en face se trouvait un écran plasma.

Grace était encore plus sous pression que d'habitude. Samedi soir, au dîner dansant, en discutant avec le nouveau directeur de la police, il avait été surpris de constater à quel point Tom Martinson se tenait au courant de son enquête. Il n'y avait plus seulement Alison Vosper, qui le surveillait. Les trois cadavres commençaient à attirer l'attention de la presse nationale, ce qui voulait dire que la PJ du Sussex était épiée. La seule chose qui retenait certains journalistes loin de Brighton, c'était la disparition, depuis plus d'une semaine, de deux fillettes dans un village près de Hull.

— Il est 18 h 30, lundi 1ᵉʳ décembre, annonça Grace. Ceci est la huitième réunion de l'opération Neptune, enquête sur la mort de trois personnes non identifiées, dit-il avant de boire une gorgée de café. J'ai eu droit à une conférence de presse mouvementée, ce matin : certains journaux ont eu vent de l'absence d'organes.

Il regarda les collègues auxquels il faisait le plus confiance – Lizzie Mantle, Glenn Branson, qui portait un costume bleu électrique, comme s'il s'apprêtait à sortir en boîte, Bella Moy, Emma-Jane Boutwood, Norman Potting et Nick Nicholl –, certain que ce n'était pas d'eux que venait la fuite, ni de Guy Batchelor, d'ailleurs. En fait, il était quasiment sûr que personne, dans cette pièce, ni à la morgue, ni au bureau de presse, n'avait vendu la mèche. À l'état-major, en revanche... Un jour, quand il aurait le temps, il débusquerait la balance.

Bella leva un exemplaire de l'*Evening Standard*, ainsi que la dernière édition de l'*Argus*. Le *Standard* titrait : *Mystère autour des cadavres retrouvés dans la Manche sans leurs organes vitaux*. Et l'*Argus* : *Les corps repêchés dans la Manche étaient dépouillés de leurs organes.*

— Et on peut être certain que les journaux de demain matin développeront cette info, poursuivit-il. Des équipes de télévision ratissent le port de Shoreham et notre attaché de presse a été harcelé par des stations de radio tout l'après-midi.

Il fit un signe de tête à Dennis Voice, qui assistait à la réunion.

L'attaché de presse de la police, lui-même ancien journaliste, ressemblait davantage à un courtier qu'à un homme de médias. La petite quarantaine, les cheveux noirs gominés en arrière, des sourcils démesurés et un penchant pour les costumes serrés, il avait la lourde tâche de gérer les rapports, on ne peut plus délicats, entre la police et l'opinion publique. C'était un habitué des situations perdant-perdant. Les policiers les plus hostiles le surnommaient *Voici*.

— J'espère que la couverture médiatique permettra à des témoins de se manifester, déclara Voice. J'ai fait passer les photos retouchées des trois victimes à tous les journaux et télévisions, ainsi qu'aux sites d'information sur Internet.

— Est-ce qu'Absolute Brighton TV figure sur ta liste ? demanda Nick Nicholl, faisant référence à un site relativement récent.

— Absolument ! s'exclama Voice, content de son jeu de mots.

Grace jeta un œil à ses notes.

— Avant de faire le traditionnel tour de table, j'ai un incident à vous signaler. Cela n'a peut-être aucun rapport, mais je préfère que l'on s'y intéresse quand même. Glenn, c'est toi l'expert nautique, dis-moi ce que tu en penses.

Certains gloussèrent.

— Expert en mal de mer, ça oui, plaisanta Norman Potting.

Ignorant sa remarque, Grace reprit :

— Un bateau de pêche, le *Scoob-Eee*, basé à Shoreham, est porté disparu depuis vendredi soir. Ce n'est sans doute rien, mais il est de notre devoir de surveiller tout événement inhabituel sur la côte.

— Le *Scoob-Eee* ? répéta Branson.

— Oui.

— C'est... C'est celui que nous avons pris vendredi.

— Tu nous avais caché que tu l'avais sabordé, Glenn ! plaisanta Guy Batchelor.

Glenn réfléchissait, encore sous le choc. *Disparu... Volé ou coulé ?*

— Tu as des détails ? demanda-t-il à Grace.

— Non. Vois si tu peux en trouver.

Branson hocha la tête, pensif, incapable de se concentrer pendant la deuxième moitié de la réunion.

— À mon avis, on a affaire à une crapule, lança Norman Potting sans crier gare.

Grace lui jeta un regard interrogateur.

— C'est Noel Coward, n'est-ce pas, qui a résumé Brighton en trois mots ? Plages, pédales et crapules.

Bella lui jeta un regard de travers.

— Dans quelle catégorie entres-tu ?

— Norman, intervint Grace, certains pourraient trouver ton intervention désobligeante, OK ?

Le commandant faillit riposter, mais y renonça.

— D'accord, chef, compris. Je voulais juste dire que nous avons peut-être affaire à des mafieux, des trafiquants d'organes.

— Tu peux développer ?

— J'ai demandé à Phil Taylor et à Ray Packham, de la cybercrim, de faire quelques recherches, et j'ai moi-même surfé sur Internet : je peux vous dire que la vente d'organes, c'est monnaie courante.

— Même en Grande-Bretagne ?

— Pas pour le moment. J'élargis mon champ d'action, notamment avec Europol. Mais je ne pense pas qu'ils nous répondront rapidement.

Grace partageait cet avis. Ayant travaillé à plusieurs reprises avec Interpol, il savait que cette organisation était d'une lenteur exaspérante, quand elle n'était pas arrogante.

— Mais j'ai des informations intéressantes, dit Potting en se levant de sa chaise, pour s'approcher du tableau blanc auquel était aimantée la photo du tatouage. La pointant du doigt, il prononça le prénom Rares de manière intelligible.

Bella plongea la main dans sa boîte de Maltesers.

— C'est un prénom masculin roumain.

— Uniquement roumain ? insista Grace.

— Oui. Bien sûr, cela ne veut pas dire que ce garçon le soit, mais c'est un bon indicateur.

Grace prit note.

— C'est fort intéressant, Norman, merci.

Potting rota ; Bella le fusilla du regard.

— Oups, pardon, fit-il en se tapotant le ventre. Autre chose, Roy. Les Nations unies publient chaque année la liste des pays impliqués dans le trafic d'organes. La Roumanie y figure en bonne place, conclut-il avec un sourire désabusé.

45

L'hôpital avait proposé d'envoyer une ambulance, mais Lynn avait refusé, car elle savait que c'est ce qu'aurait répondu sa fille. Elle décida de tenter le tout pour le tout avec sa vieille Peugeot.

Elle était tombée directement sur la boîte vocale de Mal, ce qui signifiait qu'il était en mer. Sachant qu'il avait accès à ses mails, elle lui avait envoyé un message.

Donneur compatible trouvé. L'opération aura lieu demain à 6 heures. Appelle-moi quand tu peux. Lynn.

Pour une fois, Caitlin ne rédigea pas de texto pendant le trajet. Elle resta agrippée à sa mère, d'une main moite et fébrile, tout le temps où celle-ci n'avait pas besoin de la sienne pour changer de vitesse. Elle paraissait fantomatique.

La chanson diffusée sur la radio locale se termina, pour laisser place aux informations. La police du Sussex suspectait l'existence d'un trafic d'organes humains dans la région. Un dénommé Roy Grace, commissaire à la PJ, s'exprima d'une voix déterminée : « Il est encore trop tôt pour spéculer. Pour le moment, nous tentons de déterminer si les corps ont été jetés à l'eau par un navire qui traversait la Manche ou pas. Que l'opinion publique se rassure : nous considérons cet incident comme isolé et... »

Lynn enfonça un CD dans le lecteur, afin de clouer le bec au policier.

Caitlin reprit la main de sa mère.

— Tu sais où j'aimerais être, là, maintenant, maman ?

— Où ça, ma puce ?

— À la maison.

— Tu veux que je fasse demi-tour ? lui demanda Lynn, choquée.

Caitlin secoua la tête.

— Non, pas chez nous, *à la maison.*

Lynn cligna des yeux pour réprimer ses larmes. Caitlin faisait référence au Winter Cottage, où elle et Mal avaient vécu juste après leur mariage, où Caitlin avait grandi, jusqu'à leur divorce.

— On était bien, là-bas, n'est-ce pas, mon ange ?

— C'était le bonheur. J'étais heureuse à l'époque.

Winter Cottage. Rien que le nom était évocateur. Lynn se souvenait de ce jour d'été où elle et Mal l'avaient visité pour la première fois. Elle était enceinte de six mois. Ils avaient roulé longtemps, étaient passés devant une exploitation agricole et avaient découvert une petite chaumière délabrée couverte de lierre, avec ses dépendances en ruine, une serre aux vitres cassées, une pelouse magnifique et une petite cabane effondrée, que Mal avait retapée pour Caitlin, avec amour.

Elle se souvenait parfaitement de cette première fois. L'odeur de renfermé, les toiles d'araignée, les poutres vermoulues, la gazinière d'origine dans la cuisine. Et la vue à tomber sur les douces collines des South Downs. Mal avait passé son bras autour de ses épaules et l'avait serrée fort contre lui, évoquant tout ce qu'il pouvait réparer lui-même, avec un coup de main de sa part. Un projet ambitieux, leur projet, leur maison, leur petit coin de paradis.

253

Elle avait imaginé ce que ce serait en hiver, les parfums de cheminée, de feuilles mortes et d'herbe mouillée. Elle s'y était sentie tellement en sécurité, tellement bien.

Oh oui !

Elle avait le cœur gros à chaque fois que Caitlin évoquait le sujet. Il y avait plus de sept ans qu'elles avaient déménagé, mais Caitlin, qui avait huit ans seulement à l'époque, continuait à appeler le Winter Cottage, et sa petite cabane en particulier, leur *maison*.

Elle la comprenait. Ces huit années passées au Winter Cottage correspondaient à la période où Caitlin était insouciante, en bonne santé. La maladie s'était déclarée un an plus tard, et Lynn ne cesserait jamais de se demander si la douleur de voir ses parents divorcer y était pour quelque chose.

Elles passèrent devant les cheminées du magasin Ikea, qui étaient devenues un nouveau repère dans leurs vies. Le passé au sud de ces cheminées. Un nouveau départ vers l'inconnu au nord.

Justin Timberlake chantait *What Goes Around Comes Around*.

— Au fait, maman, dit soudain Caitlin avec un regain d'énergie. Tu crois que c'est vrai, ce qu'il raconte ?

— De quoi parles-tu ?

— Les paroles : « On récolte ce que l'on sème »...

— Tu veux savoir si je crois au karma ?

Caitlin réfléchit quelques instants.

— Dans mon cas, je vais profiter de la mort de quelqu'un, c'est bien ça ?

Mort dans un accident de moto. Lynn le savait, mais elle n'avait pas communiqué ce détail à sa fille, pour ne pas la troubler davantage.

— Tu devrais envisager la question sous un autre angle. Peut-être que les proches de cette personne trouveront du réconfort à savoir que quelque chose de positif découlera du drame.

— C'est super-bizarre, non ? Qu'on ne sache même pas de qui il s'agit. Tu penses que je pourrai un jour... rencontrer sa famille ?

— Tu en aurais envie ?

— Peut-être, je ne sais pas, répondit-elle après un long silence. Tu sais ce que Luke dit ?

Lynn respira un grand coup pour éviter de répondre : *Non, et je n'ai pas envie de savoir ce que cet imbécile raconte.* Elle serra les dents et se contenta d'un :

— Dis-moi, faussement enjoué.

— Eh bien, que certains héritent des traits de caractère de leur donneur. De nouveaux goûts, de nouvelles compétences. Si le donneur adorait les Mars, un style musical en particulier, s'il était bon au foot... Des trucs génétiques.

— Où est-ce que Luke a entendu parler de ça ?

— Sur Internet. Il y a des tonnes de sites. On en a parcouru quelques-uns ensemble. On peut aussi se mettre à détester ce qu'on aimait auparavant.

— Ah bon ! s'exclama Lynn d'une voix enthousiaste.

Peut-être que ce nouveau foie dégoûterait sa fille des débiles coiffés n'importe comment.

— Ce sont des histoires vraies, tu peux me croire, poursuivit Caitlin, de plus en plus gaie. Moi, par exemple, j'ai le vertige, tu le sais, n'est-ce pas ?

— Bien sûr.

— Eh bien, j'ai lu l'histoire d'une Américaine qui était dans mon cas. Et on lui a greffé les poumons d'un alpiniste et, depuis, elle adore l'escalade !

— Tu ne penses pas que c'est simplement depuis que ses poumons fonctionnent correctement ?

— Non.

— C'est fabuleux, tout ça ! renchérit Lynn pour ne pas assombrir l'humeur de sa fille.

— Et écoute celle-là : à Los Angeles, ils ont greffé un cœur de femme sur un homme. Il détestait le shopping et maintenant, il ne fait plus que ça !

Lynn sourit.

— Et toi, de quel don aimerais-tu hériter ?

— J'y ai réfléchi, justement. Je suis nulle en dessin. Peut-être que le foie que je vais recevoir sera celui d'un grand artiste...

Lynn éclata de rire.

— Tu vois, tu vas tirer plein d'avantages de cette transplantation, tout va bien se passer !

Caitlin acquiesça.

— Ouais, si ce n'est que l'organe aura été prélevé sur un cadavre... Et j'espère que je n'aurai pas de crise de foie !

Lynn rit de bon cœur, heureuse de voir sa fille esquisser un sourire. Elle serra sa main et elles roulèrent ainsi quelques minutes, en écoutant la musique et le cliquetis du pot d'échappement.

Quand sa joie s'estompa, elle ressentit un frisson d'angoisse. Les risques leur avaient été exposés à toutes les deux. La situation pouvait mal tourner. Il n'était pas exclu que Caitlin meure sur la table d'opération.

Mais, sans cette transplantation, elle ne vivrait guère plus de quelques mois.

Lynn n'avait jamais été pratiquante ; pourtant, depuis sa plus tendre enfance, elle avait récité sa prière tous les soirs. Cinq ans plus tôt, juste après la mort de sa sœur, elle avait arrêté. Ce n'était que récemment, quand l'état de Caitlin avait empiré, qu'elle avait recommencé, à contrecœur. Elle se disait parfois que tout serait tellement plus simple si elle Lui faisait confiance.

Elle écrasa la main de sa fille. Cette superbe main que Mal et elle avaient créée, peut-être à l'image de Dieu, peut-être pas. Ce qui était sûr, c'est qu'elle ressemblait à la sienne. Dieu avait beau se vanter d'être à l'origine du monde, c'était elle qui allait veiller sur sa fille dans les heures à venir. Elle serait ravie qu'Il intervienne en leur faveur, mais s'Il avait l'intention de tout faire foirer, qu'Il aille se faire voir chez les Grecs.

Enfin bon. Arrivée au croisement, elle ferma les yeux et récita une prière en silence.

46

Roy Grace avait la peur de sa vie. Il courait à travers la plaine, vers l'à-pic de trente mètres, luttant contre un vent de face qui lui donnait l'impression de faire du surplace.

Un homme fonçait vers la falaise avec un bébé dans les bras. Son bébé.

Grace se jeta sur lui et le plaqua, comme au rugby. L'homme réussit à se dégager et à rouler, en serrant le bébé contre lui, tel un ballon qu'il n'avait pas l'intention de lâcher.

Grace attrapa ses chevilles pour le retenir. Et soudain, la terre se détacha dans un vacarme assourdissant. Le sol s'émiettait tel un vulgaire gâteau rance, et il plongeait, avec l'homme et son enfant, dans le vide, vers les rochers et l'eau tourbillonnante.

— Roy ! Chéri ! Roy !

Cleo.

C'était la voix de Cleo.

— Roy, tout va bien, mon chéri. Pas de panique.

Il ouvrit les yeux. Vit la lumière allumée. Sentit les battements de son cœur.

Il était en sueur.

— Merde, murmura-t-il, je suis désolé.

— Tu as encore rêvé que tu tombais ? lui demanda-t-elle tendrement, inquiète pour lui.

— Oui. De la falaise de Beachy Head.

Il faisait ce cauchemar depuis des semaines. Et ce n'était pas seulement à cause d'un accident dans lequel il avait été impliqué sur les hauteurs de Brighton, mais aussi à cause d'un monstre qu'il avait arrêté quelques mois plus tôt, au cours de l'été.

Un détraqué qui avait tué deux femmes et s'en était pris à Cleo. Il se trouvait à présent derrière les barreaux, sans possibilité de libération conditionnelle, mais même ainsi Grace n'était pas rassuré. Il écouta le silence de la ville, rythmé par le bruit du sang qui pulsait dans ses oreilles.

Le radio-réveil affichait 3 h 10.

Aucun bruit suspect dans la maison. Dehors, la pluie continuait à tomber. Enceinte, Cleo lui semblait encore plus vulnérable que d'habitude. Il n'avait pas pris de nouvelles du psychopathe depuis quelque temps, même s'il avait entamé la procédure préparatoire au procès. Il se promit de vérifier, lundi, qu'aucun juge laxiste, dans le cadre d'une circulaire contre la surpopulation carcérale, n'ait pris l'initiative désastreuse de le faire libérer.

Cleo lui caressait le front. Il sentait son souffle chaud contre son visage, son haleine vaguement mentholée, comme si elle venait de se laver les dents.

— Je suis désolé, murmura-t-il, comme pour ne pas la réveiller.

— Mon pauvre amour. Tu n'arrêtes pas de faire des cauchemars.

Elle n'avait pas tort, songea-t-il, étendu dans les draps froids, mouillés. Au moins deux fois par semaine.

— J'ai oublié pourquoi tu as arrêté ta psychanalyse, remarqua-t-elle avant de l'embrasser délicatement sur les paupières.

— Parce que... Parce que ça ne m'aidait pas à tourner la page.

Il souleva la nuque pour observer la pièce dans laquelle il se trouvait. Il l'aimait bien. Cleo l'avait décorée majoritairement en blanc. Elle avait posé un tapis blanc sur le parquet en chêne, des rideaux blancs, avait laissé les murs blancs, et avait ajouté quelques meubles noirs, dont une coiffeuse laquée qui portait encore les stigmates de l'attaque dont elle avait été victime.

— Il n'y a que toi qui m'aides à passer à autre chose, tu le savais ?

Elle sourit.

— Le temps soulage de tous les maux, répondit-elle.

— Non, c'est toi qui me guéris. Je t'aime. Je t'aime comme je pensais ne plus être capable d'aimer.

Elle cligna des yeux, éblouie, pendant quelques instants.

— Moi aussi, je t'aime. Je t'aime plus que toi.

— Impossible !

— Tu me traites de menteuse ? répondit-elle en faisant la moue.

Il l'embrassa.

47

Glenn Branson était étendu sur le lit de la chambre d'amis de Roy Grace.

C'était la même chose toutes les nuits. Il se saoulait pour essayer de se mettre KO, mais ni l'alcool, ni les médicaments que le médecin lui avait prescrits ne parvenaient à l'endormir. Et, comme il ne faisait plus de musculation, que ce soit chez lui ou au club de gym, il commençait à se ramollir.

Je suis en train de me décomposer, se dit-il, la mort dans l'âme.

La pièce, décorée par Sandy, dégageait le même esprit zen minimaliste que le reste de la maison. Le couchage – une sorte de futon – comportait une tête de lit à lattes, très inconfortable, contre laquelle Glenn n'arrêtait pas de se cogner, tandis que ses pieds dépassaient à l'autre bout. Le matelas était dur comme du ciment, et le cadre, branlant, craquait à chacun de ses mouvements. Il s'était promis de resserrer les vis, mais, à part son boulot, il n'arrivait à rien faire d'autre. La moitié de ses habits se trouvait encore dans des housses en plastique, posées sur le fauteuil ; il vivait chez Roy depuis plusieurs semaines, mais n'avait pas pris le temps de les accrocher dans la penderie presque vide.

Roy n'avait pas tort quand il lui reprochait de mettre le souk.

Il était 3 h 50. Son portable se trouvait à côté de lui. Comme chaque nuit, il espérait qu'Ari l'appellerait pour lui dire qu'elle avait changé d'avis, qu'elle l'aimait encore et qu'elle voulait donner à leur couple une deuxième chance. Mais, comme chaque nuit, il ne sonna pas.

Ils s'étaient disputés dans la soirée. Sa femme lui en voulait de ne pas pouvoir aller chercher les gosses à l'école le lendemain, alors qu'elle devait se rendre à une conférence à Londres. Elle n'allait jamais à Londres pour des conférences. Voyait-elle quelqu'un ? Il trouva cela suspect.

Il avait déjà du mal à vivre sans elle. Alors imaginer qu'elle puisse fréquenter un homme et le présenter à ses enfants était au-delà du supportable.

Et il fallait qu'il se concentre sur l'enquête.

Dehors, deux chats se disputaient. Au loin, une sirène hurlait : une voiture de police ou bien une ambulance.

Il roula sur le côté. Ari lui manquait terriblement. Il eut envie de l'appeler. Mais peut-être qu'elle...

C'était donc ça ?

Mon Dieu, comme ils s'étaient aimés, dans le temps !

Il essaya de passer en mode travail. Repensa à sa conversation téléphonique avec la femme du pêcheur disparu en même temps que le *Scoob-Eee*. Janet Towers semblait désespérée. Ils auraient dû fêter leur 25e anniversaire de mariage vendredi soir. Ils avaient réservé au restaurant The Meadows, à Hove. Mais son mari n'était pas rentré à la maison et elle n'avait pas eu de nouvelles depuis.

Elle était absolument certaine qu'il avait eu un accident.

Elle avait contacté le garde-côtes samedi matin, qui lui avait annoncé avoir vu le *Scoob-Eee* sortir du port de Shoreham à 21 heures, la veille, derrière un cargo battant pavillon algérien. Les bateaux de pêche avaient pour habitude de sortir derrière un navire commercial pour éviter de payer le passage à l'écluse. Personne n'avait rien remarqué d'étrange.

Mais ni le bateau ni Jim Towers n'avaient été vus depuis.

Aucun incident n'avait été reporté. Jim et son bateau avaient littéralement disparu de la circulation.

Soudain, à moitié endormi, il se souvint de quelque chose. Un détail. L'un des mantras que Roy Grace lui serinait lui vint à l'esprit : « Commence par le commencement. » Il repensa à vendredi matin. Depuis le quai du bassin d'Aldrington, il avait aperçu une lueur, à l'autre bout du port, entre les cuves de la raffinerie de pétrole.

★

À 6 h 30, Glenn garait sa petite Hyundai banalisée sur Kingsway, en mordant sur le trottoir d'un lotissement. Alors que le jour se levait, il enjamba un muret et dévala, en glissant sur l'herbe humide, la pente qui le séparait des réservoirs, une torche à la main. De l'autre côté de l'étendue d'eau, il distingua la scierie, un portique, et, plus loin, les lumières de l'*Arco Dee*, qui déversait sa cargaison de gravier, de sable et de galets dans un vacarme assourdissant.

Il repéra l'endroit où il avait embarqué avec les plongeurs, dans l'axe de la scierie, et se souvint du lieu où il avait vu le reflet : entre la quatrième et la cinquième citerne. Il se mit en route dans cette direction.

Un bateau de pêche, toutes lumières allumées, rentrait au port, vrombissant dans le silence du matin, tandis que des mouettes s'égosillaient au-dessus de sa tête.

Il respira les odeurs du port – un mélange d'algues pourries, de pétrole, de rouille, de sciure et de pneu brûlé. Il balaya le sol de son faisceau lumineux et examina deux des six cylindres blancs, qui étaient beaucoup plus imposants qu'il l'aurait pensé.

Il consulta sa montre ; il avait un peu moins d'une heure et demie devant lui s'il voulait être à l'heure à la réunion du matin. Il se mit à la recherche d'empreintes de pas ou autre. Soudain, il repéra un mégot. Sans doute rien de significatif, mais cette phrase de Roy Grace l'obsédait : « Commence par le commencement. »

Il se baissa pour le ramasser et le mit dans un sachet destiné aux pièces à conviction qu'il avait apporté, au cas où. Les mots « Silk Cut » étaient écrits en violet.

Quelques instants plus tard, il en trouva un second, de la même marque. Une cigarette aurait pu être jetée par un passant, mais deux, cela signifiait que quelqu'un avait fait le pied de grue. Pourquoi ?

Avec un peu de chance, l'analyse ADN révélerait quelque chose.

Il continua à ratisser le terrain pendant une heure, mais ne trouva rien de plus. Il se rendit à la réunion, les pieds trempés, avec le sens du devoir accompli.

48

— Vous plaisantez, n'est-ce pas ? lui lança Lynn, incrédule.

Après une nuit blanche passée dans un fauteuil, au chevet de Caitlin, dans une petite chambre du centre hépatobiliaire, elle était à bout de nerfs. Un dessin animé passait à la télé, sans le son, sur un minuscule poste mal réglé, suspendu au-dessus du lit. Un évier gouttait. Une odeur désagréable d'œuf poché, de jus de chaussettes et de désinfectant provenait des plateaux contenant les restes des petits déjeuners.

Elle avait l'impression d'avoir vécu la dernière nuit d'un condamné à mort, qui, jusqu'au dernier moment, espère être gracié.

Toute la nuit, des aides-soignantes s'étaient succédé pour examiner Caitlin, lui administrer des médicaments, lui faire des injections et des prises de sang, des prélèvements d'urine, etc. Le bouton d'alarme pendait au-dessus du lit. Des pieds à perfusion et un masque à oxygène, inutilisés, se trouvaient à côté.

Caitlin non plus n'avait pas fermé l'œil. Elle n'avait pas arrêté de se gratter, répétant qu'elle avait peur et qu'elle voulait rentrer à la maison. Lynn avait tout fait pour la rassurer, lui affirmant qu'elle serait bientôt tirée d'affaire, que, dans trois semaines, elle sortirait de l'hôpital avec un foie tout neuf, qu'elle serait à la maison pour Noël. Pas au Winter cottage, c'est sûr, mais dans leur appartement actuel.

Ce serait le plus beau Noël de sa vie !

Mais pour le moment Shirley Linsell, la coordonnatrice des transplantations, qui avait un beau visage typiquement anglais, de longs cheveux et un petit vaisseau éclaté dans l'œil gauche, se tenait devant elle, distante. Elle portait la même tenue que lorsqu'elles s'étaient rencontrées – chemisier blanc, pull rose, pantalon noir –, une semaine plus tôt, et non un million d'années, comme elle en avait l'impression.

À l'époque, Lynn l'avait trouvée aimable et optimiste, mais à présent, à 7 heures du matin, elle semblait froide et distante, malgré son empathie.

Lynn était furieuse.

— Je suis extrêmement désolée, dit Shirley Linsell, mais ce genre d'incident arrive parfois.

— Désolée ? Vous m'avez appelée hier soir pour me dire que vous aviez un foie qui correspondait parfaitement, et maintenant, vous m'expliquez que c'était une erreur ?

— Nous vous avons dit qu'un foie compatible était disponible.

— Alors, que s'est-il passé ?

La coordinatrice se tourna vers Lynn, puis vers Caitlin.

— D'après les informations dont nous disposions, ce foie pouvait être coupé en deux. Le lobe droit devait être donné à un adulte et le gauche à toi, Caitlin. Quand notre consultant et son équipe l'ont récupéré, ils l'ont trouvé sain. Mais ce matin le chirurgien qui s'apprêtait à réaliser la transplantation l'a examiné de plus près, et découvert qu'il contenait plus de 30 % de graisses. Il a pratiqué une biopsie et décidé qu'il n'était pas fait pour toi.

— Je ne comprends toujours pas, répondit Lynn. Allez-vous le jeter ?

— Non, dit Shirley Linsell. Avec ce taux de graisse, le risque c'est que le foie mette plusieurs semaines à fonctionner normalement. L'état de Caitlin est trop avancé pour prendre un tel pari. Nous allons le greffer sur un homme d'une soixantaine d'années qui souffre d'un cancer du foie, afin de prolonger sa vie de quelques années.

— Si c'est pas génial ? explosa Lynn. Vous lâchez ma fille pour un vieil ivrogne ?

— Je ne peux pas aborder l'état de santé d'un patient avec vous.

— Bien sûr que si, fit Lynn en montant encore d'un ton. Vous renvoyez ma fille pour qu'elle meure chez elle, tout ça pour qu'un sale alcoolique, comme ce footballeur, George Best, vive quelques mois de plus !

— Mme Beckett, Lynn, je vous en prie, ce n'est pas du tout le cas.

— Ah bon ? Alors qu'est-ce que c'est ?

— Maman ! intervint Caitlin. Écoute ce qu'elle a à te dire.

— J'écoute, ma chérie, j'écoute attentivement. Mais je n'aime pas ce que j'entends.

— Tout le monde, ici, est très attaché à votre fille. Dans cette unité, nous faisons de chaque patient une affaire personnelle et nous voulons lui greffer un foie sain pour quel ait un maximum de chances de mener une vie normale, Mme Beckett. Ce n'est pas la peine de tenter le coup avec un organe qui ne fonctionnerait plus dans quelques années et de risquer de lui faire subir une deuxième opération. Vous devez me croire. Toute l'équipe est là pour l'aider. Nous l'aimons beaucoup.

— OK, dit Lynn, et quand aurez-vous un foie sain à disposition ?

— Je ne peux pas vous répondre. Tout dépendra de la rapidité avec laquelle nous trouverons un donneur compatible.

— Nous sommes donc de retour à la case départ ?

— Oui.

Il y eut un long silence.

— Ma fille restera-t-elle prioritaire ?

— La liste d'attente dépend d'un certain nombre de facteurs.

Lynn secoua vigoureusement la tête

— Non, Shirley, je veux dire Mme Linsell. Il n'y a qu'un seul facteur, en ce qui me concerne : ma fille. Il lui faut un foie de toute urgence, n'est-ce pas ?

— C'est exact, et nous nous en occupons. Mais vous devez vous mettre à notre place : elle n'est pas la seule.

— Pour moi, elle est la seule.

La femme hocha la tête.

— Je vous comprends.

— Vous croyez ? Et quel pourcentage de patients meurt avant la greffe ?

— Maman, arrête d'être agressive !

Lynn s'assit au bord du lit et prit le visage de Caitlin entre ses mains.

— Ma chérie, laisse-moi m'en occuper.

— Tu parles de moi comme si j'étais une handicapée mentale. J'en ai marre ! Je suis autant en colère que toi, si ce n'est plus, mais ça ne sert à rien de s'énerver.

— Tu comprends ce que cette sorcière essaie de nous dire ? s'emporta Lynn. Elle te renvoie à la maison pour mourir !

— Tu exagères !

— Pas du tout ! répondit Lynn en se tournant vers la coordinatrice. Dites-moi quand un foie sera disponible.

— Je ne peux malheureusement rien vous promettre, Lynn. Ce ne serait pas professionnel de ma part.

— 24 heures ? Une semaine ? Un mois ?

Shirley Linsell esquissa un sourire gêné.

— Je ne sais pas. On avait eu de la chance en recevant celui-ci aussi rapidement, en l'espace d'une semaine, sans qu'aucun autre patient ne soit prioritaire. Nous pensions que le donneur, un trentenaire, était en bonne santé, mais il s'est avéré qu'il avait un problème, peut-être de métabolisme.

— Et ce genre de connerie pourrait se reproduire, n'est-ce pas ?

La coordinatrice essaya de calmer Lynn et de rassurer Caitlin.

— Nous disposons de très bons résultats, dans notre service. Je suis certaine que tout va bien se passer.

— De bons résultats ? Que voulez-vous dire ?

— Maman ! l'implora Caitlin.

Lynn ignora son intervention.

— Que vous faites mieux que la moyenne nationale ? Que seulement 19 % de vos patients meurent, et non pas 20 ? Je connais le fonctionnement de l'agence de biomédecine et ses foutues statistiques.

Lynn fondit en larmes.

— Vous avez joué avec la vie de ma fille en offrant quelques mois supplémentaires à un vieil alcoolique pour pouvoir cocher les bonnes cases dans vos rapports, c'est ça, hein ?

— Nous ne jouons pas avec la vie de nos patients, Mme Beckett. Nous n'estimons pas qu'untel a davantage le droit de vivre en fonction de son âge et de son hygiène de vie. Nous ne jugeons personne. Nous faisons de notre mieux pour aider tout le monde. Parfois, nous devons prendre des décisions difficiles.

Lynn la fixa droit dans les yeux. Elle n'avait jamais détesté quelqu'un à ce point. Elle ne savait pas si elle lui disait la vérité. Un riche oligarque avait-il fait une donation à l'hôpital pour que son enfant malade soit sauvé ? Ou y avait-il eu une erreur médicale, que l'infirmière tentait de cacher ?

— Des décisions difficiles ? Dites-moi, Shirley. Ces décisions vous empêchent-elles parfois de dormir la nuit ?

— J'éprouve une grande affection pour chacun de mes patients, Mme Beckett, répondit-elle calmement. Et, leurs problèmes, je les emporte chez moi quand je rentre le soir.

Lynn vit qu'elle disait la vérité.

— OK. Caitlin a été prioritaire jusqu'à présent, mais cela peut changer à n'importe quel moment, si je comprends bien ?

— Chaque semaine, nous remanions la liste.

— Et si quelqu'un a, selon vous, davantage besoin de ce foie que Caitlin, tout peut changer, n'est-ce pas ?

— C'est malheureusement ainsi que cela se passe.

— Super, répondit Lynn, hors d'elle. Vous êtes un peloton d'exécution. Chaque semaine vous décidez qui va vivre et qui va mourir. Vous appuyez sur la gâchette. L'un de vous tire à blanc. C'est la roulette russe. Vos patients meurent et personne n'a à en porter la responsabilité.

49

Vêtue d'un simple peignoir, Simona était allongée sur la table d'examen. Le Dr Nicolau, un bel homme d'une quarantaine d'années, l'allure sérieuse, passa une bande Velcro autour de son bras, serra, plaça le stéthoscope dans ses oreilles, et pompa jusqu'à ce que la pression soit suffisamment forte. Puis il consulta le tensiomètre et hocha la tête, l'air satisfait, tandis que l'appareil se dégonflait.

L'Allemande, qui s'appelait Marlene, se trouvait à ses côtés. Simona la trouvait magnifique, avec son manteau en daim noir doublé de fourrure, son petit pull rose, son jean, ses bottes en cuir noir, ses cheveux blonds qui tombaient en cascade sur ses épaules et son parfum envoûtant.

Elle lui avait immédiatement inspiré confiance. Romeo ne s'était pas trompé. Cette femme dégageait une telle assurance, une telle gentillesse... Simona n'avait pas connu sa mère, mais si elle avait pu en choisir une, elle l'aurait choisie à l'image de Marlene.

— Je vais te faire une prise de sang, lui dit le docteur en sortant une seringue.

Simona paniqua.

271

— Ne t'inquiète pas, la rassura Marlene.

— Qu'est-ce que vous faites ? demanda-t-elle, la gorge serrée.

— Nous t'examinons pour être sûrs que tu es en bonne santé. C'est un gros investissement pour nous que de t'envoyer en Angleterre. Il faudra que l'on te trouve un passeport, ce qui ne sera pas facile, vu que tu n'as pas de papiers. Et ils ne te donneront pas de travail si tu n'es pas en bonne santé.

Simona tenta de retirer son bras.

— Non, cria-t-elle.

— Détends-toi, ma chérie.

— Où est Romeo ?

— Dans le couloir. On lui a fait passer les mêmes tests. Tu veux qu'on l'appelle ?

Simona hocha la tête.

La femme ouvrit la porte. Romeo entra. Il écarquilla ses grands yeux en voyant Simona dans cette tenue.

— Qu'est-ce qu'ils me font ? lui demanda-t-elle.

— Ne t'inquiète pas, tu n'auras pas mal. Il faut qu'on passe ces examens.

Simona sentit une piqûre, puis vit, terrorisée, du sang rouge foncé monter dans la pipette.

— Il nous faut des certificats pour entrer dans le pays, poursuivit Romeo.

— Ça fait mal.

Quelques secondes plus tard, le médecin retira la seringue, la posa sur une table, appuya contre son bras un coton imbibé d'antiseptique, puis le remplaça par un petit sparadrap carré.

— C'est fini !

— Je peux y aller ?

— Oui, répondit la femme. Je vous trouverai au même endroit ?

— Oui, affirma Romeo.

— Je viendrai vous voir si les résultats sont bons. Tu peux te rhabiller, maintenant. Tu es sûre et certaine de vouloir aller en Angleterre, *mein Liebling*, Simona ?

— Vous pouvez nous trouver du travail et un appartement, à Londres, pour Romeo et pour moi ?

— Un bon travail et un joli appartement, tu vas adorer.

Simona se tourna vers Romeo, qui acquiesça.

— Alors oui, je suis sûre.

— Très bien, fit Marlene en l'embrassant sur le front.

— Quand est-ce qu'on pourra partir ? demanda Romeo.

— Si vos résultats médicaux sont bons, bientôt.

— Quand ça ?

— Quand voudriez-vous partir ?

— Est-ce que Valeria peut venir avec nous ?

— Celle qui a un bébé ?

— Oui.

— Pas tout de suite. Peut-être plus tard, quand vous serez installés.

— Elle veut venir avec nous, intervint Simona.

— Ce n'est pas possible pour le moment, répondit l'Allemande. Si vous préférez rester avec elle à Bucarest, dites-le-moi maintenant.

Simona secoua vigoureusement la tête.

Romeo l'imita, effrayé à l'idée que Marlene change soudain d'avis.

★

De retour à Berlin, le lendemain matin, Marlene Hartmann reçut un coup de fil du Dr Nicolau. Simona était AB⁻. Elle sourit et nota ce détail – c'était toujours bien d'avoir un groupe sanguin rare à disposition Elle était persuadée qu'elle trouverait rapidement preneur, une fois ses organes prélevés.

50

Mardi matin, après la réunion consacrée à l'opération Neptune, Roy Grace se rendit au QG de la police du Sussex, à vingt minutes en voiture, pour rencontrer Alison Vosper.

À la fin de l'année, elle serait remplacée par l'actuel commissaire divisionnaire du Yorkshire, Peter Rigg, que Grace ne connaissait pas encore, ce qui n'empêchait pas sa supérieure de continuer à exiger son face-à-face hebdomadaire avec lui, quand il travaillait sur une enquête d'envergure. Aujourd'hui, il fut agréablement surpris de la trouver silencieuse. Il s'attendait à ce qu'elle s'anime, mais elle s'était contentée d'écouter son compte rendu et de lui donner congé quelques minutes plus tard.

De retour dans son bureau, alors qu'il passait en revue les mails reçus en se concentrant sur les différentes pistes à suivre, il fut interrompu par Norman Potting, qui frappa à sa porte et entra, toujours accompagné de relents de tabac – il venait sans doute de fumer la pipe.

— Tu aurais quelques minutes à m'accorder, Roy ? lui demanda-t-il en roulant les r.

Grace lui fit signe de s'asseoir.

Norman prit place sur la chaise en face de son bureau, en soupirant un grand coup, dégageant une désagréable odeur d'ail.

— J'aimerais te parler de la Roumanie. Je tiens peut-être une piste que je ne voulais pas aborder devant tout le monde.

— Je t'écoute, l'encouragea Grace, tout ouïe.

— Eh bien, il s'agirait d'un raccourci. Je sais qu'on a envoyé les relevés dentaires, les empreintes digitales et les échantillons d'ADN des trois victimes à Interpol, mais toi et moi savons que ces gratte-papier peuvent parfois être d'une lenteur exaspérante.

Grace sourit. Interpol était une bonne organisation, mais ses membres, des bureaucrates en puissance, étaient rarement capables d'échapper à la rigidité propre à leur administration.

— On en a pour trois semaines minimum, reprit Norman Potting. J'ai fait quelques recherches sur Internet. Des milliers d'adolescents vivent dans la rue, à Bucarest. Si nos trois victimes étaient des SDF – ce n'est qu'une supposition –, il est peu probable qu'ils soient allés chez le dentiste. Et s'ils n'ont jamais été arrêtés, il n'y a aucune raison que l'on retrouve un relevé d'empreintes digitales ou d'ADN.

Grace était d'accord avec lui.

— J'ai débuté dans le métier avec un certain Ian Tilling, à Hendon. Nous sommes devenus potes et nous le sommes restés. Il a été muté à Londres, puis transféré dans le Kent, où il est devenu commandant. Pour faire court, il y a dix-sept ans environ, son fils a été tué dans un accident de moto. Son existence a changé du jour au lendemain, il s'est séparé de sa femme, et a décidé de prendre une retraite anticipée. Pour essayer de redonner un sens à sa vie, il s'est lancé dans quelque chose de complètement différent, quelque chose d'utile – tu vois ce que je veux dire. Il est parti en Roumanie

275

pour aider les gosses qui vivent dans la rue. La dernière fois que je lui ai parlé, c'était il y a cinq ans, juste après mon dernier divorce. Tu connais le syndrome : quand tu déprimes, tu sors ton carnet d'adresses et tu appelles tes vieux amis.

Roy Grace n'était jamais passé par là, ce qui ne l'empêcha pas d'acquiescer.

— Il venait d'être décoré de la médaille de l'Empire britannique pour son travail ; il était fier comme Artaban. Avec ta permission, j'aimerais le contacter. Je ne te garantis rien, mais peut-être pourra-t-il nous aider.

Grace réfléchit. Depuis quelques années, toute initiative personnelle était encadrée par une multitude de directives. Ne pas suivre le règlement à la lettre, notamment avec Interpol, c'était risquer le conflit avec le nouveau commissaire divisionnaire. D'un autre côté, Norman Potting avait raison : Interpol ne reviendrait pas vers eux avant plusieurs semaines, et sans doute les mains vides.

Combien de victimes supplémentaires repêcheraient-ils entre-temps ?

Et le fait que Ian Tilling soit un ancien policier le rassurait : c'était sans doute un gars sur lequel on pouvait compter.

— Je ne vais pas officialiser cette piste, Norman, mais je suis tout à fait d'accord pour que tu la creuses. Merci pour cette initiative.

Potting sembla flatté.

— Je l'appelle immédiatement, chef. Je pense qu'il ne s'attend pas à mon coup de fil.

Il se leva à moitié, puis se rassit.

— Roy, est-ce que je peux te poser une question personnelle ?

— Vas-y, dit-il en jetant un œil à la flopée de messages reçus ces dernières minutes.

— C'est à propos de ma femme.

— Li, c'est bien ça ?

Potting acquiesça.

— Elle est thaïlandaise, n'est-ce pas ?

— Oui.

— Et tu l'as rencontrée sur Internet.

— Exact. Enfin, c'est l'agence que j'ai trouvée en ligne.

Potting se gratta la nuque de ses doigts sales, puis vérifia que sa mèche était bien rabattue en avant.

— Toi, tu n'as jamais envisagé...

— De chercher l'amour sur le Web ? Non, répondit Grace, pressé de se remettre au travail. Que voulais-tu me demander ?

— Un conseil, répondit Potting d'un air abattu, en enfonçant ses mains dans les poches de sa veste, comme s'il cherchait quelque chose. Mets-toi à ma place quelques instants. Tout se passe super-bien avec Li depuis plusieurs mois, et soudain, elle a des exigences particulières.

Il marqua une pause.

— Quelles sortes d'exigences ? demanda Grace, redoutant des confidences sur sa vie sexuelle.

— Elle veut que j'envoie chaque semaine de l'argent à sa famille. L'argent que j'ai mis de côté pour ma retraite.

— Et pourquoi le ferais-tu ?

Potting réfléchit, comme si ce point ne lui avait jamais traversé l'esprit.

— Pourquoi ? Li dit que si je l'aimais vraiment, j'aurais envie d'aider ses parents.

Grace fut étonné par la naïveté de son collègue.

— Et tu la crois ?

— Elle refuse de faire l'amour tant que je ne procède pas au virement hebdomadaire sur Internet, dit-il, fier de ses prouesses technologiques. Je comprends la relative pauvreté qui règne dans son pays, j'imagine qu'ils me trouvent riche, mais...

— Tu veux savoir ce que j'en pense, Norman ?

277

— Ton avis me serait très utile, Roy.

Grace le regarda attentivement. Potting avait l'air perdu ; il ne comprenait pas ce qui lui arrivait.

— Tu es flic, bon sang de bonsoir ! Plutôt doué, qui plus est. Tu ne vois pas l'arnaque ? Elle te manipule. Elle te mène par la braguette. Elle te saignera aux quatre veines et se débarrassera de toi. J'ai lu des articles sur ce genre de filles.

— Non, pas elle, elle est différente.

— Ah bon ? Dans quel sens ?

Potting haussa les épaules, puis lui jeta un regard désespéré.

— Je l'aime. Je n'y peux rien, je l'aime.

Le téléphone portable de Roy sonna. C'est presque soulagé qu'il décrocha.

C'était Rob Leet, un collègue qu'il appréciait, commandant dans le secteur de Brighton Est.

— Ceci n'est peut-être pas important, mais étant donné que tu enquêtes sur trois cadavres repêchés dans la Manche, je voulais te tenir au courant. Un gars de mon équipe, qui se trouvait sur une plage à l'est de la marina, a recueilli le témoignage d'un passant promenant son chien qui, à marée basse, a vu un moteur de hors-bord rutilant échoué dans les rochers.

— Je suis preneur, répondit-il immédiatement. Fais en sorte que personne n'y touche. Tu peux le faire mettre sous scellé et me l'apporter ?

— C'est en cours.

Grace le remercia et raccrocha. Il s'excusa auprès de Norman Potting et composa un numéro interne pour joindre le service en charge du fichier des empreintes digitales, à l'étage en dessous. Quelqu'un décrocha après deux sonneries.

— Mike Bloomfield, j'écoute.

— Mike, c'est Roy Grace. Seriez-vous capables de prélever des empreintes sur un moteur de hors-bord ayant été immergé ?

— C'est marrant que tu me poses cette question ce matin, Roy. Je viens de recevoir du nouveau matériel, qui a coûté la bagatelle de 112 000 livres, censé pouvoir réaliser une telle prouesse.

— Super. Je te propose de relever ce premier défi.

Norman Potting se leva, lui fit comprendre qu'il repasserait plus tard, et sortit sans faire de bruit, le dos rond. Grace éprouva de la compassion pour ce vieil ours au cœur d'artichaut.

51

Vlad Cosmescu se trouvait à l'aéroport de Gatwick, à l'étage des arrivées, entouré de familles, chauffeurs et autres tour-opérateurs brandissant leurs affichettes. L'avion en provenance de Bucarest venait d'atterrir ; les filles n'étaient pas encore sorties.

Parfait.

D'après les étiquettes qu'il lisait sur les bagages, tous les passagers de leur vol avaient passé la douane. Vinrent ensuite des étiquettes Alitalia, qui appartenaient sans doute aux touristes arrivés de Turin une demi-heure plus tard. Puis des étiquettes EasyJet, correspondant probablement au vol en provenance de Nice, et enfin, les étiquettes SAS et KLM.

Il était 11 h 35 à sa montre. Il prit une gomme Nicorette et commença à mâcher. Les deux filles qu'il attendait savaient ce qu'elles devaient faire une fois arrivées, et, apparemment, elles obéissaient aux consignes.

La règle était stricte : patienter une heure, laisser passer les passagers des vols suivants, puis faire la queue et montrer leur passeport. La Roumanie avait beau faire désormais partie de l'UE, Cosmescu savait que ce pays était dans le collimateur des douaniers, en termes de traite des Blanches, et que tous les passe-ports roumains étaient étudiés de près.

C'est pourquoi les filles qu'il accueillait à l'aéro-port, une fois par semaine, voire deux, avaient pour ordre de déchirer leur passeport roumain après l'atter-rissage, de le jeter dans les toilettes, d'attendre une heure, puis de présenter leur faux passeport italien. De cette façon, les agents du service frontalier chargés de surveiller les arrivées de Roumanie n'étaient plus aussi attentifs quand les filles se présentaient.

Deux adolescentes arrivèrent. Deux belles plantes habillées de façon voyante, tirant des bagages bon marché. Il sortit une pancarte portant les mots : *Jackson Party*.

L'une d'elles, une grande mince très sexy avec de longs cheveux bruns, lui adressa un signe de la main.

— Vous avez fait bon voyage ? leur demanda-t-il en roumain.

— Ouais, super !

— Bienvenue en Angleterre.

— Ouais, super.

— Super, répéta l'autre gamine, visiblement soula-gée d'être attendue.

*

Vingt minutes plus tard, Cosmescu prenait place sur le siège passager d'une Mercedes Classe E vieillis-sante. Grigore, un petit gars crasseux, avec des dents en avant, des cheveux sales et un nez aquilin, serait leur chauffeur. Il avait tout d'un bossu, même si, cli-niquement parlant, il ne l'était pas. Il portait un cos-tume beige informe et n'arrêtait pas de jeter des regards lascifs aux filles assises à l'arrière.

Cosmescu avait beau collaborer avec lui depuis cinq ans, il ne savait quasiment rien de cette créature au physique ingrat. Il était ponctuel, se contentait de faire les allers-retours entre Brighton et l'aéroport, et n'ouvrait que rarement la bouche, ce qui lui convenait très bien. Cosmescu savait que les conversations les plus anodines pouvaient laisser filtrer des détails compromettants, qu'il valait mieux ne jamais parler de soi et garder l'anonymat, pour ne pas prendre de risques. Son *sef* lui avait inculqué ces notions de base.

Grigore était bricoleur. Il savait tout faire : la plomberie, l'électricité, l'isolation. Quand il y avait un problème, une fuite, des WC bouchés, une latte de parquet abîmée, des stores coincés dans l'un des quatre bordels qu'il gérait, Cosmescu l'appelait. Pas besoin d'avoir recours à des entreprises susceptibles de colporter des ragots. Une fois par semaine, il offrait à Grigore une heure avec la fille de son choix. Ce cadeau, plus les généreuses enveloppes qu'il lui accordait, suffisaient à lui garantir une indéfectible loyauté.

Grigore, c'était un souci en moins. Pas comme cette histoire de cadavres repêchés. Ou cet enfoiré de Jim Towers. Il avait eu tort de le tuer, mais bon. Ç'aurait été pire de lui laisser la vie sauve, alors qu'il fricotait avec la police. Towers préparait un sale coup : soit il avait mauvaise conscience, soit il avait l'intention de le faire chanter. Dans la vie, c'est comme au casino : il faut peser le pour et le contre. Calculer les risques et se lancer.

Il se tourna vers les gamines. Celle de gauche, Anca, était jolie. Sa copine, Nusha, avait les traits moins fins, et un nez un peu trop gros, mais elles étaient jeunes – dix-sept, dix-huit ans au maximum – et elles feraient l'affaire. Il ne cracherait pas dans la soupe.

D'ailleurs, il n'en avait pas l'intention.

★

Cosmescu tourna la petite clé et l'ascenseur monta directement du parking à son appartement, situé derrière l'hôtel Metropole. Les deux filles se trouvaient à ses côtés.

— Quand est-ce qu'on commence le boulot ? demanda Anca.

— Tout de suite.

— On va au bar ?

Il regarda son collier brillant. Respira son parfum sucré et celui de sa copine, encore plus doucereux. Il fixa sa poitrine. Elle avait de beaux seins. Et ceux de l'autre étaient encore mieux, ce qui compensait, car elle était moins mignonne. Il sortit un paquet de cigarettes, quasi certain qu'elles seraient toutes deux fumeuses. Il ne s'était pas trompé. Elles acceptèrent son offre.

Avant qu'il ait eu le temps de leur proposer du feu, l'ascenseur s'arrêta et les portes s'ouvrirent. Parfait timing, comme d'habitude.

Il savait que leur attention était désormais concentrée sur leur cigarette. Il passa devant elles, entra dans son appartement en leur tenant la porte, puis il leur montra leurs chambres. Une chacune. Diviser pour mieux régner. Cette stratégie marchait à tous les coups.

Il entra dans celle d'Anca et lui confisqua son sac à main en plastique.

— Eh ! s'écria-t-elle.

Il sortit son passeport et le liquide de son porte-monnaie.

— Qu'est-ce que vous faites ! aboya-t-elle, agressive.

Il sortit son briquet et alluma enfin sa cigarette.

— Tu sais combien tu nous dois ? Combien de milliers pour ton voyage et ton passeport ? Quand tu auras remboursé mon patron, je te rendrai tes papiers.

Il sortit et répéta la scène avec Nusha.

★

Quelques minutes plus tard, les deux gamines sortaient, à contrecœur, de leurs chambres pour découvrir l'immense salon moderne, avec vue sur le Palace Pier, les ruines noircies du West Pier, la marina, et plus à l'est, la Manche.

Cosmescu savait qu'elles n'avaient jamais rien vu d'aussi beau de leur vie. Il se doutait qu'elles venaient d'un milieu défavorisé et que Marlene les avait sapées et pomponnées en vue de leur nouvelle vie.

Toutes celles qui faisaient le voyage étaient criblées de dettes. En Roumanie, elles avaient signé un emprunt monstrueux – dont elles ne voyaient jamais la couleur –, s'engageant en contrepartie à travailler en Angleterre pour rembourser leur aller simple vers ce qu'elles pensaient être la liberté.

Elles commençaient à Brighton. Si elles s'adaptaient à leur nouveau boulot, très bien. Mais des flics et des assistantes sociales passaient régulièrement dans les bordels pour discuter avec les filles, et déceler si certaines étaient là contre leur gré. Celles qui semblaient sur le point de demander de l'aide aux policiers étaient transférées à Londres, où les contrôles étaient plus rares.

— On va au bar ce soir ? demanda Anca.

— Déshabillez-vous, toutes les deux, répondit-il.

Elles eurent l'air surpris.

— Hein ?

— Je veux vous voir nues.

— On... On n'est pas venues pour faire du strip-tease, lança Nusha.

— Je sais. Vous êtes ici pour satisfaire les hommes.

— Jamais de la vie ! C'est pas ça, le contrat, protesta Anca.

— Vous savez combien ça nous coûte, de vous faire passer la frontière ? vociféra-t-il. Vous voulez rentrer chez vous ? Je peux vous déposer à l'aéroport demain. Mais M. Bojin ne sera pas content de vous revoir. Il veut un retour sur investissement. Ou est-ce que vous préférez que j'appelle la police ? Dans ce pays, ils ne plaisantent pas avec les faux passeports.

Les deux filles gardèrent le silence.

— Bon alors, je fais quoi ? J'appelle M. Bojin ?

Anca secoua la tête, terrifiée. Nusha baissa les yeux, livide.

— OK, dit-il en sortant son portable et en appuyant sur une touche. J'appelle la police.

— Non, cria Anca, pas la police !

Il rangea son téléphone dans sa poche.

— Alors déshabillez-vous. Je vais vous apprendre comment on fait plaisir aux hommes, dans ce pays.

Elles commencèrent à ôter leurs vêtements, les yeux rivés sur la moquette noire, comme leur avenir.

52

Sur l'écran plat fixé au mur, non loin de son bureau, étaient affichés les noms des dix employés les plus performants de la semaine.

Le meilleur, Andy O'Connor, de l'équipe des *Requins Rapaces*, avait déjà collecté 9 987 livres. S'il restait en tête, il remporterait la cagnotte de 871 livres.

Personnellement, elle ne cracherait pas sur une telle prime. Le neuvième nom de la liste, Katie Beale, faisait partie de son équipe. Elle avait cumulé 3 337 livres. Lynn la dévisagea avec envie.

L'un de ses gros « clients » – comme il était convenu de les appeler – venait d'accepter son échéancier. Il s'était engagé à payer 500 cash, puis 50 par mois, pour rembourser un découvert de 4 769 sur sa MasterCard. Mais, même en admettant qu'il tienne sa promesse, cette somme ne l'amènerait qu'à 1 650 livres, la laissant loin derrière ses collègues.

Peut-être pourrait-elle combler son retard ce soir, en faisant des heures supplémentaires. Luke tiendrait compagnie à Caitlin. Mais elle ne voulait pas rester loin d'elle trop longtemps.

Soudain, un nouvel e-mail apparut à l'écran. Liv

Thomas, sa supérieure, lui demandait de tenter le coup avec l'un des clients qu'elle avait en horreur.

Lynn maugréa intérieurement. Elle n'avait jamais rencontré cet homme, c'était l'une des règles d'or de sa société, tout comme le fait de ne jamais parler de sa vie privée, mais elle visualisait chacun de ses prospects. Et lui, Reg Okuma, elle l'imaginait comme un croisement entre Robert Mugabe et Hannibal Lecter.

Il devait 37 870 livres à la banque Bradford, ce qui faisait de lui l'une des personnes les plus endettées de sa liste – le record s'élevant à 48 906 livres.

Quelques semaines plus tôt, ayant abandonné tout espoir d'obtenir un centime d'Okuma, elle avait confié son cas au service des litiges. Mais bon. Si elle arrivait à quelque chose avec lui, elle pourrait espérer entrer en lice pour le bonus hebdomadaire.

Elle composa son numéro.

Il décrocha à la première sonnerie.

— M. Okuma ?

— Eh bien, ne serait-ce pas mon amie Lynn Beckett, de l'agence Denarii, qui me fait l'honneur de m'appeler ? dit-il d'une voix grave, caverneuse.

— Tout à fait, M. Okuma.

— Et que puis-je faire pour vous en cette belle journée ?

Belle journée dans ta tête, peut-être, mais dans la mienne il pleut comme vache qui pisse, et c'est pareil derrière ma fenêtre.

Reprenant le texte appris par cœur depuis longtemps, elle répondit :

— Je me disais que ce serait une bonne idée d'envisager une nouvelle approche de votre situation, afin d'éviter les complications inutiles qu'engendrerait une action en justice.

— Vous pensez à mon confort personnel, Lynn, dirait-on, répondit-il avec aplomb, d'une voix doucereuse.

— Je pense à votre avenir.

— Et moi, je pense à votre corps, nu.

— À votre place, j'éviterais de prendre mes rêves pour des réalités.

— C'est vous que je compte prendre.

Lynn s'en voulut de lui avoir tendu une telle perche.

— J'aimerais vous suggérer un échéancier personnalisé. Combien pourriez-vous rembourser par semaine, ou par mois ?

— Et si on se rencontrait pour un petit tête-à-tête ?

— Je peux vous arranger un rendez-vous avec l'un de mes supérieurs.

— J'ai une très belle bite, vous savez ? J'aimerais vous la montrer.

— Je passerai le mot à mes collègues.

— Sont-elles aussi mignonnes que vous ?

Elle frissonna.

— Ont-elles de longs cheveux bruns, et une fille en attente d'une greffe ?

Lynn raccrocha, terrorisée. Mais comment était-il au courant ?

Quelques secondes plus tard, son portable sonna. Elle décrocha immédiatement et lança un « quoi ? » excédé, persuadée que, d'une façon ou d'une autre, il s'était procuré son numéro.

Mais c'était Caitlin, et elle semblait très mal en point.

53

Il lui arrivait souvent de penser avec nostalgie à ses années dans la police. Et, malgré les souvenirs douloureux qui y étaient associés, l'Angleterre lui manquait aussi. Surtout quand les températures chutaient de façon spectaculaire, comme c'était le cas aujourd'hui. À cinquante-huit ans, Ian Tilling avait parfois du mal à supporter le froid et le chaos qui régnaient sur la banlieue défavorisée de Bucarest dans laquelle il travaillait. La corruption, la lourdeur de la bureaucratie et la dureté de son pays d'adoption le déprimaient.

Quand il n'avait pas le moral, il ne pouvait s'empêcher de repenser à cette soirée maudite où ses collègues étaient venus lui annoncer la mort de son fils, John, fauché sur sa moto, dans le Kent.

Mais il connaissait un remède miracle contre ces coups de blues : sortir du bureau meublé de bric et de broc, qu'il partageait avec trois assistantes sociales, et faire un tour dans le foyer qu'il avait fondé pour accueillir cinquante sans-abri. Les sourires de ses hôtes, à qui il offrait une alternative à la rue, le remplissaient de joie.

C'est donc ce qu'il fit.

Quand il avait pris le pouvoir, en 1965, Ceausescu avait mis en place un plan tordu pour faire de la Roumanie la plus grande nation industrielle d'Europe. Afin que la démographie connaisse un véritable essor – et à terme que le pays bénéficie d'un maximum de main-d'œuvre –, il avait promulgué une loi obligeant toutes les femmes, dès 14 ans, à se soumettre à un test de grossesse mensuel, et interdisant à celles qui tombaient enceintes d'avorter.

En quelques années, la taille des familles avait explosé et les bébés nés dans ces conditions avaient été surnommés « les enfants du décret ». La plupart étaient confiés à l'assistance publique, entassés dans d'immenses dortoirs sans âme, où ils étaient maltraités. Quand ils y parvenaient, ils fuguaient et se retrouvaient à la rue. Aujourd'hui encore, ils vivaient dans les taudis bâtis le long des canalisations d'eau chaude qui quadrillaient les banlieues, ou sous les routes, contre ces tuyaux qui alimentaient en chauffage central tous les immeubles de la ville, en automne et en hiver.

Après la mort de John et la débâcle conjugale qui s'ensuivit, incapable de se concentrer sur son boulot, il avait démissionné, pris un appartement et passé ses journées devant la télé, à boire à en perdre la raison. Un soir, il avait vu un reportage sur les gosses des rues, en Roumanie ; leur détresse l'avait bouleversé. Rien ni personne ne lui ramènerait John, mais peut-être pouvait-il faire quelque chose pour ces enfants qui, contrairement à la plupart des petits Anglais, vivaient dans le dénuement le plus total. Le lendemain matin, il appelait l'ambassade de Roumanie.

Arrivé dans le pays, il avait visité un foyer pour enfants handicapés. Il n'oublierait jamais cette cinquantaine de gamins, âgés de neuf à douze ans, parqués dans des lits à barreaux, le regard vide, fixé au loin ou au plafond. Ils n'avaient ni jouets ni livres, personne pour s'occuper d'eux.

Il était immédiatement sorti acheter des sacs de jouets, et en avait distribué un à chacun. À son grand étonnement, il avait constaté que certains ne réagissaient pas. Et il avait compris qu'ils n'avaient tout simplement jamais vu de poupée de leur vie, qu'ils n'étaient pas handicapés, mais qu'ils ne savaient pas quoi en faire. Personne ne leur avait dit qu'ils pouvaient jouer !

Sans se poser davantage de questions, il avait décidé de faire quelque chose pour leur venir en aide.

Au début, il pensait rester quelques mois, puis il avait épousé une Roumaine, Cristina, et, dix-sept ans plus tard, n'avait jamais été aussi en adéquation avec lui-même.

Malgré ses kilos en trop, Tilling avait fière allure, avec sa démarche de flic, reconnaissable entre toutes. Il débordait d'énergie – et de frustration. Il avait un visage marqué par les années, une moustache drue et une coupe en brosse. En dépit des températures hivernales, il portait une chemise bleue, un pantalon beige et une vieille paire de richelieus.

Il s'engagea dans le couloir et sourit à un groupe de nouveaux arrivants, repérés par une association d'aide à l'enfance, assis dans des canapés et fauteuils défoncés. Il s'agissait de quatre Roms, tous frères et sœurs. Le garçon de huit ans portait un bas de survêtement et un tee-shirt pailleté, celui de quatorze un jogging noir trop petit et un haut trop grand, la fille de douze ans, un jogging dépareillé et celle de quinze, un jean et un cardigan troué. Ils tenaient à la main un ballon gonflé à l'hélium, offert pour fêter leur arrivée au centre.

Ne pouvant subvenir à leurs besoins, leur famille les avait confiés à un foyer dont ils s'étaient échappés deux ans plus tôt, préférant vivre dans la rue. Leurs sourires, ceux des désespérés qui ont du mal à croire en leur chance, lui brisèrent le cœur.

— Tout va bien ? leur demanda-t-il en roumain.

Ils agitèrent leurs ballons multicolores en signe d'approbation. Tilling ne savait pas qui les leur avait donnés, mais ce qui était sûr, c'est qu'ils ne possédaient rien d'autre au monde, mis à part les vêtements qu'ils avaient sur le dos.

Les résidents de la Casa Ioana avaient entre sept semaines et quatre-vingt-deux ans. Le nourrisson était accompagné de sa mère, âgée de quatorze ans, et la doyenne, qui avait été mise à la porte par un propriétaire malintentionné, ayant abusé d'une législation absurde, partageait un dortoir avec trois autres vieilles dames ayant subi le même sort. Car, en Roumanie, rares étaient les centres d'hébergement pour les sans-abri.

— M. Ian ?

C'était Andreea, l'une des assistantes sociales.

Vingt-huit ans, mince, jolie, Andreea, qui allait se marier au printemps, était une personne chaleureuse, avenante, inépuisable. Il l'aimait beaucoup.

— Téléphone pour vous. L'Angleterre.

— Ah bon ? fit-il, un peu surpris.

À part sa mère, qui vivait à Brighton, et avec qui il parlait chaque semaine, il ne recevait guère d'appels de Grande-Bretagne.

— C'est un policier. Il dit : lui, vieil ami ? ajouta-t-elle, comme s'il s'agissait d'une question. Nommun Patting.

Il fronça les sourcils, puis son visage s'éclaira.

— Norman Potting ?

Elle acquiesça.

Il fonça dans son bureau.

54

Lynn maudit le radar qui venait de la flasher. Elle faisait toujours attention, quand elle passait au niveau de Preston Park, mais cet après-midi, ce qu'elle voulait, c'était rejoindre sa fille au plus vite. Elle allait se coltiner une amende, trois points en moins sur son permis et, malgré la limitation à 50, elle filait à un bon 90 km/h.

Cinq minutes plus tard, elle arriva devant chez elle, sauta de voiture et poussa la porte d'entrée. Luke se trouvait dans le hall, en tee-shirt extra-large et pantalon de style « sac à patates ». La bouche entrouverte, il avait l'air encore plus abruti que d'habitude, comme s'il venait de rater le dernier train. Il leva les bras en guise de bienvenue.

— Elle est où ? demanda Lynn.

— Oh ! Euh... Caitlin ?

À ton avis ? La reine d'Angleterre ? Cléopâtre ? Hillary Clinton ?

Elle la vit en haut des marches, en chemise de nuit et robe de chambre, chancelante, comme si elle avait bu.

Lâchant son sac à main, Lynn se précipita à sa rencontre, alors que celle-ci tombait en avant. S'accrochant au linteau d'un côté et à la rampe de l'autre, elle réussit à la retenir et à ne pas dévaler l'escalier avec elle.

Elle observa le visage de sa fille, à quelques centimètres du sien, et vit ses yeux rouler.

— Tu ne te sens pas bien, ma chérie ?

Caitlin baragouina quelque chose d'incompréhensible.

Lynn réussit à la remettre d'aplomb. Caitlin s'appuya contre le mur. Luke les suivit et s'arrêta au milieu de l'escalier.

— Vous avez pris de la drogue ? lui hurla Lynn.

— Mais non, pas du tout, protesta-t-il, sincèrement choqué.

— Je me sens... Je... J'ai l'impression que... bafouilla Caitlin.

Lynn l'accompagna dans sa chambre. Caitlin tomba en arrière sur son lit. Sa mère s'assit à côté d'elle et passa un bras autour de ses épaules.

— Qu'est-ce qui se passe ?

Caitlin semblait s'évanouir.

L'espace d'un instant, Lynn se demanda si elle n'était pas en train de mourir.

— Si tu lui as fait prendre un truc, Luke, je te tue. Je t'arrache les yeux, je te le jure !

— Je ne lui ai rien donné, promis. Je ne prends pas de drogue, jamais je ne lui en donnerais.

Lynn s'approcha du visage de sa fille pour vérifier si elle n'avait pas bu. Son haleine ne sentait pas l'alcool.

— Que se passe-t-il ? répéta-t-elle.

— J'ai la tête qui tourne. Où suis-je ?

— À la maison, ma puce. Tout va bien, tu es dans ta chambre.

Caitlin regardait la pièce comme si elle la découvrait. Lynn suivait son regard, tandis que sa fille observait, ébahie, la cible, le boa violet, une photo de rock star, dont elle avait oublié le nom.

— Je... je ne sais pas où je suis.

Lynn se leva, paniquée.

— Luke, reste avec elle.

Elle dévala les marches, attrapa son sac à main et se rendit dans la cuisine. Elle sortit son carnet d'adresses et appela la coordinatrice de l'hôpital.

Mon Dieu, faites qu'elle soit là.

Shirley Linsell décrocha à la troisième sonnerie. Lynn lui décrivit les symptômes.

— On dirait une encéphalopathie. Je vais demander confirmation au spécialiste. L'un de nous deux vous rappelle dans quelques minutes.

— Elle se sent vraiment mal. Comment épelez-vous encéphalopathie ?

La coordinatrice lui épela le mot et raccrocha.

Lynn remonta l'escalier en courant.

— Luke, tu pourrais faire une recherche sur Internet ? Encéphalopathie.

Le jeune homme s'assit devant la coiffeuse, ouvrit l'ordinateur et pianota sur le clavier.

Cinq minutes plus tard, Shirley Linsell rappelait.

— Il faut que Caitlin aille à la selle. Mais peut-être préféreriez-vous qu'elle soit hospitalisée ?

— Vous lui avez trouvé un foie ?

Un silence s'installa, qui n'annonçait rien de bon.

— Non, mais je pense que Caitlin devrait revenir à Londres.

— Pour combien de temps ?

— Jusqu'à ce que son état se stabilise.

— Quand pourrez-vous l'opérer ?

— Comme je vous l'ai dit hier, je ne sais pas. Vous pouvez aussi la soigner de chez vous.

— Que dois-je faire ?

— Lui administrer un lavement. En général, quand les intestins sont vidés, tout rentre dans l'ordre.

— Et où est-ce que je vais trouver une poire ?

— En pharmacie.

— OK.

— On commence par cela et vous me rappelez dans quelques heures. Vous trouverez toujours quelqu'un à ce numéro. Et Caitlin peut nous rejoindre à n'importe quel moment.

— Je vais suivre votre conseil, promit-elle avant de raccrocher.

Allongée sur son lit, Caitlin avait du mal à garder les yeux ouverts.

— Je pense que j'ai trouvé ce qu'on cherche ! annonça Luke.

Lynn jeta un œil par-dessus son épaule. Ses cheveux sentaient le sale.

— L'encéphalopathie est un syndrome neuropsychiatrique fréquent en cas d'hépatite, lut-il. Les symptômes peuvent aller d'une simple perte de repères, accompagnée de somnolence, jusqu'à des changements de personnalité, voire au coma.

— Mon Dieu ! s'exclama Lynn en se tournant vers Caitlin, qui avait les yeux fermés. Ma chérie ? Ne t'endors pas, lui dit-elle en la secouant, de peur qu'elle tombe dans le coma.

Caitlin ouvrit les yeux.

— Tu sais quoi, bredouilla-t-elle. L'hépatite, ça tue tout !

— Ça tue tout ? répéta sa mère, désorientée.

— C'est vrai ça, pourquoi pas ? répliqua Luke.

— Pourquoi est-ce que ça tue tout ? demanda-t-elle en se tournant vers Luke, comme si cet idiot pouvait avoir un début de réponse.

— Elle est sur liste d'attente, pas vrai ?

— Oui, et alors ?

— On peut s'en passer.

— Comment ?

— Eh bien, j'ai regardé sur le Web. On peut simplement acheter un foie.

— Quoi ?

— Ouais, c'est n'imp.

— N'imp ? On ne doit pas parler la même langue...
Que veux-tu dire par « acheter un foie » ?

— Passer par un revendeur.

— Un quoi ?

— Un intermédiaire entre un vendeur et un acheteur.

Lynn le considéra comme s'il faisait de l'humour. Mais il avait l'air on ne peut plus sérieux. Et c'était la première fois qu'il n'était pas amorphe.

— Un revendeur d'organes ?

— Quelqu'un qui se procure ce dont on a besoin. Sur Internet, on trouve de tout : des cœurs, des poumons, des cornées, des tympans, des reins. Et des foies.

Lynn resta bouche bée.

— Tu es sérieux ? On peut acheter un organe en ligne ?

— Il y a pas mal de sites, poursuivit Luke. Et j'ai aussi trouvé un forum qui parle des listes d'attente. Dans certains pays, c'est pire qu'ici. Aux États-Unis, 90 % des malades meurent faute d'avoir été greffés. En comparaison, nos 20 % c'est rien du tout.

Sauf si ma fille entre dans cette catégorie, songea Lynn, en fixant Luke. Chaque jour, un malade sur trois, en attente d'une transplantation hépatique, mourait...

Elle bouillonnait de rage.

Shirley Linsell... Si chaleureuse, puis si distante. Caitlin n'était, à ses yeux, qu'une patiente de plus. Dans un an ou deux, elle aurait oublié son nom. Elle serait une simple donnée dans ses statistiques.

Lynn ne prendrait pas ce risque.

— Je vais à la pharmacie. À mon retour, tu me montreras ces sites de vente d'organes.

★

Sur son chemin, elle s'arrêta chez un marchand de journaux et feuilleta l'*Argus* pour connaître les avancées de l'enquête sur les trois cadavres.

Page 3, un article s'étalait sur plusieurs colonnes : *Les corps repêchés dans la Manche gardent leurs secrets.* Elle observa les photos retouchées des adolescents morts. Selon le papier, il pouvait s'agir de donneurs d'organes. Un certain commissaire Roy Grace était cité.

Elle ressentit un pincement au cœur, puis reposa le journal. Elle n'avait pas envie que Caitlin le lise. Elle s'acheta un paquet de cigarettes, retourna dans sa voiture et en alluma une, d'une main tremblante, pour mieux réfléchir.

55

Il y avait quelques années de cela, alors qu'il était commandant, Roy Grace s'était rendu chez un caviste sur Queens Park Road, près de l'hippodrome et de cet affreux hôpital général de Brighton et Hove, qui venait d'être victime d'un cambriolage.

Le propriétaire, Henry Butler, était un jeune homme pince-sans-rire, érudit, avenant, qui était plus outré par les vins qu'avaient choisis les voleurs que par le cambriolage en lui-même. Tandis que les techniciens de scènes de crimes relevaient les empreintes digitales, Butler marmonnait dans son coin que ces malotrus n'avaient aucun goût. Ces philistins avaient pris de la piquette, sans toucher aux belles bouteilles. Grace l'avait trouvé éminemment sympathique et, à chaque fois qu'une grande occasion se présentait, c'est chez lui qu'il allait.

À 16 heures, en ce mardi après-midi, après un déjeuner sur le tard, il avait garé la Ford Focus banalisée devant la boutique – malgré l'interdiction de stationner. Henry Butler, le crâne rasé, portait une boucle d'oreille en or, un bouc, et était vêtu d'une salopette et d'une chemise à col Mao, comme s'il venait de faire les vendanges.

Une clochette retentit quand il passa la porte. Roy respira immédiatement les arômes tanniques et la douce odeur boisée des caisses de vins.

— Bonjour, commissaire Grace ! s'exclama le caviste, en posant un exemplaire du quotidien *The Latest*. Ravi de vous voir. Tous les crimes ont été résolus, vous venez partager ma passion ?

— J'aimerais bien, soupira-t-il. Comment vont les affaires ?

— Depuis que vous êtes là, on peut dire qu'elles reprennent, lança-t-il en faisant allusion à sa boutique vide. Qu'est-ce qui vous tente ?

— Il me faudrait un champagne pour une grande occasion. Quelle est votre bouteille la plus chère ?

— Cher bienfaiteur, voilà une phrase que j'aime entendre !

Il disparut dans une minuscule arrière-boutique et descendit quelques marches.

Grace lut le message qu'il venait de recevoir. Il s'agissait d'une simple alerte lui rappelant son rendez-vous de demain au salon de coiffure The Point, où son styliste personnel autoproclamé, à savoir Glenn Branson, l'obligeait à aller chaque mois pour rafraîchir sa coupe. Il regarda les bouteilles poussiéreuses rangées horizontalement dans les étagères et dans les caisses, empilées à même le sol. Puis il vit le titre de une de l'*Argus* : *Brighton, ville n° 1 des morts par overdose.*

Un bien triste record, songea-t-il, mais qui avait le mérite de détourner l'attention de son enquête.

Henry Butler réapparut quelques minutes plus tard en serrant amoureusement une grosse bouteille.

— Je vous présente un Krug d'une élégance rare. Une gorgée et les petites culottes tombent par terre.

Grace sourit.

— 275 livres pour vous, monsieur, soit 10 % de réduction.

Son sourire disparut aussitôt.

— Merde alors. Je ne pensais pas qu'une bouteille pouvait valoir autant. Je suis flic, vous vous souvenez ? Pas un milliardaire russe.

Le caviste lui renvoya une expression indéchiffrable.

— Alors, j'ai ce divin cava espagnol pour 9 livres. À boire en été, sur la terrasse. Splendide.

— Pas assez chic.

— Ah, je vous reconnais bien là, M. de la PJ – qu'il prononça « pige ». Je savais que vous étiez généreux. J'ai un champagne maison pour 17 livres. Un nez opulent, brioché, une belle longueur en bouche, assez complexe, friand. Jane MacQuitty en a dit le plus grand bien dans le *Sunday Times*, il y a quelque temps.

Grace secoua la tête.

— Pas assez bien non plus. J'aimerais quelque chose d'unique, mais sans devoir hypothéquer ma maison.

— Que diriez-vous d'une bouteille à 100 livres ?

— Ça me semble plus raisonnable.

Le caviste disparut dans les méandres de son royaume et refit surface.

— C'est le top du top. Un Roederer 2000, cuvée Cristal. Le meilleur millésime de la décennie. Dernière bouteille. De toute beauté ! Vendue 175 livres, je vous la brade pour 100 tout rond.

— Marché conclu !

— Bien joué, Arsène Lupin !

Grace sortit son portefeuille.

— Vous prenez la carte bleue ?

Butler prit l'air offensé.

— Vous voulez vraiment que je fasse faillite, vous. Bon allez, OK. C'est pour une grande occasion, n'est-ce pas ?

— Absolument.

— Offrez-lui ce champagne, elle vous aimera toute la vie.

Roy sourit.

— C'est le but.

56

Assise sur le lit de Caitlin, Lynn fixait l'écran de l'ordinateur. Perché sur un tabouret, devant la coiffeuse encombrée, Luke tapait sur le clavier avec un seul doigt et ne voyait visiblement qu'avec un seul œil puisque sa mèche lui barrait le visage.

Toujours vêtue d'un peignoir, Caitlin avait passé la dernière heure à faire des allers-retours entre sa chambre et les toilettes. Elle avait déjà meilleure mine, sauf que son corps la démangeait de nouveau. Elle s'était tellement gratté les bras qu'ils semblaient couverts de piqûres d'insectes. À présent, son iPod vissé dans les oreilles, elle envoyait des textos, les sourcils froncés, tout en regardant un épisode de *Newport Beach* à la télé, en mode silencieux, et en frottant la partie charnue de ses pieds contre la structure de son lit.

Cela faisait une heure que Luke surfait sur Google et d'autres moteurs de recherche, avec différentes combinaisons des mots *organes, vente, humains, donneurs* et *foie*.

Il avait trouvé trace d'un débat à l'assemblée parle mentaire du Conseil de l'Europe au sujet du trafic d'organes humains. Sur un autre site, il avait lu l'his toire de Raymond Crockett, un chirurgien de Harley Street, qui avait été rayé de l'Ordre des médecins en 1990 pour avoir acheté des reins en Turquie pour quatre de ses patients. Et de nombreuses autres discussions sur le sujet : le don d'organes devrait-il être automatique à moins qu'on s'y soit opposé de son vivant ?

Mais rien sur le commerce d'organes.

— Tu es sûr que ce n'est pas une légende urbaine, Luke ?

— J'étais tombé sur un site à Manille. On pouvait acheter un rein pour 40 000 livres – opération comprise. Il y avait une liste de revendeurs qui...

Il s'arrêta net.

Les mots Transplantation-Zentrale GmbH venaient d'apparaître à l'écran, en lettres blanches sur fond noir.

Luke cliqua sur le drapeau anglais et lut :

Numéro un des ventes d'organes humains
Service international, discrétion assurée
Contactez-nous par téléphone, par mail, ou prenez RDV
avec notre agence à Munich

Lynn fixait l'ordinateur. Un frisson la parcourut. D'excitation. De peur.

Peut-être existait-il bel et bien une alternative à la dictature de Shirley et son équipe. Un autre moyen de sauver sa fille.

Luke se tourna vers Caitlin.

— Viens voir, on a trouvé un truc.

— Cool.

Quelques instants plus tard, Lynn sentit un souffle chaud dans sa nuque.

— C'est génial, s'écria Caitlin. Tu penses qu'il y a des prix, comme pour un supermarché en ligne ?

Lynn gloussa, heureuse de la voir reprendre du poil de la bête – du moins temporairement.

Luke navigua sur le site, qui ne contenait guère plus d'information que la page d'accueil. Pas de téléphone, pas d'adresse postale, juste un mail : post@transplantation-zentrale.de.

— OK, fit Lynn. Envoie-leur un message.

Elle lui dicta :

Je suis la mère d'une adolescente de quinze ans qui a, de toute urgence, besoin d'une transplantation hépatique. Nous habitons dans le sud de l'Angleterre. Pouvez-vous nous aider ? Si oui, dites-nous comment, et de quelles informations vous auriez besoin. Bien cordialement, Lynn Beckett.

Lynn relut et se tourna vers Caitlin.

— Ça te va, mon ange ?

Caitlin décocha un sourire énigmatique et haussa les épaules.

— Pourquoi pas ?

Luke envoya le message.

Puis ils fixèrent la boîte de réception en silence.

— Tu penses qu'on aurait dû mettre un numéro de téléphone ou bien une adresse ? s'interrogea Caitlin.

Lynn réfléchit.

— Oui. Peut-être. Je ne sais pas.

— Ça ne coûte rien, trancha Caitlin.

Luke renvoya un deuxième mail contenant le numéro de portable de Lynn, précédé du préfixe anglais.

★

Dix minutes plus tard, alors qu'elle faisait bouillir de l'eau pour le thé, tout en préparant le dîner, Lynn entendit son portable sonner. *Numéro privé.*

Elle décrocha à la deuxième sonnerie.

Il y eut un sifflement, des craquements, puis elle entendit une voix féminine, grave, au ton professionnel, mais agréable, lui dire dans un anglais approximatif :

— Pourrais-je, je vous en prie, parler à Mme Lynn Beckett ?

— C'est moi-même !

— Je m'appelle Marlene Hartmann. Vous avez juste envoyé un mail à ma compagnie ?

— Transplantation-Zentrale ? demanda Lynn en tremblant.

— Correct. Par chance, j'ai l'opportunité d'être dans le Sussex demain. Si ceci vous convient, nous pouvons nous rencontrer, peut-être ?

— Oui, oui, parfait ! répondit Lynn, nerveuse.

— Connaissez-vous le groupe sanguin de votre fille ?

— Elle est AB⁻.

— AB⁻ ?

— Oui.

Il y eut un bref silence.

— Très bon, cela. Excellent !

57

— Il est 18 h 30, mardi 2 décembre, annonça Roy Grace. Ceci est la dixième réunion relative à l'opération Neptune, enquête sur la mort de trois personnes non identifiées.

Il avait pris place, en bras de chemise, cravate desserrée, dans la salle de conférences, qui accueillait désormais vingt-huit personnes. Dehors, il faisait particulièrement moche. La nuit était tombée depuis bien longtemps ; des gouttes ruisselaient le long des fenêtres. La pièce était froide, parcourue de courants d'air. Les radiateurs étaient bien moins performants que la chaleur humaine.

Devant lui se trouvaient une bouteille d'eau, une pile de journaux, son carnet et ses notes dactylographiées. Il avait du pain sur la planche, avant de pouvoir entamer sa deuxième partie de soirée, à savoir partager, entre autres choses, la merveilleuse bouteille de champagne – hors de prix – couchée dans le coffre de sa voiture.

Sur le tableau blanc accroché au mur se trouvaient les empreintes digitales et les portraits-robots des trois victimes. Jason Tingley, un collègue des RG, lui avait un jour fait remarquer que tous les portraits-robots faisaient des têtes de héros de BD, et Roy était plutôt d'accord. C'étaient des personnages qu'il avait sous les yeux.

Morts.

Assassinés.

Et c'était lui qui devait identifier et arrêter leurs meurtriers.

Lui seul qui pouvait permettre à leurs familles de tourner la page.

The Independent, le journal qui se trouvait en haut de la pile, titrait :

Brighton redevient la capitale anglaise du crime.

Cette expression faisait référence à 1934, époque où la ville était connue pour ses gangs aux rasoirs, et où deux corps avaient été retrouvés, à quelques jours d'intervalle, dans des malles à la gare.

— Notre nouveau chef attend des résultats, et plus vite que ça, déclara Roy.

Il baissa les yeux sur les notes prises par Eleanor.

— Nous sommes désormais sûrs que les organes ont été prélevés dans un bloc opératoire. Le labo a retrouvé des traces de Propofol et de kétamine, deux anesthésiques.

Il marqua une pause pour que chacun puisse réfléchir aux implications.

— J'ai approfondi la piste du trafic d'organes, intervint Guy Batchelor. La vente et l'achat sont interdits au Royaume-Uni. Mais en raison d'une pénurie d'organes, des patients sur liste d'attente pour un cœur, un poumon ou un foie meurent avant d'avoir trouvé un donneur. D'autres survivent tant bien que mal pendant des années, sans jamais être prioritaires pour une transplantation. Que donne la piste d'un éventuel chirurgien en colère ?

— Rien pour le moment, répondit la commandante Mantle.

— Et si on enquêtait sur tous les spécialistes en transplantation du pays ? proposa Nick Nicholl. Il ne peut pas y en avoir tant que cela...

— Quoi de neuf du côté de ceux rayés de l'Ordre des médecins ? reprit Lizzie. Je pense que ce serait un bon point de départ. Un homme, ou une femme, qui aurait décidé de passer du côté obscur de la Force.

— Je suis dessus, intervint Sarah Shenston, l'une des documentalistes. J'espère avoir une liste complète demain. Ils sont nombreux.

— Très bien, la remercia Grace. Il faudrait qu'on répertorie, et qu'on visite, toutes les cliniques pratiquant des transplantations, enchaîna-t-il en s'adressant à Guy Batchelor. Et qu'on comprenne comment un organe passe d'un donneur à un receveur, comment un éventuel intermédiaire sans scrupules pourrait s'immiscer dans le processus.

Batchelor hocha la tête.

— Je mets un assistant sur le coup.

— J'imagine que ces victimes ont eu un contact à Brighton, ou dans la région. C'est le fait de les avoir repêchées si près de la côte qui me fait dire cela. Qu'en pensez-vous ?

Toute son équipe acquiesça.

— Ce serait bien d'identifier les victimes. Et on a progressé de ce côté. Le labo Cellmark Forensics, à qui nous avons envoyé les échantillons d'ADN des adolescents, dispose d'une filiale aux États-Unis : Orchid Cellmark. Ils ont effectué une analyse enzymatique et minéralogique de l'ADN. Leur régime alimentaire indique qu'ils vivaient en Europe de l'Est.

Il but une gorgée d'eau, puis reprit.

— Ce qui concorde avec les résultats toxicologiques. Tous trois avaient, dans leur sang, des traces d'une peinture fabriquée en Roumanie, connue sous le nom d'Aurolac. Il s'agit d'une substance que les gosses des rues sniffent – elle présente les mêmes effets que la colle. Qui plus est, Nadiuska est retournée à la morgue hier soir pour des examens complémentaires et a découvert des traces de peinture métallisée dans leurs narines. Norman, conclut-il, tu veux bien nous en dire davantage sur la Roumanie ?

Fier comme un paon, Potting bomba le torse.

— Eh bien, j'ai mis Interpol dans le coup, mais, comme d'habitude, ils ne sont pas pressés. Il leur faudra trois semaines, peut-être davantage, à cause de Noël, avant de revenir vers nous.

Il hésita, puis se tourna vers Grace.

— Je peux évoquer le travail de Ian Tilling, à Bucarest ?

Grace approuva.

— Norman a un contact en Roumanie, un ancien policier anglais qui aide bénévolement les sans-abri. Vu le caractère d'urgence, j'ai donné au commandant Potting l'autorisation d'explorer cette piste et de court-circuiter Interpol. Tu nous résumes la situation, Norman ?

— Je lui ai demandé de se renseigner, pour savoir si un garçon prénommé Rares n'aurait pas émigré en Angleterre récemment. Il m'a promis de se mettre au boulot sur-le-champ. J'espère un premier compte rendu demain. C'est tout pour le moment.

Grace se tourna vers Bella Moy.

— Du nouveau du côté des dentistes ?

— Rien. J'ai interrogé tous ceux-là, dit-elle en agitant une liasse, et ils m'ont tous répondu la même chose : les victimes souffraient de malnutrition, prenaient sans doute de la drogue, et n'avaient bénéficié d'aucun soin dentaire. À mon avis, on peut abandonner cette piste : je pense qu'ils n'ont jamais mis les pieds chez un dentiste, encore moins en Angleterre.

— Tu as raison, tu peux laisser tomber.

Il se tourna vers le lieutenant Nick Nicholl.

— Quoi de neuf du côté des personnes portées disparues ?

— Rien pour l'instant, chef.

Nicholl résuma la situation. Il avait fait circuler les portraits-robots dans le Sussex et dans les comtés environnants, sans succès. Les appels à témoins dans la presse n'avaient rien donné non plus. Et l'émission *Crimewatch* ne serait diffusée que dans une semaine. Grace jeta un œil à ses notes.

— Ray Packham, de la cybercrim, a quelque chose à nous communiquer.

Assis en face de lui, l'informaticien n'avait rien de l'image que l'on se fait du *geek*. Il ressemblait plutôt à Q, le personnage qui fournit à James Bond ses célèbres gadgets. La petite quarantaine, il brillait par son intelligence et son enthousiasme, malgré la nature sordide de son boulot, qui consistait souvent à examiner les photos trouvées dans les ordinateurs de pédophiles. Costume gris et cravate rayée, ceux qui le rencontraient pour la première fois le prenaient souvent pour un directeur de banque à l'ancienne.

— Oui, Roy, la Roumanie fait bien partie des pays pratiquant le trafic d'organes, ce qui confirme les propos du commandant Potting. Nous poursuivons nos recherches.

Grace le remercia.

— OK, j'ai discuté avec plusieurs membres de l'équipe de l'opération Pentameter, qui enquête actuellement sur la traite des Blanches. Jack Skerritt, au QG de la PJ, le commandant Paul Furnell et le lieutenant Justin Hambloch, au poste central, m'ont fourni une liste de noms en rapport avec l'Europe de l'Est, dont deux Roumains. Plusieurs Roumaines travaillent dans les bordels de la ville. Il faudrait les interroger, leur demander si elles connaissaient l'une des trois victimes. Et essayer d'identifier leur contact, ici ou au pays.

Grace se tourna vers Branson.

— Des informations à nous communiquer, Glenn ?

— Oui. On n'a toujours pas de nouvelles du bateau de pêche porté disparu. Je dois rencontrer l'épouse du propriétaire du *Scoob-Eee* ce soir, après la réunion. Et, comme convenu, j'ai transmis au labo les deux mégots récupérés sur le port de Shoreham.

— Cela n'a peut-être aucun rapport, mais un moteur de hors-bord flambant neuf a été retrouvé sur la plage, à marée basse, entre la marina et Rottingdean, au niveau de Black Rock. Les gars vont tester une nouvelle technique pour tenter de prélever des empreintes digitales. Glenn, j'aimerais que tu fasses le tour des concessionnaires Yamaha, pour savoir qui en a vendu ces jours-ci.

— Où se trouve le moteur ?

— Avec les autres pièces à conviction, sous scellé.

— OK.

Roy jeta un discret coup d'œil à sa montre. Il avait promis à Cleo de rentrer avant 20 heures. Puis il se reconcentra sur la réunion.

— Jusqu'à preuve du contraire, je pars du principe qu'on est en présence de traite d'êtres humains. D'après le commandant Furnell, pour le moment, ce genre de trafic est organisé à des fins de prostitution. Les filles qui arrivent à Brighton sont gérées par un certain nombre de proxénètes. Certains sont surveillés par son équipe, mais tous ne sont pas encore identifiés. L'une de nos priorités consistera à discuter avec les filles, afin d'identifier de nouveaux macs.

La police de Brighton préférait que les prostituées travaillent dans des maisons closes, plutôt que dans la rue, pour leur propre sécurité. Étant donné l'essor que connaissait cette activité, c'était aussi plus facile de repérer les mineures.

— Bella et Nick, je pense que vous êtes les plus à même de recueillir leurs confidences, indiqua Grace.

Les filles seraient plus à l'aise face à une femme, et Nick Nicholl, qui venait d'avoir un adorable bébé, serait moins sensible à certaines formes de séduction que – au hasard – Norman Potting.

— J'ai été en charge des bordels pendant un certain temps, à mes débuts, l'informa la commandante.

— Pour ma part, il faudra juste que quelqu'un explique à ma femme pourquoi je traîne dans ces lieux, précisa le jeune homme en rougissant.

— Les femmes perdent tout désir une fois qu'elles ont enfanté, intervint Potting. Je sais de quoi je parle. Tu devrais faire appel à certains services tarifés dans peu de temps.

— Norman ! l'interrompit Grace.

— Désolé, chef. Simple constatation.

Si seulement Potting pouvait se taire et se concentrer sur son boulot.

— Bella et Nick, rencontrez un maximum de prostituées. On sait que certaines gagnent bien leur vie et ne se plaignent pas. Mais d'autres sont criblées de dettes.

— Comment est-ce possible ? demanda Guy Batchelor.

— Des salauds les sortent de la pauvreté en leur promettant une nouvelle vie en Angleterre. Ils leur offrent un passeport, un visa, un job et un appartement, pour une somme qu'elles ne pourront jamais rembourser. Quand elles arrivent, endettées de plusieurs dizaines de milliers de livres, un proxénète se lèche les babines. Il les place dans un bordel en leur disant que c'est la seule façon de payer les intérêts. Si elles refusent, ils les menacent de s'en prendre à leur famille ou à leurs amis. Ces macs ont généralement plusieurs cordes à leur arc – prostitution, trafic de drogue et, selon toute vraisemblance, trafic d'organes.

Ses coéquipiers étaient pendus à ses lèvres.

— Notre suspect numéro 1 est donc l'un de ces gars.

58

Au volant d'une Hyundai noire banalisée, Glenn Branson marqua le stop au rond-point et jeta un œil à un bâtiment moderne qu'il affectionnait tout particulièrement – le centre culturel Ropetackle de Shoreham.

Il prit la première sortie et s'engagea dans une rue commerçante illuminée pour Noël. Il avait beau être 20 h 30, un mardi soir, sous une pluie battante, le quartier vibrait d'animation. La saison pré-fêtes battait son plein. Mais lui, qui avait le moral au plus bas, n'avait pas la tête à ça.

Noël approchait. Sa femme ne voulait même pas évoquer le sujet. Allait-il passer le réveillon seul, dans la chambre d'ami de Roy Grace ?

Ari avait essayé de le joindre à trois reprises pendant la réunion, mais quand il l'avait rappelée, un homme avait décroché.

Un homme, qui lui avait annoncé qu'Ari était sortie.

Quand Glenn lui avait demandé d'où il sortait, celui-ci lui avait répondu, plein de morgue, qu'il était le baby-sitter et qu'Ari était à son cours de littérature anglaise.

Un baby-sitter ?

S'il avait eu une voix d'adolescent, passe encore, mais ce n'était pas le cas. Il devait avoir une trentaine d'années.

À la question : « Mais qui êtes-vous, bordel ? », le petit malin avait répliqué, sournois, qu'il était un *ami*.

Comment Ari pouvait-elle confier leurs enfants, Sammy et Remi, à un mec qu'il n'avait jamais rencontré ? Mon Dieu, c'était peut-être un pédophile ! Glenn décida qu'après son entrevue, il foncerait chez lui pour le virer avec perte et fracas.

Selon l'itinéraire qu'il avait mémorisé, il devait tourner à gauche à la prochaine. Il mit son clignotant et s'engagea dans une étroite rue résidentielle. Il ralentit, passa devant un *fish and chips* bondé et plissa les yeux pour tenter de déchiffrer les numéros des maisons. Il vit le 64. Il y avait une petite place de libre une cinquantaine de mètres plus loin. Il fit un créneau et ne toucha le pare-chocs de la voiture de derrière qu'une seule fois. Il sortit, remonta le col de son imper, courut sous la pluie et sonna à la porte.

Une femme lui ouvrit. Grande et plantureuse, elle devait avoir cinquante-cinq ans environ. Une couronne de cheveux roux, au brushing impeccable, auréolait son visage cerné. Du mascara avait coulé sur ses joues. Elle portait une blouse grise bouffante, un jean et des sabots.

— Madame Janet Towers ? demanda-t-il en lui montrant sa carte.

— Oui.

— Commandant Branson.

— Merci d'être venu, dit-elle en l'invitant à entrer. Vous avez du nouveau ? poursuivit-elle, pleine d'espoir.

— Non, pas pour le moment, malheureusement.

Il se faufila devant elle, dans l'étroit vestibule décoré de photos encadrées de l'ancien port de Brighton. À l'intérieur, il faisait une chaleur étouffante et ça sentait la cigarette et le chien mouillé. Glenn Branson avait déjà remarqué que les gens en deuil avaient tendance à forcer sur le chauffage et à tirer les rideaux.

Dans le minuscule salon, tout l'espace était occupé par un canapé et deux fauteuils assortis en velours marron, un gros poste de télévision et un gouvernail de bateau détourné en table basse, sur laquelle se trouvait un cendrier rempli de mégots avec des traces de rouge à lèvres. Plusieurs vitrines contenant des bateaux en bouteille renforçaient la sensation d'exiguïté. Un chauffage imitation poêle, avec du faux charbon de bois, luisait dans la cheminée. Sur le manteau se trouvaient des photos de famille et une grande carte d'anniversaire.

— Que voulez-vous boire, commandant, euh, Branson, c'est bien ça ? Comme Richard Branson, le gars de Virgin ?

— Exactement, mais en moins riche. Du café, ce serait parfait.

— Comment le prenez-vous ?

— Noisette, sans sucre, merci.

— Noisette ?

— Serré, avec une goutte de lait.

Il profita de son absence pour regarder les clichés. Sur l'un d'eux se trouvait un couple devant une église – All Saints, à Patcham, c'était là-bas qu'Ari et lui s'étaient mariés. L'époux, Jim sans doute, portait un costume ajusté et une chemise trop grande. Il arborait une touffe de cheveux frisés et un sourire énigmatique. La mariée – Janet, beaucoup plus mince qu'aujourd'hui – avait des cheveux bouclés qui tombaient en cascade sur ses épaules, une robe en dentelle et une longue traîne.

D'autres photos montraient deux enfants, au fil des ans, ainsi qu'un jeune homme timide en tenue de bachelier.

Le bac, pensa-t-il tristement. Aurait-il le droit d'assister à la fête de fin d'année, quand ses enfants

315

quitteraient le lycée ? Ou bien est-ce que sa garce de femme le lui interdirait ? Il sortit son portable pour vérifier. Au cas où.

Au cas où quoi, d'ailleurs ? songea-t-il en remettant son téléphone dans sa poche et en se demandant ce qu'un homme pouvait bien faire chez lui, seul avec ses enfants.

Le bâtard allait-il baiser Ari à son retour ?

Entendant un souffle derrière lui, il se retourna et découvrit un golden retriever enrobé, plus tout jeune, qui le fixait depuis la porte.

— Salut, fit Glenn en levant amicalement une main.

La chienne bava sur le tapis, puis se dandina dans sa direction. Il s'agenouilla pour la caresser. L'animal s'allongea immédiatement sur le flanc.

— Tu fais un sacré chien de garde, dis-moi. Et t'es bien une femelle, regarde-moi ces mamelles !

Il lui tapota le ventre, puis se releva pour examiner la carte de vœux.

« Pour ma chérie », était inscrit en lettres dorées et, à l'intérieur : Pour Janet, l'amour de ma vie. Je t'adore et tu me manques à chaque seconde que nous ne passons pas ensemble. Merci pour ces vingt-cinq dernières années, les plus belles de ma vie. Avec tout mon amour, Jim.

— J'espère qu'il sera assez fort !

Glenn ferma la carte et la reposa.

— Adorable petit mot.

— Jim est adorable.

Elle posa un plateau contenant deux tasses de café et une assiette de sablés au chocolat sur la table, puis prit place sur le canapé.

La chienne approcha sa truffe des biscuits.

— Goldie, non ! s'écria Janet Towers, sévère.

L'animal recula à contrecœur. Glenn choisit le fauteuil le plus éloigné de la cheminée et se rendit compte, en voyant les gâteaux, qu'il avait faim. Mais c'eût été malpoli de se jeter dessus.

— J'ai quelques questions à vous poser, suite à notre conversation téléphonique d'hier, cela ne vous dérange pas ?

— Demandez-moi tout ce que vous voulez, je suis au désespoir.

Il se tourna vers les photos.

— Ce sont vos enfants ? Quel âge ont-ils ? dit-il en observant attentivement ses yeux.

Ils se dirigèrent vers la droite, puis revinrent au centre.

— Jamie a vingt-quatre ans, Chloe vingt-deux. Pourquoi ?

Il ne répondit pas à la question, et enchaîna.

— J'imagine que vous n'avez pas de nouvelles de votre mari ?

Roy Grace lui avait appris une technique de PNL pour déterminer si la personne mentait. Le cerveau humain comprend deux hémisphères, le droit et le gauche. Pour faire simple, chez les droitiers, l'imagination et la créativité se trouvent à gauche, la mémoire et les faits concrets à droite. Quand les yeux partent à droite, la personne dit la vérité. S'ils partent à gauche, elle ment.

Glenn avait remarqué, en l'observant, qu'elle était droitière.

Ses yeux oscillèrent vers la droite quand elle répondit :

— Aucune. Il lui est arrivé quelque chose, croyez-moi.

Glenn sortit son carnet et son stylo.

— Rien depuis vendredi soir ?

— Rien du tout, confirma-t-elle, tandis que ses pupilles regardaient de nouveau vers la droite.

— Jim a-t-il déjà été absent aussi longtemps ?

— Non, jamais.

317

Elle lui disait la vérité. Il prit note, trempa les lèvres dans son café, puis le reposa, car il était encore trop chaud.

— Pardonnez mon indiscrétion, mais vous êtes-vous disputés peu avant sa... disparition ?

— Non, jamais de la vie ! C'était notre anniversaire de mariage. Nos vingt-cinq ans. La veille, il m'avait dit qu'il souhaitait que l'on renouvelle nos vœux. Nous étions... nous sommes... très heureux.

— OK, fit-il en regardant avec envie les biscuits, tout en résistant à la tentation.

— Vous parlait-il de ses clients ?

— Oui, surtout quand ils étaient intéressants ou bien... bizarres.

— Comment cela, bizarres ?

— Cet été, un gars qui avait loué ses services pour pêcher en pleine mer s'est révélé être un exhibitionniste. Il aimait pêcher nu.

Elle esquissa un sourire triste.

— Pourquoi pas ? tant qu'il ne le menait pas en bateau, lança Branson, avant de réaliser sa bévue.

— Qu'a entrepris la police pour retrouver mon mari ? poursuivit-elle.

— Nous avons tout mis en œuvre, madame Towers, répondit-il en rougissant, regrettant son expression malheureuse. Le garde-côtes a fait appel aux unités aériennes spécialisées dans les sauvetages en mer, avec le soutien de la Royal Air Force. Les recherches ont cessé à la tombée de la nuit et reprendront à l'aube. Tous les ports de la Manche, aussi bien en Angleterre qu'en France, sont en alerte. Tous les navires aussi. Mais, pour le moment, personne n'a vu le *Scoob-Eee*.

— Nous avions réservé une table pour 20 heures vendredi soir. Jim m'a dit que son bateau était réquisitionné par les hommes-grenouilles de la police, que tout ce qu'il aurait à faire, c'était le ramener à son point

318

d'ancrage, à la fin de la journée. Il m'avait promis d'être à la maison pour 18 heures. Mais à 21 heures il sortait du port, en direction du large. C'est insensé.

— Peut-être a-t-il accepté une course de dernière minute ?

Elle nia vigoureusement.

— Jim est très romantique. Il avait organisé notre tête-à-tête depuis des semaines, des mois, même. Il n'aurait jamais travaillé ce soir-là, impossible.

Glenn finit par succomber, prit un sablé et mordit dedans.

— Sans être indiscret, vous savez qu'on recense de nombreuses activités illégales, du passage de clandestins au trafic de drogue, à Brighton. Est-il possible que votre mari soit en contact avec de tels réseaux ?

Elle secoua la tête.

— Non, pas Jim.

Observant ses yeux, Glenn fut heureux de constater qu'elle était toujours sincère.

— Jim avait-il des ennemis ?

— Non. Du moins, pas que je sache.

— Que voulez-vous dire par là ?

— Cela ne vous dérange pas si je fume ?

— Pas de problème.

Elle sortit un paquet de Marlboro light de son sac et alluma une cigarette.

— Tout le monde aimait Jim. Il inspirait la sympathie.

— Et, en tant que détective privé, il ne s'était pas fait d'ennemis ?

— C'est possible. J'essaie de me souvenir de ses clients de l'époque. Il s'est peut-être fâché avec certains. Mais cela fait dix ans qu'il a changé de métier.

— Se peut-il qu'une personne qu'il avait fait mettre sous les verrous ait été libérée récemment ?

— Il n'a jamais arrêté qui que ce soit. Il s'occupait plutôt d'adultères, d'espionnage industriel... Il faisait des filatures, fouinait, ce genre de choses.

Glenn prit note.

— J'imagine que Jim a un téléphone portable.

— Oui.

— Et il ne se trouve pas à votre domicile.

— Non, il l'avait toujours sur lui.

— Pourriez-vous me donner son numéro ?

Elle le connaissait par cœur. Il l'écrivit dans son carnet.

— Quel est son opérateur ?

— O2.

— Quand lui avez-vous parlé pour la dernière fois ?

— Vers 17 h 15, vendredi. Il avait récupéré son bateau et venait de l'amarrer à son emplacement habituel. Il m'a dit qu'il allait le nettoyer et qu'il rentrerait juste après.

— C'est votre dernière conversation ?

— Oui, dit-elle avant de sangloter.

Glenn but une gorgée de café et attendit patiemment qu'elle retrouve son calme.

— J'imagine que vous avez essayé de le joindre.

— Toutes les cinq minutes. En vain. On tombe directement sur sa boîte vocale.

Glenn nota ce détail. Il leva les yeux vers Janet Towers et ressentit de l'empathie pour elle.

Puis il repensa à l'homme qui avait décroché, chez lui ; l'homme qui surveillait son fils et sa fille. Cet homme qu'il n'avait jamais rencontré, mais détestait plus que tout au monde.

Si tu couches avec Ari, Ducon, je t'arracherai les testicules à mains nues.

Il s'efforça de sourire à Janet Towers, puis lui tendit sa carte.

— Appelez-moi si vous avez du nouveau. Nous allons retrouver votre mari, ne vous inquiétez pas.

Ses sanglots se muèrent en colère.

— Vous avez intérêt à le retrouver avant moi, sinon, je vais lui passer un de ces savons ! dit-elle avant de fondre en larmes.

59

Roy Grace passait le portail de la résidence de Cleo en serrant contre lui la bouteille de champagne la plus chère de sa vie, quand son téléphone sonna.

Il le sortit de sa poche en maugréant.

— Commissaire Grace, j'écoute.

C'était sa supérieure, Alison Vosper. S'il y avait une personne à laquelle il n'avait pas envie de parler, c'était bien elle. Et, pour ne rien arranger, elle semblait d'humeur exécrable.

— Où es-tu ? lui demanda-t-elle.

— Je viens de rentrer chez moi, répondit-il en espérant faire bonne impression, vu qu'il était plus de 21 heures.

— Passe dans mon bureau demain à la première heure. Le chef a discuté avec le président du conseil d'administration de Brighton et Hove : ton enquête a une couverture médiatique désastreuse.

— Volontiers, répondit-il en feignant l'enthousiasme.

— À 7 heures.

— Parfait, lança-t-il à contrecœur.

— J'espère que tu auras de bonnes nouvelles à m'annoncer, conclut-elle avant de raccrocher.

Bonne soirée à toi aussi, se retint-il de répondre.

Il ouvrit la porte de l'appartement de Cleo. Vêtue d'un jean déchiré et d'une chemise d'homme, elle jouait, à quatre pattes, avec Humphrey. Tous deux se disputaient une chaussette. À grand renfort de grognements et de gémissements, le chien tirait sur le bout de tissu comme si sa vie en dépendait.

— Bonsoir, mon amour ! dit-il.

Elle leva les yeux sans abandonner sa lutte acharnée, et sans voir la bouteille qu'il brandissait.

— Salut ! Regarde qui est là, Humphrey. Le commissaire Grace !

Il se baissa pour l'embrasser.

Elle lui rendit son baiser du bout des lèvres, toujours préoccupée par son chien.

— Oh, du champagne, comme c'est gentil ! Dismoi, Humphrey, tu penses que le commissaire Grace à quelque chose à se faire pardonner ?

— Désolé pour le retard, j'ai été retenu après la réunion.

Elle tira d'un coup sec sur la chaussette, Humphrey glissa vers elle, lâcha prise, puis la rattrapa.

— Je t'ai préparé la meilleure vodka Martini du monde. J'ai découvert une nouvelle vodka, Kalachnikov : un délice. Il t'attend dans le frigo. Petit veinard, tu vas devoir le boire seul, ajouta-t-elle, avant de se retourner vers le chien :

— Il en a de la chance, hein ? Il rentre une heure plus tard que prévu et il a quand même droit à un cocktail. Et nous deux, on doit se contenter de boire de l'eau. Qu'est-ce que ça t'inspire, à toi ?

Grace se sentit mal à l'aise. Un fossé semblait se creuser entre eux.

— Je vais le déguster le temps que le champagne rafraîchisse, dit-il en lui montrant la bouteille, pour tenter de l'amadouer.

Elle déchiffra l'étiquette, sans cesser de jouer avec Humphrey.

— Commissaire Grace, vous avez des intentions malhonnêtes, ce soir ?

— Très.

— Tu sais que je ne devrais pas boire.

— J'ai vérifié sur Internet. La nouvelle mode, c'est de dire qu'un verre de temps en temps, ça ne fait pas de mal aux femmes enceintes.

— Et deux ?

— Deux, ça devrait être encore mieux. Un pour toi, un pour le bébé.

Elle sourit en caressant son ventre.

— Tu vois, papa pense à toi.

Grace jeta sa veste et sa cravate sur le canapé, puis mit la bouteille au freezer et ouvrit le réfrigérateur. Un verre à Martini, rempli à ras bord, avec une olive sur un cure-dents, lui faisait de l'œil. Il le sortit, en but une gorgée en retournant dans le salon, puis s'assit sur le divan. L'alcool le boosta immédiatement.

Humphrey lâcha la chaussette et fit quelques bonds vers lui.

Grace se baissa pour le caresser. Le chiot lui mordilla la main pour le remercier.

— Aïe ! fit-il en la retirant.

Humphrey sauta et l'attrapa au vol.

— Eh, tu mords, toi. Tu me fais mal, dis donc ! dit-il en éloignant son verre, par mesure de précaution.

— Tu sais ce que mon père dit à propos du Martini ? lui demanda Cleo.

Humphrey courut vers la chaussette, l'arracha des mains de Cleo et l'agita comme s'il voulait l'achever.

— Non, dis-moi.

— Mesdames, prenez garde au Martini. N'en buvez pas plus de deux. Au troisième, vous roulerez sous la table, au quatrième, vous roulerez sous votre partenaire !

Grace sourit.

— Et que dit-il à propos des champagnes millésimés ?

— Rien. En général, il est pompette après l'apéritif, il n'arrive jamais jusqu'au champagne.

— J'ai hâte de le rencontrer.

— Tu t'entendras bien avec lui.

— J'en suis sûr, répondit Grace, même s'il n'était pas certain que ce père de la haute soit ravi de voir sa fille traîner avec un simple flic.

À la gorgée suivante, l'alcool lui monta agréablement à la tête. Son téléphone sonna. Il s'excusa, puis le sortit de la poche de sa veste.

— Roy Grace, j'écoute.

— Salut, vieux.

C'était Glenn Branson.

— Salut. Qu'est-ce qui t'amène ?

— Je te dérange ?

— Oui. Qu'est-ce qu'il y a ?

— Rien, je voulais te parler d'Ari.

— Ça peut attendre demain matin ?

— Ouais, pas de souci.

— Tu es sûr ?

— Demain, ça ira très bien.

Il avait une voix d'outre-tombe.

— Vas-y, je t'écoute.

— Nan, on en parlera demain. Bonne soirée !

— J'ai le temps, dis-moi.

— Non, tu n'as pas le temps. Ça attendra.

— Raconte-moi, mec, je t'écoute.

Glenn raccrocha.

Grace le rappela, mais tomba sur sa boîte vocale. Il tenta de le joindre chez lui, au cas où, mais le répondeur se déclencha après huit sonneries. Il enfonça son téléphone dans la poche de son pantalon et se pencha vers Cleo, qui jouait toujours avec Humphrey, l'ignorant plus ou moins. Quand elle fut lassée de ce petit jeu, elle lâcha la chaussette. Humphrey l'emporta avec lui sur le fauteuil poire qui lui servait de panier, et continua à se battre contre elle en aboyant, comme s'il s'agissait d'un rat mort.

— Tu veux manger quelque chose ? Je t'ai préparé ton plat préféré, au cas où tu daignerais passer.

Daigner. Elle avait choisi exactement le même terme que Sandy. Sandy, qui ne supportait pas ses horaires de folie, surtout quand il était appelé au beau milieu d'un repas.

— Eh, qu'est-ce que tu veux dire par là ?

— Tu es ton propre patron, tu pourrais rentrer à l'heure, si tu le voulais, non ?

— Tu sais bien que ça ne marche pas comme ça. On ne va pas se disputer pour si peu. J'ai trois cadavres sur les bras et des dizaines de personnes qui attendent des réponses. Tu as vu ces gosses. Je veux découvrir qui leur a infligé ce traitement, avant qu'il y ait d'autres victimes. Un tas de gens compte sur moi pour arrêter les coupables avant Noël. Moi le premier. Je dois tout mettre en œuvre pour y arriver.

— Je réceptionne des cadavres tous les jours, et je mets tout en œuvre pour réconforter leurs familles. Mais ça ne m'empêche pas d'avoir une vie privée. Toi si. Ta vie, c'est ton boulot.

Grace savait le terrain miné.

— Quand tu es de garde, tu dois être disponible 24 heures sur 24, 7 jours sur 7, non ?

— C'est différent, répliqua-t-elle en haussant les épaules et en lui jetant un regard indifférent.

Grace paniqua. Il but une longue gorgée de son cocktail, mais l'alcool ne lui faisait plus d'effet. Pour la première fois depuis qu'ils sortaient ensemble, il avait la sensation qu'elle lui échappait complètement. Il eut peur de la perdre.

— Ce sera toujours ainsi, pas vrai ?

— Comment ?

— Je vais passer mon temps à t'attendre. Tu es amoureux de ton travail.

— Je suis amoureux de toi.

— Moi aussi, et je ne suis pas suffisamment naïve pour penser que je réussirai à te changer. Je n'en ai pas envie, tu es quelqu'un de bien, mais... (Elle haussa les épaules.) Je suis très fière de porter ton – notre – enfant, mais je me demande quel père tu seras.

— Mon père était policier, et il était formidable. J'ai toujours été très fier de lui.

— Mais il n'était que commandant, non ?

— Que veux-tu dire par là ?

— Désolée, il me faut un verre. Encore combien de temps avant de pouvoir ouvrir ta bouteille ?

— Dix minutes.

— Je vais préparer le dîner. Tu peux accompagner Humphrey sur la terrasse ? Il doit faire ses besoins.

Grace sortit le chien et attendit dix minutes. Humphrey, qui n'avait apparemment pas besoin de se soulager, lui mordilla la main à plusieurs reprises. Lorsqu'il ouvrit la porte, le chiot descendit les marches, fit pipi sur le parquet du salon et un gros caca sur le tapis blanc.

Quand il eut terminé de tout nettoyer, Grace sortit le champagne, qui était à la bonne température. Deux ramequins contenant des crevettes, de l'avocat en dés et de la roquette avaient été posés sur la petite table de la cuisine. Il attrapa deux flûtes en cristal et ouvrit la bouteille avec autant de précaution que s'il tenait un bébé.

Ils trinquèrent.

Cleo était superbe. Si belle, si vulnérable. Grace avait du mal à croire qu'elle portait son enfant. Elle trempa ses lèvres, puis ferma les yeux. Quand elle les rouvrit, ils pétillaient.

— Waouh, quelle merveille !

— Bon, je sais que je n'ai pas encore rencontré ton père et qu'il y a un protocole à respecter dans ton milieu, mais... Cleo... Veux-tu m'épouser ?

S'ensuivit un silence interminable, pendant lequel elle le fixa avec une expression indéchiffrable. Elle but une longue gorgée avant de répondre :

— Roy, mon chéri, je ne veux pas te paraître bizarre, mais...

Il n'avait aucune idée de ce qui allait suivre.

Elle fit rouler la flûte entre ses mains.

— Je m'étais juré que si tu me demandais en mariage parce que j'étais enceinte, je refuserais.

Elle semblait perdue, comme une enfant.

— Je ne veux pas de ce genre de vie, ni pour moi, ni pour toi.

Un long silence s'installa.

— Le fait que tu sois enceinte n'a rien à voir avec ma demande. C'est juste une excellente surprise. Je t'aime, Cleo. Tu es magnifique, aussi bien à l'intérieur qu'à l'extérieur. Je n'ai jamais rencontré quelqu'un comme toi. Je t'aimerai jusqu'à la nuit des temps, et plus encore. Je veux passer le reste de ma vie avec toi.

Cleo sourit et hocha la tête, pensive.

— Pas mal, dit-elle en dodelinant de la tête. Et quoi d'autre ?

— J'aime ton nez, tes yeux, ton humour, ta façon de voir les choses, ton esprit, ta gentillesse...

— Ça n'a donc rien à voir avec le fait que je sois un bon coup ? dit-elle, feignant la déception.

— Si, je t'aime aussi pour ça.

Elle but un peu de champagne, posa les coudes sur la table, serra son verre dans ses mains, et lui jeta un regard par en dessous.

— Tu ne te débrouilles pas mal non plus.

— Coquine !

— Obsédé sexuel.

— Tu aimes ça.

Elle fit semblant de monter sur ses grands chevaux.

— Pas du tout. Je le fais seulement pour te faire plaisir.

— J'en doute fort.

★

Ils firent l'amour dans la chambre, tandis que Humphrey jappait et pleurnichait, jusqu'à épuisement.

Allongée contre lui, Cleo embrassa Roy sur le nez, sur les yeux, puis sur les lèvres.

— Tu es un amant incroyable, tu sais ça ? Tu es tellement généreux...

— Pourquoi, les autres hommes sont égoïstes ?

Elle hocha la tête, puis sourit.

— Tu peux me croire, au regard des centaines d'amants que... je n'ai pas eus.

— Je le prends comme un compliment, venant d'une experte comme toi.

Elle lui donna un petit coup, avant de l'embrasser à nouveau.

— Et il y a autre chose que j'aime chez toi, commissaire Grace : je me sens en sécurité dans tes bras.

— Et moi, je me sens viril dans les tiens.

Elle glissa ses mains le long de son corps musclé et s'arrêta net.

— Nom de Dieu, tu as encore envie ?

— Ben oui, pourquoi ? On vient de faire l'amour ?

— Il y a cinq minutes environ.

— Ce doit être Alzheimer. Je croyais que c'était les préliminaires !

— Je n'ai jamais vu un tel obsédé.

— C'est toi qui m'excites, dit-il en l'embrassant à son tour sur la bouche, dans le cou, sur les épaules, les bras, les jambes, les orteils. Et ils refirent l'amour.

★

328

Un peu plus tard, à la lueur vacillante d'une chandelle presque éteinte, en nage, Cleo rendit les armes.

— OK, je veux bien t'épouser.

— Vraiment ?

— Oui. C'est mon vœu le plus cher. Mais il y a un problème, non ?

— Lequel ?

— Tu es déjà marié.

— Je viens d'entamer des démarches pour que Sandy soit déclarée morte, selon la loi des sept ans. Ma sœur essayait de me convaincre de le faire depuis plusieurs années déjà.

— Cleo Grace... murmura-t-elle. Ça sonne bien.

Elle l'embrassa, puis s'endormit en le serrant fort dans ses bras.

60

Glenn Branson était assis au volant de la Hyundai noire, devant son domicile, depuis cinq bonnes heures.

La petite maison en mitoyenneté bâtie dans les années 1960 se trouvait dans une rue pentue de Saltdean battue par les vents. La voiture tanguait, tandis que la pluie martelait la carrosserie.

Des larmes coulaient sur son visage. Il avait froid, faim, et envie de pisser, mais ne s'en rendait même pas compte. Il fixait la porte d'entrée jaune vif de ce qui fut sa maison. La façade ressemblait désormais à une sorte de Mur de Berlin entre lui et sa vie. Tout était flou. Ses yeux. Les vitres de la voiture. Son esprit, accablé par l'amour, la colère et la douleur.

Ari était rentrée un peu avant 22 heures. Elle ne l'avait pas remarqué. Il avait attendu que le baby-sitter s'en aille, mais il était 2 h 20, et le connard n'était toujours pas parti. Deux heures plus tôt, les lumières s'étaient éteintes en bas et allumées en haut, dans la chambre, pendant quelques minutes. Ce qui voulait dire qu'elle couchait avec lui. Qu'elle se le tapait, dans leur lit.

Est-ce que, demain matin, Sammy et Remi allaient accourir dans leur chambre, tout excités, en criant « maman, papa ! », et tomber sur un étranger ? Ou avaient-ils perdu cette habitude ? Qu'est-ce qui avait changé depuis qu'il avait été mis à la porte ?

Cette question remua le couteau dans la plaie.

Il consulta l'horloge du tableau de bord : 2 h 42. Vérifia à sa montre, au cas où : 2 h 43.

Une poubelle en plastique roula sur le trottoir. Il entrevit des lumières bleues dans son rétroviseur, puis une voiture de police le doubla à toute allure, sirène éteinte. Elle tourna à droite au bout de la rue, puis disparut. Peut-être se rendait-elle sur les lieux d'une dispute conjugale, d'un accident, ou d'un cambriolage. Il hésita à contacter l'état-major pour communiquer sa position. Vu qu'il se trouvait dans un véhicule de fonction, il était officiellement en service, quelle que soit sa détresse affective. Et il était heureux des opportunités que son métier lui offrait.

Il appela.

— Ici Glenn Branson. Je suis de garde pour la PJ. Je viens de voir des collègues passer du côté de Saltdean. Vous avez besoin de renfort ?

— Non, simple accident de la circulation.

Il raccrocha, soulagé, et se reconcentra sur sa vie privée. La colère montait. Il était obsédé par ce qui se tramait chez lui.

Et soudain, il ne parvint plus à se retenir. Il sortit de la voiture, traversa la route et monta jusqu'au seuil de sa maison, tel un clandestin.

Il enfonça la clé dans la serrure et tourna. Mais rien ne se passa. Il vérifia s'il ne s'était pas trompé de clé, si ce n'était pas celle de chez Roy, mais non. Il essaya une seconde fois, en vain.

Puis il comprit. Elle avait fait changer la serrure.

Ah non, tu ne m'as pas fait ça !

Aussitôt, des dizaines de scènes de films lui revinrent en mémoire. Ne pouvant contenir sa rage, il appuya longuement sur la sonnette. Une bonne dizaine de secondes. Il se rendit compte que c'était la première fois qu'il sonnait à la porte de sa propre maison. Puis il se mit à cogner dessus.

Quelques secondes plus tard, il sentit du mouvement au-dessus de sa tête et leva les yeux. Ari se trouvait à la fenêtre de leur chambre, entrouvrant les rideaux, puis la fenêtre. Elle portait sa robe de chambre rose et, comme d'habitude, arborait un brushing parfait. Avec ses cheveux noirs, lissés, elle donnait en permanence l'impression de sortir de chez le coiffeur. Même la fois où ils avaient fait du rafting, cela n'avait pas suffi à la décoiffer.

— Glenn ? Qu'est-ce que tu fabriques ? Tu vas réveiller les gosses !

— Tu as changé la serrure, bordel !

— J'avais perdu mes clés.

— Ouvre-moi.

— Non.

— Va te faire voir, je suis chez moi !

— On était d'accord pour ne plus se voir pendant quelque temps.

— On n'est jamais tombés d'accord pour que tu baises des mecs à la maison.

— Je t'appelle demain, OK ?

— Non, laisse-moi entrer, on discute tout de suite.

— Pas question.

— Je vais casser un carreau, si c'est ce que tu veux.

— Vas-y, et j'appelle les flics.

— Le flic, c'est moi, au cas où tu l'aurais oublié.

— Fais ce qui te chante. Ça ne changera pas de d'habitude.

Elle referma la fenêtre d'un coup sec. Il recula et la vit tirer les rideaux et éteindre la lumière.

Il serra les poings, puis relâcha la pression. Il ne savait

plus quoi faire. Il fit les cent pas dans la rue. Une petite voiture tunée passa. Le conducteur écoutait du rap à fond.

Il leva les yeux vers sa maison, tenté de rentrer par effraction par une fenêtre et de tordre le cou au baby-sitter. Le problème, c'est qu'il en était capable.

Il remonta à contrecœur dans la Hyundai et roula jusqu'à la route principale. Au carrefour en T, il mit son clignotant à droite. Il allait s'engager, quand il remarqua une toute petite lumière, au large, dans la nuit noire. Un bateau.

Et soudain, une idée le détourna de ses problèmes.

Elle fit son chemin tandis qu'il traversait Rottingdean, Kemp Town, et longeait le bord de mer.

Arrivé chez Roy, il se servit un généreux verre de whisky, puis s'assit dans un fauteuil et poursuivit sa réflexion.

Il était encore furieux contre Ari, mais l'idée ne le quittait pas.

Et elle était encore là quand il se réveilla, trois heures plus tard.

À l'école, il était nul dans quasiment toutes les matières. Son père, qui était soit ivre, soit défoncé, et qui battait sa mère, lui répétait sans cesse qu'il n'était bon à rien, tout comme il le serinait à ses frères et sœurs. Et Glenn le croyait. Il avait passé son enfance trimballé de foyer en foyer. Une seule matière lui plaisait : la géométrie. Et il se souvenait d'une chose.

La triangulation.

61

Il était 9 heures, à la Casa Ioana, à Bucarest. Assis à son bureau, Ian Tilling étudiait le long e-mail envoyé par son vieux copain Norman Potting. En pièces jointes se trouvaient trois empreintes digitales, trois portraits-robots – deux garçons et une fille – et des photos en gros plan, notamment celle d'un tatouage rudimentaire au nom de *Rares*.

Il était content d'être de nouveau impliqué dans une enquête. Et avec la réunion prévue dans quelques minutes, il avait vraiment l'impression d'avoir rempilé.

Il trempa les lèvres dans son thé – du Twinings English Breakfast, que sa mère lui envoyait régulièrement, ainsi que de la Marmite et de la Marmelade Wilkin & Sons, trois spécialités anglaises difficiles à trouver à l'étranger.

Deux assistantes sociales avaient pris place à son bureau. Vingt-trois ans, coupe courte, Dorina avait quitté la Moldavie pour s'installer en Roumanie avec son époux. Andreea, une jolie jeune femme aux longs cheveux bruns, portait un pull en V marron, une chemise rayée et un jean.

Andreea fit son rapport. Tout le monde, autour d'elle,

était d'accord pour dire que Rares était un prénom plutôt huppé, pas très répandu parmi les enfants des rues. Elle confirma que le tatouage avait été fait par un amateur, sans doute par la jeune fille elle-même, ce qui laissait à penser qu'elle devait être rom. Elle ajouta qu'il était peu vraisemblable que le garçon ne le soit pas, si c'était son petit ami.

— On pourrait accrocher les photos sur le tableau, à l'entrée, avec un mot demandant à nos résidents s'ils connaissaient ces adolescents.

— Bonne idée, fit Tilling. Et il faudrait que vous contactiez tous les autres foyers. Andreea, tu pourrais les transférer aux trois établissements Fara ?

Il s'agissait de deux centres, en ville, et d'une ferme, à la campagne, tenus par un couple d'Anglais, Michael et Jane Nicholson.

— Je m'en occupe dans la matinée.

Tilling la remercia, puis jeta un coup d'œil à sa montre.

— J'ai rendez-vous au poste de police à 9 h 30. Vous pourriez contacter les centres d'hébergement des six cantons ?

— J'ai déjà commencé, dit Dorina. Et les responsables ne semblent pas prêts à collaborer. Celui à qui j'ai parlé affirme qu'il ne peut pas divulguer d'informations confidentielles, que c'est la police qui devrait enquêter, pas le directeur d'une organisation caritative.

Tilling tapa du poing sur la table.

— Merde, alors ! Tout le monde sait comment la police procède, dans ce pays !

Dorina acquiesça. Elle le savait. Tout le monde le savait.

— Continue. Ne te laisse pas impressionner, OK ?

Elle hocha la tête.

Tilling envoya un court message à Norman Potting, puis alla à la rencontre du seul flic susceptible de l'aider. Mais il n'était pas optimiste.

62

Malgré la nuit atroce qu'il avait passée, Glenn Branson débordait d'énergie. Debout dans le couloir devant la salle de conférences, il tenait un café dans une main et un sandwich bacon-œuf-saucisse dans l'autre. Les membres de l'équipe arrivaient pour assister à la réunion du mercredi matin.

Bella Moy lui décocha un sourire ironique.

— Hum, parfait pour commencer la journée, ce truc hypercalorique.

Glenn grommela une réponse, la bouche pleine, mais le téléphone de Bella se mit à sonner et elle s'éloigna pour décrocher.

Glenn aperçut l'homme qu'il attendait : Ray Packham, de la cybercrim.

— Ray, comment va ?

— Fatigué. Mon épouse a mal dormi.

— Je suis désolé pour toi.

— Jen est diabétique. Hier soir, on est allés dans un resto chinois et sa glycémie a atteint un pic ce matin.

— Sale maladie, le diabète.

— Le problème, avec les Chinois, c'est qu'on ne sait pas ce qu'ils mettent dans leurs plats. Et de ton côté, tout baigne ?

— Bof, ma femme aussi est malade.

— Mince alors, je ne savais pas.

— Elle est allergique à moi.

Packham ouvrit de grands yeux, derrière ses lunettes à double foyer. Puis il leva l'index.

— Je connais le meilleur allergologue du pays ! Je te donnerai son numéro.

— Ce qu'il me faudrait, c'est un bon avocat. Bref. Avant qu'on commence la réunion, j'ai une petite question technique à te poser.

— Dis-moi tout. Instance de divorce, c'est ça ? Désolé.

— Si tu connaissais ma femme, tu ne le serais pas, crois-moi. Bon. C'est à propos des téléphones portables.

Les gens continuaient d'affluer. Guy Batchelor salua chaleureusement Glenn, qui lui répondit en levant son sandwich.

— Tu es un mordu de cinéma, n'est-ce pas ? lui demanda Packham. Tu as vu *Phone Game* ?

— Avec Colin Farrell et Kiefer Sutherland, bien sûr, pourquoi ?

— La fin est nulle, tu ne trouves pas ?

— Pas tant que ça.

Ray Packham était non seulement le meilleur policier de la brigade criminelle high-tech, mais aussi son seul collègue cinéphile.

— J'ai besoin de renseignements sur les antennes relais, Ray. Tu t'y connais ?

— Les stations de base ? C'est l'une de mes spécialités. Qu'est-ce que tu veux savoir ?

— Un gars a disparu en mer. Il avait son téléphone sur lui. La dernière fois qu'on l'a vu, c'était vendredi soir, il sortait du port de Shoreham. J'imagine qu'on peut déterminer la direction qu'il prenait grâce aux signaux envoyés par son portable en utilisant des techniques de triangulation. Je sais que c'est possible sur la terre ferme, mais en mer ?

337

La salle se remplissait.

— Eh bien, ça dépendra de la distance et du type de bateau.

— Ah bon ?

Packham se lança dans une explication qui le remplit de joie, comme s'il n'aimait rien tant que partager l'immense savoir emmagasiné dans son cerveau.

— Oui. À 10 milles au large, on est encore joignable, mais cela dépend de la structure du bateau, et de l'endroit où se trouve le téléphone. Dans un bateau avec coque en acier, la réception sera moins bonne. Le téléphone se trouvait-il sur le pont, ou dans une cabine avec des fenêtres ? La hauteur du mât constitue également une donnée importante.

Glenn essaya de se souvenir de son périple à bord du *Scoob-Eee*. Il y avait une petite cabine, accessible par des marches, à l'avant, près des toilettes, du coin cuisine et du salon. Quand il s'y était reposé, il avait eu l'impression d'être quasiment sous le niveau de la mer. Mais, si Jim Towers était aux commandes, il devait se trouver sur le pont, en partie couvert seulement. S'il se dirigeait vers le large, expliqua-t-il à Packham, il ne devait y avoir aucun obstacle entre la côte et lui.

— Super ! Tu sais s'il a passé des coups de fil ?

— Il n'a pas appelé sa femme. Je ne sais pas s'il a contacté quelqu'un d'autre.

— Il faudra que tu demandes le relevé à son opérateur. Dans le cadre d'une enquête pour meurtre, ils n'opposent en général aucune difficulté. Je suppose que c'est lié à l'opération Neptune ?

— C'est l'une des pistes, oui.

— Alors je t'explique. En veille, un portable émet un signal toutes les vingt minutes environ. Comme pour dire : *coucou, je suis là !* Quand le téléphone est près de l'autoradio, on entend parfois des grésillements.

338

Branson acquiesça.

— Eh bien, c'est quand il envoie son signal ! s'exclama Packham, fier comme s'il avait lui-même appris à tous les téléphones du monde à fonctionner ainsi. À partir des relevés, tu pourras repérer d'où a été émis le dernier signal, à quelques centaines de mètres près.

Glenn remarqua que tout le monde, ou presque, s'était installé dans la salle.

— Il a sans doute été en contact avec deux ou trois antennes du bord de mer, dans des secteurs connus, sur un tiers de la surface couverte par chacune.

Glenn jeta un coup d'œil autour d'eux.

— En deux mots, sans entrer dans les détails, laisse-moi t'expliquer le concept de « timing advance ». Les signaux se déplacent à la vitesse de la lumière, soit 300 000 km/s. Cette notion permet de calculer la distance entre le téléphone et chaque station de base. Tu me suis ?

Glenn hocha la tête.

— Tu obtiendras les portées, donc les distances, qui, grâce à la triangulation, te permettront de localiser le téléphone, à une centaine de mètres près. Mais n'oublie pas. Ce sera l'endroit où le dernier signal sera passé. Le bateau aura peut-être navigué pendant vingt minutes après ça.

— Mais on aura à la fois la position et la direction qu'il prenait, n'est-ce pas ?

— Exact !

— Tu es mon idole, Ray ! dit-il en jetant quelques mots sur son carnet. Je suis fan de tes explications.

63

À 8 heures et demie, à l'aéroport de Gatwick, une femme et un adolescent, se faisant passer pour mère et fils, patientaient devant l'un des douze bureaux de douane.

Elle, la quarantaine, grande blonde sûre d'elle, carré long à la mode, manteau en daim noir doublé de fourrure, bottes assorties, tirait derrière elle une petite valise Gucci. Lui, maigre, cheveux noirs ébouriffés, avec quelque chose de Rom dans les traits, portait une veste en jean trop grande pour lui, un jean tout neuf et des baskets immaculées aux lacets défaits. Il avait pour tout bagage une console de jeu qu'on lui avait donnée pour l'occuper. Mais il n'attendait qu'une chose : retrouver, ce matin sans doute, la seule personne qu'il ait jamais aimée.

La femme passa une série de coups de fil dans une langue que le garçon ne comprenait pas – de l'allemand, sans doute –, pendant qu'il s'amusait avec sa console. Mais il en avait marre de jouer, marre de voyager, et il priait pour que ce périple se termine bientôt.

Un homme d'affaires présenta son passeport à une employée d'origine indienne, qui le scanna d'un air las, comme si elle était en fin de service, puis le lui rendit. Et ce fut leur tour.

Marlene Hartmann s'avança en serrant la main du garçon. Elle portait des gants pour masquer la moiteur de ses paumes. Elle tendit les deux passeports.

L'employée scanna le sien en premier. RAS. Elle vérifia celui du garçon, *Rares Hartmann*. Rien de suspect non plus. Elle les lui rendit.

Dans le hall des arrivées, parmi la pléthore de chauffeurs levant des pancartes et de familles pressées de retrouver leurs proches, Marlene repéra Vlad Cosmescu.

Ils se saluèrent d'une poignée de main polie. Puis elle se tourna vers le garçon qui, n'ayant jamais vu autre chose que Bucarest, semblait complètement perdu.

— Rares, voici oncle Vlad. C'est lui qui va s'occuper de toi.

Cosmescu lui serra la main et lui dit, dans sa langue, à quel point il était heureux de l'accueillir en Angleterre. L'adolescent bafouilla une réponse : lui aussi était heureux et voulait revoir sa copine, Ilinca, si possible ce matin.

Cosmescu l'informa qu'elle l'attendait et qu'il lui avait beaucoup manqué. Ils allaient déposer madame Hartmann, puis rejoindre Ilinca.

Pour la première fois depuis longtemps, ses yeux brillèrent et Rares sourit.

★

Cinq minutes plus tard, la Mercedes marron, conduite par l'affreux petit Grigore aux dents de lapin, quittait l'aéroport de Gatwick et s'engageait sur la M23, direction Brighton et Hove. Marlene Hartmann avait pris place à l'avant, côté passager. Rares se trouvait sur la banquette arrière. C'était le début de sa nouvelle vie.

Il était tout excité. Et surtout, il avait hâte de retrouver Ilinca. Quelques semaines plus tôt, ils s'étaient dit au revoir, en larmes, à grand renfort de promesses et de baisers. Cela faisait un peu moins de deux mois qu'ils avaient rencontré Marlene, leur ange gardien.

Il avait l'impression de vivre un rêve.

Rares, qui s'appelait en réalité Rares Petre Florescu, avait seize ans. Il devait avoir sept ans environ quand sa mère avait fui son mari alcoolique et violent, l'emmenant avec elle. Puis elle avait rencontré un autre homme, qui ne voulait pas d'une famille. Elle lui avait alors expliqué que, malheureusement, elle allait devoir le placer dans un orphelinat, où il se ferait plein d'amis, et où des gens s'occuperaient merveilleusement bien de lui. Deux semaines plus tard, une vieille avec un visage aussi plat et aussi accueillant qu'un fer à repasser l'avait accompagné dans un dortoir surpeuplé, infesté de puces. Sa mère s'était trompée. Personne ne s'occupait de lui ici. Au début, tout le monde le frappait, puis il s'était fait des amis, mais seulement de son âge, car les plus grands le passaient régulièrement à tabac.

Sa vie était devenue un enfer. Chaque matin, on l'obligeait à chanter des hymnes nationaux et, s'il ne se tenait pas au garde à vous, c'était coups de bâton pour tout le monde, filles et garçons sans distinction. À dix ans, il avait recommencé à faire pipi au lit, et était régulièrement puni pour ça. Peu à peu, les ados lui avaient appris à voler de la nourriture. Un jour, il s'était fait prendre avec deux tablettes de chocolat. Pour échapper au châtiment, il avait fugué. Il avait rejoint une communauté qui passait la nuit dans la plus grande gare de Bucarest, la Gara de Nord. Il s'était mis à faire la manche et à se droguer. Il dormait sous les porches, dans des taudis bâtis le long des canalisations d'eau chaude de la ville, ou dans des abris de fortune, sous les routes.

C'est là qu'il avait rencontré la jolie Ilinca, qui était aussi paumée que lui. Et pour la première fois, il s'était senti vivant. Elle était devenue sa raison de vivre.

Ils s'étaient installés à l'écart du groupe pour faire l'amour et rêver à une vie meilleure. À un pays où ils auraient leur propre appartement.

Et un jour, alors qu'il venait de voler des bouteilles d'Aurolac, il avait croisé l'ange qu'il attendait – en secret – depuis toujours.

Elle s'appelait Marlene.

Et, à présent, il allait retrouver son amour, Ilinca.

Il était euphorique.

La voiture s'arrêta dans une rue résidentielle. Tout était très propre, comme dans certains quartiers riches de Bucarest, dans lesquels il avait parfois demandé l'aumône.

Marlene se retourna.

— Vlad et Grigore vont prendre soin de toi.

— Ils m'amènent auprès d'Ilinca ?

— Exactement.

Elle sortit du véhicule et se dirigea vers l'arrière.

À travers le pare-brise, Rares vit le coffre s'ouvrir. Elle sortit quelque chose, claqua le coffre, puis s'approcha d'une maison, une mallette à la main. Il la regarda en pensant qu'elle allait lui faire signe. Mais non.

La Mercedes démarra si brusquement qu'il fut projeté en arrière.

64

Assis à son bureau, Roy Grace parcourait les notes de la prochaine réunion. Il avait beau faire gris et moche dehors, il était d'excellente humeur. En fait, il ne se souvenait pas avoir déjà été aussi heureux et optimiste. Il planait littéralement. Son entrevue matinale avec Alison Vosper, qui ne l'avait pas épargné, n'entamait en rien sa joie de vivre.

Cet après-midi, il avait rendez-vous avec une avocate pour faire en sorte que Sandy soit officiellement déclarée morte. Il avait enfin la sensation que son passé était derrière lui, qu'il pouvait tourner la page et passer à autre chose. Il allait épouser Cleo et avoir un bébé. Ce matin, rien d'autre n'avait d'importance. Et il devait garder ce délicieux secret pour lui.

Il avait du pain sur la planche. Son boulot consistait à servir les gens, à arrêter les criminels, à faire en sorte que Brighton soit une ville sûre. Chaque meurtre constituait un échec pour la police, et, quelque part, un échec personnel. Du moins, c'est ainsi qu'il concevait son travail, il ne pouvait pas s'en empêcher.

Trois adolescents gisaient dans les frigos de la morgue parce que la police n'avait pas su les protéger.

Capturer les auteurs des crimes, les mettre en prison pour éviter qu'ils ne passent de nouveau à l'acte serait une façon de se racheter.

Il avait devant lui la liste des personnes rayées de l'Ordre des médecins. En la parcourant, afin d'identifier tout chirurgien susceptible de prélever des organes, il fut stupéfait de découvrir la diversité des délits.

Il détestait les médecins véreux, tout comme il détestait les flics pourris. Dieu soit loué, il n'en avait croisé que peu sur sa route. Il maudissait quiconque, dans le service public, abusait de sa position du fait de son incompétence ou de son goût pour la corruption.

Le premier nom était celui d'un spécialiste en désintoxication qui n'avait, par négligence, pas pu prévenir la mort d'un héroïnomane. Sans doute pas l'homme qu'ils recherchaient, songea Grace.

Les suivants, un couple de gérants d'une maison de retraite, avaient été accusés de mauvais traitements sur leurs résidents. Pas eux, non plus.

Puis venait un interne qui avait exercé à un poste pour lequel il n'était pas qualifié. Ce profil suscita son intérêt. Bien qu'il ne soit pas chirurgien, c'était le genre de personne à participer à des opérations illégales dans une clinique privée. Il nota son nom : Noah Olujimi.

Soudain, une idée lui traversa l'esprit ; il se demanda pourquoi il n'y avait pas songé plus tôt. Qu'est-ce qui était mis en place, dans les hôpitaux britanniques et les centres de transplantation, pour éviter que des organes prélevés dans des conditions suspectes n'entrent dans le circuit ? Les vérifications étaient sans doute minutieuses, mais il se promit de demander à son équipe de vérifier.

Il reprit la liste.

Un généraliste avait téléchargé des contenus pédophiles. Pas lui.

Le suivant attira son attention. Il s'agissait d'un médecin ayant accepté d'euthanasier un patient atteint d'un cancer. Grace comprenait son acte. Enfant, il avait rendu visite à son grand-père mourant qu'il aimait tant. Cloué au lit, ce grand costaud hurlait de douleur. Il suppliait sa famille de l'aider, de faire quelque chose, en larmes. Tout le monde détournait la tête, sauf sa mère qui lui tenait la main, assise sur son lit, récitant des prières. C'était la dernière fois qu'il l'avait vu vivant. Grace n'avait jamais oublié cette scène. Ni le peu d'effet qu'avaient eu les prières de sa mère.

Euthanasie, songea-t-il. Certains docteurs enfreignaient les règles parce qu'ils n'étaient pas d'accord avec elles. Il devait exister des chirurgiens spécialisés en transplantations qui désapprouvaient les lois en vigueur.

Mais la liste fournie par Sarah Shenston se révélait plus longue que prévue.

Son ordinateur indiqua, par un petit bruit, l'arrivée d'un message. Il jeta un œil. Encore un e-mail du comité d'hygiène, de sécurité et des conditions de travail. Depuis quelques mois, cette institution l'énervait encore plus que le « politiquement correct » qui envahissait la société. Aujourd'hui, il s'agissait de mettre en garde tout policier qu'il était interdit de grimper à plus d'un mètre quatre-vingts sans posséder de visa d'aptitude au travail en hauteur.

Si c'est pas mignon ?

Lors d'une course-poursuite, il faudra dorénavant crier au criminel : « Eh, ne franchis pas d'obstacle de plus d'un mètre quatre-vingts, sinon, je serai obligé d'abandonner ! »

On frappa à la porte. Glenn Branson entra.

— Tu devrais changer les piles, elle ne brille plus assez, lâcha-t-il, faisant allusion à la cravate flashy de son collègue.

— Très spirituel, vieux. Toi, tu as de nouvelles piles ? Tu brilles de l'intérieur !

— Café ? lui proposa Grace en lui faisant signe de s'asseoir.

— Nan, je viens d'en prendre un.

Branson se mit à l'aise en observant son ami d'un air suspicieux, puis posa ses énormes bras sur le petit bureau.

— Comment tu fais pour travailler dans un tel bazar ?

— En général, je classe mes dossiers chez moi, le soir, mais en ce moment je prête ma maison à un gorille de 400 kilos qui se sert des lustres comme de lianes, détruisant tout sur son passage.

Le commandant baissa les yeux.

— Ouais, mais je prévois un grand ménage, une sorte de nettoyage de printemps, ce week-end. Tu ne vas pas reconnaître ton appartement.

— C'est déjà le cas actuellement.

— D'ailleurs, la moitié de tes CD étaient rangés dans le mauvais boîtier. Je les classe convenablement. Le problème, c'est que tu as des goûts de chiotte.

— Comment un gars qui vénère Jay-Z peut-il me dire ça sans ciller ?

— Attends, Jay-Z, c'est un dieu ! C'est toi qui es complètement à côté de la plaque. Enfin, la bonne nouvelle, c'est que, grâce à ton accident de voiture, tu t'es débarrassé des horribles CD qui étaient dans ta boîte à gants.

Grace ouvrit un tiroir et sortit une enveloppe à bulles contenant six CD.

— Désolé de te décevoir.

— Je croyais que ton Alfa avait fait le grand plongeon ?

— C'est le cas, mais, à marée basse, je les ai retrouvés dans la carcasse.

Branson secoua la tête.

— Et au fait, quand est-ce que tu t'achètes une nouvelle caisse ?

— J'attends encore le feu vert de l'assurance. La femme de Nick Nicholl a une petite Yamaha dont elle ne se sert pas. Une SR 125, je crois. J'envisageais de la lui racheter, histoire de contribuer à la protection de l'environnement, mais Cleo n'aime pas l'idée de me voir rouler à moto.

Branson sourit.

— Qu'est-ce qui est si drôle ?

— *Electra Glide in Blue*, tu as vu ce film ? C'est sur un flic de la brigade motorisée.

Son téléphone sonna.

Il décrocha, se leva et s'éloigna de quelques pas.

— Glenn Branson, j'écoute. Salut, Brian, je suis dans le bureau d'en face, celui de Roy Grace. Oui, les deux mégots. On a besoin de savoir si c'était la même personne, ce qui voudrait dire qu'elle aurait passé un peu de temps sur les lieux. OK, génial, merci !

Il se rassit et dévisagea de nouveau son ami.

— Mec, tu caches mal ton jeu.

— Quel jeu ?

— Tu as la tête du gosse qui a décroché le pompon. Dis-moi tout.

Roy haussa les épaules, sans parvenir à chasser son grand sourire.

— Cleo et toi ?

Grace était aux anges.

— Vous... Vous n'allez quand même pas... demanda-t-il, ébahi. Je suis ton ami, tu peux tout me dire, pas vrai ?

Il hocha la tête.

— On s'est fiancés hier soir. Enfin, je crois.

Branson faillit retourner le bureau. Il se jeta dans les bras de son collègue et le serra de toutes ses forces.

— C'est génial ! Excellente nouvelle ! Tu as choisi une femme super. Je suis très heureux pour vous.

Il relâcha son étreinte.

— Waouh ! souffla-t-il, en dodelinant de la tête, rayonnant.

— Merci.

— Vous avez choisi une date ?

— Pas encore. Je dois d'abord rencontrer le papa et lui demander officiellement la main de sa fille. Sa famille est un peu bourge.

— Tu vas prendre ta retraite pour t'occuper des propriétés des beaux-parents ?

— J'ai dit bourge, pas richissime.

— Mortel !

— Et toi, quoi de neuf ?

Glenn fit une tête d'enterrement.

— Je ne t'en parle même pas. Elle baise avec un autre. Évitons le sujet. Il faut que je te raconte, mais pas maintenant. Prenons un verre pour fêter tes fiançailles et on discutera de mon cas.

Grace acquiesça.

— Tu fais quoi, à Noël ?

— J'en sais rien. J'en sais fichtre rien.

Il se tourna brutalement et sa voix se brisa.

— Je... Je ne veux pas le passer sans Sammy et Remi.

Roy comprit que Glenn se cachait pour pleurer.

— On en parle plus tard, fit Branson en se dirigeant vers la porte.

— Tu ne veux pas rester ?

— Non, plus tard, merci.

Il ferma la porte derrière lui.

Grace se recueillit quelques instants. Il savait que Glenn devait vivre un enfer, d'autant plus que les fêtes de fin d'année approchaient, mais d'après ce qu'il avait compris son couple était en phase terminale. Une fois qu'il aurait accepté ce fait, il pourrait passer à autre chose, et sortir de ce gouffre de désespoir.

Il fut tenté de rattraper son ami, qui avait de toute évidence besoin de s'épancher, mais il avait trop de boulot. Ignorant les e-mails reçus, il se concentra sur les notes de la réunion – les pistes à suivre.

Sa ligne fixe sonna. Il décrocha.

— Roy Grace, j'écoute.

C'était Ray Packham.

— Roy, j'ai cherché des revendeurs d'organes sur Internet et j'ai peut-être quelque chose pour toi. Il y a une boîte à Munich, Transplantation-Zentrale, qui se vante d'être le leader sur ce marché. Mon chef, le commandant Phil Taylor, a bossé pour Interpol il y a quelques années. Il connaît son homologue allemand, donc c'est allé vite. Je pense que ça va te plaire.

— Ah bon ?

— Le Landeskriminalamt, ou LKA – l'équivalent du FBI – les a dans le collimateur depuis quelque temps. Il les soupçonne de trafic d'êtres humains. Et, cerise sur le gâteau, ils travaillent notamment avec la Roumanie !

— Extra ! s'écria Grace. J'ai un très bon contact au LKA de Munich.

— Je me disais bien que ça valait le coup de t'en parler.

Grace le remercia et raccrocha. Puis il fit tourner son Rolodex et trouva la carte qu'il cherchait : celle du Kriminalhauptkommissar Marcel Kullen.

Quatre ans plus tôt, Kullen avait passé six mois à la Sussex House, dans le cadre d'un échange. Et quelques mois auparavant, il avait donné un coup de main à Grace, lorsque celui-ci s'était rendu pour une journée à Munich, espérant retrouver la piste de Sandy – en vain.

Il composa le numéro de portable de Kullen, tomba sur sa boîte vocale et lui laissa un message.

65

Maintenant qu'elle attendait une visite importante, Lynn regrettait de ne pas avoir eu les moyens de moderniser son salon. Elle aurait au moins dû remplacer les horribles rideaux à motifs par des stores design et se débarrasser de la moquette miteuse.

Ce matin, elle avait tenté de rendre sa maison présentable en plaçant des fleurs dans l'entrée et dans le séjour, ainsi que quelques magazines haut de gamme – *Sussex Life, Absolute Brighton* – sur la table basse, comme elle l'avait vu faire dans une émission de *life style*. Elle s'était faite belle, elle aussi, optant pour un tailleur bleu marine acheté d'occasion, un chemisier blanc impeccable, des escarpins noirs et quelques pulvérisations d'Escada, l'eau de toilette que Caitlin lui avait offerte pour son anniversaire, en avril, et qu'elle utilisait avec parcimonie.

Plus le temps passait, plus elle craignait que la femme qu'elle attendait ait annulé sa visite. Il était dix heures et quart. Marlene Hartmann lui avait promis, la veille, qu'elle serait chez elle à neuf heures et demie. Les Allemands ne sont-ils pas censés être ponctuels ?

Peut-être son vol avait-il eu du retard.

Merde. Elle avait les nerfs en pelote. Elle n'avait quasiment pas fermé l'œil de la nuit. Elle se faisait du souci pour sa fille, et s'était levée toutes les heures pour vérifier que tout allait bien. Elle n'avait pas arrêté de penser à Shirley Linsell, la coordinatrice de l'hôpital, dont le comportement l'excédait.

Et elle se demandait dans quoi elles se fourraient, Caitlin et elle, en s'engageant sur ce marché parallèle.

Mais quelles étaient leurs autres options ?

Faisant un dernier tour du salon, elle trouva, horrifiée, un mégot dans le pot de la plante verte. Elle le retira, furieuse contre Luke, tout en sachant que Caitlin fumait elle aussi de temps en temps – elle le sentait à ses vêtements. Elle avait commencé après avoir rencontré Luke. Remarquant une tache sur la moquette beige, elle s'apprêtait à la frotter avec du détachant, quand elle entendit une portière claquer.

Le cœur battant, elle fonça vers la fenêtre. À travers les rideaux, elle vit une Mercedes marron avec des vitres teintées. Elle recula, alla jeter le mégot dans la cuisine et baissa le volume de la télévision. À l'écran, un couple montrait à deux animateurs une petite maison qui ressemblait à la sienne – du moins, de l'extérieur.

Elle monta à toute vitesse dans la chambre de Caitlin, qu'elle avait réveillée tôt pour lui faire prendre une douche, au cas où l'Allemande souhaiterait l'examiner.

Allongée sur son lit, Caitlin dormait, iPod dans les oreilles. Sa peau semblait encore plus jaune que d'habitude. Elle portait un jean déchiré, un sweat à capuche vert, un tee-shirt blanc et de grosses chaussettes en laine grises.

Lynn lui effleura le bras.

— Elle est arrivée, ma chérie !

Caitlin lui jeta un regard où se lisait un mélange d'espoir, de fatalisme et de perplexité. Et tout au fond de ses pupilles sombres pointait un air de défi. Lynn espérait que cette étincelle ne s'éteindrait jamais.

— Elle apporte un foie avec elle ?

Lynn éclata de rire. Caitlin esquissa un sourire.

— Tu veux que je lui demande de monter ou tu arriveras à descendre ?

Caitlin réfléchit.

— Ça dépend. Tu veux que j'aie l'air malade à quel point ?

On sonna à la porte.

Lynn l'embrassa sur le front.

— Sois toi-même, OK ?

Caitlin laissa partir sa tête en arrière et sortit sa langue.

— Argh, j'ai envie d'un foie accompagné d'un verre de Chianti !

— Tais-toi, Hannibal !

Lynn descendit l'escalier quatre à quatre et ouvrit la porte.

Elle fut subjuguée par l'élégance de la femme qui se tenait devant elle. Lynn avait imaginé une dame austère, un peu coincée, un peu inquiétante. Pas cette beaute d'une quarantaine d'années, élancée, avec des cheveux blonds ondulés aux épaules, et un manteau en daim doublé de fourrure, pour lequel elle se serait damnée.

— Mme Lynn Beckett ? demanda-t-elle d'une voix grave, sensuelle, avec un accent charmant.

— Marlene Hartmann ?

La femme lui décocha un sourire désarmant et ses yeux bleu cobalt se firent plus chaleureux.

— Je suis navrée d'être en retard. Il y a eu du retard à München à cause de la neige. Mais maintenant, je suis là, *alles in Ordung, oder ?*

Déstabilisée par le changement de langue, Lynn bafouilla :

— Hum, oui, oui, en reculant d'un pas pour la laisser passer.

Marlene Hartmann fit une entrée majestueuse en fronçant les sourcils, quand elle découvrit les lieux. Confuse, Lynn ne put s'empêcher de remarquer sa moue désapprobatrice.

— Je vous débarrasse ? lui proposa-t-elle.

L'Allemande laissa glisser son manteau l'air hautain, puis le tendit à Lynn, comme si elle avait affaire à la dame du vestiaire.

— Voulez-vous une tasse de thé ou de café ?

Marlene observait la pièce dans ses moindres détails, notant les taches, les éclats de peinture aux murs, les meubles bon marché, la vieille télé. Sa meilleure amie, Sue Shackleton, qui était sortie avec un Allemand, lui avait expliqué que les Allemands ne supportaient pas le jus de chaussette. Quand elle avait acheté des fleurs, la veille au soir, Lynn avait aussi acheté un paquet d'excellent café de Colombie.

— Avez-vous du thé à la menthe ?

— Euh, du thé à la menthe ? Oui, bien sûr, répondit-elle, regrettant sa dépense inutile.

Quelques minutes plus tard, elle revint dans le séjour avec un plateau sur lequel se trouvaient un thé et un café au lait instantané, pour elle. Frau Hartmann se trouvait devant la cheminée, une photo encadrée de Caitlin à la main. Sur celle-ci, la jeune fille était habillée tout en noir, cheveux coiffés en pointes, un piercing dans le menton et un anneau dans le nez.

— C'est votre fille ?

— Oui. Il y a deux ans environ.

Elle reposa le cliché, puis s'assit dans le canapé, à côté de sa mallette.

— Elle est très belle. Elle a un visage très affirmé. Des pommettes saillantes. Elle pourrait être mannequin, plus tard, non ?

— Peut-être, concéda Lynn en songeant : *si elle vit.*

Puis elle afficha son sourire le plus engageant.

— Voudriez-vous la rencontrer ?

— Non, pas tout de suite. Parlez-moi d'abord de son dossier médical.

Lynn posa le plateau, lui offrit sa tasse de thé, puis prit place dans un fauteuil.

— Je vais essayer. Jusqu'à neuf ans, c'était une enfant normale, en pleine forme. Et puis elle a commencé à avoir des problèmes de digestion, de fortes douleurs intestinales. Notre généraliste a diagnostiqué des coliques d'origine indéterminée. Ensuite, on a remarqué du sang dans ses selles liquides, et ce, pendant plusieurs mois, ainsi qu'une grande fatigue. Il nous a alors aiguillées vers un hépatologue.

Elle but une gorgée de café.

— Ce spécialiste a découvert que sa rate et son foie s'étaient dilatés. Son estomac s'était distendu et elle perdait du poids. Sa fatigue chronique a commencé à s'accentuer, au point qu'elle s'endormait n'importe où. Elle continuait à aller à l'école, mais devait faire quatre ou cinq siestes par jour. Et puis les douleurs à l'estomac sont revenues, l'empêchant de dormir la nuit. Complètement désemparée, la pauvre petite n'arrêtait pas de me demander : « Pourquoi ça tombe sur moi ? »

À ce moment-là, Caitlin entra dans la pièce.

— Mon ange, je te présente Mme Hartmann.

Caitlin lui serra timidement la main.

— Enchantée, dit-elle d'une voix cassée.

Lynn vit l'Allemande observer attentivement sa fille.

— Je suis ravie de faire ta connaissance, Caitlin.

— Ma chérie, j'étais en train de parler de ces douleurs intestinales qui t'empêchaient de dormir. Le médecin t'avait mis sous antibiotiques, n'est-ce pas ? Et ils t'avaient fait du bien pendant un certain temps, non ?

— Je ne m'en souviens plus trop, répondit-elle en s'asseyant sur le canapé.

— Tu étais très jeune, à l'époque.

Lynn se tourna vers Marlene Hartmann.

— Et puis ils n'ont plus fait d'effet. Elle devait avoir douze ans. On nous a annoncé qu'elle souffrait de CSP – cholangite sclérosante primitive. Elle a passé presque un an à l'hôpital. D'abord à Brighton, puis dans le service d'hépatologie de l'hôpital royal du sud de Londres, où ils lui ont inséré des ressorts dans les voies biliaires.

Lynn se tourna vers sa fille, qui hocha la tête en guise de confirmation.

— Vous imaginez ce que ça peut être, pour une adolescente, d'être hospitalisée pendant un an ?

Marlene Hartmann sourit gentiment à Caitlin.

— Oui, très bien.

Lynn intervint.

— Non, je ne pense pas que vous puissiez imaginer ce qui se passe dans les hôpitaux britanniques. Elle se trouvait dans l'un des meilleurs, mais, à un moment donné, par manque de place dans le service, ils l'ont transférée dans un dortoir mixte. Sans télévision. Des personnes âgées, souffrant de problèmes psychiatriques, grimpaient dans son lit nuit et jour. Elle était très mal en point. Je passais mes journées à ses côtés, jusqu'à ce qu'ils me mettent à la porte. Alors, je suis restée dormir dans la salle d'attente ou dans le couloir. N'est-ce pas, ma chérie ?

— Pas terrible, ce dortoir, confirma Caitlin avec un air mélancolique.

— Quand elle en est sortie, nous avons tout essayé : les guérisseurs, les prières, l'argent colloïdal, les transfusions sanguines, l'acupuncture, tout. En vain. Ma pauvre puce ressemblait à une petite vieille qui se traînait, n'arrêtait pas de tomber. Tu te souviens ? Sans notre généraliste, je ne sais pas comment on s'en serait sorties. Il nous a recommandé un autre spécialiste, qui lui a prescrit des médicaments qui l'ont remise sur pieds. Pendant un temps. Elle est retournée à l'école, à la piscine, a repris le net-ball et la musique, l'une de ses passions. Elle a même pu apprendre à jouer du saxophone.

Lynn but une gorgée de café, puis remarqua, mécontente, que Caitlin était en train d'écrire un texto.

— Il y a six mois, son état s'est détérioré. Elle a commencé à avoir du mal à souffler dans son instrument. N'est-ce pas, ma chérie ?

Caitlin leva la tête, acquiesça, puis retourna à son téléphone.

— Et l'hépatologue nous a expliqué qu'elle avait besoin d'une greffe, de toute urgence. Il y a quelques jours, je l'ai accompagnée à l'hôpital, car ils avaient trouvé un donneur compatible, mais, à la dernière minute, ils ont déclaré qu'il y avait un problème – sans vraiment m'expliquer lequel, ce qui m'a mise hors de moi. On a compris, entre les lignes, qu'elle n'était pas prioritaire. Qu'elle ferait peut-être partie des 20 % qui...

Elle hésita, mais Caitlin termina la phrase pour elle.

— Qui meurent avant d'avoir pu être opérés, voilà ce que ma mère essaie de vous dire.

Marlene Hartmann prit la main de Caitlin et la regarda droit dans les yeux.

— Caitlin, *mein Liebling*, fais-moi confiance. Aujourd'hui, plus personne ne devrait mourir ainsi. Regarde-moi, dit-elle en frappant sur sa poitrine, prenant la pose. Tu me vois bien ?

Caitlin hocha la tête.

— Ma fille, Antje, avait treize ans. Deux ans de moins que toi. Elle attendait une transplantation hépatique, qui n'a pas eu lieu. Elle est morte. Le jour de son enterrement, je me suis fait la promesse que personne, en attente d'une greffe de foie, de poumons, de cœur, de rein, ne devait plus jamais mourir. C'est pourquoi j'ai monté mon agence.

Caitlin fit la moue, en signe d'approbation.

— Pouvez-vous nous garantir que vous allez trouver un foie pour ma fille ?

— *Natürlich !* J'en fais mon affaire. Je garantis de trouver un organe, et de procéder à l'opération, en une semaine. Depuis dix ans que j'exerce, je n'ai jamais failli à ma parole. Si vous voulez recueillir les témoignages d'autres patients, je vous donnerai la liste de ceux qui acceptent de partager leur expérience.

— Une semaine ? Alors même qu'elle est AB⁻ ?

— Le groupe sanguin n'est pas important, Mme Beckett. Trois mille cinq cents personnes meurent sur les routes chaque jour. Il existe un donneur compatible, quelque part, sur la planète.

Lynn fut envahie par une vague de soulagement. Cette femme semblait savoir de quoi elle parlait. De par son travail, Lynn en savait long sur la nature humaine. Elle pouvait notamment distinguer les gens sincères des charlatans.

— Donc, que devons-nous faire pour que ma fille bénéficie de vos services ?

— Je dispose d'un réseau international, dit-elle avant de tremper les lèvres dans son thé. Nous n'aurons aucune difficulté à trouver une victime d'un accident compatible avec Caitlin.

Lynn posa la question qui fâche :

— Combien prenez-vous ?

— Pour le tout, c'est-à-dire pour le chirurgien en chef et un autre spécialiste, deux anesthésistes, des infirmières, six mois de soins postopératoires, et tous les médicaments...

Elle marqua une pause, consciente du choc qu'elle allait produire.

— 300 000 euros.

Lynn ouvrit grands les yeux et la bouche.

— 300 000 euros ?

Marlene Hartmann confirma d'un signe de tête.

— C'est-à-dire près de... calcula Lynn. Près de 250 000 livres !

Caitlin lança à sa mère un regard qui voulait dire : laisse tomber.

Lynn leva les bras, désespérée.

— C'est une somme... incroyablement élevée. Impossible à... Je n'ai pas cet argent.

L'Allemande se contenta de boire une gorgée en silence.

En croisant les yeux de sa fille, Lynn constata que tout espoir s'était envolé.

— Je... Je ne m'attendais pas du tout à ça. Est-ce que vous proposez des facilités de paiement ?

La femme d'affaires ouvrit son attaché-case et sortit une enveloppe marron, qu'elle lui tendit.

— Voici mon contrat. Je demande la moitié d'avance et le reste juste avant l'intervention. Ce n'est pas tant que cela, Mme Beckett. Je n'ai jamais rencontré quiconque dans l'impossibilité de payer.

Lynn secoua la tête.

— Pourquoi est-ce si cher ?

— Je vais passer en revue les différents frais avec vous. Un foie commence à se détériorer une demi-heure après avoir été prélevé. Il faut donc transporter le donneur dans un avion médicalisé, dans une unité de soins intensifs. Comme vous le savez, ce genre d'ambulance est interdit dans ce pays. L'équipe médicale prend donc des risques, et nous ne faisons appel qu'aux meilleurs dans leur domaine. Il existe une clinique privée, dans le Sussex, mais ils appliquent des tarifs exorbitants. En ce qui me concerne, je ne gagne que peu d'argent, déduction faite de mes notes de frais. Vous pourriez économiser 50 000 euros en accompagnant votre fille dans un pays qui ne s'oppose pas à ce genre d'opération. Je collabore avec une clinique à Bombay, en Inde, et une autre à Bogota, en Colombie.

— Combien de temps serions-nous obligées de rester à l'étranger ?

— Quelques semaines. Plus longtemps en cas de complication, d'infection ou de rejet, bien sûr. N'oubliez pas qu'au-delà des six mois, votre fille devra prendre des médicaments antirejet à vie.

Lynn était au désespoir.

— Je... Je ne veux pas qu'on se retrouve dans un pays inconnu. Je ne peux pas arrêter de travailler. De toute façon, c'est impossible, je n'ai pas cette somme.

— Ce à quoi il faut penser, Mme Beckett... Vous permettez que je vous appelle Lynn ?

Elle hocha la tête, tout en chassant les larmes qui lui montaient aux yeux.

— Ce qu'il faut considérer, c'est : quelle est l'alternative ? Il faut privilégier les chances de survie de votre fille, non ?

Lynn cacha son visage entre ses mains pour pleurer. Elle avait du mal à retrouver ses esprits. 250 000 livres, c'était mission impossible ! Elle connaissait les possibilités de paiement, les échéanciers sur plusieurs années, mais pour un tel montant ?

— Vous pourriez hypothéquer votre maison, suggéra Marlene Hartmann.

— C'est déjà fait, murmura Lynn.

— Certains de mes clients obtiennent de l'aide de leur famille et de leurs amis.

Lynn eut une pensée pour sa mère, qui vivait dans un appartement loué, dans une HLM. Elle avait quelques économies, mais combien ? Son ex-mari ? Malcolm gagnait sa vie, mais pas si bien que ça. Et puis il avait une nouvelle famille à nourrir. Ses amis ? La seule à avoir de l'argent, c'était Sue Shackleton. Elle avait divorcé d'un homme aisé, vivait dans une jolie maison, dans l'un des quartiers chics de Brighton, mais ses quatre enfants étaient scolarisés dans le privé, peut-être qu'elle ne roulait pas sur l'or.

— Je fonctionne avec une banque, en Allemagne, qui a aidé certains de mes clients en leur proposant un emprunt sur cinq ans. Je peux vous donner leurs coordonnées.

Lynn la fixa d'un air absent.

— Je travaille dans la finance. Au bout de la chaîne. Dans une agence de recouvrement. Je sais que personne ne me prêtera une telle somme. Je suis désolée, mais je vous ai fait perdre votre temps. Je me sens bête. J'aurais dû vous poser la question au téléphone, cela vous aurait évité de vous déplacer pour rien.

Marlene Hartmann posa sa tasse.

— Mme Beckett. Je vais vous dire quelque chose. Cela fait dix ans que je fais ce métier. Je ne me suis jamais déplacée pour rien. Pour le moment, vous trouvez que c'est beaucoup d'argent, car vous n'avez pas eu le temps d'y réfléchir. Je reste en Angleterre pendant deux jours. J'ai très envie de vous aider. De vous proposer mes services. Je suis joignable 24 heures sur 24, 7 jours sur 7, conclut-elle en lui tendant une carte de visite.

Lynn la regarda, les yeux embués. C'était écrit tout petit. Aussi petit que la probabilité de rassembler la somme qu'elle lui demandait.

66

Rares serrait fort la console de jeu, tout en regardant la campagne anglaise défiler derrière la vitre de la Mercedes. De gros nuages traversaient le ciel bleu, poussés par un vent puissant. Les collines verdoyantes lui rappelèrent vaguement la région dans laquelle il avait grandi.

À un rond-point, ils prirent direction Steyning. Il essaya d'imaginer comment ce mot se prononçait. Le chauffeur accéléra violemment, le plaquant de nouveau contre la banquette arrière. Il était tout excité à l'idée de retrouver Ilinca. Il pensa à son sourire, à la douceur de sa peau, à ses yeux noisette si confiants, à son aplomb et son caractère indépendant. C'était elle qui avait trouvé l'Allemande qui se chargeait d'organiser leur nouvelle vie. Ilinca était douée pour ça. Pour aller de l'avant. Pour se prendre en main. Il adorait quand elle lui disait qu'il était la seule personne au monde à veiller sur elle.

Il aurait préféré voyager avec elle, mais l'Allemande avait été catégorique : Ilinca d'abord, lui ensuite. Elle avait de bonnes raisons pour procéder ainsi, leur avait-elle affirmé. Ils lui avaient fait confiance.

Et maintenant, ils étaient en Angleterre !

Les deux hommes à l'avant ne disaient rien, ce qui n'était pas pour lui déplaire. Ils lui avaient sauvé la vie. Il profitait du silence pour rêver à ce qui l'attendait.

La route devint plus étroite, avec de hautes haies de part et d'autre. Il reconnut la chanteuse qui passait à la radio : Feist.

Il était libre !

Dans quelques instants, ils seraient de nouveau ensemble. Ils allaient gagner de l'argent, vivre dans un bel appartement, peut-être avec vue sur la mer. Son cœur battait de plus en plus vite. La voiture ralentit, puis tourna à gauche, passant un magnifique portail et un panneau indiquant : Spa Le Manoir de Wiston.

Rares fixa les mots en s'interrogeant sur leur sens et leur prononciation.

Au bord de la route sinueuse, il en aperçut d'autres, tout aussi obscurs.

Propriété privée
Interdiction de stationner
Interdiction de pique-niquer
Camping interdit

Les collines s'étalaient devant eux. L'une d'elles était couronnée d'un bosquet. Ils contournèrent une grande étendue d'eau, puis s'engagèrent dans une longue allée bordée d'arbres formant une tonnelle, dont le sol était jonché de feuilles mortes. La voiture ralentit, sauta sur un dos-d'âne, puis accéléra. À gauche s'étendait une pelouse impeccablement tondue, avec un drapeau planté au milieu. Deux femmes, dont l'une tenait une barre en métal, prête à taper dans une petite balle, se trouvaient sur le gazon. Rares se demanda ce qu'elles pouvaient bien faire.

Le véhicule ralentit une nouvelle fois, passa sur un dos-d'âne avant d'accélérer. Ils finirent par arriver devant une imposante demeure en pierre grise, devant laquelle se trouvait une voie circulaire. Malgré son absence de culture en matière architecturale, Rares devina qu'il s'agissait d'une maison ancienne, somptueuse.

De belles voitures étaient garées devant. Peut-être s'agissait-il d'un hôtel de luxe. Ilinca travaillait-elle ici ? Sans doute. Et il y travaillerait aussi. L'endroit avait l'air isolé, mais cela n'avait pas d'importance, tant qu'ils étaient ensemble, qu'ils avaient un lieu où dormir et où manger, sans avoir la police aux trousses.

La Mercedes s'engagea sous un porche et se gara à l'arrière, contre une façade moins bien entretenue, près d'une petite camionnette blanche.

— C'est ici que vit Ilinca ?

— Oui, elle t'attend, répondit Cosmescu. On va juste te faire passer un petit examen médical et tu pourras la rejoindre.

— Merci d'être aussi gentil avec moi.

Oncle Vlad se retourna sans rien dire. Grigore regarda par-dessus son épaule et sourit, révélant plusieurs dents en or.

Rares tira sur la poignée de la portière, mais celle-ci resta fermée. Il paniqua, mais Cosmescu, qui était descendu, vint lui ouvrir de l'extérieur. Rares sortit. Oncle Vlad l'accompagna jusqu'à une porte.

Une femme trapue en blouse et pantalon blancs les accueillit. Elle avait un visage carré, fermé, avec un nez plat et des cheveux noirs, courts, coiffés en arrière, comme un homme. Le badge qu'elle portait à sa poitrine indiquait qu'elle s'appelait Draguta. Elle lui jeta un regard froid, puis ses lèvres minuscules esquissèrent un semblant de sourire.

— Bienvenue, Rares, lui dit-elle dans sa langue natale. Tu as fait bon voyage ?

Il hocha la tête.

Encadré par les deux hommes, il n'eut d'autre choix que de s'engager dans le couloir carrelé de blanc, qui sentait le désinfectant. Il eut soudain un mauvais pressentiment.

— Où est Ilinca ? demanda-t-il.

Le regard interrogateur de la femme aux petits yeux noirs ne lui inspira rien qui vaille.

— Elle est ici ! le rassura oncle Vlad.

— Je veux la voir tout de suite !

Après plusieurs années dans les rues de Bucarest, Rares avait appris à lire sur les visages. L'échange silencieux entre la femme et les deux hommes ne présageait rien de bon. Échappant à leur vigilance, il plongea sous le bras de Cosmescu, fit demi-tour et prit ses jambes à son cou.

Grigore l'attrapa au collet. Rares parvint à se dégager, mais s'effondra, inconscient, sous le coup que lui assena Cosmescu à la nuque.

La femme le hissa sur son épaule et, suivie des deux hommes, franchit une double porte battante, dans une petite salle, où elle le déposa sur une table d'opération.

Un jeune anesthésiste roumain, Bogdan Barbu, qui avait terminé ses études de médecine cinq ans plus tôt dans une université de Bucarest, et gagnait à l'époque 3 000 euros par an, le réceptionna. Ce jeune homme aux traits fins avait d'épais cheveux bruns, coiffés en avant, et une barbe de trois jours. Avec sa peau bronzée, il aurait facilement pu passer pour un joueur de tennis professionnel, voire un acteur. La seringue de benzodiazépine était déjà prête. Sans avoir besoin qu'on lui dise quoi que ce soit, il l'injecta dans le bras du garçon. Cela suffirait à le garder inconscient quelques minutes de plus.

Ils en profitèrent pour déshabiller l'adolescent et lui insérer une perfusion au niveau du poignet. Puis ils le mirent sous Propofol. Ainsi, Rares ne reprendrait pas connaissance, mais ses précieux organes ne seraient pas endommagés.

Dans la pièce adjacente, le bloc opératoire de la clinique, un garçon de douze ans, qui n'avait plus que quelques semaines à vivre sans une greffe du foie, était entre les mains de Razvan Ionescu, un chirurgien roumain de trente-huit ans, spécialisé dans les transplantations hépatiques. Dans son pays, Razvan gagnait un peu moins de 4 000 euros par an. Sans compter les pots-de-vin. En travaillant ici, il engrangeait plus de 200 000 euros. Dans quelques minutes, vêtu de sa tenue verte et chaussé de loupes binoculaires, il procéderait au prélèvement de l'organe malade.

Razvan était assisté de deux infirmières roumaines, qui clampèrent le patient, supervisées par l'un des plus éminents spécialistes en transplantation hépatique du Royaume-Uni.

La première règle qu'il avait apprise, il y a bien longtemps, lorsqu'il était étudiant, était : *ne pas faire de mal.*

Et, selon lui, il ne faisait rien de mal.

Le gosse des rues n'avait aucun avenir. Qu'il meure aujourd'hui ou dans cinq ans d'une overdose, quelle différence ? Mais, pour le jeune Anglais qui allait bénéficier de son foie, ce n'était pas pareil. C'était un musicien talentueux, promis à une belle carrière. Bien sûr, ce n'est pas aux médecins de décider qui méritait de mourir et qui méritait de vivre, ils n'avaient pas à se prendre pour Dieu, mais, dans les faits, l'un des deux était condamné.

Et jamais il n'avouerait que les 50 000 livres, non imposables, qui atterrissaient sur son compte en Suisse après chaque opération jouaient un rôle dans les choix qu'il faisait.

67

Aux environs de midi et demie – 13 h 30 en Allemagne – le Kriminalhauptkommissar Marcel Kullen rappela Grace.

Cela lui fit plaisir de discuter avec ce vieil ami, de prendre de ses nouvelles, savoir ce qui s'était passé d'un point de vue personnel et professionnel depuis leur dernière entrevue – trop rapide – à Munich, l'été précédent.

— Alors, tu n'as pas de nouveauté sur Sandy ? lui demanda-t-il dans un anglais approximatif.

— Non.

— Ses photos sont toujours dans tous les postes, ici. Mais rien pour le moment. On continue à essayer.

— À vrai dire, je pense qu'il est temps pour moi de lâcher l'affaire. J'entame des démarches pour qu'elle soit déclarée morte.

— *Ja*, mais je suis d'avis : ton ami l'a vue dans le Englischer Garten... Nous devons chercher plus longtemps, non ?

— Je vais me marier, Marcel. J'ai envie de passer à autre chose.

— Te marier ? Tu as une nouvelle femme dans ta vie ?

— Oui !

— OK, bien ainsi, je suis heureux pour toi ! Tu veux que nous arrêtons à découvrir Sandy ?

— Oui. Merci encore pour votre aide. Mais ce n'est pas pour ça que j'appelle. J'ai besoin d'un coup de main sur tout autre chose.

— OK, dis-moi.

— Il me faudrait des infos sur une agence à Munich qui s'appelle Transplantation-Zentrale GmbH. Si j'ai bien compris, vous la connaissez.

— Tu peux épeler ?

Grace épela patiemment le mot à son ami, qui avait du mal avec l'alphabet anglais.

— Je vérifie. Je nous rappelle, d'accord ?

— Oui, s'il te plaît, c'est urgent.

★

Kullen le rappela trente minutes plus tard.

— C'est intéressant, Roy. Je parle avec mes collègues, ils me disent que Transplantation-Zentrale GmbH est sous surveillance de LKA depuis plusieurs mois déjà. Il y a une femme qui est la chef : Marlene Hartmann. Ils ont des liens avec la mafia colombienne, avec la mafia russe, avec le crime organisé en Roumanie, en Philippines, en Chine et en Inde.

— Que savez-vous sur eux ?

— Leur business, c'est le trafic en organes humains. À notre avis.

— Quelles mesures avez-vous mises en place ?

— Momentanément, juste observation, récolte d'informations. Ils sont dans le radar de LKA, pour ainsi dire. Nous cherchons à les connecter avec des crimes spécifiques, ici, en Allemagne. Tu as informations sur eux pour mes collègues ?

— Non, pas encore, mais j'aimerais interroger Marlene Hartmann. Peut-être que je pourrais venir à Munich ?

Son interlocuteur eut une seconde d'hésitation avant d'accepter.

— C'est problématique ? s'enquit Grace.

— Seulement, elle n'est pas à Munich maintenant. Selon son dossier, elle est en chemin.

— Tu sais où ?

— Il y a deux jours, elle volait vers Bucarest. Nous ne savons pas plus.

— Vous savez quand elle sera de retour en Allemagne ?

— Oui. Et je peux te dire qu'elle voyage régulièrement en Angleterre.

— Régulièrement ? répéta Grace avec un très grand intérêt.

— Munich-Londres la semaine dernière et la semaine avant.

— Et j'imagine qu'elle ne vient pas ici en vacances.

— Possible.

— Aucune personne saine d'esprit ne choisit de venir en Angleterre en cette saison, crois-moi, Marcel.

— Pas pour voir les illuminations de Noël ?

Grace éclata de rire.

— Je n'ai pas l'impression que ce soit le genre.

Il réfléchit. Elle était venue la semaine d'avant, et la précédente. Selon l'autopsie, cela faisait entre sept et dix jours que les adolescents étaient morts.

— Pourrait-on avoir accès à ses relevés téléphoniques ?

— Ligne fixe ou *Handy* ?

Handy était le mot qu'utilisaient les Allemands pour désigner les portables.

— Les deux ?

— Je vois ce que je peux faire. Tu veux tous les appels, ou juste ceux pour Grande-Bretagne ?

— Ceux pour la Grande-Bretagne, ce serait un bon début. Vous comptez l'arrêter bientôt ?

— Pas immédiatement. Ils veulent l'observer. Elle est connectée à d'autres trafics humains.

— Dommage, ç'aurait été bien de saisir ses ordinateurs.

— Je pense que je peux t'aider avec ça, dit le Kriminalhauptkommissar d'un ton prometteur.

— Vraiment ?

— Nous avons un mandat du *Ermittlungsrichter* pour écouter son téléphone et lire son ordinateur.

— Un mandat de qui ?

— Un juge d'enquête. Nous pouvons surveiller quelqu'un – comment dire – en secret ?

— À son insu.

— Exact. Et maintenant, LKA a de bonnes techniques de surveillance des ordinateurs. Si j'ai bien compris, on a une copie de toute l'activité informatique, y compris l'ordinateur portable pendant les voyages. Nous avons implanté un mouchard.

Grace avait été initié à ces techniques par ses collègues Ray Packham et Phil Taylor, de la brigade criminelle high-tech.

Il suffisait d'envoyer un mail à un suspect. Si celui-ci l'ouvrait, le mouchard était installé, et tous ses fichiers copiés et envoyés à la police.

— Génial ! Tu pourrais me les transférer ?

— Je n'ai pas le droit de te les envoyer, malgré le traité de coopération européen. Ce serait un long procédé bureaucratique.

— Y a-t-il un moyen de court-circuiter la procédure officielle ?

— Pour mon ami Roy Grace ?

— Lui-même.

— Si tu viens à Munich, je peux oublier une copie sur une table de restaurant, par accident. Tu ne peux jamais révéler ta source, et jamais utiliser les informations comme preuves, c'est OK ?

— C'est mieux que OK, Marcel !

Grace le remercia et raccrocha, gonflé à bloc.

68

Le bureau du subcomisar Radu Constantinescu, au poste numéro 15, à Bucarest, était chic, du moins par rapport aux standards roumains. L'immeuble de quatre étages, bâti dans les années 1920, selon une plaque apposée au mur, n'avait été ni ravalé, ni rénové depuis. Les escaliers étaient en pierre apparente et les sols couverts de linoléum craquelé. Les murs vert pastel étaient criblés de trous ; le plâtre s'effritait par endroits. Selon Ian Tilling, cet endroit ressemblait à son ancienne école, à Maidenhead.

Quoique spacieuse, l'étude de Constantinescu était sombre et sale, noyée en permanence dans un nuage de fumée de cigarette. Elle était meublée d'un simple bureau en bois, patiné par les années, aussi démesuré que l'ego du commissaire, et d'une table de conférence vintage, d'une période indéfinissable, entourée de chaises dépareillées. Aux murs, sous un plafond couleur nicotine, paradaient les trophées de chasse du policier : têtes d'ours, de loup, de lynx, de cerf, de chamois et de renard. Des diplômes, des photos encadrées de Constantinescu en compagnie de hauts dignitaires, et d'autres en tenue de chasse, agenouillé près d'un ours mort, ou brandissant une tête de cerf, occupaient un autre pan de mur.

Le subcomisar portait un pantalon noir, une chemise blanche avec des épaulettes brodées, ainsi qu'une cravate verte mal serrée. Assis à son bureau, il alluma une cigarette au mégot de la précédente, qu'il écrasa, plus ou moins, dans un énorme cendrier en cristal plein à craquer. Plusieurs boulettes de papier, qui avaient clairement manqué leur cible, jonchaient le sol.

Quarante-cinq ans, Constantinescu était un petit gars énergique, avec un visage émacié, des cheveux noir de jais, des yeux noirs perçants, et d'impressionnants cernes. Ian Tilling avait fait connaissance avec lui quand le fonctionnaire s'était mis à lui rendre régulièrement visite, à la Casa Iona.

— Alors, mon ami Ian Tilling, membre de l'empire britannique, au service des sans-abri de Roumanie, s'exclama Constantinescu en exhalant un nuage de fumée doucereuse. Vous avez rencontré la Reine, n'est-ce pas ?

— Oui, quand j'ai reçu ma déco.

— Déco ?

— C'est une blague. Je voulais dire quand on m'a décoré.

Constantinescu ouvrit de grands yeux.

— Déco ! Très bon ! Peut-être qu'on devrait trinquer. Pour célébrer, non ?

— Ça remonte à plusieurs mois.

Le policier sortit une bouteille de whisky Famous Grouse, ainsi que deux verres à shot, de sous son bureau. Il les remplit d'un liquide clair et en tendit un à Tilling.

— *Spaga*, dit-il, l'informant sans détour qu'il s'agissait d'un bakchich. Bon whisky, non ? Superbe ?

— Superbe, confirma Tilling, pour ne pas le décevoir, même s'il savait que la bouteille n'avait rien de spécial.

— À ta… déco !

Ian Tilling but cul sec, à contrecœur, car il avait l'estomac vide, mais c'était le protocole. L'alcool lui monta immédiatement à la tête.

Son homologue posa son verre vide.

— Alors, comment puis-je aider mon ami *important* ? D'autant plus important que la Roumanie fait désormais partie de l'Union européenne !

Ian Tilling lui montra les trois empreintes digitales, les trois portraits-robots et le gros plan du tatouage.

Constantinescu les observa quelques instants, puis demanda, sans transition :

— Comment vont les charmantes demoiselles qui travaillent pour toi ?

— Bien.

— La belle Andreea est toujours là ?

— Oui, elle se marie dans un mois.

— Ah, soupira-t-il, déçu.

Le subcomisar passait à la Casa Iona à n'importe quelle occasion.

Tilling savait bien que ce qui l'intéressait, c'était les assistantes sociales. Coureur de jupons invétéré, il faisait du gringue à Andreea pour qu'elle accepte un rendez-vous. Très diplomate, elle restait polie avec lui et suffisamment vague pour que la Casa Iona continue à bénéficier des faveurs de la police.

Tentant de revenir à ce qui l'amenait, Ian Tilling lui expliqua d'où venaient les photos et les empreintes. Le Roumain fut distrait par deux coups de fil internes et un appel personnel sur son portable – de sa petite amie actuelle, à n'en pas douter.

— Rares. C'est un prénom roumain, ça c'est sûr. Interpol a les empreintes ?

— Tu pourrais me rendre service et vérifier si elles figurent dans la base de données ? Ce sera plus rapide.

— OK.

— Et pourrais-tu faire passer une copie des portraits dans tous les postes ?

Constantinescu alluma sa troisième cigarette, et s'étouffa. Puis il se servit une rasade de whisky et en proposa à Tilling, qui déclina.

— Bien sûr. Pas de problème.

Il fut de nouveau pris d'une grosse quinte de toux, de mauvais augure, puis glissa les documents dans une enveloppe marron qu'il rangea, au grand désespoir de Tilling, dans un des tiroirs de son bureau.

Connaissant le bonhomme, il savait qu'il avait une fâcheuse tendance à zapper les choses très rapidement. Il se disait parfois que ce qui entrait dans ce tiroir disparaissait à jamais. Mais Constantinescu avait à cœur d'aider les enfants des rues – même s'il était surtout motivé par l'idée de coucher avec les jeunes femmes qui s'occupaient d'eux.

Mais bon. Cette enveloppe était mieux au chaud dans le tiroir qu'en boule à côté de la corbeille. Cela faisait dix-sept ans qu'il se battait contre les autorités de son pays d'adoption ; Ian Tilling avait pris l'habitude de se réjouir de la moindre petite victoire sur l'inertie.

69

Depuis leur divorce, Malcolm Beckett se sentait toujours mal à l'aise en compagnie Lynn. Et aujourd'hui, assis face à elle dans un café tranquille de Church Road, il ne savait pas quoi lui dire, en dépit du sujet qui les préoccupait : la santé de leur fille.

La situation remontait à leur séparation. Il l'avait quittée pour Jane, sa maîtresse de l'époque, épouse depuis. Par culpabilité, et parce qu'il craignait pour l'équilibre mental de Lynn, il avait accepté de déjeuner avec elle de temps en temps. Au début, elle n'arrêtait pas de lui demander s'il était heureux.

Question piège s'il en est. S'il répondait par l'affirmative, cela la déprimerait encore plus. Et donc, dans les premiers temps, il lui disait que non, il ne l'était pas. Ce que Lynn confiait immédiatement à ses amies. À Brighton, tout se sachant très vite, Jane n'avait pas tardé à avoir vent de cette rumeur.

Il avait donc pris l'habitude d'esquiver le problème en répondant d'un simple : on fait aller. Et puis ils avaient dépassé cette étape.

Mais à l'instant présent, devant sa tasse de cappuccino, il était choqué de constater à quel point elle avait maigri, depuis leur dernière entrevue, deux mois plus tôt. Et il était sincèrement peiné qu'elle soit toujours célibataire.

Pour Lynn non plus, ce n'était pas facile de revoir Mal. En observant cet homme vêtu d'un sweat bleu délavé, qui avait accroché un gros anorak au dossier de sa chaise, elle constata qu'il vieillissait bien. Chaque année, son visage gagnait en caractère et en virilité. S'il lui avait proposé de se remettre en ménage, elle aurait accepté dans la seconde. C'était utopique, mais Dieu sait combien elle avait besoin de lui !

— Merci de prendre le temps, Mal, dit-elle.

Il jeta un œil à sa montre.

— C'est tout naturel. Mais je dois décoller dans une heure, pour ne pas rater la marée.

Elle sourit malicieusement.

— Combien de fois t'ai-je entendu prononcer cette phrase : « pour ne pas rater la marée » !

Leurs regards se croisèrent et ils se dévisagèrent avec tendresse.

— Peut-être que je devrais la faire graver sur ma pierre tombale.

— Je pensais que tu voulais des funérailles en mer ?

Il rit.

— C'était avant que...

Il s'interrompit. Elle n'avait sans doute pas envie d'entendre que Jane l'en avait dissuadé, alors qu'elle, à l'époque, avait échoué.

Il n'y avait presque personne dans le café. Midi venait de sonner. Le *rush* de la pause déjeuner n'avait pas encore commencé. La serveuse leur apporta leurs plats : un généreux sandwich au *corned-beef* pour Mal et une petite salade de thon pour Lynn.

— 252 000 livres ? s'exclama-t-il.

Lynn confirma.

— Tu sais qu'on a repêché un cadavre, l'autre jour, avec la drague ? Ils en parlent dans les journaux.

— J'ai vu. Cela a dû être un choc pour toi.

— Tu as entendu les rumeurs ?

— Je suis trop occupée en ce moment pour lire les journaux, prétexta-t-elle pour éviter le sujet.

— C'était un adolescent. Ils ne savent pas d'où il vient, mais ils pensent qu'il a été tué pour ses organes. Une sorte de trafic.

— C'est horrible. Mais ça n'a rien à voir avec nous ni Caitlin, n'est-ce pas ?

Son expression de méfiance la déstabilisa.

— Deux autres corps ont été retrouvés. Sans leurs organes, eux non plus.

Il replongea sa cuillère dans la mousse et, en la portant à sa bouche, laissa une marque cacaotée autour de ses lèvres. En d'autres temps, elle se serait penchée pour lui essuyer la bouche avec un coin de sa serviette.

— Où veux-tu en venir, Mal ?

— Tu me dis que tu veux acheter un foie pour Caitlin. Sais-tu d'où il vient ?

— Oui, d'une victime d'un accident de voiture ou de moto, dans la plupart des cas, m'a dit Frau Hartmann.

Il ouvrit son sandwich et badigeonna la viande et les cornichons de moutarde.

— Comment peux-tu être sûr que le foie sera *casher* ?

— Tu sais quoi ? lui répliqua-t-elle de plus en plus irritée. Tant qu'il est sain et compatible, je me moque, d'où il vient. Tout ce qui compte, c'est que ma fille – pardon – *notre* fille vive.

Il reposa le pot de moutarde et referma son sandwich. Il ouvrit grand la bouche en se demandant par où l'entamer, puis le reposa, comme s'il avait perdu l'appétit.

— Merde, dit-il en secouant la tête.

— Je sais que tu as d'autres priorités, Mal.

— 252 000 ?

— Enfin, 227 000 depuis quelques minutes. Ma mère avait 25 000 livres de côté, dans une société d'investissement et de crédit immobilier, dont elle va me faire don.

— C'est très gentil de sa part. Mais 227 000, c'est impossible !

— Je travaille dans une agence de recouvrement. Impossible, c'est ce que me répondent tous mes clients. Eh bien, je vais te dire ce que j'en pense. Rien n'est impossible. C'est juste une question de volonté. Il y a toujours une solution. Je ne suis pas venue pour t'entendre dire que Caitlin va mourir parce que tu n'es pas fichu de trouver 250 000 livres. Je veux que tu m'aides à rassembler cette somme.

— Et même si on y arrivait. Comment peut-on être sûr que cette femme tiendra sa parole ? Que la greffe prendra ? Qu'il ne faudra pas recommencer dans six mois ?

— C'est sans garantie aucune, répliqua-t-elle par défi.

Il la fixa en silence.

— La seule chose qui est sûre, c'est que si je... si nous ne trouvons pas cet argent, Caitlin sera morte d'ici à Noël. Ou peu après.

Ses larges épaules s'effondrèrent.

— J'ai quelques économies. Un peu plus de 50 000 livres. J'ai augmenté mon hypothèque il y a deux ans pour faire des travaux d'extension dans la maison, mais ils n'ont jamais été réalisés, à cause d'un souci de permis.

Il était sur le point d'ajouter que Jane piquerait une crise si elle apprenait qu'il les avait donnés à Lynn, mais se retint.

— Je veux bien te les offrir, si ça peut faire avancer les choses.

Lynn se jeta sur lui, faillit renverser les verres au passage, et l'embrassa maladroitement sur la joue.

Plus que 175 000 !

70

Le bel héritage architectural de Brighton et Hove constituait, depuis toujours, l'un des principaux attraits pour ses habitants et ses touristes. Même si les immeubles modernes, sans charme, dénaturaient certains quartiers, on pouvait tomber, à chaque coin de rue, que ce soit dans le centre ou en banlieue, sur de jolies allées ou contre-allées, composées de bâtisses de style géorgien, victorien ou édouardien, en plus ou moins bon état.

Silwood Road était l'un de ces petits bijoux à la splendeur fanée. Les amateurs délaissaient le quartier sans intérêt de Western Road pour la contempler. Mais, ce qui frappait de prime abord, ce n'était pas tant ces superbes demeures victoriennes, en mitoyenneté, avec porche, que la laideur des bâtiments qu'elles côtoyaient.

Une forêt de pancartes « à louer » rappelait que le coin n'avait pas la cote, en particulier parce qu'il était devenu, officieusement, le quartier rouge de la ville.

Il était 17 heures. Il faisait nuit noire.

— Gare-toi où tu peux, indiqua Bella Moy à Nick Nicholl.

Le lieutenant fit un créneau devant un panneau

« stationnement résidentiel » et éteignit le contact de la Ford Focus grise banalisée.

Premier arrêt : la *House of Babes*.

— Tu es déjà entré dans un bordel ?

— Non, jamais, avoua-t-il en rougissant.

— Ils dégagent une odeur particulière.

— Quel genre d'odeur ?

— Tu verras bien. En ce qui me concerne, je pourrais la reconnaître les yeux bandés.

Ils sortirent de voiture et descendirent la rue battue par les vents. Le lieutenant serrait contre lui son carnet. Ils gravirent les quelques marches d'un perron, sonnèrent, et attendirent qu'on leur ouvre, sous l'œil d'une caméra de sécurité. Bella portait un pantalon marron trop grand pour elle et des godillots noirs.

— Oui ? répondit une femme avec une voix aiguë et un accent du Yorkshire.

— Commandante Moy et lieutenant Nicholl de la PJ du Sussex, annonça Bella.

L'interphone grésilla et la porte émit un clic. Elle la poussa, flanquée de Nick, qui, à l'affût de toute odeur particulière, ne remarqua que celles de cigarette et de plat cuisiné.

Le hall, malpropre, était éclairé par des ampoules rouges de faible voltage. Le sol était recouvert d'une moquette rose défraîchie et les murs de papier peint floqué magenta. Sur un écran plasma, une Black faisait une fellation à un Blanc musclé et tatoué. Nick Nicholl n'avait jamais vu un pénis aussi gros.

Une femme apparut. Petite, la cinquantaine bien entamée, elle portait un pantalon de jogging et un chemisier qui ne cachait rien de son décolleté. Avec sa frange et ses longs cheveux bruns, elle avait dû être belle, en son temps, avec soixante kilos de moins, songea Nick.

— Commandante Moy ! s'exclama-t-elle d'une voix

de petite fille. Je suis contente de vous voir. C'est toujours un plaisir.

— Bonsoir, Joey. Je vous présente mon collègue, le lieutenant Nick Nicholl, répondit Bella poliment, mais sèchement.

— Enchantée, lieutenant Nicholl, dit-elle avec cérémonie. Joli nom, Nick. J'ai appelé l'un de mes fils comme ça.

— Ah bon, fit-il.

Elle les accompagna dans la salle de réception. Nick ouvrit de grands yeux étonnés. D'après l'imagerie populaire, il s'attendait à trouver un boudoir tout en dorures, drapé de velours, avec une multitude de miroirs, et pas ce souk meublé de deux canapés défoncés, d'un bureau en désordre, sur lequel se trouvaient, entre autres, un pot de nouilles chinoises fumant, dans lequel était piquée une fourchette en plastique, une série de tasses à la propreté douteuse, plusieurs cendriers pleins, un vieux téléphone et un fax préhistorique. Au mur étaient affichés les différents tarifs.

— Je vous offre quelque chose à boire ? Café, thé, Coca ? leur demanda-t-elle en jetant un coup d'œil au plat cuisiné qu'elle n'avait pas terminé.

— Non merci, répondit Bella, au grand soulagement de Nick, qui n'aurait pas osé approcher ses lèvres d'une des tasses.

Les policiers toléraient l'existence des bordels tant qu'ils n'y trouvaient pas de mineures ou d'immigrées clandestines. Cela ne les empêchait pas de faire des visites surprises de temps en temps. La plupart des propriétaires et des gérants, dont Joey, respectaient cette règle, mais Bella veillait à ce qu'ils ne confondent pas indulgence et camaraderie.

Elle lui montra les photos des adolescents.

— Avez-vous vu ces personnes ?

Joey étudia attentivement celle de la jeune fille, celles des garçons, puis secoua la tête.

— Non, jamais.

— Combien de filles travaillent ce soir ? demanda Bella.

— Cinq.

— Des nouvelles ?

— Oui, deux. Anca et Nusha.

— Quelle nationalité ?

— Roumaines. De Bucarest, ajouta-t-elle pour prouver sa bonne volonté.

— Sont-elles... disponibles ? demanda délicatement la commandante.

— J'ai vu leurs papiers, s'empressa de préciser la femme. Anca a dix-neuf ans, Nusha vingt.

On sonna à la porte. La femme consulta l'écran de vidéosurveillance et vit un homme en costume cravate avec une calvitie naissante et des yeux ronds.

Elle fit un clin d'œil aux policiers.

— L'un de mes réguliers, dit-elle d'un ton goguenard. Vous voulez les voir ensemble ou séparément ?

— Séparément, précisa Bella.

Joey les poussa dans une petite pièce.

— Je vais les chercher, souffla-t-elle avant de claquer la porte.

C'est alors que Nick Nicholl décela l'odeur à laquelle sa collègue avait fait allusion. Un mélange de désinfectant et de parfum lourd, musqué, bon marché. Il considéra avec étonnement la chambre rose dans laquelle ils se trouvaient. Il y avait un lit double couvert d'un édredon léopard, une serviette de toilette blanche pliée, un téléviseur sur lequel passait un film pornographique, une table de chevet avec quelques articles de toilette et un rouleau de papier, un grand miroir et une pile de DVD érotiques.

— Comme c'est kitsch ! fit-il remarquer.

Bella haussa les épaules.

— Normal. Tu sens l'odeur ?

Il respira profondément.

La porte s'ouvrit et Joey fit entrer une jolie fille aux longs cheveux bruns, vêtue d'une nuisette rose transparente et de sous-vêtements noirs. Elle semblait maussade et nerveuse.

— Voici Anca. Je reviens plus tard, ajouta-t-elle à voix basse, avant de fermer la porte.

— Bonjour, Anca. Assieds-toi, lui dit Bella en désignant le lit. La fille prit place en fixant un point entre les deux policiers. Elle tenait à la main un paquet de cigarettes et un briquet, comme s'il s'agissait d'accessoires obligatoires.

— Nous travaillons à la police judiciaire, Anca. Tu parles anglais ? lui demanda Bella.

— Petit peu.

— OK. Nous ne sommes pas là pour t'embêter, tu comprends ?

Anca garda les yeux dans le vague.

— Nous voulons juste nous assurer que tout va bien. Tu es contente d'être ici ?

Cosmescu l'avait prévenue que les flics lui poseraient un jour des questions. Et elle connaissait les conséquences, au cas où elle laisserait échapper la moindre remarque négative.

— Oui. C'est bon ici, dit-elle avec un fort accent.

— Tu en es sûre ? Tu es ici de ton plein gré ?

— Je veux reste ici.

Bella jeta un œil à son collègue, qui ne savait pas où se mettre.

— Tu viens d'arriver de Roumanie, c'est ça ?

— Romania, oui.

Bella lui montra les trois photos, tout en l'observant.

— Tu les connais ?

Son visage n'exprima pas la moindre expression.

— Non.

Bella estima qu'elle disait la vérité.

— OK. On a besoin de savoir qui t'a amenée jusqu'ici.

Anca secoua la tête et répéta les deux mots que Cosmescu lui avait martelés.

— Pas comprendre.

Patiemment, en faisant des gestes, Bella répéta :

— Qui t'a amenée ici ?

La fille secoua la tête.

Nick ouvrit son calepin, le feuilleta, puis lut lentement, en roumain :

— As-tu un contact ici, en Angleterre ?

Anca fut stupéfaite d'entendre sa langue maternelle, même si la prononciation laissait à désirer.

Bella semblait tout aussi étonnée – elle n'avait aucune idée de ce qu'il venait de dire.

La fille fit mine de ne pas savoir.

Nick tourna une page, puis prononça, toujours en roumain, d'une voix menaçante cette fois :

— Nous saurons si tu nous mens. Et nous te renverrons en Roumanie. Dis-moi la vérité !

Effrayée, elle répondit :

— Vlad.

— Vlad comment ?

— Coz, Cozma, Cozemec...

— Cosmescu ? l'aida Bella.

Elle les considéra quelques instants sans rien dire. La peur se lisait sur son visage. Puis elle finit par hocher la tête.

★

Vingt minutes plus tard, après avoir interrogé les deux filles, les policiers regagnèrent leur véhicule.

— Tu m'expliques un peu ce qui s'est passé ?

— J'ai appelé l'UKHTC.

— Le quoi ?

— Le centre de lutte contre le trafic d'être humains du Royaume-Uni. La Roumanie figure en tête de leur liste et il semblerait que nos victimes en soient originaires.

— Donc tu as appris le roumain en vingt-quatre heures.

— Non, juste quelques phrases utiles.

— Je suis impressionnée.

— Pas autant que le sera ma femme quand elle apprendra où j'ai passé l'après-midi.

— Tous les hommes ne fréquentent-ils pas des prostituées ?

— Figure-toi que non ! s'exclama-t-il, indigné.

— Tu n'étais donc jamais entré dans un bordel ?

— Non, Bella, dit-il, agacé. Jamais de ma vie. Désolé de te décevoir.

— Je ne suis pas déçue. Plutôt agréablement surprise qu'il existe des hommes bien. Dommage que j'aie autant de mal à en rencontrer.

— Peut-être parce que ma femme a mis le grappin sur un modèle unique !

— Dans ce cas-là, elle a bien de la chance, dit-elle en observant, à la lueur des lampadaires son long visage souriant.

— C'est moi qui ai de la chance. Mais toi, tu dois avoir des tonnes d'opportunités. Tu es une jolie femme.

— Des tonnes de déceptions, ça oui. Mais tu sais quoi ? Je ne suis pas mécontente d'être seule. Je m'occupe de ma mère, et, quand elle n'a pas besoin de moi, je suis libre. J'aime ce sentiment.

— Moi, j'adore mon fils. Être père, c'est une sensation incroyable, indescriptible.

— Je suis sûre que tu es un père formidable, Nick.

— J'espère.

Il haussa les épaules.

— Tu imagines quel père Anca a dû avoir ? Et l'autre, Nusha…

— Je ne préfère pas.

— Je n'arrive pas à croire qu'elles soient mieux dans un bordel miteux de Brighton que chez elles, en Roumanie.

— Et moi, je n'arrive pas à croire que tu as appris le roumain, Nick. Je suis soufflée.

— Je n'ai appris que quelques phrases. Le strict minimum pour les faire réagir.

Elle consulta ses notes.

— Vlad Cosmescu.

— Vlad l'Empaleur.

— Pardon ?

— Le voïvode de Transylvanie qui a inspiré le personnage de Dracula. Un charmeur qui avait pour habitude d'empaler ses ennemis par le rectum.

— Merci pour la précision, Nick, dit-elle en grimaçant.

— Tu es flic, Bella. Tu dois connaître les moindres détails.

Elle sourit, puis répéta : Cosmescu...

— Tu le connais ?

— De nom. C'est un maquereau. Il était déjà dans le milieu quand j'ai commencé, à la brigade des mœurs. C'est lui qui fait entrer les produits de contrebande en provenance de Roumanie et d'Albanie, entre autres pays de l'Est. Drogues, DVD piratés, cigarettes, ce genre de choses. Les stupéfiants l'ont eu dans leur ligne de mire pendant des années, sans jamais réussir à le serrer. Je ne savais pas qu'il était toujours actif.

Elle nota quelque chose dans son carnet.

— Bon. Une de moins. Plus que vingt-huit maisons closes à visiter. Tu as la pêche ?

— La pêche ? Pas de problème ! répondit-il en songeant que c'était plutôt sa libido qui était en berne, depuis l'arrivée d'un bébé affamé jour et nuit.

71

Il était 19 heures passées, et Ian Tilling avait promis à Cristina de rentrer tôt. Ce soir, c'était leur dixième anniversaire de mariage, et, une fois n'est pas coutume, ils avaient réservé une table dans leur restaurant préféré, qui proposait une cuisine typiquement roumaine.

Il avait appris à aimer les spécialités culinaires roboratives, à base de viande, de son pays d'adoption. Il appréciait tout, sauf la cervelle froide et le saindoux en cubes, que Cristina adorait – il n'avait pas l'estomac assez bien accroché pour ça.

Il leva les yeux vers l'horloge fixée sous le grand tableau, devant son bureau. La devise « le temps, c'est de l'argent » était imprimée sur le cadran, dénué de chiffre, ce qui la rendait pour le moins inutile. Punaisé à côté, depuis tellement longtemps qu'il ne savait pas qui l'avait mis là, ni pourquoi, se trouvait un éventail ouvert.

En dessous, entre plusieurs brochures officielles du gouvernement en faveur des sans-abri, il avait scotché sa citation préférée, de Gandhi : « Au début ils t'ignorent, ensuite ils se moquent de toi, après ils te combattent et enfin tu gagnes. »

Elle résumait ses dix-sept années passées dans cette étrange, mais magnifique ville, dans cet étrange, mais magnifique pays. Il était en train de gagner. Petit à petit. Une victoire après l'autre. Il sauvait des gosses et des adultes en les accueillant à la Casa Iona.

Avant de partir, il ferait le tour des petits dortoirs, comme chaque soir. Il ferait circuler les photos des ados que Potting lui avait envoyées, au cas où quelqu'un les aurait croisés. Il était heureux d'avoir reçu un coup de fil de ce vieux copain. Heureux de rechausser les crampons pour la police britannique. Il allait tout mettre en œuvre pour se rendre utile.

Il se levait quand Andreea entra dans son bureau, tout sourire.

— Vous avez une minute, M. Ian ?

— Bien sûr.

— Je viens d'aller voir Ileana, dans le secteur 4.

Ileana avait travaillé à la Casa Iona et était actuellement assistante sociale dans un foyer qui s'appelait Merlin.

— Qu'est-ce qu'elle t'a dit ?

— Elle est d'accord pour nous aider, mais elle a peur qu'on la surprenne. Son établissement lui a demandé de ne pas parler.

— Pourquoi ?

— Apparemment, le gouvernement est furieux, car les orphelinats roumains ont mauvaise presse. Elle a interdiction de recevoir des visites et de prendre des photos. J'ai dû lui donner rendez-vous dans un café. D'après elle, une gamine qui vit dans la rue a entendu une rumeur selon laquelle certains gosses avaient la chance de croiser le chemin d'une femme élégante, qui leur offrait un boulot et un appartement en Angleterre.

— On peut la rencontrer, cette petite ? Comment s'appelle-t-elle ?

— Raluca. Elle se prostitue à la Gara de Nord. Elle a quinze ans. Je ne sais pas si elle a un mac. Ileana veut bien nous y accompagner, on pourrait y aller ce soir.

— Je ne suis pas libre. Demain ?

— Je vais lui demander.

Tilling la remercia, puis envoya en vitesse un mail à Potting pour lui faire part de ses avancées, avant de frapper du poing sur la table.

Bon sang, qu'est-ce que ça fait du bien d'être de nouveau dans l'action ! se dit-il. Il avait adoré être flic et cette enquête lui provoquait une sacrée poussée d'adrénaline.

72

Lynn se trouvait à son poste des Jaguars Aguerris. Il était 20 heures, et elle continuait à appeler ses clients pour rattraper le temps perdu en déjeunant avec Mal et en restant auprès de Caitlin.

Sa mère était passée et Luke avait pris le relais. Sa fille avait donc de la compagnie, ou plutôt quelqu'un pour veiller sur elle. Même Luke en était capable.

Il n'y avait plus grand monde au bureau. Les Requins Rapaces, les Léopards de l'Enfer et les Démons de Denarii étaient quasiment tous rentrés chez eux. La cagnotte s'élevait à 1 150 livres, mais, au train où allaient les choses, elle n'avait aucune chance de la remporter cette semaine.

Et le cœur n'y était pas. Elle fixa la photo de sa fille épinglée à la cloison rouge. Songeuse.

175 000 livres allaient décider de sa vie ou de sa mort. Une somme à la fois démesurée et dérisoire. N'importe quelle entreprise réalisait un chiffre d'affaires supérieur à cela en moins d'une semaine.

Une idée l'effleura. Elle tenta de la chasser, mais elle insistait. *Tant d'employés se servent dans la caisse...*

Les journaux rapportaient souvent ce genre de délit. Pendant parfois des années, des millions étaient détournés à l'insu des dirigeants. Dans des sociétés brassant de grosses sommes, comme les cabinets d'avocats, les banques ou les *hedge funds*, des petites gens plumaient sans vergogne leurs patrons.

Tout ce dont elle avait besoin, c'était de 175 000 livres. Une bagatelle, pour Denarii.

Mais comment pourrait-elle « emprunter » cette somme sans que cela se sache ? Les procédures et contrôles étaient stricts.

Son téléphone professionnel clignota. Quelqu'un essayait de la joindre sur sa ligne directe. Elle décrocha en pensant que c'était peut-être Caitlin. Elle eut le déplaisir d'entendre la voix de son pire client, l'horrible Reg Okuma.

— Lynn Beckett ? fit-il d'un ton lascif.

— Elle-même, répondit-elle sèchement.

— Vous travaillez tard, ma douce. C'est un privilège pour moi de vous avoir à cette heure-ci.

Le plaisir est partagé, faillit-elle répondre.

— Que puis-je pour vous ?

— Eh bien, voici le problème. Hier, j'ai voulu faire un emprunt pour m'acheter une nouvelle voiture. J'ai besoin d'être motorisé pour mon nouveau travail, la boîte que je suis en train de monter, qui révolutionnera Internet.

Elle garda le silence.

— Vous m'écoutez ?

— Tout à fait.

— J'ai toujours très envie de vous. Envie de vous aimer voluptueusement, Lynn.

— Vous êtes conscient que cet appel est enregistré, n'est-ce pas ?

— Oui, oui.

— Parfait. Si vous appelez pour convenir d'un échéancier de remboursement, je vous écoute. Sinon, je raccroche, OK ?

— Je vous en prie, écoutez-moi. Ma demande a été rejetée. Quand j'ai demandé pourquoi, ils m'ont dit qu'Experian m'avait classé parmi les mauvais payeurs.

— Et cela vous surprend ?

Experian était l'une des principales agences d'évaluation des emprunteurs au Royaume-Uni. Toutes les banques faisaient appel à de tels services pour vérifier la solvabilité des consommateurs.

— Vous ne remboursez pas vos dettes, quelle réputation pensiez-vous avoir ?

— Attendez la suite. Conformément à la loi de protection des données personnelles, j'ai contacté Experian. Ils m'ont dit que c'était votre société qui était responsable de mon mauvais classement.

— La solution est toute trouvée, M. Okuma. Acceptez un plan de remboursement et nous reviendrons sur notre commentaire.

— Bien entendu, mais ce n'est pas si simple.

— Mais si. Vous êtes dur de la feuille ou quoi ?

— Pourquoi êtes-vous agressive avec moi ?

— Je suis épuisée, M. Okuma. Quand vous voudrez bien rembourser votre dette, je verrai ce que je peux faire auprès d'Experian. D'ici là, merci et bonsoir.

Elle raccrocha.

Son téléphone s'alluma de nouveau quelques minutes plus tard. Elle décida de rentrer chez elle sans décrocher. Mais, en sortant de l'ascenseur, au rez-de-chaussée, une idée commença à faire son chemin dans son esprit.

73

Assis à son bureau, Roy Grace écoutait la pluie tomber ; un vent de sud-ouest faisait trembler les vitres. Encore une nuit de tempête, se dit-il en remarquant que les lampadaires de la rue et du parking du supermarché semblaient éclairer moins bien que d'habitude. Il avait froid, comme si l'humidité extérieure s'infiltrait à travers les murs et lui glaçait le sang. Il regarda sa montre : 20 h 05.

Il avait dispensé Glenn Branson d'assister à la réunion du soir. Ari l'avait appelé pour lui proposer de donner le bain aux enfants et les coucher – sur les conseils de son avocate, avait-il songé, cynique.

Il parcourut attentivement les notes prises durant la réunion, puis relut le protocole propre à toute enquête.

Son téléphone signala un appel entrant, mais comme ce n'était pas sur sa ligne directe, il laissa à quelqu'un d'autre le soin de décrocher – si tant est qu'il y ait encore quelqu'un à cette heure-là, à part le joyeux Duncan, l'un des agents de sécurité en poste en bas, à l'accueil. Même s'il savait que plusieurs membres de son équipe, installés dans le CO1, travailleraient tard dans la nuit – en particulier deux dactylos et Juliet Jones, spécialiste du logiciel Holmes –, il avait l'impression d'être à bord de la *Marie Céleste*, naviguant seule, sans personne à bord.

Juliet était chargée d'identifier tous les crimes, résolus ou non, ressemblant de près ou de loin à ceux qui les intéressaient. Une tâche ardue, mais essentielle, qui n'était pas sans rappeler la pêche au gros, se disait parfois Grace. Le but était d'entrer plusieurs mots clés, en les assemblant différemment, pour repérer les affaires ayant trait au trafic d'organes. Pour le moment, cette recherche, qui avait commencé samedi, n'avait rien donné.

Ces neuf dernières années, Grace avait eu l'occasion de passer de nombreuses heures en solitaire. Il en avait profité pour parcourir l'histoire des techniques de la police scientifique. Il admirait en particulier le Dr Edmond Locard, un médecin né en 1877, surnommé le Sherlock Holmes français. C'est à lui qu'on devait le concept de criminalistique, selon lequel « tout auteur d'un crime laisse obligatoirement sur les lieux de son forfait des témoins matériels de sa présence et emporte avec lui des éléments de ce milieu », également appelé principe de l'échange de Locard.

Pourquoi ne faisait-il pas le lien entre les victimes et le meurtrier, dans le cas présent ? Où se trouvaient les instruments qui avaient servi au prélèvement des organes ? Ils devaient avoir été stérilisés. Peut-être existait-il des traces microscopiques. Encore fallait-il les déceler. Où ? Celui ou celle qui avait procédé à l'opération – à moins qu'il s'agisse d'un psychopathe – avait dû exercer en casaque chirurgicale. Sa tenue, notamment les gants en latex, portait des empreintes, mais où chercher ? Impossible de fouiller les paniers à linge sale de tous les hôpitaux et cliniques du sud de l'Angleterre.

Si les experts étaient désormais à même d'analyser les empreintes sur le moteur de hors-bord, peut-être seraient-ils capables de les prélever sur les bâches ayant servi à emballer les victimes.

Il prit note, relut les pistes à suivre, remarqua qu'il fallait y ajouter quelques éléments nouveaux, mais l'envie de revoir Cleo était trop forte. Il pourrait mettre à jour ce document de chez elle, plutôt que dans ce bureau glacial.

★

La température avait chuté et le vent se déchaînait quand il gara sa Ford dans la rue des antiquaires. Il se mit à courir pour échapper aux torrents d'eau. Alors qu'il approchait de la résidence de Cleo, il entendit quelques bribes d'un chant de Noël, *God Rest Ye, Merry Gentlemen*. Une chorale en pleine répétition ou un groupe de salariés éméchés, lors d'une fête d'entreprise ?

Il n'arrivait pas à croire que les vacances approchaient. Il ne savait pas quoi offrir à Cleo, à part une bague, mais ce n'était pas un cadeau de Noël à proprement parler. Il avait envie de marquer le coup. Cela faisait tellement longtemps qu'il n'avait pas eu l'occasion de faire plaisir à une femme qu'il aimait... Un sac à main ? Un autre bijou ? Il demanderait à sa sœur. Elle avait l'esprit pratique, elle saurait l'aiguiller. La commandante Mantle serait elle aussi de bon conseil.

Et il fallait qu'il décide où il passerait le réveillon. Depuis la disparition de Sandy, il avait l'habitude de rejoindre sa sœur ce soir-là, mais Cleo avait suggéré qu'ils aillent dans sa famille, dans le Surrey. Il tenait absolument à être avec elle, mais il n'avait pas encore rencontré ses parents. Sa sœur serait heureuse de le savoir fiancé – elle l'encourageait à tourner la page depuis des années –, seulement il allait devoir faire preuve de tact pour ne vexer personne. Et si l'opération Neptune n'était pas encore résolue d'ici là, ses vacances de Noël risquaient fort d'être écourtées.

Sa mallette à la main, il traversa la cour, puis fouilla dans sa poche et ouvrit la porte de l'appartement de Cleo. Le grand sourire qui l'accueillit lui fit chaud au cœur. Une délicieuse odeur d'ail embaumait le séjour. Il reconnut la musique qu'elle écoutait – l'Ouverture de *Carmen*, de Bizet – et ressentit une pointe de fierté. Cleo avait entrepris d'élargir son horizon culturel et il s'était surpris à aimer l'opéra.

Humphrey fonça vers lui en dévidant un rouleau de papier toilette et lui bondit dessus en jappant.

Grace se baissa pour le caresser.

— Salut, toi !

Humphrey réussit à lui lécher le menton.

Cleo était lovée dans l'un de ses immenses canapés, entourée de documents, un livre à la main – sans doute un ouvrage de philosophie qu'elle étudiait dans le cadre de ses cours du soir.

— Regarde, Humphrey, ton maître, le commissaire Roy Grace, est rentré ! Dis donc, j'ai l'impression qu'il est content de te voir, Roy.

— Lui seul ? lança-t-il en feignant la déception.

Il se leva et traversa la pièce, tandis que Humphrey s'accrochait à sa jambe de pantalon.

— Il a été très sage aujourd'hui.

— Une fois n'est pas coutume !

— Et moi, je suis encore plus contente de te voir que lui, ajouta-t-elle en posant son livre, *L'existentialisme est un humanisme*, dont plusieurs pages étaient marquées de Post-it.

Elle avait relevé ses cheveux et ne portait rien d'autre qu'un pull marron à grosses mailles et un legging noir. Il s'arrêta pour savourer sa joie.

La musique lui donnait du baume au cœur, l'odeur du repas éveillait son appétit... Le bonheur l'envahit.

Après des années de cauchemars, il avait le sentiment d'être arrivé quelque part. À un moment de sa vie où il se sentait en harmonie avec lui-même, en paix.

— Je t'aime, dit-il en se baissant pour l'enlacer et l'embrasser fougueusement.

Avant de préciser :

— Je t'aime vraiment beaucoup.

Et l'embrasser de plus belle.

— Moi aussi, je t'aime bien, dit-elle après leur longue étreinte.

— Ah bon ?

Elle fit mine de réfléchir, fronçant les sourcils, puis hocha la tête.

— Ouais. Je confirme.

— Ce week-end, je veux t'offrir une bague.

Elle le considéra avec de grands yeux ronds, comme une gamine. Puis elle sourit.

— Je veux un truc méga-bling-bling, avec un diamant gros comme le Ritz.

— Je t'achèterai le truc le plus méga-bling-bling du monde. Un machin qui fera défaillir la Reine.

— À propos de défaillir... Je te propose des noix de Saint-Jacques sautées.

Son plat préféré.

— Tu es parfaite.

Elle leva l'index.

— Exactement. Et ne l'oublie jamais !

— Parfaite et tellement modeste.

— Absolument.

Il lut le nom de l'auteur du livre posé sur le canapé. Jean-Paul Sartre.

— C'est bien ?

— Il se trouve que oui. J'ai repéré une citation qui pourrait s'appliquer à nous – avant qu'on se rencontre.

— Ah bon ?

— En substance, ça disait que ceux qui s'ennuient quand ils sont seuls sont en mauvaise compagnie.

Elle leva la tête.

— Ça te parle ?

— C'est très vrai.

— Bon. À quelle heure mon fiancé souhaiterait-il dîner ?

Il désigna sa mallette.

— Tu espérais que ce soit avant minuit ?

— J'ai très envie de toi. Je pensais qu'on pourrait manger tôt pour...

— Dans une demi-heure ?

Elle fit la moue, et choisit un autre passage.

— Tu as lu ce paragraphe sur la satisfaction des désirs ? Apparemment, si on refuse de les satisfaire, ils infectent l'âme tout entière.

Elle posa l'ouvrage.

— Tu n'as pas envie que mon âme soit infectée, n'est-ce pas, commissaire ?

— Ah ça non, pour rien au monde !

— Je suis heureuse que l'on soit sur la même longueur d'onde.

Roy se détacha d'elle à contrecœur, prit son attaché-case et monta dans le bureau de Cleo, dont il avait plus ou moins fait son second QG. Sur la table se trouvait un sac de la librairie City Books. Cleo y avait collé un Post-it à son nom. À l'intérieur, il découvrit un bouquin avec, sur sa couverture, un cheval de course et le titre : *Eclipse*. Cleo lui avait confié que son père était grand amateur de courses et qu'elle lui achèterait un livre pour Noël. Il le mit délicatement de côté, puis sortit de son sac une liasse de documents : le premier, portant le sigle et la devise de la police du Sussex, « QG de la PJ, brigade criminelle, opération Neptune, enquête », le second – un dossier rouge, à spirales – « stratégies », et enfin son carnet de notes bleu clair, format A4, sur lequel il écrivait tout ce qui se disait pendant les réunions.

Cinq minutes plus tard, Cleo entra discrètement dans

la pièce, l'embrassa sur la nuque et posa une vodka Martini à côté de lui.

— Kalachnikov, dit-elle. Bon pour ta vigueur.

— Ma vigueur se porte bien, merci. Comment va ton âme ?

— Elle lutte contre l'infection.

Elle l'embrassa au même endroit, puis sortit.

— Ce bouquin, *Eclipse*, c'est ce que j'offre à ton père ?

— Oui. Et tu vas faire un bond dans son estime. *Eclipse* est le cheval de course le plus connu au monde. Il te trouvera fort cultivé de le savoir.

— Il va falloir que tu m'en dises davantage sur l'étalon.

— Et si tu le lisais, tout simplement ? suggéra-t-elle en souriant.

— Mince alors, fit-il en se frappant le front. J'y avais pas pensé ! Et Nicholas Clee, l'auteur, c'est un jockey ?

Elle secoua la tête.

— Nan, plutôt un champion de tennis, mais je me trompe peut-être, dit-elle avant de sortir.

Il parcourut les notes de la dernière réunion, surlignant les éléments importants que son assistante mettrait à jour pour le lendemain.

Ils n'avaient toujours pas de suspect. Le centre national de lutte contre le trafic d'êtres humains les avait informés que, pour le moment, ils ne détenaient aucune preuve de l'existence d'un trafic d'organes au Royaume-Uni. Ce que semblaient confirmer les recherches infructueuses *via* le logiciel Holmes.

L'une des pistes privilégiées était le trafic d'organes. Mais comme il n'y avait pas de précédent, Grace ne voulait pas mettre tous ses œufs dans le même panier. Et ce, même si tous les marqueurs pointaient vers ce postulat.

Peut-être avaient-ils à faire à un psychopathe.

Un tueur fou doué en chirurgie.

Mais pourquoi n'aurait-il prélevé que les quatre organes les plus recherchés pour les transplantations ?

Qu'aurait fait Guillaume d'Ockham dans cette situation ? Comment appliquer son principe de simplicité ?

Cleo l'interrompit dans ses pensées.

— À table, annonça-t-elle d'une voix douce.

74

Lynn arriva chez elle peu avant 21 heures. Quelqu'un écoutait de la musique dans le salon. Elle claqua la porte derrière elle pour éviter que le vent glacial ne s'engouffre dans l'appartement et retira son châle Cornelia James – un achat effectué quelques semaines plus tôt sur eBay, comme la plupart de ses accessoires.

Avant même d'enlever son manteau, elle passa la tête pour regarder qui se trouvait dans le séjour. Luke se prélassait dans le canapé, une canette de Coca light à la main. Sa coiffure – une grande mèche, plaquée sur son œil droit par du gel – lui donnait l'air encore plus bête que d'habitude. Enfin bon. Il n'était pas aussi ridicule que les deux filles qui dansaient dans le clip qu'il regardait.

Vêtues de sous-vêtements noirs, la tête dans un carton argenté, elles se tournaient et effectuaient des mouvements robotiques sur un rythme entêtant. Des phrases étaient écrites sur différentes parties de leurs corps – bras, jambes, flancs. *Work it harder ! Make it better ! Do it faster ! Make us stronger !*

— Daft Punk ? demanda Lynn.

— Ouais, confirma Luke.

Elle s'empara de la télécommande pour baisser le son.

— Tout s'est bien passé ?

— Caitlin dort.

Alors c'est quoi, ce raffut ? faillit-elle hurler.

Elle se contenta de le remercier d'avoir veillé sur elle.

— Comment va-t-elle ?

Il haussa les épaules.

— Pas de changement. Je suis montée la voir il y a cinq minutes.

Sans prendre le temps d'enlever son manteau, Lynn se précipita dans la chambre de sa fille. Caitlin était allongée les yeux fermés. À la lueur de sa lampe de chevet, elle semblait encore plus jaune que d'habitude. Elle ouvrit les yeux et fixa sa mère.

— Comment te sens-tu, mon ange ? lui demanda Lynn en l'embrassant et en caressant ses cheveux humides.

— J'ai soif.

— Tu veux de l'eau, du jus de fruit, du Coca ?

— De l'eau, répondit-elle d'une voix fluette, aiguë.

Lynn descendit dans la cuisine et sortit une bouteille du frigo. Elle remarqua qu'une couche de glace était en train de se former au fond, le signe énonciateur – elle le savait d'expérience – que l'appareil était en bout de course. Encore une dépense qu'elle ne pouvait pas se permettre.

Luke entra, pieds nus, en jean baggy déchiré et cardigan gris.

— Vous avez bien avancé, aujourd'hui, Lynn ?

— Dans la collecte d'argent ?

Il hocha la tête.

— Ma mère me donne un peu. Et le père de Caitlin offre toutes ses économies. Mais il manque toujours 175 000 livres.

— J'aimerais apporter ma contribution, déclara-t-il.

— Euh, merci beaucoup, c'est très gentil de ta part, dit-elle, surprise. Mais c'est une somme impossible à réunir.

— J'ai un peu d'argent. Je ne sais pas si Caitlin vous a déjà parlé de mon père. Le vrai, pas mon beau-père.

— Non, répondit-elle, pressée de monter le verre d'eau à sa fille.

— Il est mort dans un accident du travail. Il se trouvait sur un chantier quand une grue l'a écrasé. Ma mère a reçu de grosses indemnités. Elle me les a données, pour que mon beau-père n'en voie pas la couleur. Il est accro aux jeux. J'aimerais participer financièrement.

— Je suis très touchée. Toutes les contributions sont les bienvenues. Combien pourrais-tu mettre ?

— J'ai 150 000 livres. Je vous les donne.

Elle lâcha le verre.

75

Roy Grace se disait parfois qu'il était facile de pécher par excès de confiance en soi. D'oublier les choses les plus élémentaires. Qu'il était bon, de temps en temps, de revenir aux fondamentaux.

À 6 h 45, il en était déjà à son deuxième café de la journée. Il prit, sur les étagères, le *Manuel d'enquête criminelle*, un ouvrage volumineux, exhaustif, édité par le Centre d'excellence pour l'Association britannique des chefs de police.

Mis à jour régulièrement, il contenait la procédure à suivre à tous les niveaux d'une enquête. Il parcourut le résumé en dix points que chaque policier se devait de connaître par cœur – et c'est précisément parce qu'ils étaient familiers qu'ils avaient tendance à être négligés.

Le premier de la liste s'intitulait : « Identification des suspects ». Il pouvait cocher cette case. Ses collègues progressaient bien sur le sujet.

Le deuxième : « Renseignements ». En bonne voie aussi. Ils avaient sous le coude le contact de Norman Potting, en Roumanie, et le Kriminalhauptkommissar Marcel Kullen, à Munich. La commandante Moy et le lieutenant Nicholl interrogeaient les filles dans les maisons closes, Guy Batchelor passait en revue la liste noire des chirurgiens et les informaticiens recherchaient d'éventuels cas similaires dans les archives.

Puis venait « Analyse scientifique de la scène de crime ». Difficile de ratisser la Manche. La bâche en plastique était leur meilleur espoir, tout comme le moteur de hors-bord et les mégots que Glenn avait envoyés aux labos pour identification de l'ADN.

« Étude de la scène de crime ». Ils connaissaient l'endroit où les corps avaient été largués, mais ne savaient pas encore où les adolescents avaient été tués.

Cinquième point : « Recherche des témoins ». Qui les avait vus ? Le personnel de la clinique ou de l'hôpital où ils avaient été opérés ? Les passagers et les employés de l'aéroport, du port ou de la gare par lesquels ils étaient arrivés dans le pays ? Ils avaient dû être filmés par des caméras de vidéosurveillance, mais il ne savait pas quand ils avaient débarqué. Quelques jours plus tôt, quelques semaines, quelques mois ? Inutile de visionner des kilomètres de bandes pour le moment. Des Roumains installés en Angleterre les auraient-ils croisés ? Il prit note. Les photos avaient été publiées dans la presse, mais aucun témoin ne s'était manifesté.

Sixième point : « Enquête sur les victimes ». Sa meilleure source, c'était le copain de Potting, en Roumanie. Et peut-être Interpol, mais il ne se faisait guère d'illusions.

Le septième point, « Mobiles possibles », l'amena à réfléchir. Il aimait répéter à ses équipes que les présomptions étaient à l'origine de tous les ratages. Comme il se l'était demandé la veille au soir : étaient-ils aveuglés par la piste du trafic d'organes au point d'occulter les autres ? Un malade mental étripait-il ses victimes uniquement par plaisir ?

Possible, mais très hypothétique, si on appliquait le principe du rasoir d'Ockham. Un, les hôpitaux souffrent d'une pénurie d'organes. Deux, la Roumanie trempe dans ce genre de trafic. Trois, des chirurgiens professionnels ont opéré les victimes. Quatre, un éminent Britannique, le Dr Raymond Crockett, avait été rayé de l'Ordre des médecins pour avoir acheté illégalement quatre reins en Turquie dans le but de sauver ses patients. D'un autre côté, il n'existait, à ce jour, aucun trafic avéré au Royaume-Uni.

Mais il faut un début à tout.

Ce chirurgien s'était fait prendre. S'agissait-il d'un cas isolé ou avait-il eu moins de chance que d'autres collègues aussi peu scrupuleux ? Des dizaines de spécialistes pratiquaient-ils ainsi à l'insu de tous ? Crockett avait-il repris du service ? Il fallait l'interroger pour l'éliminer de la liste des suspects.

Le point « Médias » venait ensuite. Ils faisaient de leur mieux, mais la principale émission, *Crimewatch*, ne passait pas avant une semaine – si tant est que leur sujet soit retenu.

« Autopsies ». Ils avaient toutes les informations en leur possession. S'ils trouvaient les instruments de chirurgie utilisés, ils se remettraient au travail. Pour le moment, les corps étaient stockés à la morgue.

Il bâilla et chassa la fatigue en buvant une gorgée de café. Il s'était réveillé à 5 heures et demie, et son cerveau s'était mis à tourner à cent à l'heure. Il aurait dû faire son jogging matinal, qui l'aidait à clarifier ses pensées, mais comme il culpabilisait d'avoir quitté le bureau sans terminer son travail, la veille, il s'était remis au boulot encore plus tôt que d'habitude.

« Autres démarches constructives » clôturait la liste. Il réfléchit, consulta ce qui figurait dans son manuel, puis ajouta dans son carnet : hors-bord ? disparition du *Scoob-Eee* ?

Il fit basculer son fauteuil jusqu'à heurter le mur. L'aube pointait. La tempête s'était calmée, il ne pleuvait plus, mais les prévisions n'étaient pas optimistes.

Le ciel rougeoyait. Que disait le dicton, déjà ? Ciel rouge le soir laisse bon espoir. Ciel rouge le matin, pluie en chemin.

À quoi devrais-je prêter attention ? Qu'est-ce qui m'échappe ? Il doit y avoir un truc, mais quoi, bon sang de bonsoir ?

Il plongea les yeux dans son café comme si la réponse se trouvait dans le marc.

Et soudain, bingo !

Sandy aimait beaucoup les quiz, dans les pubs. Elle était très cultivée – bien plus que lui. Il y avait onze ou douze ans de cela, l'animateur avait posé comme question : quelle est la superficie de la Manche ? Sandy le savait. 75 000 km². Elle avait gagné.

Il claqua des doigts.

— Voilà !

76

— On cherche au mauvais endroit, annonça Roy Grace à son équipe. Et on cherche peut-être les mauvaises personnes. Voilà ce que je pense.

Ses collègues étaient tout ouïe.

— Au mauvais endroit, dans le sens figuré, pas littéral.

Vingt-huit paires d'yeux le fixaient.

C'était le quatrième point de la liste qui l'avait mis sur la piste.

— J'aimerais que vous oubliiez un instant vos tâches respectives pour réfléchir à la question de la scène de crime. On est partis du principe que la personne qui avait largué les corps sur le site d'extraction devait être un profane qui n'avait pas eu de chance Mais réfléchissez-y à deux fois. La Manche mesure 75 000 km². La zone en mesure 250.

Il regarda Glenn, Guy Batchelor, Bella, E-J, et les autres.

— Qui est fort en calcul mental ?

L'informaticienne leva la main.

— Quel est le pourcentage, Juliet ?

— 0,34 % environ.

— Soit un tiers de 1 %. Ce serait vraiment pas de

chance de tomber dessus au hasard. Aussi peu probable que trouver une aiguille dans une botte de foin. Sauf si, bien sûr, l'endroit a été choisi délibérément.

Il s'arrêta pour leur laisser le temps de digérer l'info.

— Délibérément ? répéta Lizzie Mantle.

— Je vais vous exposer mon raisonnement. Si on présume avoir à faire à des trafiquants d'organes à l'échelle internationale – activité criminelle la plus en expansion actuellement –, on peut être sûrs d'une chose : ce ne sont pas des amateurs. S'ils sont assez bien organisés pour faire entrer des adolescents dans notre pays et prélever leurs organes dans un bloc opératoire parfaitement équipé, ils doivent faire preuve d'autant de professionnalisme au moment de se débarrasser des corps. Je les imagine mal louer un canoë pneumatique et les jeter par-dessus bord.

Tout le monde approuva.

— Nous avons supposé que les corps avaient été jetés d'un bateau ou d'un avion privé, voire d'un hélicoptère. Pour cela, ils ont dû faire appel à un pilote ou à un capitaine expérimenté. Qui devait connaître les cartes marines, la profondeur de fond, etc. Peut-être que la zone d'extraction ne figure pas sur tous les documents, mais quand bien même. Si vous deviez jeter un cadavre à la mer, vous n'opteriez pas pour un endroit profond ? Moi si.

— Quelle est la profondeur maximale ? s'enquit Potting.

— Il y a plein de secteurs à plus de 60 mètres. Pourquoi les a-t-on repêchés à 20 ?

— La panique ? suggéra Glenn Branson. Certains font des erreurs, avec des cadavres sur les bras.

— Pas ces gens-là, répondit le commissaire.

— Peut-être qu'ils n'ont pas vu que c'était une zone de drague, dit Bella Moy.

— Je n'exclus pas cette option, mais j'aimerais qu'on imagine qu'ils l'aient fait exprès.

— Mais, Roy, je ne vois pas pourquoi.

— Dans l'espoir que les corps soient repêchés.

— Dans quel but ? demanda Nick Nicholl.

— Peut-être y a-t-il, dans leur cercle, quelqu'un qui désapprouve leurs agissements. Il largue les cadavres à cet emplacement, sachant qu'il est probable qu'ils soient découverts.

— Si tel était le cas, pourquoi cette personne n'aurait-elle pas appelé la police ? demanda Glenn Branson.

— Pour plusieurs raisons. Il peut s'agir d'un pilote ou d'un skipper attiré par le gain, mais mal à l'aise avec sa conscience. En les dénonçant, il perd son gagne-pain. En jetant les corps à une faible profondeur, il soulage sa conscience. Si la drague ne les avait pas trouvés, il aurait peut-être passé un appel anonyme à la police. Mais pas tout de suite.

Son équipe garda le silence pendant quelques secondes.

— Peut-être est-ce complètement hors sujet, mais j'aimerais lancer une nouvelle piste : passer en revue tous les bateaux ancrés au port de Shoreham. On peut demander un coup de main aux officiers de port, aux éclusiers et au garde-côtes. Commençons par les yachts, les bateaux de pêche, et ceux de location. Glenn, du nouveau du côté du *Scoob-Eee* ?

Le commandant agita une enveloppe matelassée marron.

— Je viens de recevoir ce courrier de O2, l'opérateur téléphonique du capitaine. On saura avec quelles antennes relais son téléphone est resté en contact vendredi soir. Il n'a sans doute pas traversé la Manche, donc on découvrira peut-être sa trajectoire. On s'y met juste après la réunion, avec Ray Packham.

— Bien. Mais on ne sait pas si ce bateau de pêche a un lien avec notre affaire, donc concentrons-nous aussi sur les autres embarcations.

Grace confia cette tâche à deux lieutenants. Puis il se tourna vers Potting.

— OK, Norman, j'ai dit en introduction qu'on cherchait aussi les mauvaises personnes.

Potting fronça les sourcils.

— Tu es en train d'interroger les coordinateurs des équipes de transplantation, et tu n'as pas de résultats de ce côté, c'est ça ?

— Exact, chef. Et on a quasiment fait le tour.

— J'ai une meilleure idée, et je me demande pourquoi on n'y a pas pensé plus tôt. Il faudrait identifier tous les patients qui ont figuré sur une liste d'attente pour une transplantation poumons, cœur, foie ou rein, qui n'ont pas été opérés, et qui ont demandé à être rayés.

— Il peut y avoir de multiples raisons, non ? demanda Potting.

— Pas que je sache, rétorqua Grace. Si j'ai bien compris, sur cette liste figurent des gens qui ne guériront pas, à moins d'un miracle. Soit ils sont morts faute d'intervention, soit ils se sont procuré un organe par un autre biais.

Son portable sonna. Il reconnut le préfixe de l'Allemagne, +49. C'était Marcel Kullen.

Il s'excusa et sortit dans le couloir.

— Roy, dit-il, tu voulais que je nous appelle quand Marlene Hartmann revient à Munich ?

— Oui, merci !

Grace trouvait charmante sa façon de confondre « nous » et « vous ».

— Elle a volé hier soir. Ce matin, elle a passé trois appels à un numéro de ta ville, Brighton.

— Génial ! Tu penses que tu pourrais me communiquer ce numéro ?

— Tu ne révèles jamais ta source ?

— Promis.

Kullen le lui donna.

77

Il était 8 h 45. Assise dans sa cuisine, devant son ordinateur portable, Lynn découvrit cinq nouveaux mails. Luke, qui avait passé une partie de la nuit avec Caitlin, puis avait comaté dans le canapé, se trouvait à côté d'elle. Tous les messages étaient des témoignages de clients de Transplantation-Zentrale.

Le premier provenait d'une mère de Phoenix, en Arizona, dont le fils de treize ans avait bénéficié d'un foie deux ans plus tôt. Elle communiquait son numéro de téléphone, pour que Lynn l'appelle si elle en avait envie. Elle se disait ravie de la prestation et certaine que son fils ne serait plus de ce monde à ce jour, sans l'intervention de Marlene Hartmann.

Un autre lui avait été envoyé par un habitant du Cap, qui avait reçu un cœur par le biais de l'agence allemande. Lui aussi était enchanté de l'opération et joignait ses coordonnées téléphoniques.

Le troisième, des États-Unis également, était très touchant. Il provenait d'une jeune fille dont la sœur, âgée de vingt ans, qui habitait à Madison, dans le Wisconsin, avait reçu un rein. Elle se tenait à sa disposition pour lui en dire davantage par téléphone.

Dans le quatrième, une Suédoise de Stockholm racontait comment son mari de trente ans avait survécu grâce à une transplantation cœur-poumons.

Enfin, une femme de Manchester lui confiait que sa fille de dix-huit ans avait reçu un foie neuf l'année dernière, et précisait son numéro de fixe et de portable.

Vêtue d'une simple robe de chambre, Lynn sirotait une tasse de thé. Elle n'avait quasiment pas fermé l'œil de la nuit, son cerveau tournait à cent à l'heure. À un moment donné, Caitlin était venue la voir, en pleurs – elle s'était gratté les bras et les jambes jusqu'au sang. Elle l'avait calmée, puis s'était recouchée, préférant réfléchir plutôt que dormir.

Elle hésitait à accepter l'argent de Luke et celui de sa mère. Elle avait moins de scrupule du côté de Mal, vu que c'était le père. Et si la transplantation se soldait par un échec ? Dans le contrat que Frau Hartmann lui avait laissé, il était stipulé qu'en cas de rejet ou autre complication, une nouvelle opération, entièrement gratuite, lui serait offerte dans les six mois. Mais il n'était pas sûr que la transplantation réglerait tous les problèmes.

Et même si tout se passait bien, elle aurait à débourser plusieurs milliers de livres chaque année pour les traitements antirejet.

Mais, plus important que tout, il n'y avait pas d'alternative. À part l'inconcevable.

Et si Marlene Hartmann était une arnaqueuse ? L'argent serait perdu et Caitlin ne serait pas sauvée pour autant. La société n'était pas fictive – elle avait vérifié depuis son lieu de travail, discrètement, la veille –, et maintenant, elle avait les contacts d'anciens clients, qu'elle ne manquerait pas d'appeler.

Mais cela ne l'empêchait pas de se faire un sang d'encre à propos de la prochaine étape : signer et faxer le contrat, puis transférer la moitié de la somme totale, soit 150 000 euros, à Munich.

Une émission matinale passait à la télévision. Les deux animateurs discutaient et plaisantaient avec une superbe jeune femme d'une vingtaine d'années, qu'elle avait déjà vue, mais dont elle avait oublié le nom. Brune, elle ressemblait un peu à Caitlin. Et soudain, elle imagina sa fille assise entre eux, racontant, tout sourire, qu'elle avait failli mourir, mais qu'elle avait été la plus forte. Ouais !

Caitlin allait peut-être devenir célèbre. Elle était magnifique. Les têtes se tournaient sur son passage. Elle avait une forte personnalité. Si son état de santé s'améliorait, tous les possibles s'offraient à elle.

Si et seulement si.

Lynn regarda l'heure, puis calcula le décalage.

— Dans le Wisconsin, il doit être six ou sept heures de moins, non ?

Luke acquiesça.

— Et à Phoenix aussi.

— Ce doit donc être le milieu de la nuit. J'aimerais beaucoup parler à cette mère. Je l'appellerai cet après-midi.

— Celle à Manchester a une fille du même âge. Vous devriez pouvoir la joindre ce matin. Commencez par elle.

Lynn le regarda attentivement. Dans un élan d'hyperémotivité, elle ressentit une réelle affection pour lui.

— C'est bien pensé, dit-elle en composant le numéro.

Après six sonneries, le répondeur se déclencha. Elle tenta sa chance sur le portable. La femme décrocha immédiatement. D'après le bruit de fond, elle devait être en voiture.

— Allô ? dit-elle avec un fort accent mancunien.

Lynn se présenta et la remercia pour son mail.

— Je dépose les petits et je rentre chez moi. Je peux vous rappeler dans vingt minutes ?

— Bien sûr.

— Et ne vous faites pas de souci, Lynn. Marlene Hartmann est une perle. Vous pouvez venir ici rencontrer ma Chelsey. Elle vous racontera le cauchemar que c'était, le service public. Je peux vous envoyer des photos. Vingt minutes, ça vous va, Lynn ?

— Ce sera parfait, merci !

Elle raccrocha, pleine d'espoir.

78

Glenn Branson contournait l'aéroport de Shoreham ; un vent violent secouait sa petite Hyundai. Il passa devant plusieurs hélicoptères, puis jeta un œil à un bimoteur qui était en train de se poser. Il tourna à droite après les hangars, puis roula jusqu'à l'entrepôt, situé dans un complexe protégé par des barbelés, réaménagé pour accueillir l'unité spéciale de recherches. L'horloge du véhicule indiquait 12 h 31.

Quelques minutes plus tard, il se trouvait dans leur salle de conférences, qui faisait aussi office de cantine et d'espace de repos, une tasse de café devant lui, à étaler avec soin une photocopie de la carte que Ray Packham l'avait aidé à préparer.

Aux murs étaient accrochés des cartes, des plaques commémoratives en bois, un tableau blanc, des photos de l'équipe, ainsi qu'une médaille pour actes de courage et de dévouement. La vue donnait sur le parking et le mur en métal gris d'un entrepôt. Sur le rebord de la fenêtre se trouvait un aquarium avec un poisson rouge et un plongeur miniature.

La Schtroumpfette, Jonah, Arf et Ibho étaient assis à la grande table. La jeune commandante portait une polaire noire à fermeture Éclair avec un écusson et les mots « police du Sussex » brodés sur la poitrine. Les trois hommes étaient vêtus de chemisettes bleues, avec leur matricule sur les épaulettes. Gonzo, qui portait lui aussi une polaire, tendit à Glenn Branson un sac en papier.

— Au cas où tu en aurais besoin.

— Besoin pour quoi ?

— Pour vomir.

— Il y a du vent aujourd'hui ! ajouta Jonah.

— Il arrive que le bâtiment tangue un peu, précisa Ibho, et vu que la dernière fois...

Tania Whitlock jeta à Glenn un regard compatissant.

— Ouais, très marrant, fit-il.

— On m'a dit que tu avais demandé à être muté dans notre équipe, c'est vrai ? dit Arf.

— Tu t'es tellement amusé avec nous.

— Je n'aurai qu'un mot : *Les Révoltés du Bounty*, répliqua Glenn.

— Bon, intervint Tania, dis-nous ce qui t'amène.

La carte comportait une section de la côte de Worthing à Seaford. Trois cercles rouges, raisonnablement espacés les uns des autres, avaient été dessinés et désignés par les lettres A, B et C. Une ligne verte en pointillés semblait décrire une trajectoire depuis l'embouchure du port de Shoreham, jusqu'à un bateau schématisé comme un dessin d'enfant. À côté, quelqu'un avait écrit : *Das Boot*. Un arc bleu complétait le tableau.

— OK, commença Branson. Le capitaine du *Scoob-Eee*, Jim Towers, était chez O2. Ces trois cercles rouges correspondent aux antennes relais de cet opérateur. Ils nous ont communiqué les signaux émis par son portable vendredi soir, entre 20 h 55, heure à laquelle un pilote de navire et un marin l'ont vu franchir l'écluse, et 22 h 08, heure du dernier signal.

— On parle des appels passés par Jim ? demanda la commandante Whitlock.

— Non. Quand un téléphone est en veille, il envoie un signal à sa base toutes les vingt minutes, tout comme vous appelez le garde-côtes régulièrement, pour donner votre localisation, expliqua-t-il, fier de sa comparaison. Techniquement parlant, il actualise sa position.

Tous hochèrent la tête.

— Le signal émis est intercepté par l'antenne la plus proche. Si elle est occupée, c'est la suivante qui s'en charge. S'il y en a plusieurs dans le secteur, il peut l'être par deux ou même trois antennes.

— Mazette, Glenn, je ne savais pas qu'en plus d'être un grand capitaine tu étais ingénieur en téléphonie mobile, le taquina Arf.

— Va te faire voir, répliqua-t-il avec un sourire en coin. Voilà ce qui s'est passé. Après sa sortie du port, la première actualisation a été enregistrée par cette antenne de Shoreham et celle-ci, à Worthing, dit-il en désignant les points A et B. Vingt minutes plus tard, deuxième signal, même scénario. Mais ensuite, une heure après son départ, cette troisième antenne, à l'est de la marina de Brighton, a elle aussi capté le portable, poursuivit-il en montrant la lettre C. Ce qui veut dire que Towers se dirigeait vers le sud-est, suivant cette ébauche de trajectoire en vert.

— *Das Boot* ? Excellent film, intervint Gonzo.

— Et c'est maintenant que ça devient intéressant, fit Glenn, ignorant sa digression.

— Enfin ! s'exclama Ibho. Parce que pour le moment c'était pas passionnant…

Le commandant attendit que cesse l'éclat de rire général.

— Le temps que met un signal pour atteindre l'antenne relais se décompose en 63 unités. Si la couverture maximale est de 30 kilomètres, il suffit de diviser 30 par 63 pour le localiser, à 500 mètres près.

— OK, dit Gonzo. Si je comprends bien, ça, c'est la direction que prenait le bateau, et ça, c'est sa dernière position connue avant qu'il ne soit plus couvert par le réseau.

— Je ne pense pas qu'il soit sorti de la zone de couverture.

Tous fronçaient les sourcils.

— C'est de là qu'a été envoyé le dernier signal. En mer, la plupart des antennes relais couvrent une trentaine de kilomètres. Mais on m'a expliqué que les opérateurs installent des mâts exceptionnellement hauts sur la côte pour que les navires étrangers captent leur réseau, donc, en réalité, la portée doit être d'une cinquantaine de kilomètres.

Gonzo fit quelques calculs sur un carnet.

— On sait tous que le *Scoob-Eee* n'était pas un bateau rapide. Sa vitesse maximale était de 10 nœuds, soit environ 18 km/h. Quand le dernier signal a été perçu, il n'était sorti que depuis une heure et demie et ne se dirigeait pas vers la haute mer. Il devait donc se trouver à 10 milles marins de la côte, soit dans la zone couverte par l'opérateur.

S'ensuivit un long silence que Tania Whitlock brisa.

— Peut-être qu'il n'avait plus de batterie, suggéra-t-elle.

— C'est possible, mais c'était un marin expérimenté, qui se servait de son téléphone en cas d'urgence. Vous ne pensez pas qu'il avait pris soin soit de le recharger avant de partir, soit de prendre son chargeur ?

— Peut-être qu'il l'a fait tomber par-dessus bord, poursuivit Gonzo.

— Pourquoi pas ? Mais là aussi c'est difficile à imaginer.

— Ouais. Towers savait ce qu'il faisait. Mais ça peut arriver à tout le monde. À quoi tu penses, toi ?

Branson le considéra calmement.

— Et s'il avait coulé ?

— Ça y est, je comprends ! Tu voudrais qu'on plonge par là-bas ? demanda Arf.

— Eh ben, vous percutez vite, les gars ! s'exclama Branson.

— Le *Scoob-Eee* est un bâtiment robuste, bâti pour résister à des conditions extrêmes, je ne pense pas qu'il ait pu couler.

— Et s'il avait eu un accident ? Une collision, un incendie, un acte de sabotage, ou pire...

— Qu'est-ce que tu entends par là ? s'enquit Tania.

— Cette sortie en mer ne rime à rien. J'ai discuté avec sa femme. Vendredi, c'était leur anniversaire de mariage. Ils avaient réservé une table dans un restaurant. Il n'avait pas prévu de travailler. Mais, au lieu de rentrer chez lui, il est parti au large.

— J'aurais fait de même, plaisanta Arf. Entre un tête-à-tête avec madame et une soirée peinard en pleine mer, il n'y a pas photo.

Tous sourirent, sauf peut-être Tania, qui venait tout juste de se marier.

Gonzo désigna la fenêtre.

— On a un vent de force 9 sur la terre ferme. Tu imagines dans quel état doit être la Manche ?

— Un brin agitée, c'est ça ? lui répondit Glenn avec malice.

— Si tu veux qu'on y aille, on y va, intervint Ibho. Mais tu viens avec nous.

79

Lynn attendait impatiemment l'heure du déjeuner. Assise à son poste de travail, casque sur les oreilles, elle jeta un œil au calendrier accroché à la cloison rouge, à droite de son ordinateur.

Trois semaines avant Noël. Elle ne s'était jamais aussi peu préoccupée du réveillon. Elle ne souhaitait qu'un seul cadeau.

Son amie Sue Shackleton lui avait proposé 10 000 livres. Il ne lui en manquait plus que 15 000.

À cet instant précis, Luke se trouvait à sa banque pour mettre en place le virement de 150 000 euros à Marlene Hartmann. Mais elle voulait parler aux cinq anciens patients de Transplantation-Zentrale avant de lui donner le feu vert.

Pour le moment, les retours étaient dithyrambiques. Elle avait discuté avec Marilyn Franks, la femme de Manchester, qui lui avait expliqué que sa fille avait été opérée dans une clinique du Sussex, près de Brighton, et que sa greffe du foie s'était passée à merveille. Elle ne tarissait pas d'éloges sur Marlene Hartmann.

Même chose pour l'homme du Cap. Il y avait eu

quelques complications, mais les soins postopératoires avaient été extrêmement efficaces. La Suédoise, dont le mari avait subi une transplantation cœur-poumons, était également très élogieuse. Dans les deux cas, les patients avaient été opérés près de chez eux.

Il était encore trop tôt pour appeler les États-Unis, mais Lynn était d'ores et déjà convaincue. Elle était reconnaissante envers Luke de mettre tant dans le pot commun. Il n'y aurait pas de deuxième chance.

Cet après-midi, demain au plus tard, après avoir passé les deux derniers coups de fil, la première moitié du paiement serait transférée. La seconde moitié suivrait le jour de l'opération. Ce qui ne lui laissait que très peu de temps pour rassembler les 15 000 livres restantes.

Elle avait demandé à Marlene ce qui se passerait s'il manquait quelques euros. Celle-ci avait été on ne peut plus ferme : c'était tout ou rien.

15 000. Ce n'était pas une simple formalité. Surtout qu'il ne lui restait qu'une semaine, à peine, pour collecter la somme. Et comme le taux de change entre la livre et l'euro n'allait pas en s'améliorant, le montant risquait d'augmenter dans les jours à venir.

Dès que Luke aurait effectué le virement, le compte à rebours commencerait. Lynn pourrait, à n'importe quel moment, recevoir un appel leur demandant de se préparer, elle et sa fille, pour qu'une voiture passe les prendre deux heures plus tard. Ainsi que Marlene le lui avait expliqué, il était impossible d'anticiper l'accident qui lui permettrait de recevoir un organe compatible.

Elle regarda autour d'elle. Des cartes de vœux commençaient à fleurir sur les bureaux, ainsi que de minuscules guirlandes et branches de gui. Mais comme la société employait un certain nombre de musulmans, la direction avait décidé de ne pas fêter Noël – pas de décorations, pas de repas – pour ne froisser personne.

L'année précédente, cette décision l'avait fait fulminer, mais, cette fois, c'était le cadet de ses soucis. Une seule chose lui importait. L'heure. Il était 12 h 55. À 13 heures pile, plusieurs de ses collègues quitteraient le bureau. Parmi eux, Katie et Jim, ses deux voisins, qui en tendant l'oreille pouvaient entendre ses conversations téléphoniques, et sa chef d'équipe, Liv Thomas.

La cagnotte avait atteint les 1 450 livres ce matin. L'idée était de récolter un maximum d'argent auprès des clients avant qu'ils ne claquent tout en cadeaux et alcool.

Concentrée sur son travail, sans espoir de remporter le bonus, elle composa un numéro sur sa liste. Une femme, qui avait du mal à articuler, décrocha.

— Mme Hall ? demanda Lynn.

— Qui est à l'appareil ?

— C'est Lynn, de Denarii. Nous venons de remarquer que vous n'avez pas effectué votre paiement, lundi dernier.

— Ben quoi, c'est bientôt Noël, que je sache ? J'ai des trucs à acheter. Vous voulez que je leur dise quoi, moi, aux gamins ? Pas de cadeaux parce que j'ai payé Denarii ?

— Nous sommes liés contractuellement, Mme Hall.

— Ouais, alors, venez leur expliquer ça vous-même, aux gosses.

Lynn ferma les paupières. Elle entendit la femme déglutir. Elle n'avait pas la force d'aborder le sujet.

— Quand pensez-vous pouvoir de nouveau tenir vos engagements ?

— C'est à vous de me le dire. Je vis dans une HLM. La CAF, vous connaissez, hein ? Vous n'avez qu'à leur demander le fric directement.

La femme avalait de plus en plus ses mots et ce qu'elle baragouinait ne voulait rien dire.

— Je vous rappellerai demain, Mme Hall, fit Lynn avant de raccrocher.

Son collègue Jim, un petit gars du Nord d'une trentaine d'années, assis à sa droite, retira son casque et soupira.

— Merde alors, ils ont quoi, les gens, aujourd'hui ?

Lynn lui adressa un sourire compatissant. Il se leva.

— Je me tire. J'ai besoin d'un petit remontant. Tu m'accompagnes ? Je t'offre un verre.

— Désolé, Jim, mais je ne prends pas de pause.

— Comme tu voudras.

Puis Katie, une rouquine rondelette, posa elle aussi son casque et prit son sac à main.

— Bon, je vais affronter la cohue des magasins.

— Bonne chance, lui souhaita Lynn, soulagée de la voir partir.

Quelques minutes plus tard, sa chef enfilait son manteau. Lynn fit semblant d'avoir des mails à rédiger, puis, quand tous les trois eurent quitté la pièce, elle consulta le fichier clients et griffonna un numéro.

Elle sortit son portable, masqua son numéro, puis appela le client qu'elle détestait par-dessus tout.

Une voix grave, sirupeuse, méfiante, décrocha.

— Allô ?

— Reg Okuma ?

— À qui ai-je l'honneur ?

— Lynn Beckett, de Denarii, chuchota-t-elle.

Son ton changea du tout au tout.

— Ma chère Lynn ! Vous m'appelez pour me proposer de faire l'amour, là, maintenant ?

— Je vous contacte pour vous présenter notre offre spéciale Noël. Vous devez 37 500 livres, sans compter les intérêts, à trois sociétés, n'est-ce pas ?

— Si c'est vous qui le dites…

— Si vous pouvez fournir 15 000 livres en liquide, nous serions prêts à effacer votre dette.

— Vraiment ? demanda-t-il, dubitatif.

— C'est valable uniquement pour Noël. Nous aimerions solder les comptes de certains gros clients avant la fin de l'année.

— C'est une proposition très alléchante que vous me faites.

Lynn savait qu'il avait l'argent. Il était connu pour être mauvais payeur depuis plus de dix ans. Il possédait plusieurs camions de glace et de vente à emporter qui généraient du cash. Il se procurait une carte de crédit, utilisait le plafond disponible, puis faisait croire qu'il était à sec. Selon ses calculs, il avait sûrement des centaines de milliers de livres en petites coupures. 15 000, ce devait être une broutille, pour lui. Une affaire à saisir.

— Vous m'avez dit hier que vous deviez acheter une voiture pour votre nouveau projet et que le crédit vous avait été refusé.

— Exact.

— Cette offre constituerait une bonne solution pour vous.

Il ne répondit pas.

— M. Okuma, vous êtes toujours là ?

— Oui, ma beauté, je vous écoute respirer. Votre souffle éclaircit mes pensées et m'excite. Donc si j'arrivais à... à trouver cette somme pour vous...

— En liquide.

— C'est obligatoire ?

— Je vous rends un grand service. Je mets ma réputation en jeu pour vous aider.

— Dans ce cas, j'aimerais vous récompenser, ma jolie. Peut-être au lit ?

— Il faut d'abord que je voie l'argent.

— Je pense que cette somme... C'est OK. Combien de temps me laissez-vous ?

— Vingt-quatre heures ?

— Je vous rappelle dans un instant.

— Faites-le à ce numéro, dit-elle en lui donnant celui de son portable.

Elle raccrocha et fut prise de tremblements.

80

Grace nota la date et l'heure dans son carnet – jeudi 4 décembre, 18 h 30. Puis il parcourut le long résumé que son assistante avait mis au propre pour la quatorzième réunion de l'opération Neptune.

Plusieurs des membres de son équipe, dont Guy Batchelor, Norman Potting et Glenn Branson, discutaient vivement la décision de l'arbitre lors du match de foot de la veille. Grace, qui préférait le rugby, ne l'avait pas vu.

— OK, fit-il en levant la main. Je donne le coup d'envoi.

— Très drôle, fit Glenn.

— Tu veux un carton jaune ?

— Tu changeras d'avis quand tu entendras ma découverte. Mes deux découvertes, d'ailleurs. Tu veux que j'ouvre le match ?

— Je t'en prie, répliqua Roy Grace en souriant.

— Alors, pour commencer, les gars de l'unité spéciale de recherches se sont rendus à l'endroit où le *Scoob-Eee* a été localisé, grâce au téléphone du capitaine. Malgré le mauvais temps, ils ont identifié une anomalie, dont la taille et la forme pourraient correspondre à un bateau de pêche. Elle se trouve à trente mètres de fond, à 12 milles au sud de Black Rock. Peut-être s'agit-il d'une vieille épave. Ils plongeront demain, si la météo le permet, afin d'en avoir le cœur net.

— Tu les accompagnes ? lui demanda la commandante Mantle.

— Eh bien, hésita Glenn Branson. Si j'ai le choix, je ne préfère pas.

— Tu devrais. Au cas où ils découvrent quelque chose.

— Je ne leur serai pas d'une grande utilité, allongé sur le dos, en train de vomir mes tripes.

— Si tu régurgites, allonge-toi sur le côté ou sur le ventre, ça t'évitera de t'étouffer.

— Merci pour le conseil, Norman. J'y penserai.

— Je pense que Glenn sera plus utile avec nous, intervint Grace. On n'est pas si nombreux. Et mis à part le fait que ce bateau ait repêché deux des corps, on n'est pas sûr qu'il ait un lien quelconque avec l'enquête.

— Sauf que... précisa Glenn à contrecœur, dépité de tendre, pour ainsi dire, l'autre joue, j'ai les résultats du labo concernant l'ADN prélevé sur les deux mégots trouvés au port. Tu te souviens que j'avais le sentiment que quelqu'un nous observait avec intérêt, vendredi matin ?

Grace hocha la tête.

— Les gens qui bossent pour la base de données à Birmingham ont trouvé une correspondance parfaite avec un individu récemment fiché par Europol. Ici, il se fait appeler Joe Baker, mais son vrai nom, c'est Vlad Cosmescu. Il est roumain.

Grace réfléchit. Joe Baker. Le propriétaire de la Mercedes noire aperçu lors d'un jogging matinal. Simple coïncidence ou pas ?

— C'est intéressant, intervint Bella Moy Son nom

a été mentionné par deux filles qui bossent pour lui, dans l'un des lupanars de la ville. Elles aussi sont roumaines.

— C'est clairement l'homme à suivre, fit Grace en sortant des documents d'une enveloppe marron. Les gars ont réussi à prélever des empreintes sur le moteur de hors-bord échoué sur la plage grâce à une technologie révolutionnaire et devinez à qui elles appartiennent ?

— À notre nouvel ami, Vlad l'Empaleur ! s'exclama Guy Batchelor.

— Bingo !

— On fait quoi, on l'arrête ? demanda Potting. C'est tous des voyous, les Roumains, de toute façon.

— Ce sont des propos xénophobes, Norman, objecta Bella.

— Non, je le pense vraiment.

— Et on l'arrête pour quel mobile ? reprit Grace. Interdiction de fumer ? Interdiction de perdre un moteur de hors-bord ? Interdiction d'être roumain ?

Potting baissa les yeux et grogna.

— Glenn, y avait-il un canoë pneumatique à bord du *Scoob-Eee* ? lui demanda E-J.

— Je n'en ai pas vu.

— On sait où il vit, ce Baker/Cosmescu ?

— Cela fait des années qu'il bosse comme mac, répondit Bella. On devrait pouvoir le localiser facilement.

— Tu veux qu'on l'interroge ? demanda Lizzie Mantle.

— Non, je vais juste le ficher. On ne se manifeste pas pour le moment. S'il s'apprête à faire un mauvais coup, il redoublera de prudence. On peut envisager de le faire suivre.

Il regarda ses notes.

— Bon, quoi neuf du côté des autres pistes ?

— Deux lieutenants ont fait le tour des magasins de

bricolage vendant des bâches en PVC. RAS pour le moment, déclara David Browne.

— Avec Nick, on a visité douze maisons closes cette nuit, dit Bella Moy en tendant la main vers sa boîte de Maltesers.

— Nick, tu dois être vidé, plaisanta Potting.

Nicholl rougit et esquissa un sourire gêné. Grace se retint de rire. Potting était plus calme ces jours-ci, sans doute à cause de ses soucis conjugaux. Et c'était mieux ainsi. Le vieux renard était rusé, mais Grace était passé à deux doigts de le virer pour remarques déplacées.

Il se tourna vers Bella.

— Alors, quelles sont les nouvelles du front ?

— Pas grand-chose, sauf une allusion à Cosmescu. Cela dit, aucune fille ne se plaint de ses conditions de travail.

— Ça fait plaisir de savoir qu'il fait bon se prostituer à Brighton, soupira Grace, sarcastique.

— On s'y remet après la réunion, conclut-elle.

— Norman, ton copain en Roumanie a avancé ?

— Tilling m'a envoyé un mail il y a une heure de ça. Il va sur le terrain ce soir. J'aurai peut-être quelque chose demain matin.

Grace prit note.

— Bien. Merci. Et concernant d'éventuels patients qui auraient renoncé à se faire opérer ?

— J'ai passé la journée là-dessus, dit Potting. Je crains que cette piste ne nous mène nulle part. En premier lieu, on m'oppose le sacro-saint secret médical. Et les listes ne sont jamais arrêtées. Un hépatologue de l'hôpital royal du sud de Londres, l'un des meilleurs établissements dans ce domaine, a éclairé ma lanterne. Ils se réunissent tous les mercredis à midi pour redéfinir les priorités. Vu qu'il y a pénurie, la situation change, selon des critères d'urgence. Tous les hôpitaux du pays fonctionnent ainsi. Mais il nous faudrait des autorisations légales pour accéder à chaque dossier. L'idéal, ce serait d'avoir un médecin dans notre équipe.

— À qui penses-tu ?

— Je ne sais pas, moi. Un chirurgien bien installé. Quelqu'un qui aurait une vue d'ensemble.

— J'ai un nom à vous proposer, intervint Emma-Jane. J'ai cherché des spécialistes en transplantation qui auraient ouvertement critiqué le système de santé publique et se seraient ralliés aux cliniques privées.

— Critiqué, dans quel sens ? s'enquit la commandante Mantle.

— Eh bien, quelqu'un qui ne trouverait pas cela immoral d'acheter des organes. J'en ai trouvé un. Il s'appelle Sir Roger Sirius et il est cité à de nombreuses reprises.

Elle se tourna vers Grace, qui l'encouragea à poursuivre.

— Il a débuté comme interne auprès d'un des pionniers des greffes, en Grande-Bretagne. Il a ensuite poursuivi sa carrière à l'hôpital royal du sud de Londres, où il a atteint le sommet de la hiérarchie en quelques années. Il a fait campagne pour que les organes des victimes d'accident puissent être prélevés systématiquement, à moins que la personne s'y soit formellement opposée de son vivant, comme c'est le cas en Espagne, par exemple. Et c'est maintenant que cela devient intéressant. Il a récemment pris sa retraite, de manière anticipée, suite à une dispute à ce sujet. Puis il est parti à l'étranger.

Elle consulta ses notes.

— On le mentionne sur des sites au sujet de la Colombie – un pays connu pour tremper dans le trafic d'organes, où il aurait travaillé un certain temps. Jusqu'à ce qu'il soit repéré en Roumanie.

— En Roumanie ? répéta Grace.

— Il mène un sacré train de vie, poursuivit E-J. Il se déplace en hélicoptère privé, possède des voitures tape-à-l'œil et un énorme manoir près de Petworth, dans le Sussex.

— Intéressant qu'il vive dans la région, souligna Lizzie.

— Il y a quatre ans, il a négocié un divorce qui lui a coûté très cher, pour épouser une ancienne Miss Roumanie. C'est tout ce que j'ai pour le moment.

S'ensuivit un long silence que Grace rompit.

— Beau travail, E-J. Je pense qu'on devrait le rencontrer.

Il réfléchit. D'après le peu qu'il savait des grands chirurgiens, il les trouvait snobs et prétentieux. Guy Batchelor, qui avait fait ses études dans de prestigieuses écoles privées, avait le profil idéal pour l'interroger. Sir Roger Sirius se confierait plus volontiers à quelqu'un de son monde. Et les pistes que Batchelor suivait étaient susceptibles de se recouper.

— Guy, c'est pour toi. Je te propose d'y aller avec E-J.

— Oui, chef.

— Dis-lui que nous enquêtons sur trois affaires que l'on pense liées au trafic d'organes, demande-lui de nous aider à mettre la main sur les voyous. Flatte-le, caresse-le dans le sens du poil, et observe-le de près. Vois comment il réagit.

Il retourna à ses notes.

— Le numéro que mon contact allemand m'a confié. Qui s'en est occupé ?

Jacqui Phillips, l'une des documentalistes, leva la main.

— Moi. J'ai obtenu une adresse et un nom à Patcham. Mais j'ai confié un autre détail à la commandante.

Lizzie Mantle saisit la balle au bond.

— Et c'était très bien vu de ta part, Jacqui. La propriétaire de la maison s'appelle Lynn Beckett. Jacqui a remarqué que c'était le nom d'un membre de l'équipage de l'*Arco Dee*, le navire sablier qui a repêché le premier corps. Comme c'était Nick et moi qui avions recueilli leurs témoignages, nous sommes retournés les voir cet après-midi, quand ils déchargeaient leur cargaison. Nous avons eu confirmation que Lynn Beckett est l'ex-épouse du chef mécanicien, Malcolm Beckett. L'un de ses collègues nous a confié qu'il était déprimé, parce que sa fille était malade. Il ne savait pas précisément ce dont il était question, mais avait cru comprendre que c'était lié à son foie.

— Son foie ? répéta Grace.

— Tu as découvert autre chose ?

— Non. Malcolm Beckett était sur ses gardes. Trop, à mon avis.

— Pourquoi ?

— Je crois qu'il a quelque chose à cacher.

— Du genre ?

— Il n'arrête pas de dire qu'il ne sait pas vraiment ce dont sa fille souffre, qu'elle vit chez sa mère et qu'il la voit peu, mais cela ne me semble guère probable. C'est lui le père, quand même. Et j'ai observé ses yeux, selon le principe que tu nous as enseigné : d'après moi, il ment.

Grace sourit.

— Et si on la mettait sur écoute ? suggéra David Browne.

— On n'a pas assez d'éléments pour le moment, mais je pense qu'on obtiendra un mandat pour accéder à son relevé d'appels.

— J'imagine que Lynn Beckett possède elle aussi un portable, intervint Guy Batchelor.

— Oui. Faites le tour des opérateurs pour vous procurer son numéro.

Il consulta ses notes.

— Demain, je serai à Munich pour la journée. C'est la commandante Mantle qui sera en charge de l'enquête en mon absence. Des questions ?

Personne ne se manifesta, mais, après la réunion, Glenn coinça Roy dans le couloir, devant un schéma en étoile décrivant les mobiles possibles épinglé sur un tableau en feutrine rouge.

— Eh, vieux, ta virée à Munich, ça n'a aucun lien avec Sandy, pas vrai ?

— Oh là, non ! J'ai un rendez-vous avec une femme qui vend des organes. Je vais me faire passer pour un client potentiel. Et mon ami du LKA en profitera pour me glisser quelques dossiers, en sous-main.

Glenn jeta un œil au schéma : *désir, besoin de contrôler, haine, vengeance.*

Puis il regarda son ami dans les yeux.

— Tu es sûr que c'est la seule raison, hein ? Parce qu'on n'a pas parlé de Sandy depuis longtemps, toi et moi, et d'un coup tu décides d'aller à Munich, où elle a été aperçue pour la dernière fois…

— C'était une fausse piste, Glenn. Tu sais ce que je pense ?

— Non, parce que tu ne me dis jamais le fond de ta pensée. On va boire un verre ?

— Je dois passer chez moi prendre des vêtements, et j'ai quelques trucs à régler ici d'abord, mais ça ne devrait pas me prendre plus d'une demi-heure. On se retrouve où ?

— Comme d'habitude ?

Grace haussa les épaules. Le Black Lion n'était pas son pub préféré, surtout que la ville regorgeait de bars plus sympas les uns que les autres, mais c'était tout près et il y avait un parking. Il consulta sa montre.

— Je t'y retrouve à 8 heures moins le quart. Mais pour un verre seulement !

Quand Grace arriva, avec dix minutes de retard, Glenn était assis à une table tranquille, dans un coin, une pinte devant lui et un whisky, avec une carafe d'eau pour Grace.

— Glenfiddich, ça te va ? s'enquit Branson.

— Super.

— Je ne sais pas pourquoi tu aimes ce truc.

— Eh bien, moi, je ne sais pas comment tu fais pour boire de la Guinness.

— C'est pas ce que je veux dire. Les amateurs de single malt, les puristes, n'optent pas pour du Glenfiddich, si ?

— Tu as raison, mais moi, c'est mon préféré. Ça te pose un problème ?

— Tu as vu le film *Whisky à gogo* ?

— À propos d'un cargo plein de bouteilles échoué sur la côte écossaise ?

— Parfois, tu m'impressionnes. Tu as beau avoir des goûts désastreux en matière de fringues et de musique, tu n'es pas complètement inculte !

— Je n'ai pas non plus envie d'être trop parfait, tu sais... Bon, et toi, comment va ? Quoi de neuf avec Mme Branson ?

— Ne m'en parle pas. C'est une catastrophe, dit-il avant de descendre une gorgée et d'essuyer la moustache de mousse d'un revers de la main. Je veux que tu me parles de toi, de Munich et... de Sandy ?

Grace fit tourner les glaçons dans son verre.

Johnny Cash se mit à chanter *Ring of Fire*.

— Enfin de la vraie bonne musique.

Branson resta bouche bée.

Grace but une gorgée et posa son verre.

— Je pense que Sandy est morte. Et ce, depuis long-temps. J'ai été idiot d'espérer le contraire. J'ai gâché neuf années de ma vie à consulter des voyants.

Il sirota son whisky.

La plupart m'ont dit qu'ils n'arrivaient pas à entrer en contact avec elle ; selon eux, elle n'avait pas rejoint le monde des esprits.

— Pardon ?

— Elle n'était pas morte, donc elle était vivante – CQFD.

Il se rendit compte qu'il avait terminé son verre.

— C'était un double ? demanda-t-il à son ami.

Glenn acquiesça.

— J'en prends un autre – un simple – pour ne pas dépasser la limite autorisée. Tu veux un demi ?

— Une pinte, tu veux dire. Je suis un grand garçon. Je tiens mieux l'alcool que toi !

Grace revint s'asseoir avec leur commande. Branson avait terminé son verre entre-temps.

— Donc tu ne crois pas ce que disent ces médiums ? Toi qui as toujours été un fervent défenseur du sur-naturel...

— Je ne sais plus qui croire. Cela va faire dix ans qu'elle est partie. Ça suffit. Qu'elle soit réellement morte ou pas, elle l'est pour moi. Si elle est vivante et qu'elle ne m'a pas contacté pendant tout ce temps, elle ne le fera jamais. Et je ne veux pas perdre Cleo.

— C'est une fille super, je suis d'accord avec toi.

— Si je ne tourne pas la page, je la perds. Je ne vais pas prendre le risque.

Glenn lui donna un faux coup de poing au visage, effleurant sa joue.

— Bien dit. C'est la première fois que je t'entends parler comme ça.

— C'est la première fois que je ressens ce besoin. J'ai demandé à mon avocate d'entamer la procédure pour qu'elle soit officiellement déclarée morte.

— Tu sais qu'il ne s'agit pas seulement d'une démarche juridique, mec. C'est dans la tête, que c'est important.

— Qu'est-ce que tu veux dire ?

— Il faut que tu y croies vraiment, là, fit-il en désignant son crâne.

— J'y crois. Et tu peux me faire confiance, je suis flic.

81

Le docteur Ross Hunter était assis au bord du lit de Caitlin. Lynn lui préparait un thé dans la cuisine.

Dans la chambre en désordre, l'air était lourd de transpiration. Tandis qu'il observait, derrière ses demi-lunes en écaille, le visage jauni, cerné, de la jeune fille, il sentait la chaleur qui se dégageait de son corps. Ses cheveux emmêlés reposaient sur une pile d'oreillers. Elle portait une robe de chambre rose, une chemise de nuit, un casque autour du cou, tandis que son iPod reposait sur la couette, entre une biographie de Michael Jordan et plusieurs peluches.

— Comment te sens-tu, Caitlin ?

— J'ai reçu un message à paillettes, dit-elle d'une voix à peine audible.

— À paillettes ?

— Sur Facebook, murmura-t-elle.

— Qu'est-ce que tu veux dire par là ?

— C'est ma copine Gemma qui me l'a envoyé. Et j'ai été pokée par Mitzi.

— OK, dit-il, médusé.

— Et Mitch Symons m'a envoyé une bagnole. Pour que je puisse me déplacer plus facilement.

Le docteur observa la pièce ; une cible au mur, un boa violet, une housse de saxophone, et une petite voiture égarée parmi les chaussures.

— Celle-ci ? demanda-t-il.

Elle secoua la tête.

— Non, chuchota-t-elle en moulinant du poignet droit, comme pour mieux réfléchir. C'est un truc Facebook. Virtuel. Pour se déplacer...

Elle ferma les yeux, épuisée par tant d'efforts.

Il se pencha pour ouvrir son sac. Lynn revint avec un thé et un biscuit posé sur la soucoupe. Il la remercia, puis se tourna vers Caitlin.

— Je vais prendre ta température et ta tension, OK ?

— Ouais ouais, murmura-t-elle les yeux clos.

★

Dix minutes plus tard, il descendit dans la cuisine, suivi de Lynn, et s'assit à la table. Elle savait ce qu'il allait lui dire.

— Lynn, je suis très inquiet. Elle est gravement malade.

Sentant les larmes lui monter aux yeux, Lynn fut tentée de se confier, de lui avouer ce qu'elle avait décidé de faire. Mais elle ne savait pas comment il réagirait. C'était un homme d'une grande intégrité. Il la condamnerait, même si c'était pour le bien de Caitlin. Elle se contenta donc d'acquiescer, la mort dans l'âme.

— Je sais, dit-elle le cœur gros.

— Il faut l'hospitaliser. Vous voulez que j'appelle une ambulance ?

— Ross, bafouilla-t-elle. Je...

Elle secoua la tête et cacha son visage dans ses mains, incapable de réfléchir.

— Mon Dieu, Ross, je suis à bout.

— Lynn, dit-il gentiment, vous pensez pouvoir vous occuper d'elle, mais la pauvre petite n'est pas bien, ici. Si vous ne faites rien, vous mettez sa vie en danger. Elle s'est grattée jusqu'au sang. Elle a de la fièvre. Son état se dégrade très vite. Je n'en reviens pas, depuis la dernière fois. J'ai discuté de son cas avec le Dr Granger. La seule solution, c'est la transplantation hépatique, de toute urgence, avant qu'elle ne soit trop faible.

— Vous voulez qu'elle retourne à Londres ?

— Oui. Ce soir.

— Connaissez-vous cet hôpital, Ross ?

— Oui, mais cela fait quelques années que je n'y suis pas allé.

— C'est un enfer. Ce n'est pas de leur faute. Le personnel est plutôt bien. C'est le système de santé public qui ne marche pas. Je ne sais pas s'il faut blâmer le gouvernement ou d'autres, mais le fait est que c'est invivable, là-bas. Vous avez beau jeu de dire : elle doit être hospitalisée, mais savez-vous ce que cela implique ? Se retrouver dans un dortoir mixte, où des personnes âgées qui n'ont plus toute leur tête grimpent dans votre lit au milieu de la nuit ? Où il faut se battre pour qu'elle soit déplacée en fauteuil roulant ? Où je n'ai pas le droit de rester pour la réconforter après 20 h 30 ?

— Lynn, ils ne mettent pas des enfants dans des dortoirs pour adultes.

— Cela arrive, quand ils sont surchargés.

— Je suis sûr que cela ne se reproduira pas.

— J'ai peur pour elle, Ross.

— Elle va bénéficier d'une greffe dans les meilleurs délais.

— Vraiment ? En êtes-vous sûr, Ross ? Vous savez comment ça fonctionne ?

— Le Dr Granger y veillera.

— Je sais que le Dr Granger a les meilleures intentions du monde, mais il n'a pas plus d'influence que vous sur leur maudit système. Ils se réunissent tous les mercredis pour décider du patient qui sera sauvé – si tant est qu'ils reçoivent un foie entre-temps. On est jeudi soir. Il faudra attendre une semaine. Survivra-t-elle jusque-là ?

— Pas si elle reste ici, répondit-il sans détour.

Elle lui agrippa la main et fondit en larmes.

— Elle a plus de chances de survivre ici, Ross, croyez-moi. Mais ne me demandez pas pourquoi, je vous en supplie.

— Que voulez-vous dire, Lynn ?

Elle garda le silence.

— Je l'accompagnerai à Londres dès qu'ils auront un foie pour elle. D'ici là, elle reste ici. Voilà ce que je veux dire. OK ?

— Je vais faire tout ce qui est en mon pouvoir, je vous le promets, dit-il.

— Je le sais bien. Et moi, je suis sa mère, et je vais faire tout ce qui est en *mon* pouvoir.

82

De gros flocons tombaient sur Bucarest quand Ian Tilling gara sa vieille Opel Kadett à une centaine de mètres de l'entrée de la Gara de Nord. Comme d'habitude, le moteur râla, cliqueta et toussota pendant quelques secondes.

Il sortit, accompagné d'Andreea et d'Ileana. Il aimait bien cette dernière, qui consacrait sa vie à aider les démunis. Elle était jolie, malgré son nez aquilin. Mais, comme pour dissuader ses admirateurs, elle se coiffait d'un chignon strict, portait des lunettes sévères et ne s'habillait jamais de façon féminine.

À l'époque où ils travaillaient ensemble, il s'était souvent dit qu'elle serait superbe maquillée, coiffée, avec une nouvelle garde-robe. Le subcomisar Radu Constantinescu, ce chaud lapin, l'invitait sans arrêt à prendre un verre, mais elle était passée maîtresse dans l'art de repousser ses avances.

Il y avait parfois des prostituées sur ce bout de trottoir, mais pas ce soir. Ian fut déçu, car c'était là qu'il pensait trouver Raluca. Ils montèrent les marches glissantes et entrèrent dans l'immense hall de la gare internationale de Bucarest, où régnaient un froid glacial et une ambiance de fin du monde. Il remarqua un groupe de gosses à leur gauche. Un peu plus loin, sous un lampadaire faiblard, des policiers fumaient et plaisantaient.

— Ce sont des amis de Raluca, là-bas, lui dit Ileana.

— OK, apportons-leur quelque chose à manger.

Traversant le hall désert, il passa devant le café Metropol fermé et devant un vieil homme barbu, vêtu de haillons, d'un bonnet en laine et de bottes en caoutchouc, qui descendait une bouteille d'alcool. Ian l'avait toujours vu à cet endroit, dans ces mêmes habits, en train de boire un tord-boyaux. Il s'approcha pour déposer un billet de cinq lei sur le petit tas de pièces et fut remercié par un geste chaleureux.

Tilling entendit le bruit métallique régulier, de plus en plus rapide, d'un train s'éloignant d'un quai tout proche. Il leva machinalement les yeux vers le tableau des départs et des arrivées. Le marchand de friandises, qui allait fermer, accepta, après force marchandage, que Ian achète barres chocolatées, biscuits, chips et autres sodas.

Tilling s'approcha des gamins avec plusieurs sachets. Il en connaissait certains, dont Tavian, un jeune de dix-neuf ans qui portait un bonnet péruvien bleu, une veste militaire à motif camouflage, un coupe-vent gris et plusieurs autres couches. Il tenait dans ses bras un bébé enveloppé dans une combinaison en velours côtelé et une couverture. Tavian souriait tout le temps, soit parce que c'était dans sa nature, soit parce qu'il était défoncé à l'Aurolac. Tilling penchait pour la seconde solution.

— J'ai des cadeaux pour vous, annonça-t-il, en roumain.

Les gosses attrapèrent les sacs, se bousculèrent pour voir leur contenu et piochèrent allégrement, sans le remercier.

Ileana se tourna vers une Rom vêtue d'une veste de survêtement synthétique rose fluo, d'un bas vert brillant et d'une écharpe. Impossible de lui donner un âge précis.

— Bonjour, Stefania, comment vas-tu ?

— Pas très bien, répondit la fille en ouvrant un paquet de chips. Temps de merde, pas vrai ? Personne n'a d'argent pour nous. Où sont les touristes ? C'est bientôt Noël, non ? Personne n'a d'argent.

Un jeune homme renfrogné, petite moustache, bonnet en laine, polaire noire et jean crasseux, avec, à la main, une bouteille qui contenait sans doute de l'Aurolac, se mit à se plaindre des flics qui les harcelaient, ces jours-ci. Puis il jeta un œil dans l'un des sachets ouverts et prit une barre chocolatée.

— Ils ne nous laissent jamais en paix. Jamais.

— Je cherche Raluca, dit Ileana. Quelqu'un l'a vue ce soir ?

Après s'être tacitement consultés, tous secouèrent la tête, comme s'ils ne voyaient pas de qui elle parlait.

— On ne connaît pas de Raluca, dit Stefania.

— Allons, elle était avec vous la semaine dernière, quand je suis venue discuter avec elle.

— Qu'est-ce qu'elle a fait ? demanda une autre fille.

— Rien, la rassura Ileana. On a besoin de son aide. Vous êtes en danger. On voulait vous mettre en garde contre quelque chose.

— Contre quoi ? fit le jeune avec la moustache. On est tout le temps en danger. Personne ne s'occupe de nous.

— Est-ce qu'on vous a offert un boulot à l'étranger ? demanda Tilling.

Le gars ricana.

— Vous croyez que si c'était le cas on serait toujours là ? dit-il avant de briser une tablette de chocolat et d'enfourner une barre dans sa bouche.

— C'est qui, lui ? demanda une fille, qui avait l'air défoncé, en montrant Tilling du doigt.

— Un bon ami à nous, répondit Ileana.

Andreea sortit les photos des adolescents retrouvés morts à Brighton d'une des poches de son anorak.

— Vous pourriez nous dire si vous les connaissiez ? C'est très important.

Les jeunes les firent circuler. Certains les observèrent de près, d'autres avec indifférence. Stefania regarda longuement celle de la fille.

— C'est possible que ce soit Bogdana.

Une autre s'approcha pour donner son avis.

— Non, je connais Bogdana. On a passé un an ensemble. Ce n'est pas elle.

Ils les rendirent à Ileana.

— Quelqu'un connaît un garçon qui s'appelle Rares ? demanda Tilling en montrant le gros plan du tatouage.

Tous secouèrent la tête. Et soudain, l'expression de Stefania changea. Tilling se tourna pour suivre son regard et vit une fille d'une quinzaine d'années, avec de longs cheveux noirs relevés, veste en cuir, minijupe en cuir, cuissardes noires, approcher, furieuse. Quand elle fut plus près, il remarqua qu'elle avait un œil au beurre noir et une éraflure sur la joue opposée.

— Raluca ! s'écria Ileana.

— Quel connard ! s'emporta Raluca. Vous savez ce qu'il voulait que je fasse dans son camion ? Je ne vous le dirai pas. Je l'ai envoyé balader, il m'a cognée et m'a foutue dehors.

Ileana l'attira à l'écart, passa un bras autour de son épaule, examina ses blessures, et lui demanda si elle voulait aller à l'hôpital. La fille refusa fermement.

— J'ai besoin de ton aide, Raluca.

Celle-ci haussa les épaules, bouillonnant de rage.

— Mon aide ? Et qui m'aide, moi ?

— Écoute-moi, c'est important, l'implora-t-elle. Il y a quelques semaines, tu m'as dit que tu avais entendu

445

parler d'une femme qui propose du travail et un appartement à l'étranger. C'est bien ça ?

Elle maugréa, puis acquiesça. Ileana lui montra les photos.

— Tu reconnais ces jeunes ?

— Lui, dit-elle en désignant l'un des garçons. Je l'ai déjà vu, mais je ne connais pas son nom.

— La situation est très grave, Raluca. La semaine dernière, ils ont été retrouvés assassinés en Angleterre. Leurs organes avaient été prélevés. Tu dois me dire tout ce que tu sais sur cette femme.

Raluca blêmit.

— Je ne l'ai jamais vue, mais je...

Elle sembla soudain effrayée.

— Tu connais Simona et son copain, Romeo ? reprit-elle.

— Non.

— Je l'ai croisée il y a deux jours. Elle était très heureuse. On lui avait proposé un job en Angleterre. Elle allait... Elle venait de passer un examen médical. (Elle s'arrêta brusquement.) Merde. Tu as une cigarette ?

Ileana sortit son paquet, en prit une pour chacune d'elles, et lui tendit son briquet.

Raluca inhala la première bouffée.

— Un examen ?

— La femme lui a dit qu'elle devait vérifier son état de santé pour obtenir ses billets, son visa...

— Simona, où vit-elle ?

— Avec son mec, Romeo, et d'autres, sous la route, le long des canalisations.

— Où ?

— Je ne sais pas exactement. Mais je connais le coin.

— On doit la retrouver. Tu veux bien venir avec nous ?

— Je n'ai pas le temps. J'ai besoin de fric pour me payer ma dose.

— On te donnera l'équivalent de ce que tu aurais gagné ce soir, ça marche ?

Quelques minutes plus tard, elles se pressaient vers la voiture de Tilling.

83

L'Airbus avait entamé sa descente, chaotique, dans un ciel pourtant dégagé. Le signal lumineux « attachez vos ceintures » venait de s'allumer. Grace vérifia que son siège était en position verticale, même s'il ne s'était pas allongé pendant le vol. Il avait été bien trop occupé à lire les notes qu'on lui avait préparées au sujet des pathologies hépatiques et à réfléchir à ce qu'il pouvait espérer de son rendez-vous avec la directrice de Transplantation-Zentrale.

Ils affichaient un retard de vingt-cinq minutes, pris au moment du décollage, ce qui n'était pas négligeable dans son agenda surchargé. Il regarda par le hublot. Sous la neige, le paysage ne ressemblait guère à celui de la dernière fois. Le patchwork estival coloré avait été remplacé par un immense tapis blanc. Les chutes étaient récentes, vu que les branches des arbres étaient lourdes de neige.

Le sol et les habitations se rapprochaient à chaque seconde. Il vit un hameau de maisons blanches, des haies et une petite ville. La luminosité était si forte qu'il regretta d'avoir oublié ses lunettes de soleil.

C'est fou comme les choses changent avec le temps, se dit-il. Quelques mois plus tôt, il s'était rendu à Munich dans l'espoir de retrouver Sandy, un ami l'ayant aperçue dans un parc. Mais, à présent, toutes ces émotions avaient disparu, comme évaporées. Il pouvait affirmer, en toute sincérité, qu'il ne ressentait plus rien pour elle. Depuis quelques semaines, il avait entrepris de ne plus remuer les souvenirs, les bons comme les mauvais.

Grace entendit le train d'atterrissage sortir et sentit son cœur se serrer. Pour la première fois depuis très longtemps, il avait une raison de vivre : Cleo. Il ne pensait pas qu'on puisse aimer quelqu'un à ce point. Elle l'accompagnait partout, dans son âme, dans ses tripes, dans son sang, chaque seconde. Il ne supportait pas l'idée qu'il puisse lui arriver quelque chose. Et, pour la première fois, il avait peur pour lui. Peur que quelque chose les sépare, maintenant qu'ils s'étaient trouvés.

Peur que son avion s'écrase. Lui qui avait l'habitude de voyager se surprit à passer en revue tout ce qui pouvait mal tourner. Dépassement de la piste. Désintégration du train d'atterrissage. Dérapage. Collision avec un autre avion. Oiseaux pris dans les réacteurs. Panne.

Il entrevit la piste, des hangars, des lumières, et des signaux que seuls les pilotes comprenaient.

L'atterrissage fut tellement doux qu'il sentit à peine les roues se poser. Quand le commandant déploya les inverseurs, Grace fut légèrement projeté vers l'avant.

Une hôtesse leur souhaita la bienvenue à l'aéroport Franz-Josef-Strauss d'une voix suave, avec un accent guttural.

★

La portière arrière du taxi s'ouvrit et une femme distinguée, portant des lunettes de soleil, en sortit.

Elle régla la course, laissa un pourboire et tira son petit sac de voyage vers le hall des départs.

Jolie, trente-cinq ans environ, elle portait un long manteau camel, des bottes en daim, un châle en cachemire et des gants en cuir. Après s'être teinte en brune pendant des années, elle avait décidé de retrouver sa couleur naturelle, un blond foncé, et de ne plus se couper les cheveux aussi court. Elle avait lu dans un magazine que les femmes qui cherchaient un nouvel homme changeaient souvent de coupe. Ce n'était pas faux dans son cas. Elle traversa le hall réservé à la Lufthansa et rejoignit la queue des « classe éco » en partance pour Miami, une ville où elle était allée quinze ans plus tôt, dans une autre vie.

L'hôtesse derrière le comptoir lui posa les questions habituelles : avait-elle fait ses bagages elle-même ? Les avait-elle toujours gardés à portée de main ?

Elle tendit son passeport, son billet et sa carte de *Frequent Flyer*.

— *Ich wünsche Ihnen einen guten Flug, Frau Lohmann.*

— *Danke.*

Elle parlait désormais parfaitement allemand. Il lui avait fallu du temps, car, comme on l'avait prévenue, l'allemand est une langue difficile. Tirant son sac derrière elle, elle suivit les indications pour se rendre à sa porte d'embarquement. Familière de cet aéroport, elle savait qu'elle en avait pour une bonne quinzaine de minutes.

Elle empruntait un escalator quand son téléphone sonna. Elle le sortit de son sac à main.

— *Ja, hallo ?*

La connexion était mauvaise. C'était son collègue, Hans-Jürgen Waldinger, qui l'appelait depuis sa Mini. Elle l'entendait à peine. Arrivée en haut de l'escalator, elle répéta, plus fort :

— *Hallo ?*

450

La communication avait coupé. Elle se dirigea vers sa porte d'embarquement, en zone G, accessible par un tapis roulant. Son portable se remit à sonner.

— Sandy ? Sandy ? demanda Hans-Jürgen, d'une voix à peine audible.

— *Ja, Hans* ! dit-elle en montant sur le tapis.

★

Huit cents mètres plus loin, mallette à la main, Roy Grace, qui avait atterri en zone G, montait sur le même tapis, en sens inverse.

84

À son grand soulagement, Glenn constata que la mer était calme, du moins aussi calme que peut l'être la Manche. Ce qui n'empêchait pas le yacht de tanguer gentiment. Mais, pour le moment, il n'avait pas le mal de mer. Sur les conseils de Bella, il avait avalé deux œufs à la coque et des toasts non beurrés, et son petit déjeuner lui tenait au corps. Contrairement à la dernière fois, il ne semblait pas sur le point de repeindre l'habitacle.

En cette belle journée d'hiver, le ciel était bleu cobalt et la mer vert bouteille. Une mouette tournoyait au-dessus du bateau, espérant en vain de la nourriture. Glenn respira les riches odeurs d'iode et de vernis, ainsi que quelques gaz d'échappement. Distinguant une méduse de la taille d'une roue de tracteur, il s'estima heureux de ne pas avoir à plonger. Lui qui n'avait jamais ressenti l'envie de sauter en parachute, ni d'explorer les fonds marins, se considérait depuis toujours comme un amoureux de la terre ferme.

Au loin, une tache rouge grandissait, tandis qu'ils suivaient la trajectoire définie avec Ray Packham.

Quand il fut plus près, il réalisa qu'il s'agissait de trois balises rouges placées par l'unité spéciale de recherches la veille au soir.

Aux commandes, Steve Hargrave, alias Gonzo, inversa la poussée et ils passèrent en quelques secondes de 18 à 5 nœuds. Glenn s'agrippa à la rampe pour ne pas basculer en avant. Ce yacht, un Sunseeker de trente-cinq pieds, était beaucoup plus luxueux que le *Scoob-Eee*. Il avait été loué à la dernière minute à un propriétaire de boîtes de nuit qui en avait fait un véritable tripot, avec fauteuils et habillage en cuir rembourré, pont en teck, passerelle couverte, et, en bas, un magnifique salon, dont l'équipe ne profitait malheureusement pas, si ce n'est pour stocker le matériel.

Vêtu de sa tenue de travail – casquette de base-ball noire, marquée Police, coupe-vent rouge, pantalon noir et bottes de pont –, Arf s'empara du micro.

— Hôtel Uniform Oscar Oscar. Ici Suspol, à bord du yacht *Our Current Sea*, j'appelle le garde-côtes de Solent.

— Garde-côtes de Solent, répondit une voix nasillarde. Canal 67. À vous.

— Ici Suspol. Dix personnes à bord. Notre position : 13 milles marins au sud-est du port de Shoreham, dit-il en précisant leurs coordonnées exactes. Nous sommes prêts à plonger.

Grésillements.

— Suspol, combien de plongeurs à bord, combien vont dans l'eau ?

— Neuf à bord, deux qui descendent.

Gonzo poussa la manette au point mort. Tania, qui se trouvait à côté de Glenn, effectua quelques réglages du sondeur Humminbird.

Glenn regarda les informations à gauche de l'écran.

30 m

09 h 52

4,8 km/h

— Regarde, on va passer au-dessus, lui dit-elle en désignant ce qui ressemblait à une route noire, séparée par une ligne blanche, au centre de l'écran. De part et d'autre, le paysage lui évoqua des images bleutées de la lune.

— Là ! s'écria-t-elle.

Dans la moitié gauche, il reconnut, assez clairement, une silhouette de bateau, plus sombre, d'environ un centimètre.

— Tu penses que c'est le *Scoob-Eee* ?

— Le meilleur moyen de le savoir, c'est de descendre Tu viens, Glenn ? plaisanta Arf.

Un objet mou, de couleur indéterminée, dériva le long de la coque. Sans doute une méduse, ou bien un sac plastique.

— Nan, je vais rester à bord, pour vous protéger des pirates. Mais merci pour l'invitation.

— Si tu changes d'avis, n'hésite pas à nous rejoindre, on n'est jamais à l'étroit, en bas.

85

— J'ai entendu dire que ton père avait pratiqué le tennis à un niveau national, c'est vrai, ça, E-J ? lui demanda Guy Batchelor. Pour ma part, je joue un peu, mais en amateur. Comment est-ce qu'il s'appelle ?

— Nigel. Il a gagné quelques compétitions dans la catégorie « junior ». Mais il ne joue plus depuis des années. C'est maintenant un gros buveur et un grand bavard. Il gagnerait toutes les compétitions dans ces deux disciplines.

— Il a la tchatche ?

— C'est le moins qu'on puisse dire.

Ils roulaient vers l'ouest, vers le village de Storrington, laissant les douces collines sur leur gauche. Elle observa la carte posée sur ses genoux.

— Ce devrait être la prochaine à droite, dit-elle.

Il tourna dans un chemin de campagne étroit, bordé de hautes haies, où il aurait été difficile pour deux véhicules de se croiser. Cinq cents mètres plus loin, Emma-Jane lui indiqua de tourner à gauche, sur un sentier encore moins large.

Les voitures de police seraient visiblement les dernières à être équipées d'un GPS, alors que c'étaient elles qui en avaient le plus besoin ! Il allait faire part de ce constat à E-J quand la radio grésilla. Bien qu'au volant, il porta le récepteur à son oreille : il s'agissait d'une demande d'intervention à l'autre bout du comté.

— Ça devrait être à gauche.

Guy ralentit. Quelques instants plus tard, la Ford Mondeo bleue banalisée se trouvait devant un imposant portail en fer forgé flanqué de deux piliers surmontés de sphères en pierre taillée. Sur une plaque noire était inscrit, en lettres d'or : Thakeham Park.

Il s'arrêta sous le regard cyclopéen d'une caméra de sécurité. Sur l'autre pilier avait été apposé un panneau jaune montrant un visage souriant et la légende : Souriez, vous êtes filmé.

La jeune enquêtrice descendit et sonna à l'interphone. Quelques instants plus tard, une voix féminine avec un accent étranger répondit.

— Oui ?

— Ici le commandant Batchelor et le lieutenant Boutwood, annonça-t-elle. Nous avons rendez-vous avec Sir Roger Sirius.

L'appareil grésilla et le portail s'ouvrit lentement. Elle remonta dans le véhicule et ils grimpèrent une longue côte sinueuse jusqu'à un immense manoir jacobin, devant lequel se trouvaient une pelouse ronde et une mare couverte de nénuphars.

Plusieurs voitures étaient garées là, dont une Aston Martin Vanquish. À leur droite, sur une piste d'atterrissage bétonnée, au centre d'un gazon impeccablement tondu, trônait un hélicoptère bleu foncé.

— On dirait que c'est lucratif, la médecine ! commenta Guy.

— Encore faut-il choisir la bonne spécialité.

— Ou la mauvaise, précisa-t-il.

Emma-Jane renonça à compter le nombre de fenêtres. Il devait y avoir une trentaine de chambres.

La bâtisse aurait pu être classée monument historique.

— Je savais que j'aurais dû choisir une autre carrière, lâcha-t-elle.

Guy Batchelor contourna l'étang et s'arrêta presque devant la grand porte.

— Tout dépend de ce que tu attends de la vie. Et de l'éthique à laquelle tu adhères.

— Ce doit être ça...

— Tu as déjà rencontré Jack Skerritt ?

— Plusieurs fois, mais brièvement.

Jack Skerritt était le directeur du QG de la PJ, le policier le plus gradé du Sussex, et le plus respecté.

— J'ai pris un verre avec lui il y a deux ans, répondit Batchelor, au bar du poste principal de Brighton, alors qu'il était commissaire divisionnaire. On parlait du salaire des flics. Il m'a dit qu'il gagnait 73 000 livres par an, plus quelques primes. Cela peut sembler beaucoup, mais il m'a confié que c'était moins que ce que touchait un directeur d'école, alors qu'il dirigeait la police de Brighton et Hove. Et il a ajouté quelque chose que je n'oublierai jamais.

Elle lui lança un regard curieux.

— Dans notre métier, les richesses viennent de l'intérieur.

— C'est bien dit.

— Et c'est vrai. Mon boulot me rend plus heureux que si j'étais millionnaire. Je n'ai jamais souhaité faire autre chose.

Ils descendirent de voiture et sonnèrent.

Quelques instants plus tard, l'imposante porte en chêne s'ouvrit sur un septuagénaire menu, svelte, habillé sans prétention, visage avenant, pointu comme celui d'un oiseau, avec un petit nez crochu et de grands yeux bleus brillants de curiosité. Cheveux gris et blancs, fins, bien coiffés, il portait un cardigan beige sur une chemise vichy, une cravate à motifs cachemire, un pantalon en velours côtelé lie-de-vin usé et des savates en cuir noir. La seule chose qui trahissait sa classe sociale était son bronzage, discret, mais indéniable.

— Bonjour, dit-il d'une voix engageante, distinguée, à la manière d'un acteur des années 1950.

— Sir Roger Sirius ? s'enquit Batchelor.

— Lui-même, répondit-il en tendant une main poilue, mais délicate, avec de longs ongles manucurés.

Les enquêteurs le saluèrent et Batchelor lui montra sa carte. Sirius n'y jeta qu'un regard distrait et fit un geste théâtral pour les inviter à le suivre.

— Donnez-vous la peine d'entrer. Je suis curieux de savoir en quoi je pourrais vous être utile. J'ai toujours été fasciné par votre travail. Je suis amateur de polars. J'aime bien la série *The Bill*. Vous la suivez ?

Les deux policiers secouèrent la tête.

— *Inspecteur Morse*, c'était pas mal aussi. Je n'ai pas trop aimé John Hannah, dans *Rebus*. J'ai trouvé que Stott était bien meilleur dans le rôle. Vous regardez ?

— On n'a pas vraiment le temps, Sir, répondit Batchelor.

Ils suivirent le chirurgien dans un vaste hall décoré de panneaux en chêne, de superbes meubles historiques et d'armures. Aux murs étaient accrochés des sabres de collection, de vieilles armes à feu et des peintures à l'huile, parmi lesquelles des paysages et des portraits.

Puis ils pénétrèrent dans un magnifique bureau en chêne, lui aussi, où trônaient des diplômes de chirurgien ainsi que des photos encadrées de Sir Roger en compagnie de célébrités, dont la Reine, la princesse Diana, Sir Richard Branson, Bill Clinton, François Mitterrand et le footballeur George Best qui, c'était de notoriété publique, avait reçu une greffe de foie.

Les deux policiers prirent place dans un canapé en cuir rouge, tandis qu'une sublime femme aux cheveux noir corbeau, que Sirius présenta comme son épouse, leur apportait le café. Les enquêteurs profitèrent de ce que Sirius lisait un message sur son BlackBerry pour échanger un regard circonspect. Ils avaient clairement à faire à un personnage complexe. Modeste dans ses manières et sa tenue vestimentaire, il avait un ego démesuré et des goûts de luxe en matière de femmes.

— En quoi puis-je vous aider ? dit-il quand elle eut quitté la pièce, s'asseyant dans un fauteuil en face d'eux, devant un coffre en chêne qui faisait office de table basse.

Guy et E-J avaient beau avoir préparé cette entrevue, le commandant eut soudain envie d'une cigarette. Mais étant donné l'air pur de la pièce et l'absence de cendriers, il savait qu'il allait devoir patienter, et fumer en cachette, ce qui était de plus en plus fréquent ces jours-ci.

— C'est une magnifique demeure que vous avez là, Sir Roger. Depuis quand y vivez-vous ?

Le chirurgien réfléchit.

— Vingt-sept ans. Elle était en ruine quand je l'ai achetée. Ma première épouse ne l'a jamais aimée, mais ma fille l'adorait.

Ses yeux se troublèrent.

— Malheureusement, Katie ne l'a jamais vue entièrement rénovée.

— Je suis désolée, dit E-J.

— C'était il y a longtemps, précisa le médecin.

— On vous cite souvent quand il s'agit de critiquer le système britannique de don d'organes, reprit Guy Batchelor en observant ses yeux.

— Absolument, confirma-t-il en s'animant.

— Nous avons pensé que vous pourriez nous aider.

— Je ferai tout mon possible, dit-il en se penchant vers eux, accentuant le profil rapace de son visage.

— Est-ce vrai, enchaîna E-J comme s'ils avaient répété cette scène, que 30 % des patients britanniques meurent faute d'avoir pu bénéficier d'une transplantation hépatique ?

— D'où tenez-vous ce chiffre ?

— Je vous cite, Sir Roger. Vous l'avez écrit dans la revue *The Lancet* en 1998.

Il fronça les sourcils et se défendit.

— J'écris beaucoup. Je ne me souviens pas de tous mes papiers. Surtout à mon âge ! Aux dernières nouvelles, le nombre s'élèverait à 19 %, mais tout dépend des critères.

Il saisit un pot de lait en argent.

— L'un de vous prend-il du lait ?

Je ne me souviens pas de tous mes papiers. Surtout à mon âge ! songea Guy Batchelor. *Mais tu peux encore piloter un hélicoptère privé, ta mémoire ne doit pas être si défaillante...*

— Vous souvenez-vous de votre contribution pour le magazine *Nature* ? reprit le lieutenant.

— Comme je vous l'ai dit, j'ai beaucoup écrit.

— Et vous avez travaillé dans de nombreux pays, n'est-ce pas ? Dont la Colombie et la Roumanie.

— Bonté divine, s'exclama-t-il, avec un enthousiasme apparemment sincère. Vous êtes bien renseignés !

Batchelor lui tendit les trois photos des victimes.

— Pourriez-vous nous dire si vous avez déjà vu ces personnes ?

Sirius les étudia soigneusement, tandis que Batchelor le dévisageait. Il secoua la tête et les lui rendit.

— Non, jamais.

Batchelor les rangea dans une enveloppe.

— Est-ce une coïncidence si vous avez travaillé dans des pays impliqués dans le trafic d'organes ?

Sirius réfléchit.

— De toute évidence, vous avez mené une enquête à mon sujet, mais dites-moi : saviez-vous que ma fille,

Katie, est décédée il y a un peu plus de dix ans, à vingt-trois ans, d'une maladie hépatique ?

Choqué, Batchelor se tourna vers E-J. Elle semblait tout aussi surprise que lui.

— Non, je l'ignorais. Je suis désolé. Nous ne le savions pas.

Sirius sembla triste et abattu.

— Vous ne pouviez pas le deviner. Elle fait partie des 30 %. Même moi, je n'ai pas réussi à court-circuiter le système. Nos lois sont très strictes.

— Nous sommes ici parce que nous pensons que certains membres de la profession violent ces lois pour fournir des organes à leurs patients.

— Et vous pensiez que je pourrais vous en citer quelques-uns ?

— Nous l'espérions, en effet, confirma-t-elle.

Il esquissa un pâle sourire.

— On lit régulièrement sur Internet l'histoire d'un gars ivre, dans un bar de Moscou, qui se réveille le lendemain matin dans une baignoire pleine de glaçons, avec un rein en moins. C'est une légende urbaine. En Grande-Bretagne, tous les organes susceptibles d'être greffés sont gérés par un organisme national. Aucun hôpital ne pourrait en obtenir sans son accord. C'est complètement impossible.

— Mais en Roumanie ou en Colombie ?

— Là-bas, c'est possible. En Chine, à Taïwan, en Inde aussi. Ceux qui ont l'argent peuvent s'y rendre et se faire greffer un organe, prendre ce risque.

— Vous pensez donc que rien ne se fait dans l'illégalité, ici.

Le chirurgien monta au créneau.

— Écoutez. Il ne s'agit pas de prélever un organe et de le mettre dans une boîte. Il faut une véritable équipe. Trois chirurgiens au minimum, deux anesthésistes, trois infirmières spécialisées, une équipe pour les soins intensifs, etc. Tous doivent être diplômés, donc avoir prêté serment. On parle de quinze, voire vingt personnes. Comment un tel secret pourrait-il être gardé ? Impossible !

— Nous pensons pourtant qu'une clinique, dans la région, fonctionne ainsi, Sir Roger, insista Batchelor.

Celui-ci secoua la tête.

— Vous savez quoi ? J'aimerais que ce soit le cas. Ce serait bien que quelqu'un enfreigne la loi. Mais c'est chimérique. Et puis, qui prendrait ce risque, alors qu'il suffit d'aller à l'étranger pour se faire greffer un organe acheté en toute légalité ?

— Permettez-moi une question personnelle, intervint Batchelor. Pourquoi n'avez-vous pas accompagné votre fille à l'étranger ?

— Je l'ai fait. Cet hôpital de Bogota, c'était un trou à rats, s'exclama-t-il, furieux. Ma pauvre petite chérie est morte d'une infection nosocomiale. Ça vous va ?

*

Une demi-heure plus tard, alors qu'ils roulaient vers Brighton, Emma-Jane brisa le silence qui régnait depuis qu'ils avaient quitté Sir Roger Sirius.

— J'ai bien aimé le personnage. J'ai de la peine pour lui.

— Ah bon ?

— Oui, il est en colère contre le système, le pauvre. Quel malheur de perdre sa fille alors qu'on est soi-même l'un des plus éminents spécialistes du pays.

— Dur.

— Très.

— Mais cela lui donne une bonne raison.

— De vouloir changer le système ?

— D'en profiter.

— Pourquoi dis-tu cela ?

— Parce que j'ai observé ses yeux. Quand je lui ai montré les photos, il a affirmé n'avoir jamais vu les gamins.

— Et alors ?

— Il mentait.

86

Pour certains flics ou militaires en civil, il est impossible de dissimuler leur fonction. Une coupe en brosse, un physique imposant, un costume mal porté, une démarche assurée : leur apparence les trahit. Mais malgré ses cheveux courts et son nez amoché, ce n'était pas le cas de Roy Grace, dont les traits harmonieux et la silhouette pouvaient le faire passer pour un P-DG, un informaticien en voyage d'affaires, voire un eurocrate, un médecin ou un ingénieur, se rendant à une conférence. Pour ce déplacement, il avait opté pour un caban, un costume bleu marine, une chemise blanche et une cravate discrète, sans oublier son attaché-case, plein à craquer.

Ceux qui le regardaient de près notaient parfois son autorité naturelle, quelques rides soucieuses et son regard absent, comme s'il était plongé dans ses pensées.

Au moment de monter sur le tapis roulant, Roy se sentit étrangement nerveux. Sa mission était pourtant simple. Son vieil ami le Kriminalhauptkommissar Marcel Kullen viendrait le chercher à l'aéroport et le conduirait jusqu'à l'agence de vente d'organes. Il se rendrait seul au rendez-vous. Avec un peu de tact, tout se passerait bien. Une brève rencontre sous un prétexte quelconque, et puis retour au bercail.

Alors pourquoi avait-il le trac ? Pourquoi était-il fébrile, comme s'il se rendait à un rendez-vous galant ? Peut-être son cerveau se souvenait-il des espoirs qui l'agitaient lors de son précédent voyage à Munich. Peut-être était-ce la fatigue. Cela faisait longtemps qu'il n'avait pas passé une bonne nuit. Il avait l'habitude de mal dormir quand il était en charge d'une enquête, mais celle-ci possédait un grand nombre de ramifications. Et il avait très envie d'impressionner le nouveau commissaire divisionnaire

Il accéléra, doubla plusieurs personnes, puis se retrouva bloqué par une mère de famille, avec poussette et quatre enfants en bas âge. Cette section du tapis étant bientôt terminée, il patienta, puis profita des quelques mètres avant le suivant pour leur passer devant.

À sa droite, il vit une Audi TT rouge carmin – un modèle plus récent que celle de Cleo – qui devait être à gagner. Il ne savait pas ce que les publicités en allemand disaient, mais il aurait bien aimé la remporter, pour remplacer sa vieille Alfa à l'état d'épave. Car ces enfoirés d'assureurs allaient lui proposer une somme dérisoire, juste assez pour une mobylette d'occasion.

Il passa ensuite devant un bar, puis une librairie Relay, et une porte d'embarquement. En sens inverse se pressaient des dizaines d'individus, la moitié suspendue à leur téléphone.

Il fut attiré par une superbe rouquine en manteau de fourrure, d'une beauté magnétique. Elle portait un gros sac à main élégant et tirait une valise. Il se demanda si elle était mannequin ou *top model*, comme on disait maintenant. Il avait toujours été sensible au charme des rousses, même s'il n'en avait jamais fréquenté.

Bizarre, songea-t-il. S'il n'avait pas été avec Cleo, il aurait éprouvé du désir pour cette fille, mais, à présent, sa fiancée était la seule à lui faire de l'effet. Il n'avait d'ailleurs pas regardé une seule femme ces derniers mois. Il mesurait sa chance d'être amoureux d'une personne exceptionnelle.

Quatre hommes d'affaires japonais, plongés dans une discussion animée, glissèrent dans la direction opposée. Il avait les nerfs à vif. Une sorte d'énergie statique flottait dans l'air. Ses sens avaient-ils été affectés par le vol ?

Deux homosexuels d'une vingtaine d'années, qui portaient quasiment le même blouson en cuir, arrivaient en sens inverse, main dans la main. L'un avait le crâne rasé, l'autre des cheveux blonds coiffés en picots. Une seconde plus tard, ils étaient dans son dos. Il avança, puis fut de nouveau bloqué par une bande d'adolescents, harnachés de sacs à dos, prêts pour l'aventure. Sur le tapis d'en face, le visage caché par un couple de personnes âgées immobiles comme des statues, il entrevit des cheveux châtain clair qui lui firent penser à ceux de Sandy.

Il se figea, comme s'il avait reçu un coup de poing dans l'abdomen.

Son téléphone lui signala l'arrivée d'un message. Il baissa les yeux pour le lire.

*

La communication avec Hans-Jürgen avait été interrompue, comme s'il était passé sous un tunnel. Pourquoi cet imbécile choisissait-il les endroits les plus mal couverts pour l'appeler ? Parfois, cela la rendait dingue. Sauf qu'elle savait désormais contrôler sa colère, si bien que plus rien ne la rendait vraiment dingue. Du moins, pas comme avant.

La gestion des émotions négatives faisait partie du

processus de renaissance de l'Association internationale des esprits libres. La scientologie promettait d'atteindre l'état de « Clair » sous le concept général de « pont vers la liberté totale ». L'organisation qu'elle avait rejointe, après avoir quitté la scientologie, offrait une régénération mentale similaire, mais les moyens étaient moins agressifs – et moins onéreux.

Sandy était encore novice, cependant elle avait été contente de constater, en descendant du premier tapis roulant, puis en passant devant un cireur de chaussures et un petit bar, que l'irritation qu'elle avait ressentie s'était déjà éteinte, telle une flamme dans le vent.

C'était l'une des choses que ses nouveaux maîtres lui enseignaient : être un esprit libre, c'est être une flamme dans le vent, mais pas celle d'une chandelle ou d'une allumette, car s'il vous faut une béquille pour vivre, une fois ce support parti, vous n'existez plus.

Pour ne jamais s'éteindre, il faut apprendre à se consumer librement. Chaque esprit libre aspire à devenir une flamme dans le vent.

Elle observa l'humanité qui passait sur le tapis en sens inverse. Des gens enchaînés à leur BlackBerry, à leur iPhone, à leur heure de décollage, à leurs soucis financiers, à leur culpabilité. Ils ne se rendaient pas compte que rien n'avait d'importance. Ils ne savaient pas qu'elle était l'une des rares personnes, sur cette planète, à pouvoir faire d'eux des esprits libres.

Un visage attira son attention. Celui d'un homme très triste, grand, avec une mèche rabattue vers l'avant, des lunettes de soleil Porsche et une veste en cuir à col officier couverte de badges à l'effigie de marques de voiture, comme s'il était champion automobile.

Je pourrais te libérer, songea-t-elle.

Derrière lui, un groupe d'adolescents chahutait bruyamment, sac au dos. Et soudain, son téléphone sonna.

Bataillant pour pianoter avec ses gants, elle le fit tomber et s'agenouilla pour le ramasser.

★

Quand Roy Grace quitta son portable des yeux, la femme avait disparu.

L'avait-il rêvée ? Quelques secondes plus tôt, il était sûr d'avoir aperçu la couleur des cheveux de Sandy, derrière les retraités aux visages fermés, sur l'autre tapis.

Il appuya sur la touche pour ouvrir le message.

Yo, vieux. En mer. Pas encore vomi.

Moi non plus, répondit-il.

Par curiosité, il se retourna. La femme avait réapparu. Elle s'éloignait.

Il tourna les talons, bouscula un homme corpulent en trench-coat qui lui jeta un regard noir et se mit à marcher à grandes enjambées à contresens. Il se faufila entre des pilotes et hôtesses en uniforme, tirant leur bagage, et s'arrêta.

C'était idiot.

Arrête ton char ! Ressaisis-toi !

Quelques mois auparavant, il aurait sûrement couru après elle, pour en avoir le cœur net, mais, aujourd'hui, il fit demi-tour et se fraya un chemin entre les gens à l'aide des rares mots d'allemand qu'il connaissait : « *Entschuldigung. T'schuldigung. Danke !* »

87

Ileana, Andreea, Raluca et Ian Tilling ne s'étaient pas couchés. Il était presque midi. Ils étaient trempés et épuisés. En manque, Raluca commençait à s'agiter. Elle voulait l'argent promis pour aller chez son dealer.

Tilling frappa du poing sur la table.

— Autant chercher une aiguille dans une foutue botte de foin ! s'écria-t-il en anglais.

Les trois Roumaines ne connaissaient pas l'expression, mais en devinèrent le sens.

Ils se trouvaient dans un café enfumé situé sur une rue bordée d'échoppes en tôle ondulée, entre une boucherie et une supérette, près d'une des artères principales du secteur 4 de Bucarest, une route de terre couverte de détritus. La neige faisait du bon boulot en dissimulant les ordures sous son manteau.

Tilling dévorait une sorte de pain farci à la viande – des protéines, mais impossible de dire de quel animal. C'était un truc caoutchouteux, mort, pour sûr. Il carburait à la caféine. Ileana, Andreea et Raluca fumaient, à moitié endormies. Ils s'étaient lancés dans une mission quasi impossible. Dans cette ville de deux millions d'habitants, dix mille vivaient dans la rue. Et s'ils survivaient, c'était grâce à deux principes : la méfiance et la loi du silence.

Pendant quatorze heures, ils avaient arpenté les bidonvilles du coin, se glissant dans des centaines d'abris de fortune souterrains. Mais, pour le moment, rien. Personne ne connaissait Simona. Ou si c'était le cas, ils mentaient.

Tilling bâilla. Sa fatigue lui rappela de vieux souvenirs. Il avait oublié les moments d'épuisement qui rythment la vie de tout enquêteur. Les jours et les nuits où l'on avance à grands coups d'adrénaline, boosté par l'espoir d'une découverte plus ou moins imminente. Il adorait cette sensation.

— M. Ian, je vous en prie, je dois partir maintenant, le supplia Raluca.

— Combien est-ce qu'il te faut ? lui demanda-t-il en sortant son vieux portefeuille usé jusqu'à la corde.

Frottant ses pouces l'un contre l'autre, animée d'un mouvement de balancier, Raluca le fixait, de peur qu'il disparaisse.

— Cent quarante lei, souffla-t-elle avant de tirer longuement sur sa cigarette.

Ian n'en revenait pas que l'héroïne soit si chère. Si elle faisait un job normal, il lui faudrait une semaine pour gagner cette somme. Pas étonnant qu'elle se prostitue. À moins d'être une voleuse, elle n'avait pas d'autre moyen de se payer sa dose quotidienne.

Résigné, mais pas désespéré, le policier compta ses billets, puis appela le propriétaire des lieux. L'homme, âgé, barbu, habillé d'un tablier crasseux et d'une salopette marron, avait connu l'ère Ceausescu. Il semblait à la fois triste et content d'être toujours là. Tilling lui demanda s'il connaissait des gosses des rues. Il en connaissait plein, comme tout le monde, dans le quartier. Certains venaient le trouver en fin de journée, juste avant la fermeture, pour récupérer des restes ou des morceaux de pain rassis.

— Vous n'auriez pas vu une jeune fille de treize ans et un garçon de seize, ces jours-ci ? Ils font sans doute plus que leur âge.

Les yeux de l'homme brillèrent d'un éclat particulier, que tous remarquèrent.

— La fille s'appelle Simona, le garçon Romeo, enchaîna Raluca.

— Romeo ?

— Il a la main gauche atrophiée, dit-elle, ragaillardie par la perspective de l'argent. Des cheveux noirs et des grands yeux.

Le propriétaire sembla se souvenir.

— La fille, elle a de longs cheveux bruns ? Elle porte tout le temps le même jogging de toutes les couleurs ?

Raluca acquiesça.

— Ils ont un chien, non ? Ils viennent souvent avec lui. Parfois, je lui donne des os.

— Un chien, oui, un chien ! s'exclama Raluca.

— Ils viennent à la fermeture ? s'enquit Tilling.

— Ça dépend. Parfois à d'autres moments, parfois, je ne les vois pas. C'est tant mieux, je préfère les vrais clients ! plaisanta-t-il, en riant à sa propre blague. Je suis bête. J'oubliais. La fille, elle était là ce matin. Elle m'a demandé un os. Un os spécial. Elle m'a dit qu'elle partait et qu'elle voulait faire un beau cadeau d'adieu à son chien.

— A-t-elle dit où elle allait ? demanda Tilling, anxieux.

— Ouais, en croisière dans les Caraïbes, répondit-il en souriant. Non, ce n'est pas vrai. Je lui ai demandé, mais elle ne m'a pas répondu. Elle a juste répété : je pars.

— Savez-vous où ils vivent ?

— Pas loin. Dans la rue ou sous la route, ça, je ne sais pas.

Tilling regarda sa montre. Il était midi passé. Raluca allait bientôt cesser d'être opérationnelle. Mais il aurait besoin d'elle pour reconnaître Simona et lui parler. Ces gosses lui feraient plus confiance qu'à lui. Mais s'il lui donnait les billets maintenant, elle disparaîtrait de la circulation, et s'endormirait quelque part, après s'être piquée.

— Raluca, je vais te conduire chez ton dealer, OK ? Ensuite, on revient ici et on les cherche.

Elle hésita. Voyant que la neige s'était encore accumulée, elle accepta sa proposition.

Tilling régla l'addition et ils sortirent. La température semblait encore avoir chuté durant le court moment qu'ils avaient passé à l'intérieur. Impossible de survivre dans la rue par ce froid polaire. Si Simona et Romeo vivaient effectivement dans le coin, comme l'avait suggéré le vieil homme, ils devaient s'être installés près des canalisations d'eau chaude, dans l'une des centaines de caves urbaines. Et dans quelques heures, la nuit commencerait à tomber…

88

Dans le centre de toutes les villes qu'il avait visitées se trouvait une rue commerçante qui se détachait des autres. Une rue dans laquelle Roy Grace savait, sans même regarder les étiquettes – si tant est que les articles soient étiquetés –, qu'il ne pouvait rien s'offrir.

Il roulait actuellement sur une telle avenue.

— *Maximilianstrasse*, annonça Marcel Kullen en s'engageant dans cette large artère composée d'imposants bâtiments de style néo-gothique. Certains possédaient des colonnades, d'autres des piliers en marbre. Grace repéra quelques marques. Prada, Todd, Gucci – du prêt-à-porter de luxe, pour la plupart.

La voiture de son homologue allemand – une BMW grise parfaitement entretenue, mais plus toute neuve – détonnait au milieu des limousines, Porsche, Ferrari, Bentley avec chauffeur et autres petites voitures à la mode, car peu gourmandes en carburant – Mini, Cinquecento, Smart –, rutilantes, malgré les dix centimètres de neige fondue.

Côté passager, Grace serrait la liasse de relevés téléphoniques que son collègue lui avait remise comme promis. Résistant à l'envie de se plonger dedans, il écouta poliment Kullen lui donner des nouvelles de sa femme et de ses enfants, pendant les trente minutes de trajet entre l'aéroport et le lieu de rendez-vous.

L'Allemand lui résuma toutes les initiatives prises par son service pour retrouver Sandy, tandis que Grace lui répétait qu'il souhaitait qu'ils arrêtent définitivement leurs recherches.

Ils passèrent devant l'hôtel Four Seasons, puis Kullen s'arrêta en face d'un café cossu. Grace nota que toutes les pâtisseries de la vitrine faisaient envie et que toutes les clientes portaient un manteau en fourrure. L'enquêteur allemand désigna le bâtiment mitoyen, où des interphones dorés brillaient sur un pilier en marbre.

— C'est ici. Bonne chance ! Je vais nous attendre.

— Ce n'est pas la peine. Je peux prendre un taxi pour retourner à l'aéroport.

— Tu as été très dévoué quand j'étais en Angleterre, il y a quatre ans. Maintenant... Comment dis-tu ? Je suis à ton service, c'est ça ?

Grace sourit et lui tapota le bras.

— Merci. C'est très gentil de ta part.

— Et peut-être, après, on a le temps pour un déjeuner. Et je pense que tu auras des choses à me raconter.

— Je l'espère.

Un flocon tomba sur sa joue. Le froid était vif, mordant. Il prit son attaché-case sur la banquette arrière, puis se dirigea vers l'entrée. Diederichs Buchs GmbH, Lars Schafft Krimi... Transplantation-Zentrale était le troisième nom en partant du haut.

Il s'était calmé depuis qu'il avait quitté l'aéroport. Bien que fatigué par son réveil matinal, c'est avec détachement qu'il appuya sur la sonnette. Un voyant lumineux s'alluma et une voix féminine lui demanda son nom, avant de l'inviter à monter au troisième étage.

La porte émit un clic. Il la poussa et pénétra dans un hall étroit, avec un épais tapis rouge. Un agent de sécurité baraqué, assis derrière un bureau, lui demanda de signer le registre. Grace inscrivit Roger Taylor, puis griffonna une fausse signature. L'homme lui désigna un bel ascenseur à l'ancienne. Grace monta au troisième et se retrouva dans une splendide salle de réception moquettée de blanc. Plusieurs bougies blanches dégageaient un parfum vanillé.

Une jeune femme bien habillée, cheveux courts, se trouvait derrière un bureau ancien, au style sophistiqué.

— *Guten Morgen, Herr Taylor,* dit-elle avec un sourire engageant. Frau Hartmann va vous recevoir dans quelques instants. Asseyez-vous, je vous prie. Puis-je vous proposer quelque chose à boire ?

— Un café, ce serait parfait.

Grace prit place sur un canapé blanc à l'assise ferme. Sur la table en verre se trouvait une pile de brochures présentant la société. Les murs étaient couverts de photos encadrées de gens visiblement heureux, de tous âges, du bambin sur une balançoire au vieil homme dans un lit d'hôpital. Pas besoin de légende. Il s'agissait de clients satisfaits des services de Transplantation-Zentrale.

Il allait se plonger dans la lecture du prospectus quand la secrétaire revint, accompagnée d'une femme d'une grande beauté, très sûre d'elle. Quarante-trois ans environ, cheveux blonds aux épaules, brushing impeccable, tailleur-pantalon noir sexy, bottes noires brillantes, elle portait plusieurs pierres précieuses aux doigts, plus une alliance.

— M. Taylor ? dit-elle d'une voix chaude, avec un accent guttural, en s'avançant vers lui, la main tendue. Marlene Hartmann.

Ses bagues lui pincèrent la chair. Elle le dévisagea de ses yeux gris, puis esquissa un sourire qui ressemblait à un signe d'approbation.

— Merci d'être venu jusqu'ici pour me rencontrer. Veuillez entrer dans mon bureau.

Sa beauté, son *sex-appeal* et sa froideur toute professionnelle lui firent penser à Alison Vosper. Cette femme avait un côté *faut pas me chercher*.

Elle l'invita à entrer dans une pièce qui lui fit prendre conscience à quel point Sandy et Cleo avaient des goûts comparables en matière de décoration. Cette étude aurait pu être aménagée par l'une ou l'autre. Moquette blanche, murs immaculés, ponctués par un triptyque abstrait, cadres noirs, un bureau arrondi laqué noir, quelques belles plantes, un ordinateur, des bibelots personnels, et, stratégiquement placées, des sculptures abstraites élancées. Des bougies dégageaient les mêmes arômes que précédemment, mais le parfum voluptueux que portait la femme dominait. Une eau de toilette agréable, que Grace trouva masculine.

Deux chaises avec des dossiers hauts, qui semblaient tout droit sorties d'un musée d'art moderne, se trouvaient devant le bureau. Il prit place sur l'une d'elles. L'assise était plus confortable qu'il l'avait imaginé.

Marlene Hartmann ouvrit un carnet relié de cuir et saisit un stylo-plume noir.

— Pourriez-vous me dire, M. Taylor, ce qui vous amène, en quoi nous pourrions vous être utiles, et, pour commencer, comment vous nous avez connus ?

— Je vous ai trouvé sur Internet, répondit Grace en évitant de tomber dans un piège.

— *Gut*, commenta la femme d'affaires, comme si la réponse semblait lui convenir.

— Je suis ici, car mon neveu – le fils de ma sœur – souffre d'une maladie hépatique. Il a dix-huit ans. Ma sœur a peur qu'il meure si on ne lui greffe pas un foie très vite.

Il marqua une pause quand l'assistante lui apporta un café et un pot de lait, qui s'avéra être de la crème, remarqua-t-il après coup.

— Où vivez-vous, M. Taylor ?

— À Brighton, dans le Sussex.

— Le système dans votre pays est un peu... Comment dites-vous en anglais ? Arboré ? Non. Arbitraire.

— C'est le moins qu'on puisse dire, commenta-t-il avec enthousiasme, afin de gagner sa confiance.

Marlene Hartmann se pencha en avant, enlaça ses doigts, posa son menton sur ses mains manucurées et le regarda droit dans les yeux, d'un air presque séducteur.

— Votre neveu souffre-t-il d'une forme chronique ou aiguë de la maladie ?

Grace se rendit compte, horrifié, que son équipe n'avait pas abordé ce point dans le dossier qu'il avait potassé. Aiguë semblait la réponse la plus évidente. Il savait que chronique impliquait une régularité, donc un moindre caractère d'urgence.

— Aiguë, répondit-il.

Elle prit note.

— Combien de temps lui reste-t-il ?

— Un mois environ. Ensuite, il n'aura peut-être pas la force de survivre à l'opération.

— Dans quel hôpital se trouve-t-il ?

— Il a été suivi à l'hôpital royal du sud de Londres, mais, à présent, il est chez lui.

— Quel est le diagnostic des médecins ?

— Son hépatite auto-immune a évolué en cirrhose.

Elle fit la grimace, comme pour montrer qu'elle était consciente de la gravité de la situation.

— Quels services votre société offre-t-elle ?

— Eh bien... Les vacances de Noël approchant, il ne faut pas tarder à agir. En général, la transplantation et les soins postopératoires sont effectués près du domicile du patient. Si c'est trop cher pour la famille, nous proposons d'intervenir en Chine ou en Inde, par exemple.

— Combien coûte une transplantation au Royaume-Uni ?

477

— Connaissez-vous le groupe sanguin de votre neveu ?

— AB⁻.

Elle tiqua.

— C'est relativement rare...

— Je sais.

— Notre tarif pour un foie s'élève à 300 000 euros. Payable 50 % à l'avance, 50 % le jour de l'opération. Nous garantissons un organe dans la semaine suivant la réception de l'avance.

— Même si le groupe sanguin est rare ?

— Absolument, affirma-t-elle, rayonnante de confiance.

— Dans le cas de mon neveu, qui vit à Brighton, où l'opération aura-t-elle lieu ?

— Brighton est une jolie ville.

— Vous y êtes déjà allée ?

— Bien sûr ! Nous avons effectué un tour de l'Angleterre, avec mon mari.

— Et donc, vous avez accès à un établissement médical dans le Sussex ?

— Nous disposons de nombreuses institutions dans le monde entier, M. Taylor. Vous pouvez nous faire confiance. Certaines sont spécialisées dans les greffes de rein et de foie, d'autres dans celles du cœur et des poumons, certaines font les quatre. Je peux vous donner les coordonnées d'anciens patients, de gens qui ne seraient pas en vie sans nous. Mais c'est sans obligation aucune. Dans votre pays, mille personnes meurent chaque année, faute d'avoir bénéficié d'une greffe. Dans le même temps, un million deux cent cinquante mille personnes meurent dans un accident de voiture dans le monde. Nous ne sommes guère plus qu'un intermédiaire. Nous offrons aux familles qui ont perdu un être cher la possibilité de sauver la vie de malades. Nous donnons un sens à ces décès tragiques, vous voyez ce que je veux dire ?

— Oui. Quelles transplantations effectuez-vous dans le Sussex ?

— Foie et reins. Possédez-vous une carte de donneur ? lui demanda-t-elle sans transition.

— Non, avoua-t-il en rougissant.

— Vous n'êtes pas le seul, M. Taylor. Mais si, un jour, vous aviez besoin d'un rein, vous aimeriez bien qu'un accidenté ait fait les démarches en ce sens.

— Tout à fait. J'aimerais parler à quelqu'un qui, dans la région de Brighton, a fait appel à vous. Serait-ce possible ?

— Vous comprendrez que nous respectons le secret médical.

— Naturellement.

— Je vais regarder dans nos archives pour voir si un ancien patient aurait envie de témoigner.

— Merci. Quelle clinique utiliserez-vous ?

Elle fit un geste vague.

— Je suis désolée, mais tout dépendra des disponibilités. Nous prendrons cette décision quelques jours avant l'intervention.

— Est-ce que ce sera une clinique privée ou un hôpital public ?

— À mon avis, votre système de santé ne se montrerait pas très coopératif, M. Taylor.

— Parce que c'est illégal ?

— Si vous considérez que sauver la vie de votre neveu est une démarche illégale, alors oui.

Elle regarda sa montre.

— J'ai un avion à prendre, je suis désolée d'écourter notre rendez-vous, mais comme vous êtes arrivé en retard, je n'ai plus le temps. Souhaitez-vous réfléchir à ce que je vous ai dit à tête reposée ? Lire notre brochure chez vous ? Nous ne forçons jamais la main. Pourquoi ? Parce qu'il y aura toujours des malades au désespoir et des organes à disposition. Ravie d'avoir fait votre connaissance, M. Taylor. Vous avez mon

479

mail et mon numéro. Je suis joignable 24 heures sur 24,
7 jours sur 7.

★

La limousine de Marlene Hartmann l'attendait.
Elle avait hâte d'arriver à l'aéroport – son agenda était
chargé. Mais elle resta à son bureau, devant l'écran
de vidéosurveillance, jusqu'à ce que Roy Grace ait
quitté l'immeuble. Elle sélectionna deux arrêts sur
image, les téléchargea sur son portable et les envoya,
par MMS, à Vlad Cosmescu, à Brighton, pour lui
demander d'identifier cet homme de toute urgence.

M. Roger Taylor, vous êtes un imposteur.

Sur le marché depuis dix ans, elle connaissait bien
les différents systèmes de santé. En Angleterre, les
patients souffrant d'une forme aiguë de la maladie,
trop fragiles pour rester chez eux, étaient immédiatement hospitalisés et mis sur liste d'attente.

Roger Taylor – si tant est que ce soit son vrai nom
– était tombé dans le premier piège. Qui était-il ?
Pourquoi avait-il cherché à la rencontrer ? Vu son
comportement et ses questions, elle n'avait aucun mal
à deviner la réponse.

Au moment où elle se levait pour partir, son téléphone sonna et elle réalisa brutalement qu'elle se
trouvait dans de beaux draps.

89

Mer calme, température de l'eau frôlant zéro... Les conditions de plongée étaient idéales. Enfin, meilleures que quand ils devaient ratisser un lac infesté d'algues ou un canal boueux plein de caddies, barbelés et autres débris tranchants. Aujourd'hui, dans le jargon des hommes-grenouilles, c'était une plongée *Rolls Royce*. Même si, sur les deux écrans diffusant les images prises en direct du fond, on ne voyait qu'un voile gris.

Jon Lelliott, plus connu sous le sobriquet d'Ibho, était assisté de Chris Dicks, alias Clyde. Ils avaient identifié l'épave comme étant le *Scoob-Eee* et avaient trouvé dans la cabine de proue un corps qu'ils étaient en train de remonter.

Le reste de l'équipe, dont Glenn Branson, qui flageolait un peu sur ses jambes, mais rien de bien méchant, comparé à sa précédente expérience, observait, depuis le pont, les milliards de bulles qui entouraient les tubes jaune, bleu et rouge qui servaient à respirer et à communiquer, et les quatre cordes qui avaient servi à descendre les coussins gonflables. Quelques instants plus tard, la tête d'Ibho surgit, puis le chargement émergea, dans un gros bouillonnement.

— Merde alors ! s'exclama Gonzo.

Branson se retourna pour éviter de rendre son petit déjeuner.

Ibho poussa le corps, qui flottait grâce aux coussins.

Plusieurs personnes, Branson compris, tirèrent sur les cordes pour le hisser par-dessus bord.

L'architecte qui avait dessiné ce yacht avait sans doute à l'esprit des play-boys richissimes et de superbes bimbos seins nus. Jamais il n'aurait imaginé qu'il transporterait ce que les policiers venaient de treuiller.

— Pauvre bougre, murmura Arf.

— On est sûrs que c'est Jim Towers ? lui demanda Tania Whitlock.

La commandante avait beau diriger l'équipe, elle n'était à ce poste que depuis un an à peine et ne connaissait pas tous les marins du coin.

Il hocha tristement la tête.

— Certain. J'ai bossé avec lui pendant cinq ans. C'est bien Jim.

Son corps était ligoté avec du gros Scotch gris jusqu'au cou, et un bout de gaffer lui entravait la bouche. Un petit crabe progressait sur son visage. Arf se baissa, l'attrapa et le jeta à la mer.

— Dégage ! Je déteste ces bestioles.

Glenn comprenait pourquoi.

La barbe et le bas du visage de l'homme étaient intacts, ne manquaient que quelques bouts de la lèvre inférieure. Mais les joues, le front, les muscles et les sinus avaient été dévorés, laissant apparaître le crâne par endroits. L'un des globes oculaires était vidé ; dans l'autre, l'orbite avait la taille d'une olive.

— Je ne vais pas manger d'avocat au crabe pendant un certain temps, plaisanta Glenn pour essayer de se donner une contenance.

— Quelqu'un souhaiterait des funérailles en mer ? renchérit Juice.

Aucun amateur.

90

Vlad Cosmescu se faisait du mauvais sang. Assis à son bureau, devant son ordinateur, il était devenu insensible à la magnifique vue sur la marina. Toutes les demi-heures, il consultait, de façon obsessionnelle, le site de l'*Argus*.

Il n'avait toujours pas digéré le coup de fil de la semaine dernière.

Tu as merdé.

Depuis des années, cette ville était pour lui un vaste terrain de jeu. Les filles étaient faciles, l'argent coulait à flots. Il menait grand train et pouvait offrir à sa sœur, handicapée, une belle maison de convalescence.

Il était vexé qu'on lui reproche d'avoir foiré.

Il avait toujours été attentif aux moindres détails ; avait peu à peu gagné la confiance de ses employés ; avait progressivement consolidé son empire. Les salons de massage. Les agences d'*escort girls*. La drogue et, depuis peu, la *German connection*. Le trafic d'organes était le plus lucratif de tous. Pour chaque transplantation, il touchait plusieurs dizaines de milliers de livres, qu'il déposait sur son compte en Suisse.

Il avait appris, en vivant en Angleterre, que la police locale était monomaniaque : elle s'acharnait sur les dealers. Tout le reste passait au second plan. Ce qui ne le dérangeait pas.

Jusque-là, tout baignait. Mais c'était avant Jim Towers.

Peut-être le capitaine n'avait-il pas fait exprès de larguer les corps au-dessus de la zone d'extraction, mais il n'en était pas convaincu. Pour une raison ou pour une autre – sursaut moral ? chantage ? –, il avait tenté de le rouler dans la farine.

Et soudain, il reçut un MMS de Marlene Hartmann, sa principale source de revenus.

Comme lui, pour éviter d'être mise sur écoute, elle changeait de portable toutes les semaines et n'utilisait que des cartes prépayées.

Le message disait : « Connaissez-vous cet homme ? » Elle avait mis deux photos en pièce jointe. Il les ouvrit, puis s'alluma une cigarette.

Quand il s'était installé à Brighton, il avait mis un point d'honneur à identifier tous les policiers susceptibles de s'intéresser à son business. Il avait suivi pas à pas la carrière de celui-ci, notamment grâce à ses nombreuses déclarations dans l'*Argus*.

Il la rappela aussitôt.

— C'est le commissaire Roy Grace, déclara-t-il.

— Il sort juste de mon bureau, l'informa-t-elle.

— Peut-être qu'il a besoin d'un organe ?

— Je ne pense pas, répliqua-t-elle sèchement. Et sache que je viens de recevoir un appel de Sir Roger Sirius, pour m'annoncer que la police l'avait interrogé ce matin.

— À propos de quoi ?

— Je pense qu'ils allaient à la pêche aux informations. Mais on devrait mettre en place l'Alternative 1 immédiatement. OK ?

— Je suis d'accord.

484

Pêche aux informations. L'expression lui rappela de mauvais souvenirs.

— Je passe à l'action. Tenez-vous prêt, lui ordonna-t-elle.

— Je suis prêt.

Elle raccrocha avec sa rudesse habituelle.

Cosmescu fuma nerveusement sa cigarette en se remémorant la marche à suivre en cas de déclenchement de l'Alternative 1. La police avait rendu visite au chirurgien et à la patronne le même jour. Tout cela ne lui inspirait rien qui vaille.

Et soudain, il fut tiré de ses pensées par une info qui venait de tomber.

Un quatrième corps repêché dans la Manche, titrait le site.

Il lut les premières lignes de l'article. Les hommes-grenouilles de la police, partis à la recherche du *Scoob-Eee,* avaient trouvé un cadavre dans l'épave.

Futu-i ! s'exclama-t-il. *Merde, merde et merde.*

91

Assise à son poste, la gorge serrée, Lynn avait à peine touché au sandwich au thon préparé par ses soins. Sa pomme ne la tentait pas non plus. Elle n'avait pas d'appétit. Elle avait le trac, les nerfs en pelote. Tel un condamné qui voit sa dernière heure arriver. Ce soir, après le travail, elle avait rendez-vous avec un homme. Pas un petit ami, ça non, pas même un garçon qu'elle convoitait. Ce soir, elle voyait Reg Okuma.

C'était surtout les 15 000 livres promises, en liquide, dont elle souhaitait faire la connaissance, mais avec tous les sous-entendus qu'elle avait laissé planer la veille, il attendait de toute évidence plus qu'un cocktail.

Elle ferma les yeux. L'état de Caitlin se détériorait de jour en jour. D'heure en heure. Ce matin, sa grand-mère était à ses côtés. Noël approchait. Marlene Hartmann leur avait promis un foie en une semaine, dès réception de la première moitié Mais beaucoup d'entreprises fermaient pendant les vacances, et celles qui restaient ouvertes tournaient au ralenti.

Ross Hunter l'avait appelée dans la matinée pour l'implorer de faire hospitaliser sa fille.

Pour qu'elle claque, c'est ça ?

L'une de ses collègues, une jeune femme dynamique du nom de Nicky Mitchell, déposa une enveloppe cachetée sur son bureau.

— Tu as un admirateur secret ! lui souffla-t-elle.

— Ah bon ? OK, merci.

Lynn se demanda qui, au bureau, lui offrait un cadeau de Noël sous couvert d'anonymat. En temps normal, elle aurait apprécié ce geste, mais, aujourd'hui, elle le perçut comme une source potentielle de harcèlement.

Sur l'écran clignotaient les mots : *jackpot de Noël ! £3000,* entourés de petits sapins et de pièces de monnaie stylisées. L'ambiance était à l'argent. Ce n'était pas du sang, mais du *cash,* qui coulait dans les veines de ses collègues.

L'entreprise brassait tellement... Des millions, des dizaines de millions. Alors pourquoi avait-elle tant de mal à trouver 15 000 livres ? Malcolm, sa mère, Sue et Luke avaient fait preuve d'une incroyable générosité. Son banquier avait réagi positivement – à sa grande surprise –, lui proposant de présenter son dossier au directeur, sans garantie bien sûr. La seule solution, c'était d'hypothéquer davantage sa maison, seulement cette démarche nécessitait plusieurs semaines. Et elle ne les avait pas.

Soudain, son portable sonna. *Numéro privé.* Elle décrocha discrètement pour ne pas se faire sermonner.

C'était Marlene Hartmann. Elle semblait tendue, agitée.

— Mme Beckett, nous avons trouvé un foie compatible pour votre fille. La transplantation aura lieu demain après-midi. Soyez prêtes à midi. Vous avez reçu la liste des choses indispensables pour l'hospitalisation ?

— Oui, répondit Lynn.

Elle avait la gorge sèche.

— Qui... Que pouvez-vous me dire sur le donneur ? demanda-t-elle dans un filet de voix.

— Il s'agit d'une jeune femme victime d'un accident de moto. La mort cérébrale a été déclarée. Elle est maintenue en vie par le biais d'un respirateur artificiel. Je ne peux pas vous en dire davantage.

— Merci, dit Lynn. Merci beaucoup.

Elle raccrocha, bouleversée. Elle tremblait de peur et d'excitation.

92

Comme il faisait trop froid pour arpenter les rues à pied, ils scrutaient les trottoirs depuis l'Opel de Tilling, frottant régulièrement les vitres pour chasser la buée. La chaussée était couverte de neige plus ou moins fondue. Il était 16 h 30, le ciel était bas, la luminosité déclinait rapidement.

Ils avaient inspecté plusieurs cavités, sous la route, mais aucune n'était habitée. Revenant sur leurs pas, ils passèrent devant le café, la supérette et la boucherie, puis près d'une église orthodoxe couverte d'échafaudages. Deux gros chiens, l'un gris, l'autre noir, se disputaient un sac-poubelle.

Assise à l'arrière, calmée par les effets de la drogue, Raluca se pencha soudain en avant.

— M. Ian, là-bas, regardez, arrêtez-vous ! cria-t-elle.

Tournant la tête dans la direction qu'elle indiquait, l'Anglais ne vit guère qu'un terrain vague jonché d'épaves de voitures et quelques HLM décrépites, hérissées d'antennes paraboliques, comme colonisées par une armée de palourdes.

Il freina brusquement ; la voiture bascula dans une ornière, puis dérapa, avant de s'arrêter. Derrière lui, le chauffeur d'un camion hors d'âge klaxonna avec frénésie, puis le doubla à toute allure, frôlant son rétroviseur.

Raluca montrait du doigt trois silhouettes qui émergeaient d'un trou dans le bitume. Il faisait trop sombre et il y avait trop de neige pour distinguer la limite entre le trottoir et la chaussée. Près de l'entrée, Tilling remarqua une sorte de niche faite de barbelés. À l'intérieur, un chien rongeait un os, indifférent aux intempéries. Non loin, une grosse Mercedes noire, moteur allumé, dégageait une épaisse fumée blanche. Une femme élégante, portant toque en fourrure, manteau sombre et bottes, se détachait du lot. Elle serrait la main d'une fillette aux longs cheveux bruns, qui semblait perdue. Elle était vêtue de tennis – pour le moins inappropriés pour la saison –, d'un jogging multicolore, d'une doudoune bleue et d'un bonnet en laine. La troisième personne, un garçon en sweat à capuche, jean et baskets, les observait, désemparé.

La femme tirait la gamine vers la voiture. La petite tourna son visage triste et fit un signe au garçon, qui lui cria quelque chose et agita le bras en retour. La fille fit au revoir au chien, qui ne regardait pas.

Le blizzard soulevait la neige.

— C'est elle ! s'écria Raluca. C'est Simona !

Ian Tilling sortit de son véhicule ; des flocons glacés lui fouettèrent le visage. Andreea poussa de toutes ses forces la portière côté passager pour le rejoindre. Les deux femmes à l'arrière firent de même.

Mais un poids lourd arrivait à toute allure ; elles durent attendre. Piquant un sprint à travers le terrain vague, Tilling hurla :

— Stop, stop !

Le groupe se trouvait à plus de cinquante mètres de lui, juste à côté de la Mercedes.

— Arrête-les ! hurla-t-il au jeune homme.

490

Entendant sa voix, la femme ouvrit précipitamment la portière arrière, poussa la fillette et s'installa à ses côtés. Le chauffeur démarra avant même que la porte soit claquée.

Tilling courut après la voiture sur une centaine de mètres, avant de tomber face contre terre. Haletant, il se redressa et se précipita vers son Opel, rameutant Raluca, Ileana et Andreea. Puis il s'arrêta pour parler au garçon, qui avait une main atrophiée.

— C'était Simona ?

Il ne répondit pas.

— C'était Simona, répéta-t-il ?

Pas de réaction.

— Tu t'appelles Romeo ?

— Peut-être.

— Simona est en danger. Où va-t-elle ?

— La dame l'accompagne en Angleterre.

Tilling jura, courut jusqu'à son véhicule, grimpa, accéléra, voulut suivre la Mercedes, avant de se rendre compte qu'il l'avait perdue de vue.

Une autre idée lui traversa l'esprit.

93

Romeo et Artur lui manquaient déjà. Le chien lui avait semblé triste, quand elle lui avait offert l'os. Comme s'il sentait qu'ils ne se reverraient jamais.

Elle lui avait promis de revenir, un jour. L'avait enlacé et embrassé. Mais il ne l'avait pas crue. Comme s'il savait faire la différence entre un au revoir et un adieu. Lorsqu'elle s'était éloignée, il avait emporté l'os dans sa niche de fortune, sans se retourner.

Le chien, elle pourrait s'en passer. Il n'avait pas besoin d'elle. Romeo, en revanche, elle ne pourrait pas vivre sans lui. Des larmes coulèrent sur ses joues quand elle pressa Gogu, le petit bout de fausse fourrure qu'elle trimbalait partout, contre son visage.

Assise à l'arrière de la limousine aux vitres teintées et aux odeurs de cuir neuf, elle ne s'était jamais sentie aussi seule de sa vie. L'Allemande, qui portait un parfum capiteux, était pendue au téléphone et se retournait régulièrement, anxieuse. Les voitures roulaient au pas. La route, enneigée, venait d'être salée. Et Simona fixait le tatouage dans le cou du chauffeur.

Un serpent, avec sa langue fourchue, sortait du côté droit de son col blanc. Il avait la nuque dégagée.

Elle l'avait reconnu au moment où la femme avait allumé la veilleuse pour noter quelque chose dans son agenda.

Elle avait beau avoir l'Allemande à ses côtés, elle frissonna.

C'était le chauffeur de l'homme qui lui avait permis d'échapper aux policiers à la Gara de Nord, avant de la violer. Et lui aussi avait essayé d'abuser d'elle en la raccompagnant. Elle l'avait mordu. Dans le rétroviseur, elle n'arrêtait pas de croiser son regard. Il n'avait pas oublié. Il avait soif de vengeance. Elle essayait de ne pas le dévisager, mais, quand elle levait les yeux, dans un instant de faiblesse, elle pouvait voir qu'il continuait de l'épier. Elle regrettait de ne pas lui avoir fait plus mal. De ne pas lui avoir arraché son truc.

La femme raccrocha enfin.

— Il vient quand, Romeo ? demanda-t-elle, la mort dans l'âme.

— Bientôt, *meine Liebe* ! dit-elle en lui tapotant la joue de sa main gantée. Vous serez de nouveau réunis. Vous allez adorer l'Angleterre. Vous serez heureux là-bas. Tu as hâte ?

— Non.

— Tu devrais. Une nouvelle vie t'attend !

Ou plutôt trois nouvelles vies, songea Marlene Hartmann sans le moindre scrupule.

C'était dommage de gâcher son cœur et ses poumons, mais elle n'avait pas trouvé preneur, au Royaume-Uni, et elle ne voulait pas retarder l'opération dans l'espoir qu'un malade se manifeste. Surtout que la police leur tournait autour et que ses organes ne pouvaient pas être transportés. Comme pour les transplantations hépatiques, le mieux était d'avoir le donneur et le receveur à proximité. La gamine avait beau être trop jeune pour que son foie soit coupé et greffé sur deux personnes, une seule opération suffisait à rentabiliser le tout.

Les reins pouvaient être conservés jusqu'à vingt-quatre heures dans des conditions optimales. Elle avait un acheteur en Allemagne et un autre en Espagne. Ailleurs, elle aurait vendu la peau, les yeux et les os, mais les marges étaient trop faibles ici, et cela ne valait pas le coup de les exporter. Elle ferait 100 000 euros de profit sur les deux reins, et 130 000 nets avec le foie.

Et cela la mettait en joie.

94

Allez, avance, mais avance ! Embouteillages de mes deux !

Ian Tilling n'arrêtait pas de klaxonner, mais cela ne servait à rien. Aux heures de pointe, les véhicules avançaient au pas, pare-chocs contre pare-chocs, aussi bien à Bucarest qu'en proche banlieue. Et, ce soir-là, la neige n'avait fait qu'empirer les choses, prolongeant le désordre jusque tard dans la soirée.

Sa seule consolation, c'était que la voiture dans laquelle se trouvait Simona connaissait les mêmes difficultés.

Et toi, subcomisar Radu Constantinescu, décroche, espèce de flemmard ! se dit-il en essuyant le pare-brise et en fixant les feux arrière du Hummer limousine qui le précédait.

Depuis quarante minutes, il essayait de joindre le seul policier influent qu'il connaissait sur sa ligne fixe et sur son portable. Mais personne ne décrochait, et les messageries ne se déclenchaient pas non plus. Avait-il déjà quitté son bureau ? Était-il en réunion ? Était-il en train de battre le record du monde de temps passé aux toilettes ?

Selon lui, l'Allemande se dirigeait vers l'un des deux aéroports internationaux de Bucarest. Il y avait de grandes chances qu'elle se rende à Otopeni, le plus important des deux. Seulement, il ne l'avait pas trouvée là-bas. À présent, il bataillait pour rejoindre le second. Il fallait absolument que le subcomisar accepte de la faire arrêter, ou, du moins, l'empêche de quitter le pays.

Bien qu'avançant au pas, il faillit percuter le Hummer. Il n'avait presque plus d'essence et son moteur était en surchauffe. Il composa le numéro de Constantinescu une nouvelle fois et fut surpris – et soulagé – de l'entendre décrocher à la première sonnerie.

— Oui ? dit-il d'une voix rauque.

— C'est Ian Tilling. Comment allez-vous ?

— M. Ian Tilling, mon ami, citoyen de l'empire britannique, au service des sans-abri de Roumanie ! Que puis-je faire pour vous ?

— J'ai besoin que vous me rendiez un service, c'est urgent.

Tilling entendit un bruit de succion et devina que le Roumain allumait une nouvelle cigarette au mégot de la précédente.

Il lui expliqua la situation aussi brièvement que possible.

— Vous avez le nom de l'Allemande ?

— Marlene Hartmann, d'après mes collègues anglais.

— Ça ne me dit rien, dit-il avant d'être pris d'une violente quinte de toux. Et celui de la fille ?

— Simona Irimia. On pense qu'elle faisait partie du même groupe que les trois adolescents retrouvés morts. Vous deviez mener l'enquête, vous vous souvenez ? J'espérais que vous l'identifieriez avant moi.

— Ah.

Dépité, Tilling entendit le bruit d'un tiroir que l'on ouvre. Celui dans lequel avaient disparu les trois portraits-robots et les empreintes digitales qu'il lui avait demandé de faire circuler en interne. Le Roumain avait mangé la commission, comme toutes celles qui n'étaient pas prioritaires à ses yeux.

— Pourriez-vous m'épeler Marlene Hartmann, M. VIP ?

Tilling s'exécuta sans ciller. Puis, avec l'aide de Raluca, il lui décrivit Simona.

— J'appelle tout de suite l'aéroport. Ces deux individus devraient être faciles à identifier à l'enregistrement ou lors du contrôle des passeports. Je demanderai à la police aéroportuaire d'arrêter la femme pour présomption de trafic d'êtres humains, c'est bien ça ? Vous êtes en chemin ?

— Oui.

— Je vous rappelle pour vous donner le nom de mon contact là-bas, OK ?

— Merci, Radu, je vous en serai reconnaissant.

— On prendra un verre bientôt pour fêter votre médaille !

— On en prendra plusieurs !

★

Tandis qu'elle s'éloignait de Bucarest, la circulation se fluidifiait. Marlene Hartmann se retourna une fois encore pour regarder à travers le pare-brise arrière. L'intensité des phares de la voiture qui les suivait depuis une quarantaine de minutes diminuait peu à peu.

Simona appuya son visage contre la vitre glacée, serrant Gogu contre sa joue. Sous ses yeux défilait un paysage lunaire, sombre, de moins en moins habité.

Marlene Hartmann s'installa confortablement et ouvrit son ordinateur portable pour lire ses mails. Elles avaient un long trajet devant elles.

95

Roy Grace rentra de Munich juste à temps pour la réunion de 18 h 30.

Il parcourut l'ordre du jour en marchant vers la salle, tout en veillant à ne pas renverser son café.

— Alors, Roy, tu as maté les Schleus ? Ils ont enfin compris qui a gagné la guerre ?

— Je pense qu'ils le savent depuis longtemps, Norman, dit-il en s'asseyant.

— Attention, ils sont coriaces. Comme les Japs. Regarde autour de toi : une voiture sur deux est allemande !

— Norman, merci ! dit-il en haussant le ton.

Grace était fatigué par sa longue journée, encore loin d'être terminée, et tentait, tant bien que mal, de finir la lecture de l'ordre du jour avant que tout le monde soit installé.

Potting haussa les épaules.

Quand l'équipe fut au complet, il prit la parole.

— Bon. Ceci est la seizième réunion relative à l'opération Neptune. Nous avons un nouveau cadavre sur les bras. Peut-être qu'il est lié à notre affaire, peut-être pas. Notre pêcheur du dimanche veut-il bien nous en dire davantage ? poursuivit-il en se tournant vers Glenn.

Branson esquissa un sourire cynique.

— On a retrouvé le pauvre Jim Towers. Mais comme il était ligoté des pieds à la tête avec du gaffer, on devra attendre l'autopsie pour voir s'il a été délesté de ses organes. Elle aura lieu demain matin.

— A-t-il été formellement identifié ? s'enquit Lizzie Mantle.

— Oui, à partir d'un bracelet en or et de sa montre. Nous avons préféré ne pas autoriser sa femme à le voir. Il est bien amoché. Vous vous souvenez du visage, sous l'eau, dans *Les Dents de la mer* ? Celui qu'on voit par un trou dans la coque, avec un globe oculaire qui pendouille ? Vous savez, celui qui fout la trouille à Richard Dreyfuss ? Eh bien, il ressemble à ça.

— Épargne-nous les détails ! s'écria Bella en reposant le Maltesers qu'elle s'apprêtait à manger.

— Que sait-on pour le moment ? reprit Grace.

— Le bateau a été saboté. Il n'y a pas eu collision.

— On peut envisager la piste du suicide ?

— Difficile de se saborder en étant momifié, chef. Sauf si vous êtes le roi de l'évasion.

La salle pouffa.

Grace sourit lui aussi.

— Dans l'immédiat, cette enquête nous est confiée. La commandante Mantle supervisera un groupe qui s'y consacrera et décidera, en fonction de l'autopsie, s'il s'agit d'une affaire distincte ou pas.

— OK, fit-elle. Glenn, j'aimerais que tu rejoignes mon équipe, vu que tu as rencontré la femme – la veuve – de Towers.

— Volontiers.

— Il faudra marcher sur des œufs à l'égard de la presse, précisa Grace. Mais attendons les résultats de l'autopsie.

— Tout à fait d'accord, fit la commandante.

— Pour ma part, je suis de plus en plus convaincu que Vlad Cosmescu est impliqué, intervint Branson. D'une part, l'ADN prélevé sur les mégots prouve qu'il se trouvait au port de Shoreham, d'autre part, le moteur de hors-bord...

— Glenn, les mégots sont des indices, pas des preuves, le corrigea Grace. N'importe qui a pu les y déposer. Toi, moi, n'importe qui. Nous devons tous être conscients, poursuivit-il en s'adressant à l'assemblée, qu'employer le mot « prouve » ou « confirme » devant un tribunal peut donner à un avocat malin l'occasion de passer votre raisonnement à la moulinette, voire de vous accuser de vouloir influencer les jurés. Donc on parle d'indices, OK ? Jamais de preuve, sinon, on est quasiment sûrs de faire capoter le procès.

Tous, ou presque, acquiescèrent.

— Quels sont les autres éléments dont tu disposes à son sujet, Glenn ?

— Nous savons qu'il est dans le collimateur d'Europol et d'Interpol, suspecté d'être impliqué dans des affaires de traite d'êtres humains et de blanchiment d'argent.

— Mais aucune inculpation, aucune condamnation, n'est-ce pas ?

— Rien.

— On dirait que la Manche n'est pas vraiment la meilleure cachette qui soit, commenta Bella Moy. Quitte à se débarrasser d'un cadavre ou d'un moteur, autant le faire sur la plus grande place de la ville. Il y a de fortes chances que quelqu'un les récupère au passage !

— J'aimerais pouvoir l'interroger, obtenir un mandat de perquisition, fouiller son appartement, le mettre sur écoute téléphonique, s'entêta Branson.

— Tout ça parce qu'il a fumé sur le port et abandonné un moteur de hors-bord ? le titilla Grace.

— Non, parce qu'il observait le *Scoob-Eee* avec des jumelles. Pourquoi s'intéressait-il à cette coquille de noix ? Avant qu'on ne repêche les corps des adolescents, ce rafiot n'avait rien de particulier. J'ai un pressentiment avec ce type, Roy.

— Le bateau peut être repêché ? demanda Grace.

— Oui, mais selon Tania Whitlock ce serait une opération d'envergure, extrêmement onéreuse. Je pense que tu auras du mal à convaincre Alison Vosper de débloquer une telle somme.

— Pour confirmer tes intuitions, il te faudra la preuve qu'il était sur ce bateau. Un témoin, un objet lui appartenant, des empreintes, etc.

Branson sembla pensif.

— Peut-être qu'ils pourraient effectuer cette recherche sous l'eau…

— Tu penses qu'il joue quel rôle dans cette histoire ?

— Je ne sais pas, mais je suis sûr qu'il est mouillé. Et je crois qu'il nous faut agir vite désormais.

— OK, concéda Grace. Demande un mandat, mais il faudra que tu gonfles un peu le dossier. Essaie de le faire parler de son plein gré. Si tu lui lis ses droits, il ne dira rien. Vas-y avec quelqu'un qui a de l'expérience en la matière. Bella, par exemple. Lizzie, ça te va ?

La commandante hocha la tête.

Grace consulta sa montre. D'ici à ce que Branson remplisse la demande et trouve un magistrat qui veuille bien la signer, il serait au moins 22 heures.

Il se souvint de l'heure à laquelle il avait croisé la Mercedes de Cosmescu.

— Le gars est un oiseau de nuit. Vous allez peut-être devoir patienter jusqu'au petit matin.

— Eh bien, on s'installera confortablement dans son petit nid en l'attendant.

— Je ferai une prière pour sa collection de CD, répliqua Grace.

Glenn eut la décence de baisser les yeux.

— Quand tu l'auras sous la main, tu te rendras sans doute compte qu'il s'agit d'un dur à cuire. Il trempe dans la pègre depuis une dizaine d'années, sans jamais s'être fait coincer. Il doit maîtriser les règles du jeu.

Il lut ses notes.

— Par ailleurs, nous avons établi hier que la fille de Lynn Beckett, dont le numéro nous a été fourni par nos contacts allemands, souffre d'une défaillance hépatique. Voici les appels de Transplantation-Zentrale, l'agence où j'étais ce matin, dit-il en agitant une liasse de documents. Je ne suis pas censé les avoir en ma possession, donc on va s'en servir discrètement.

Il but une gorgée de café et reprit.

— Y figurent neuf appels sur le téléphone fixe de Lynn Beckett, quatre reçus de ce numéro, et deux depuis son portable, ces trois derniers jours.

— As-tu accès aux enregistrements ? demanda Guy Batchelor.

— Non, malheureusement. La législation allemande est similaire à la nôtre. Mais ils devraient obtenir l'autorisation incessamment sous peu.

— Cela ne se passait pas comme ça du temps d'Adolf, murmura Potting.

Grace le fusilla du regard.

— J'ai donc rencontré Marlene Hartmann, la directrice de cette société qui revend des organes. Ils sont basés à Munich, mais ils font leur beurre en Angleterre, sous notre nez ! Il faut trouver de toute urgence leur bloc opératoire. Quelque chose se mijote avec Mme Beckett et...

Il fut interrompu par le thème d'*Indiana Jones* – la sonnerie du téléphone de Norman Potting. Celui-ci rougit, regarda l'écran et se leva.

— Appel de Roumanie, je décroche, dit-il en sortant de la pièce.

502

— Nous n'avons sans doute pas beaucoup de temps pour découvrir où ils se sont établis, reprit Grace. J'ai mené l'enquête dans le corps médical pour comprendre ce dont ils ont besoin pour effectuer des transplantations, qu'il s'agisse d'une installation provisoire ou pas.

— Quand on a interrogé Sir Roger Sirius, enchaîna Guy Batchelor, il nous a expliqué que ce genre d'intervention nécessitait une grosse équipe.

Il parcourut ses notes.

— Trois chirurgiens au minimum, deux anesthésistes, trois infirmières spécialisées, une équipe de soins intensifs disponible 24 heures sur 24, 7 jours sur 7, comprenant plusieurs spécialistes en transplantation pour les soins postopératoires.

— Entre quinze et vingt personnes, en conclut Grace. Plus un bloc opératoire et une unité de soins intensifs.

— On cherche donc un hôpital, proposa Nick Nicholl. Soit public, soit privé.

— Impossible dans le public, avança Lizzie Mantle. Un organe obtenu illégalement ne pourrait pas entrer dans le circuit.

— En est-on sûr ? insista Branson.

— Sûrs et certains, répéta la commandante. Si c'était le cas, un très grand nombre de personnes seraient au courant. Le système est complètement hermétique.

Branson hocha la tête.

— À mon avis, ce qu'on recherche, c'est un hôpital ou une clinique privés, intervint Grace. Certains médicaments doivent être spécifiques aux greffes. Il faut les identifier, trouver les fabricants, les fournisseurs et passer en revue les établissements qui les achètent.

— Cela va nous prendre du temps, Roy, objecta la commandante.

— Il ne doit pas y avoir tant de revendeurs et d'acheteurs que cela. Tu peux t'en occuper immédiatement ? demanda-t-il à Jacqui Phillips. Je peux te trouver du renfort, si besoin.

Norman Potting revint dans la pièce.

— Désolé. C'était une collègue de mon contact, Ian Tilling.

Grace lui fit signe de développer.

— Il est sur la piste d'une jeune Roumaine – Simona Irimia – qui est, selon lui, sur le point d'être introduite clandestinement en Angleterre, ce soir ou demain. Sa collègue m'a envoyé des photos de la fille par mail. Il y a un peu plus d'un an, elle a été arrêtée pour vol à l'étalage. Elle en avait alors douze. Je suis en train de les imprimer. Tu m'accordes deux minutes ?

— Vas-y.

Potting ressortit.

— Si le commandant Batchelor et le lieutenant Boutwood ont vu juste à propos de Sir Roger Sirius, nous devrions le mettre sous surveillance. Il pourrait bien nous conduire à l'établissement privé que nous recherchons, déclara Lizzie Mantle.

— Bien vu. Les RG auraient-ils du temps à nous consacrer ?

— Ils sont sur une grosse affaire, en ce moment. Ce sera compliqué...

Spécialisés dans la surveillance, les renseignements généraux avaient pour habitude de travailler dans le secret. Leur principale mission était de lutter contre le trafic de drogue, mais ils consacraient de plus en plus de temps à la traite des êtres humains.

Potting revint et distribua plusieurs photocopies des clichés de Simona pris par la police roumaine, où elle apparaît de face et de profil.

— Selon Ian Tilling, une Allemande lui proposant une nouvelle vie en Angleterre est allée la chercher il y a quelques heures. Tu parles d'une nouvelle vie. Pour quelqu'un d'autre, à mon avis !

— Elle est jolie, nota Lizzie Mantle.

— Elle le sera moins les tripes à l'air, ajouta Potting.

Grace sortit d'une enveloppe plusieurs photos de Marlene Hartmann prises au téléobjectif et les passa à son équipe.

— De la part de mes amis au LKA, à Munich. Tu penses qu'il peut s'agir de la femme en question, Norman ?

— C'est une vraie bombe ! Je comprends pourquoi tu as fait le déplacement, Roy.

Grace ignora cette saillie.

— Noël approche, dit-il. En général, les gens s'empressent de terminer ce qu'ils ont sur le feu avant les vacances. Si cette gamine entre dans le pays ce soir ou demain, et s'ils prévoient de la tuer pour vendre ses organes, l'opération aura lieu dans les prochains jours. Il nous faut plus d'infos sur cette Lynn Beckett. D'après ce que Norman nous a dit, nous en avons assez pour la mettre sur écoute.

Pour obtenir ce mandat, ils devaient être en mesure de prouver qu'une vie en dépendait. Grace se sentait capable d'en faire la démonstration.

— Il nous faudra la signature du commissaire principal de garde et d'un membre du Cabinet ou d'un secrétaire d'État.

— C'est Alison Vosper qui est de permanence cette semaine. Cela ne devrait pas poser problème. Elle suit l'affaire de près.

— Et concernant un secrétaire d'État ? insista Bella Moy.

— Le système s'est amélioré récemment. Il suffira d'appeler Londres. On devrait obtenir le feu vert et un accès à ses lignes téléphoniques avant minuit.

— L'Allemande et la fille sont peut-être déjà arrivées, objecta Guy Batchelor.

— Ce n'est pas faux. Mais autant surveiller les ports et aéroports. Gatwick, bien sûr, mais aussi

Heathrow, le tunnel sous la Manche et les ferries. Je vais appeler Bill Warner, à Gatwick, pour que toutes les arrivées en provenance de Bucarest ou des villes voisines soient surveillées. La nuit va être longue. Je n'ai pas envie qu'on se retrouve avec un nouveau cadavre sur les bras demain.

96

En général, Lynn n'aimait pas les mois d'hiver, car il faisait déjà nuit quand elle sortait du bureau. Mais, ce soir, avec Reg Okuma garé dans la rue, elle était contente qu'il fasse sombre, même si sa voiture était éclairée par les réverbères. Il écoutait de la musique très fort ; tout le monde pouvait en profiter à cinquante mètres à la ronde. En s'approchant, Lynn remarqua qu'il avait fait poser un énorme pot d'échappement.

C'était une BMW série 3 plus toute neuve, marron foncé, avec vitres teintées. Le moteur tournait, sans doute pour alimenter l'autoradio.

La portière passager s'ouvrit quand elle arriva à son niveau. Elle hésita, se demandant si elle ne commettait pas une grossière erreur. Mais elle avait besoin de l'argent. Vérifiant que personne ne l'observait, elle se glissa sur le siège et ferma la porte.

L'intérieur du véhicule était encore plus clinquant que l'extérieur. Le rap qui sortait des enceintes l'indisposa. Deux dés en fausse fourrure se balançaient au rétroviseur. Une ribambelle de lumières bleues irisées couraient le long du tableau de bord.

Lynn songea d'abord à une décoration de Noël, puis réalisa qu'elles étaient probablement toujours là, le propriétaire devait trouver ça cool. L'eau de Cologne de Reg Okuma était encore plus incommodante que la musique.

La bonne surprise, ce fut l'homme assis au volant.

Lynn imaginait souvent l'apparence physique de ses clients. Il n'avait rien d'un mélange entre Robert Mugabe et Hannibal Lecter. Maintenant qu'elle le voyait, elle réalisait à quel point elle s'était trompée. Trente-huit ans environ, ce bel homme aux faux airs de Denzel Washington dégageait une réelle confiance en lui. Mince, les cheveux coupés ras, il portait une veste noire stylée sur un tee-shirt noir, des bagues quasiment à tous les doigts, une gourmette en or à l'un des poignets et une montre imposante comme un cadran solaire.

— Lynn ! s'exclama-t-il en tentant maladroitement de l'embrasser, tandis qu'elle le repoussait tout aussi maladroitement. J'ai une érection depuis ce matin, tellement je pense à toi. Toi aussi, tu as mouillé toute la journée ?

— Avez-vous l'argent ? demanda-t-elle en regardant par la vitre, terrifiée à l'idée qu'un collègue puisse la repérer.

— C'est tellement vulgaire de parler argent lors d'un rendez-vous galant, tu ne crois pas, ma belle ?

— Démarrez, lui ordonna-t-elle.

— Ma voiture te plaît ? C'est une 325 i. « I » pour injection, insista-t-il. Elle est très rapide. Je n'ai pas de Ferrari, mais ça ne saurait tarder.

— Je suis contente pour vous. On y va ?

— Il faut d'abord que je te regarde. Tu es encore plus belle que dans mes rêves ! s'exclama-t-il avant de passer enfin la première et d'écraser l'accélérateur.

Elle se tourna, vit un sac en toile, l'attrapa et le

posa sur ses genoux. Puis elle sentit sa main noueuse se poser fermement sur sa cuisse.

— Nous allons faire merveilleusement l'amour, ce soir, ma beauté !

Ils se retrouvèrent bloqués dans un embouteillage au niveau des feux de New England Hill. Elle jeta un œil et découvrit des liasses de billets de 50 livres reliées par des élastiques.

— Le compte y est. Reg Okuma n'a qu'une parole.

— Pas d'après ce que je sais de vous, siffla-t-elle, enhardie par le fait qu'ils étaient à l'arrêt.

Elle saisit un paquet et calcula rapidement. 1 000 livres.

Il monta sa main un peu plus haut.

Ignorant son geste, elle compta le nombre de liasses. Quinze.

Et soudain, il appuyait contre son entrejambe. Elle serra les cuisses et le repoussa durement. Pas question qu'elle couche avec lui. Pas pour 15 000 livres. Pour rien au monde, en fait. Ce qu'elle voulait, c'était prendre l'argent et se tirer. Mais elle savait que ce ne serait pas si simple.

— Allons dans un bar, ma douce Lynn. Ensuite, j'ai réservé une table dans un endroit romantique. Nous dînerons aux chandelles et nous ferons l'amour de la plus belle manière qui soit.

Ses doigts lui mordaient la chair.

Le feu passa au vert, il tourna à gauche et longea la côte. Elle attrapa sa main et la replaça sur sa cuisse à lui.

— Je me sens tellement sexy à tes côtés, Lynn.

★

Vingt minutes plus tard, ils étaient assis en terrasse du Karma Bar, en bord de mer. Malgré le brasero qui tournait à plein régime, Lynn était frigorifiée. Reg

Okuma tirait sur un gros cigare tandis qu'elle sirotait un whisky sour. Il avait insisté pour qu'elle commande ce cocktail, assurant qu'il lui plairait, ce qui était effectivement le cas. Emmitouflée dans son manteau, elle se disait qu'elle l'aurait encore plus apprécié s'ils s'étaient réfugiés à l'intérieur.

À part deux autres tables occupées par des fumeurs, la terrasse était déserte. À côté d'eux, dans les eaux sombres de la marina, les gréements des yachts s'entrechoquaient, bercés par un vent glacial.

— Alors, ma belle, parle-moi de toi, dit-il en portant son verre à ses lèvres.

— Dites-moi d'abord comment vous savez que ma fille est malade, rétorqua-t-elle, sur ses gardes.

Il tira sur son cigare. Elle aimait cet arôme qui lui rappelait son père fumant à Noël quand elle était petite.

— Lynn, ma merveille, dit-il d'une voix profonde, sur le ton de la réprimande, Brighton a beau être une grande ville, c'est aussi un village par certains aspects. Je fréquentais une professeure du lycée de votre fille. Un soir, en allant la chercher, je vous ai vue. Vous, la plus belle femme du monde. Je lui ai demandé si elle vous connaissait. Elle m'a raconté ce qu'elle savait. Cela m'a donné encore plus envie de vous. Vous êtes tellement dévouée. Les gens dévoués sont trop rares dans ce bas monde.

97

Sur l'île de Chypre, on roule à gauche. C'est donc là-bas que les Britanniques peu scrupuleux refourguent les voitures volées. Il existe bien sûr d'autres pays, mais cette république n'est pas regardante à l'égard de ce genre de trafic. Il suffit de modifier les numéros du châssis et du moteur, et de fournir de faux papiers. Grâce à certaines sources, Vlad Cosmescu savait que le meilleur moyen de faire disparaître une voiture était de l'envoyer à Chypre.

Lui qui n'était pas particulièrement sentimental regardait, avec un pincement au cœur, sa Mercedes noire SL 55 AMG monter dans un conteneur sur le quai animé du port de Newhaven. Il tira sur sa cigarette et la jeta par terre. À quelques mètres de là, une grue treuillait un autre conteneur sur le pont d'un bateau. Un chariot élévateur klaxonna pour se frayer un chemin entre les marchandises, les passagers et les véhicules.

L'Angleterre avait été une terre d'accueil, il avait bien profité de Brighton. Mais, pour survivre, dans la vie comme dans les casinos, il faut savoir quitter la partie tant qu'on a la main. Et il ne l'avait plus vraiment depuis que le *Scoob-Eee* et Jim Towers avaient été localisés.

Encore une journée, et il mettrait les voiles. Juste une dernière affaire à régler. Et demain soir, il serait dans un avion pour Bucarest. Il avait mis une somme rondelette de côté. Il n'était pas sûr de vouloir rester en Europe. Le Brésil lui faisait de l'œil. Il paraît que les filles y sont superbes et qu'elles sont prêtes à se prostituer à l'étranger. Il avait envie d'un pays chaud. D'un pays chaud avec de jolies filles et de chouettes casinos.

Envie d'un endroit où se la couler douce.

Sauf que, ces jours-ci, les métaphores maritimes n'étaient pas les plus appropriées.

98

En fin de soirée, ils longèrent le bord de mer pour rejoindre le parking. Après trois whiskies sour et une demi-bouteille de vin, Lynn était plus détendue. Okuma l'avait émue. Il n'avait jamais connu son père. Sa mère était morte d'une overdose quand il avait sept ans. Ses parents adoptifs avaient abusé de lui sexuellement. Il avait ensuite été ballotté de foyer en foyer. À quatorze ans, il avait rejoint un gang dans lequel il avait découvert la notion de respect de soi.

Pendant un temps, il avait gagné sa vie en livrant de la drogue pour un dealer. Puis, après un passage éclair dans un centre d'éducation surveillé, il s'était inscrit en économie à la fac de Brighton. Il s'était marié, avait eu trois enfants ; seulement, quelques mois avant la fin de ses études, sa femme l'avait quitté pour un riche agent immobilier. Il en avait conclu que, le but, dans la vie, c'était de faire de l'argent. Et c'est ce à quoi il s'attelait à présent. Mais son existence se résumait à une série de faux départs.

Il y a quelques années de cela, comprenant qu'il était difficile de faire fortune en toute légalité, il s'était mis à abuser du système.

— Tout business est un jeu, n'est-ce pas, Lynn ?

— Je n'irais pas jusque-là.

— Ah bon ? Je sais comment ça marche, chez Denarii. Vous fonctionnez selon le principe du recouvrement en nombre : vous dégagez les plus belles marges en récupérant des dettes groupées. Si c'est pas un jeu, ça ?

— Les impayés ruinent certaines entreprises, Reg. Provoquent des licenciements.

— Mais je suis un entrepreneur, j'en crée, des emplois.

Sa logique la fit sourire.

— Et on ne devrait pas parler affaires lors d'un rendez-vous galant.

Malgré l'alcool, elle n'avait pas perdu de vue les raisons de sa venue. Demain matin, elle devait transférer le solde sur le compte de Transplantation-Zentrale. Quel que soit le prix à payer.

Okuma, qui avait passé son bras autour de ses épaules, s'arrêta soudain pour l'embrasser.

— Pas ici, souffla-t-elle.

— On va chez toi ?

— J'ai une meilleure idée.

Elle appuya sa main, d'une façon très suggestive, contre son sexe en érection.

*

De retour dans sa voiture, protégée par l'obscurité d'un parking à moitié vide, elle baissa sa braguette et glissa ses doigts.

En quelques minutes, c'était réglé. Avec un mouchoir en papier, elle frotta les quelques gouttes qui avaient giclé sur son manteau bleu.

Il la raccompagna chez elle, tout penaud.

— À très bientôt, ma beauté ! dit-il en glissant un bras derrière ses épaules.

Elle ouvrit la portière en serrant contre elle le sac en toile.

— J'ai passé une charmante soirée. Merci pour le dîner.

— Je pense que je suis amoureux, avoua-t-il.

Enhardie par les quelques mètres qui les séparaient, elle lui envoya un baiser de la main. Puis, nauséeuse et complètement ivre, se précipita chez elle, agitée par des sentiments contradictoires. Elle s'engouffra directement dans les toilettes du bas et s'agenouilla pour vomir. Mais rien ne vint. Elle reprit ses esprits.

Elle monta en courant dans la chambre de sa fille. Il y régnait une chaleur étouffante et la pièce sentait la transpiration. Caitlin dormait, iPod dans les oreilles, télévision éteinte. Était-ce son imagination ou la lumière ? Sa peau lui sembla encore plus jaune que d'habitude.

Elle laissa la porte entrouverte, alla retirer son manteau dans sa chambre, le mit dans un sac pour le pressing, puis, dégoûtée par ce qu'elle venait de faire, le fourra au fond de son placard.

Luke s'était endormi dans le salon, devant la rediffusion d'une émission de téléréalité qu'elle avait déjà vue. Elle baissa le son avec la télécommande pour ne pas réveiller Caitlin, se rendit dans la cuisine, se servit un grand verre de chardonnay qu'elle descendit d'une traite et retourna dans le séjour.

Luke se réveilla en sursaut.

— Eh, salut, comment s'est passée votre soirée ?

Lynn rougit, passablement éméchée. Bonne question. Comment s'était passée sa soirée ?

Elle se sentait sale. Coupable. Malhonnête. Mais, au moment même, elle s'en fichait.

— Bien. Mission accomplie, répondit-elle en regardant le sac plein de billets de banque. Comment va Caitlin ?

— Pas bien. Elle est faible. Vous pensez que...

515

Elle hocha la tête.

— Demain ?

— Je l'espère.

Pour la première fois, elle le serra fort dans ses bras. S'accrocha à lui comme si la vie de sa fille en dépendait, ce qui était plus ou moins le cas. Des larmes roulèrent sur ses joues.

Et soudain, ils entendirent un cri déchirant.

99

Peu après minuit, on sonna à la porte. Lynn dévala les marches pour ouvrir. Le Dr Hunter se trouvait sur le seuil, en costume, chemise, cravate et pardessus, sac noir à la main. Il avait l'air harassé.

L'espace d'un instant, elle se demanda s'il avait enfilé son costume spécialement pour cette visite ou s'il était de garde cette nuit.

— Ross, Dieu merci, vous êtes là. Merci, merci, répéta-t-elle, résistant à l'envie de se jeter à son cou pour exprimer sa gratitude.

— Désolé d'avoir mis tant de temps, j'étais sur une autre urgence quand vous m'avez appelé.

— Aucun souci, vraiment, je suis très heureuse que vous soyez là.

— Comment va-t-elle ?

— Très mal. Elle n'arrête pas de pleurer et de hurler à cause de douleurs abdominales.

Il monta dans la chambre de Caitlin. Désemparé, Luke tenait la main de la jeune fille. À la lueur de la lampe de chevet, le médecin constata que la sueur perlait à son visage et que son cou et ses bras étaient zébrés de griffures.

— Bonjour, Caitlin, comment te sens-tu ?

— Vous voulez la vérité ? Pas terrible, souffla-t-elle d'une voix rauque.

— Ressens-tu une douleur aiguë ?

— J'ai mal partout, ça me gratte trop, docteur, faites quelque chose.

— Où as-tu mal, exactement ?

— Je veux rentrer à la maison.

Ross Hunter fronça les sourcils.

— À la maison ? Mais tu es à la maison.

— Vous ne pouvez pas comprendre.

— Elle parle de notre toute première maison, Winter Cottage, intervint Lynn. C'était à la campagne.

— Pourquoi veux-tu y aller, Caitlin ? lui demanda-t-il.

Elle ouvrit la bouche pour répondre, puis sembla avoir du mal à respirer.

— Je crois que je suis en train de mourir, murmura-t-elle avant de fermer les yeux et de laisser échapper un long râle.

Ross Hunter lui saisit le poignet pour tâter son pouls.

— Peux-tu me décrire ton mal au ventre ? lui demanda-t-il en la regardant droit dans les yeux.

— Horrible, répondit-elle les yeux clos. Ça brûle. Je brûle à l'intérieur.

Et soudain, elle se tortilla comme un animal enragé.

Lynn alluma la lumière. Le visage et les yeux de sa fille avaient désormais la couleur de la nicotine.

Lynn avait elle aussi l'impression d'avoir l'estomac en feu.

— Tout va bien se passer, ma chérie. Tout va bien, mon ange.

— Peux-tu me montrer où tu as mal ?

518

Elle ouvrit sa chemise de nuit et lui indiqua l'endroit exact. Ross Hunter plaça sa main dessus un moment. Puis il examina ses yeux.

Il saisit le bras de Lynn, en expliquant à Caitlin qu'il revenait dans quelques minutes. Il sortit de la pièce avec Lynn et Luke, pâle comme un linge, et ferma la porte derrière lui.

— Elle va s'en sortir ? demanda le jeune homme.

Lynn hocha la tête pour le rassurer, mais, ce qu'elle voulait, c'était quelques instants en tête à tête avec le médecin.

— Luke, tu veux bien aller me chercher un verre d'eau ?

— Non, euh, oui, bien sûr, dit-il avant de dévaler les marches.

— Lynn, l'interpella le Dr Hunter, il faut l'hospitaliser immédiatement. Elle se trouve dans un état critique.

— Pourrait-on attendre demain ? Demain après-midi ? Par moments, elle semble très forte, et puis, elle craque. Elle est encore capable de tenir un peu.

Il plaça sa main manucurée sur son épaule et la fixa.

— Ne vous leurrez pas. Elle tient parfois le coup, en rassemblant toutes ses forces, mais elle puise dans ses dernières réserves. Il lui faut un traitement de toute urgence, elle ne survivra peut-être pas jusqu'à demain après-midi. Son foie est quasiment hors service. Son corps est empoisonné par ses propres toxines.

Lynn fondit en larmes. Elle se sentit défaillir. Il la retint d'une main ferme.

Sois forte, se dit-elle. *Tu n'as pas fait tout ce chemin pour rien. Accroche-toi. L'Allemande passe demain midi, plus que quelques heures.*

Elle leva vers lui des yeux déterminés.

— Pas maintenant, Ross.

— Comment ça ? Vous êtes folle ?

— Je ne peux pas la laisser entrer à l'hôpital pour qu'elle y meure. Car c'est ce qui va se passer. Elle va mourir là-bas.

— Elle ne mourra pas s'ils la prennent en charge tout de suite.

— Mais, ce qu'il lui faut, c'est une greffe de foie, et je ne crois pas qu'ils en trouveront un.

— C'est sa seule chance, Lynn.

— Pas cette nuit. Demain après-midi ?

— Je ne vous comprends pas.

Luke revenait avec de l'eau. Elle accepta le verre et résista à l'envie de lui demander de les laisser – ç'aurait été déplacé.

— J'aimerais que vous lui donniez des médicaments, dit-elle.

— Mais je ne suis pas hépatologue.

— Vous êtes médecin, oui ou non ? aboya-t-elle avant de se reprendre. Je suis désolée. Excusez-moi, Ross. N'y a-t-il rien qui puisse stimuler son foie, atténuer la douleur ? Quelque chose pour la remettre d'aplomb, un cocktail vitaminé, peut-être ?

Il sortit son portable de sa poche.

— Lynn, j'appelle une ambulance.

— Non ! hurla-t-elle.

Sa véhémence le désarçonna. Pendant quelques secondes, ils se regardèrent en chiens de faïence.

— Qu'est-ce qui se trame ? demanda-t-il. Vous me cachez quelque chose ? Vous prévoyez de l'emmener à l'étranger, c'est ça ? Vous avez programmé une opération en Chine ?

Elle se demanda si elle pouvait le mettre dans la confidence, croisa le regard de Luke et pria pour qu'il se garde d'intervenir.

— Non.

— Elle ne survivrait pas au voyage, Lynn.

— Je... On ne prévoit pas d'aller à l'étranger.

— Alors pourquoi vouloir remettre à plus tard son hospitalisation ?

— Je ne peux pas vous répondre, Ross, d'accord ?

— Vous avez intérêt à me dire ce que vous mijotez. Vous voyez un guérisseur ?

— Oui, s'empressa-t-elle de répondre, à bout de nerfs. Je connais quelqu'un qui...

— Il pourrait se déplacer à l'hôpital, non ?

Elle secoua la tête.

— Vous êtes consciente de mettre la vie de votre fille en danger ?

— Et qu'est-ce qu'il a fait, pour elle, votre maudit système de santé ? explosa Luke. Ça fait des années qu'elle fait des allers-retours à l'hôpital. Ils l'ont mise sur la liste des patients prioritaires, on a cru qu'ils allaient lui trouver un foie, et, au dernier moment, ils l'ont greffé sur un alcoolique pour qu'il puisse se bourrer la gueule deux ans de plus. Qu'est-ce que vous voulez ? La renvoyer dans ce trou à rats où ils lui feront des promesses qu'ils ne peuvent pas tenir ?

Il se détourna pour s'essuyer les yeux. Lynn et le médecin gardèrent le silence.

— Il a raison, finit-elle par dire.

— Lynn, je vais lui faire une solide injection d'antibiotiques et vous laisser des cachets à lui donner toutes les quatre heures. Ils combattront l'infection à l'origine de la douleur. Il faudra lui faire un lavement pour éliminer les protéines accumulées dans ses intestins. Il lui faudrait une perfusion.

— De quoi ?

— De glucose. En grosse quantité. Et faites-la manger le plus possible.

— Et ça suffira, n'est-ce pas, Ross ?

— Elle devrait reprendre des forces. Mais ce que vous faites est dangereux. Et cela ne se traduira que par un sursis de quelques heures. Vous comprenez ?

Elle hocha la tête.

521

— Je reviens demain après-midi. À moins qu'elle aille vraiment mieux, ce dont je doute, je l'enverrai directement à l'hôpital, c'est bien d'accord ?

Elle lui sauta au cou.

— Merci, chuchota-t-elle, en larmes. Merci.

100

Glenn Branson enfila son manteau et laissa Bella Moy dans la voiture, à l'abri du froid. Il sortit du véhicule banalisé garé derrière l'hôtel Metropole, traversa la rue et sonna une nouvelle fois à l'appartement 1202, au nom de J. Baker. Puis il attendit, au pied de l'immense immeuble, que quelqu'un parle dans l'interphone. Et comme précédemment : rien.

Il était un peu plus de 4 heures du matin. Dans sa poche se trouvait le mandat de perquisition délivré à 23 heures par Juliet Smith, un juge d'instruction qui travaillait main dans la main avec la police. Depuis, ils avaient monté la garde, ne s'absentant qu'à deux reprises.

La première fois, ils avaient fait un crochet par le casino Rendez-vous, sur la marina, mais le directeur leur avait annoncé, avec une note de regret dans la voix, que cela faisait plusieurs jours qu'il n'avait plus vu ce client régulier. La seconde fois, ils étaient allés chercher des sandwichs au bacon dans l'un des rares cafés ouverts toute la nuit.

Quand il retourna dans la voiture, frigorifié, il sentit que l'odeur de graillon persistait.

Bella se tourna vers lui.

— Je pense qu'il est temps de réveiller le gardien, dit-elle d'un ton las.

— Tu as raison, c'est pas sympa de notre part de ne pas partager cette magnifique nuit blanche avec quelqu'un.

— Pas sympa du tout.

Ils sortirent de la voiture, verrouillèrent les portes, puis retournèrent au pied de l'immeuble. Glenn sonna chez le concierge. Pas de réponse. Il insista. Trente secondes plus tard, un homme avec un fort accent irlandais demanda :

— C'est pour quoi ?

— Police, fit Glenn Branson. Nous avons un mandat de perquisition pour l'un des appartements et aimerions que vous nous ouvriez.

— C'est la police ? répéta l'homme, suspicieux.

— Oui.

— Merde alors. Je m'habille, j'arrive dans une minute.

Quelques instants plus tard, un type baraqué, crâne rasé, nez écrasé, la soixantaine, vint leur ouvrir en pantalon de jogging, sweat et tongs.

— Commandant Branson, commandante Moy, l'informa Glenn en brandissant sa carte.

Bella sortit la sienne. L'Irlandais les inspecta de près.

— Vous vous appelez ? s'enquit Bella.

— Dowler. Oliver Dowler, répondit l'homme en croisant les bras.

Glenn sortit un document.

— Nous disposons d'un mandat de perquisition pour l'appartement 1202. Nous avons sonné à plusieurs reprises depuis 11 heures hier soir, sans succès.

— Allons bon. Le 1202 ? Je ne suis pas surpris ! s'exclama-t-il en affichant un grand sourire. Il a résilié hier. Vous l'avez manqué de peu.

Glenn pesta.

— Résilié quoi ? demanda Bella Moy.

— Son bail. Il a déménagé.

— Où ? demanda Glenn.

— Il est parti à l'étranger. Il en avait marre du climat anglais. Moi aussi, ajouta-t-il en se frappant la poitrine. Encore deux ans à tirer et je prends ma retraite aux Philippines.

— Auriez-vous sa nouvelle adresse, ou bien un numéro de téléphone ?

— Rien du tout. Il m'a dit qu'il me contacterait.

— Montons chez lui, décida Glenn.

Ils prirent l'ascenseur jusqu'au dernier étage.

Comme l'avait dit Oliver Dowler, Cosmescu avait vidé les lieux. Plus un meuble, plus un tapis, pas une seule cochonnerie, rien. Juste des ampoules au bout de fils électriques et quelques spots encastrés. Ça sentait la peinture fraîche. Ils vérifièrent chaque pièce. Les bruits de leurs pas résonnaient. L'endroit avait été nettoyé par des professionnels. Glenn ouvrit le réfrigérateur et le congélateur : rien. Pareil pour le lave-vaisselle, la machine à laver et le sèche-linge, dans la buanderie.

Aucun indice susceptible de renseigner les policiers sur le précédent occupant. Rien prouvant qu'il y en avait eu un, d'ailleurs. Pas même l'ombre d'un cadre ou d'un miroir au mur.

Branson passa son doigt. La peinture était sèche.

— Était-il locataire ou propriétaire ? demanda Bella.

— Locataire. Non meublé, bail renouvelable tous les six mois.

— Depuis combien de temps vivait-il ici ?

— À peu près comme moi... Dix ans le mois prochain.

— Son bail touchait-il à sa fin ? demanda Glenn Branson.

— Pas du tout. Il a payé pour les trois prochains mois.

Les enquêteurs firent la grimace, puis Glenn lui tendit une carte de visite.

— S'il vous appelle, vous me faites signe, OK ? On doit lui parler de toute urgence.

— Il a dit qu'il écrirait ou enverrait un mail pour faire suivre les factures et les trucs comme ça.

— Que pouvez-vous nous dire sur lui, M. Dowler ? demanda Bella.

— En dix ans, je n'ai jamais eu une seule conversation avec lui. C'était quelqu'un de secret. Mais je l'ai vu plusieurs fois avec de très jolies filles. Il avait du goût en matière de femmes, ça oui.

— Où est sa voiture ?

— Partie aussi, dit-il en bâillant. Vous avez encore besoin de moi ou je peux vous laisser perquisitionner ?

— Vous pouvez nous laisser. Je ne pense pas que ce sera long, dit Glenn.

— Moi non plus, plaisanta le concierge.

Quand il fut parti, Glenn sourit.

— Ça y est, j'ai trouvé !

— Quoi ?

— À qui il me fait penser. À l'acteur Yul Brynner.

— Yul Brynner ?

— *Les Sept Mercenaires*.

Bella ne voyait pas de quoi il voulait parler.

— Un film culte ! Avec Steve McQueen, Charles Bronson, James Coburn...

— Jamais vu.

— Eh, il faut sortir le dimanche !

À voir son air penaud, il comprit qu'il avait touché un point sensible.

101

Il était 7 h 45. La petite salle de conférences de l'unité spéciale de recherches était pleine à craquer. Tania Whitlock présentait à son équipe leur nouvelle opération, qui ne réjouissait personne.

L'autopsie pratiquée sur le corps de Niall Foster, le dealer tombé du septième étage, avait conclu que le coup au crâne avait été porté par un objet contondant, avant la chute, et non, comme on l'avait pensé, par la clôture en fer, sur laquelle il avait atterri, tête la première. La marque en biseau et les fragments métalliques recueillis dans ses cheveux désignaient, comme arme du crime, une lampe de chevet en cuivre, qui, d'après la petite amie du défunt, avait disparu de l'appartement.

Tania avait étalé une carte sur laquelle on pouvait voir le cimetière de Hove, mais, surtout, la décharge municipale. Samedi, ils allaient devoir fouiller dix-huit tonnes de déchets infestés de rats. La dernière fois qu'ils avaient dû mener une telle opération, plusieurs membres de l'équipe avaient souffert de maux de tête pendant des jours, à cause des émanations de méthane des matières en décomposition. Autant dire qu'ils n'étaient pas pressés d'y retourner.

*

L'aube pointait au-dessus de l'aéroport de Shoreham quand le pilote d'un Cessna quatre places contacta la tour de contrôle.

— Golf Bravo Écho Tango Whisky, en provenance de Douvres.

Comme il ne disposait pas d'éclairage extérieur, le petit aérodrome n'était opérationnel qu'à la lumière du jour. Cet avion serait l'un des premiers de la journée.

— Golf Bravo Écho Tango Whisky, piste trois. Combien de passagers ?

— Je suis seul, répondit le pilote.

*

La commandante Whitlock leur indiqua le secteur à inspecter. Très concentrée, l'équipe ne prêta aucune attention à l'aéroplane qui s'apprêtait à atterrir sur la piste trois.

Des avions et des hélicoptères privés allaient et venaient toute la journée. Comme il n'y avait pas de vols internationaux, il n'y avait pas de douaniers. Les rares engins en provenance de l'étranger devaient demander, avant l'atterrissage, l'intervention d'un officier pour contrôler les passeports, et les passagers étaient censés rester dans l'appareil jusqu'à son arrivée. Mais étant donné que cela prenait beaucoup de temps et que, souvent, aucun agent n'était disponible, certains pilotes prenaient le risque de mentir.

Celui du bimoteur Cessna n'avait pas l'intention de prévenir qui que ce soit. Le plan de vol qu'il avait rempli la veille indiquait un aller-retour Shoreham-Douvres. Il avait volontairement omis son détour par Le Touquet – effectué radio éteinte. Quand il était payé autant, et en liquide, il ne voyait aucun inconvénient à adapter son plan de vol.

Il longea la zone de stationnement pour rejoindre sa place, soulagé de constater que plusieurs avions s'apprêtaient à atterrir, ce qui monopoliserait l'attention des contrôleurs. Il se gara dans le même sens que les autres, mit le frein et inversa les moteurs. Puis il vérifia que personne ne l'observait et éteignit le contact.

Les vibrations et le bruit s'estompèrent. Le pilote ôta son casque et se tourna vers la belle blonde assise derrière lui.

— OK ?

— *Sehr gut,* répondit-elle en détachant sa ceinture.

— Attendons un peu, dit-il en levant la main.

Il jeta un coup d'œil dehors, puis s'adressa à la gamine, fatiguée, qui portait un joli manteau blanc.

— La traversée t'a plu ?

La fille, qui ne parlait pas anglais, comprit le sens de la question et s'empressa de hocher la tête, nerveuse. Il tendit le bras pour la détacher, lui fit signer de patienter, et descendit sur le tarmac, laissant sa porte ouverte.

Marlene Hartmann respira la bouffée d'air frais, agréable malgré les relents de kérosène. Puis elle bâilla et sourit à Simona. La petite lui rendit son sourire. *Qu'est-ce qu'elle est mignonne,* se dit-elle. Dans un autre pays, dans d'autres circonstances, elle aurait pu mener une vie décente. Elle bâilla une seconde fois, pressée de boire un café. Le voyage avait été interminable. Par la route jusqu'à Belgrade, où elles avaient attrapé un avion pour Paris, puis en taxi jusqu'au Touquet, à 4 heures du matin. Elle était contente d'avoir réussi.

Bien sûr, ç'aurait été plus prudent de tout annuler, après la visite du commissaire, mais elle aurait perdu une cliente. Et elle était convaincue que les flics ne seraient pas assez rapides. Tout serait réglé avant qu'ils réagissent et, dès ce soir, elle serait de retour en Allemagne.

Un nouvel avion s'apprêtait à atterrir. Le pilote qui se tenait sur le tarmac entendit plusieurs bruits de moteur, dont celui d'un hélicoptère qui survolait la zone et trois appareils qui attendaient de décoller. La tour de contrôle avait du pain sur la planche. C'était une bonne heure. Il ne faisait pas tout à fait jour et le trafic était dense, sans compter les voitures des employés qui arrivaient.

La camionnette blanche était garée à une centaine de mètres, contre le grillage délimitant le périmètre de sécurité. Le pilote se tourna face à elle, sortit un mouchoir et se moucha.

C'était le signal.

Vlad Cosmescu alluma le moteur et passa la première.

102

Les yeux cernés, le cœur battant, Lynn buvait une tasse de thé, affalée sur la table de la cuisine. Elle avait, en vain, essayé de dormir, se retournant sans cesse, secouant les oreillers pour leur redonner du volume, se levant toutes les vingt minutes pour vérifier que Caitlin allait bien, l'aider à aller aux toilettes, veiller à ce qu'elle boive le glucose et prenne ses antibiotiques. Associés à l'injection, cela semblait marcher. Caitlin souffrait moins et les démangeaisons avaient diminué.

Après la visite du médecin, elle et Luke avaient descendu une bouteille de sauvignon et fumé un paquet entier de Silk Cut, partageant la dernière cigarette.

Elle avait mal à la tête et à la gorge. Luke avait fini par s'endormir dans le fauteuil, à côté du lit de Caitlin.

La télévision était allumée. Elle regarda les infos de 9 heures, mais sans grand intérêt. Pas plus qu'elle n'en porta au documentaire sur les sauvetages en hélicoptère qui suivit. Tout ce qu'elle attendait, c'était le coup de fil de Marlene Hartmann.

Mon Dieu, faites qu'elle appelle.

Elle ne savait pas ce qu'elle ferait s'il s'avérait qu'elle avait été victime d'une arnaque. Elle n'avait pas de plan B.

Et soudain, son téléphone fixe sonna.

Elle décrocha avant la fin de la première sonnerie.

— Oui, allô, dit-elle dans un souffle.

C'était bien Marlene Hartmann.

— Comment allez-vous, Lynn ?

— Bien.

— Tout est en place. Serez-vous prêtes ?

— Oui.

— Vous avez l'argent ?

— Oui.

Elle déglutit.

Son banquier l'avait questionnée lors du premier virement. Elle avait imaginé comme excuse de vouloir investir dans l'immobilier en Allemagne grâce à un héritage que son ex-mari venait de toucher, qui lui permettait de lui verser sa prestation compensatoire en un coup.

— La voiture sera là comme prévu.

Elle raccrocha avant que Lynn ait pu la remercier.

La voiture passerait à midi. Dans moins de trois heures.

Elle était tellement stressée, effrayée et excitée qu'elle avait du mal à penser.

103

Peu après la réunion de 8 h 30, Roy Grace reçut un appel de l'un des deux policiers chargés de surveiller la demeure de Sir Roger Sirius. En poste depuis minuit, il l'informait que personne n'était sorti et que l'hélicoptère n'avait pas bougé.

Un téléphone sonna pendant qu'il était en ligne. Sur les nerfs, Grace mit sa main sur le combiné et hurla :

— Quelqu'un va décrocher ?

Son coup de gueule fut entendu.

Tous les secrétaires d'État étant soit à l'étranger, soit en train de dîner, c'est le ministre de l'Intérieur en personne qui avait signé l'autorisation de mettre Lynn Beckett sur écoute. Le temps de tout mettre en œuvre, il était déjà 2 heures du matin.

Grace avait réussi à grappiller quelques heures de sommeil chez Cleo, entre 3 et 6 heures. Depuis, il carburait au Red Bull, aux tablettes de guarana et au café. Leur seule piste, pour le moment, c'était Sir Roger Sirius, et ils n'étaient même pas sûrs de son implication. La situation était préoccupante.

Pour ne rien gâcher, Glenn Branson venait de leur

faire part de la disparition de Vlad Cosmescu. Était-ce lié à son aller-retour à Munich ? Marlene Hartmann l'avait-elle démasqué ? Sa visite avait-elle semé la panique, au point qu'ils annulent tout ? Les avis de recherche dans les ports et aéroports, pour cueillir l'Allemande et la gamine, mais aussi pour mettre la main sur Vlad Cosmescu, n'avaient rien donné pour le moment.

Dans une île comme la Grande-Bretagne, qui possédait des milliers de kilomètres de côtes et de nombreux aéroports privés, la sécurité aux frontières poserait toujours problème. La police ne disposerait jamais du budget nécessaire pour surveiller toutes les entrées et sorties du territoire. D'autant plus que le ministère de l'Intérieur avait voté des coupes claires, supprimant le contrôle des passeports pour les individus quittant le pays. En un mot, les forces de l'ordre ne savaient jamais qui se trouvait où.

L'autopsie de Jim Towers devait être en cours. Grace avait hâte d'aller à la morgue pour obtenir les premiers résultats, constater si cette mort avait, ou non, un lien avec l'opération Neptune, et voir Cleo, qui dormait quand il était arrivé et quand il était reparti.

Il était en train d'enfiler sa veste et de dire à son équipe où il allait quand un téléphone se mit à sonner. Et toujours personne pour décrocher. Étaient-ils tous sourds ? Ou trop fatigués par leur nuit de travail pour répondre ?

Il allait passer la porte quand Lizzie Mantle l'appela.

— Roy, c'est pour toi !

Il retourna à son poste. C'était David Hicks, l'une des personnes chargées des écoutes.

— Chef, nous venons d'intercepter un appel sur la ligne fixe de Mme Beckett.

104

— Je... J'ai un TP à 10 heures, bafouilla Luke en entrant comme un zombie dans la cuisine. Vous pensez que je peux y aller ?

— Bien sûr, dit-elle en s'adressant à son œil gauche, le seul visible. Vas-y. Je t'appelle s'il y a du nouveau.

— Cool.

Il partit.

Lynn grimpa au premier étage. Elle avait un million de trucs à faire avant midi. Maintenant que Luke était parti – Dieu le bénisse –, elle reprenait possession de ses moyens.

Il fallait qu'elle relise la liste fournie par Marlene Hartmann.

Qu'elle aide sa fille à se lever, à se laver, à faire son sac.

Qu'elle fasse son sac, elle aussi.

Caitlin dormait profondément, assommée par les médicaments que le Dr Hunter lui avait prescrits. Quand elle eut réussi à la sortir de sa torpeur, elle lui fit couler un bain. Elle était en train de choisir ses vêtements pour l'hospitalisation quand on sonna à la porte.

Elle regarda sa montre. L'Allemande avait dit midi, non ? Il n'était que 10 heures. Était-ce le facteur ?

Elle descendit les marches quatre à quatre et ouvrit.

Un homme et une femme se tenaient devant elle. L'homme devait avoir quarante ans, la femme douze de moins. Il avait des cheveux blonds coupés ras, un petit nez écrasé et des yeux d'un bleu perçant. Il portait un pardessus, un costume bleu marine, une chemise blanche et une cravate bleue. Il brandissait un petit portefeuille en cuir noir comportant une carte avec sa photo. Elle avait les cheveux blonds coiffés en chignon, portait un pantalon noir, un chemisier crème et lui montrait un document similaire.

— Mme Lynn Beckett ? demanda-t-il.

Elle acquiesça.

— Commissaire Grace et lieutenant Boutwood, de la PJ du Sussex. Pourrions-nous échanger quelques mots avec vous ?

Lynn le fixait, sous le choc. Douche froide. Le sol se dérobait sous ses pieds. Les policiers étaient si près d'elle qu'elle sentait l'haleine du commissaire. Elle recula, paniquée.

— Ce... Ce n'est pas vraiment le moment.

Ses propres mots semblaient sortir de la bouche de quelqu'un d'autre.

— Je suis désolé, mais c'est urgent, insista-t-il en faisant un pas en avant, pour l'intimider.

Elle les dévisagea à tour de rôle. De quoi s'agissait-il ? Reg Okuma l'avait-il dénoncée ?

— Oui, bien sûr, entrez, il fait froid, n'est-ce pas ? Froid, mais sec. Ce n'est pas si désagréable. Tant qu'il ne pleut pas. Décembre est un mois sec, en général, dit-elle d'une voix mécanique.

La jeune femme lui jeta un regard bienveillant et sourit.

Lynn s'écarta pour les laisser entrer, puis ferma la porte. Le hall ne lui avait jamais paru aussi exigu.

— Mme Beckett, dit le commissaire, vous avez une fille qui s'appelle Caitlin, exact ?

Elle leva les yeux vers l'escalier.

— Oui. Oui. C'est bien ça, bafouilla-t-elle.

— Pardonnez-moi si je suis un peu direct, Mme Beckett, mais j'ai cru comprendre qu'elle est en attente d'une transplantation. Vous confirmez ?

Elle garda le silence, incapable de trouver une réponse adéquate. Pourquoi étaient-ils là ?

— Puis-je vous demander le but de votre visite ? De quoi s'agit-il, au juste ? s'enquit-elle en tremblant.

— Nous avons des raisons de croire que vous êtes sur le point d'acheter un foie.

Il marqua une pause, discernant la panique dans son regard.

— Savez-vous que c'est interdit, dans notre pays ?

De peur que sa fille les entende, elle les invita à entrer dans la cuisine et ferma la porte.

— Excusez-moi, mais je ne vois pas du tout de quoi vous voulez parler.

— Peut-on s'asseoir ? s'enquit Grace.

Lynn prit place face aux deux enquêteurs. Elle envisagea de leur offrir un thé, puis se ravisa, espérant se débarrasser d'eux au plus vite.

Roy Grace s'assit face à elle, sans ôter son manteau, les bras croisés.

— Mme Beckett, cette semaine, vous avez, à plusieurs reprises, discuté, sur votre téléphone fixe et votre portable, avec une société basée à Munich, nommée Transplantation-Zentrale. Pourriez-vous nous dire pourquoi ?

— Transplantation-Zentrale ? répéta-t-elle.

— Ils vendent des organes à des gens en attente de greffe, comme votre fille.

— Je suis désolée, mais je n'ai jamais entendu parler de cette agence. Je sais que le petit ami de ma fille est furieux contre l'hôpital où ma fille est suivie, c'est tout.

— Furieux contre quoi ?

— Contre leur foutue liste d'attente

— Vous aussi, vous semblez en colère...

— Vous le seriez s'il s'agissait de votre fille, commissaire Grace.

— Mais vous n'avez pas envisagé d'acheter un foie à l'étranger ?

— Non. Pourquoi l'aurais-je fait ?

Grace ne répondit pas. Le plus gentiment possible, il demanda :

— Niez-vous avoir discuté avec une femme du nom de Marlene Hartmann, directrice de Transplantation-Zentrale, ce matin, à 9 h 05 ? Il y a moins d'une heure ?

Malgré tous ses efforts, elle se sentait défaillir. Elle n'arrivait plus à maîtriser ses tremblements. *Merde, merde, merde.* Elle le fixait, pupilles dilatées.

— Vous m'avez mise sur écoute ?

À l'étage, le bain terminait de se vider dans un gargouillis.

Le commissaire sortit une enveloppe marron de la poche de son pardessus, puis en tira une photo qu'il posa sur la table.

Il s'agissait d'une jeune fille de douze ou treize ans. En dépit de son apparence crasseuse, elle était jolie. Elle avait une physionomie de petite Roumaine, avec ses longs cheveux bruns, lisses, et sa peau tannée. Elle portait une doudoune bleue, sale, sans manches, sur un haut de jogging de toutes les couleurs.

— Mme Beckett, j'imagine qu'on vous a dit que le foie que vous avez acheté provient d'une personne morte dans un accident de la circulation.

Il s'arrêta pour la regarder dans les yeux. Elle ne répondit pas.

— Eh bien, ce n'est pas le cas. Il provient de cette petite Roumaine, qui s'appelle Simona Irimia. Pour le moment, nous pensons qu'elle est encore en vie. Elle est arrivée illégalement en Angleterre et sera sacrifiée pour que votre fille reçoive son foie.

Lynn eut l'impression que son monde s'écroulait.

105

Simona était assise sur un vieux matelas à l'arrière de la camionnette, Gogu sur ses genoux. Le véhicule n'arrêtait pas d'accélérer et de freiner sur une route sinueuse. Pendant tout le trajet, elle avait tenté de se stabiliser en posant les mains sur le sol en tôle ondulée.

Une boîte à outils en métal bleu, une clé en croix, de la corde bleue et des rouleaux de bâches valdinguaient dans les virages et tressautaient sur les dos-d'âne. Cela faisait des heures qu'elle n'avait ni bu ni mangé. Depuis le trajet en avion, en fait. Elle avait la gorge sèche et les fumées du pot d'échappement lui donnaient la nausée.

Elle aurait tant aimé que Romeo soit là. Elle se sentait en sécurité avec lui. L'Allemande l'ignorait depuis le départ, pendue à son téléphone, ou absorbée par son ordinateur. Assise à l'avant, elle discutait âprement avec le chauffeur, un Roumain de grande taille, avec un visage taillé à la serpe, sans aucune expression, cheveux noirs gominés en arrière, blouson, jean et grosse gourmette en or.

Quand la femme montait d'un ton, il se terrait dans

le silence ou bien ripostait. Enfin, vu qu'elle ne comprenait pas leur langue, c'est ainsi qu'elle interprétait leur joute verbale.

Comme il n'y avait aucune fenêtre à l'arrière, Simona devait se dévisser le cou pour apercevoir un bout de pare-brise, entre les sièges. Ils traversaient un paysage de campagne cossue. Tout ce qu'elle voyait, c'était des arbres, des haies, et quelques fermes éparses.

Soudain, la camionnette freina brutalement avant de tourner entre deux piliers en brique. Une grille claqua sous les roues, puis ils se retrouvèrent sur une longue allée tortueuse. Simona vit plusieurs panneaux, dont le sens lui échappa :

Propriété privée
Interdiction de stationner
Interdiction de pique-niquer
Camping interdit

Au loin, elle aperçut des collines d'un vert éclatant, sous un ciel gris. Ils passèrent à côté d'un lac et de pelouses parfaitement entretenues. L'herbe était plus courte par endroits, et des petits cratères semblaient remplis de sable. Elle se demanda de quoi il s'agissait, mais n'osa pas interroger l'Allemande.

Ils débouchèrent sur une longue route, toute droite, bordée d'arbres, au sol couvert de feuilles mortes. Le van freina, puis se mit à rouler au pas. Après avoir franchi un dos-d'âne, il reprit de la vitesse. Trois ralentisseurs plus loin, Simona vit une magnifique demeure grise, devant laquelle étaient garés des véhicules étincelants, en rang d'oignons le long de la façade, selon une logique plus aléatoire sur le côté de la bâtisse. Son enthousiasme monta d'un cran. Cet endroit était magnifique ! Était-ce là qu'elle allait travailler ?

Elle aurait bien voulu en avoir la confirmation, mais la femme était au téléphone, très en colère.

La camionnette passa sous une arche, puis se gara dans l'arrière-cour. Le chauffeur coupa le contact et descendit, tandis que Marlene Hartmann s'énervait de plus en plus.

Quelques secondes plus tard, il ouvrit la portière arrière, attrapa la main de Simona et l'aida à sortir. Puis il continua à la serrer, comme s'il avait peur qu'elle prenne la fuite.

Elle se débattit, mécontente, mais l'homme la tenait fort, visage fermé.

L'Allemande sortit à son tour et mit un terme à sa conversation. Simona croisa son regard. Jusqu'alors, la femme lui souriait, mais cette fois elle la fixa froidement, comme si elle n'existait plus pour elle. Elle devait être très ennuyée par son dernier coup de fil, songea la gamine.

Une infirmière apparut sur le perron, tout près du véhicule. Elle était solidement bâtie, avec un cou de taureau et des bras comme des jambons. Ses cheveux grisonnants étaient coupés courts, et maintenus par du gel, ce qui accentuait son allure virile. Elle observa la jeune fille comme s'il s'agissait d'un objet. Ses lèvres minuscules, bien trop petites pour son visage épais, esquissèrent un sourire imperceptible.

— Simona, viens avec moi, dit-elle en roumain, sur un ton militaire.

Elle l'attrapa par la main, tandis que le chauffeur lâchait l'autre. Mais l'infirmière tira si fort que l'adolescente trébucha et fit tomber le bout de fausse fourrure qui lui servait de doudou.

— Gogu ! cria-t-elle en se retournant, tandis qu'on la tirait à l'intérieur. Gogu, Gogu !

Mais Marlene Hartmann, qui les suivait de près, claqua la porte derrière elle.

Dehors, Vlad Cosmescu remarqua l'étoffe, se baissa

pour la ramasser et, dégoûté, la jeta, du bout des doigts, dans la première poubelle venue.

Puis il se gara en marche arrière dans l'un des garages, de l'autre côté de la cour, et ferma la porte. Au cas où.

106

Luttant désespérément pour ne pas fondre en larmes, Lynn fixait la photo de la gamine, jolie, mais crasseuse, posée sur la table de la cuisine.

Ils veulent me faire craquer, se dit-elle. *Mon Dieu, dites-moi que c'est juste une tactique de flic pour m'impressionner. Marlene Hartmann n'a pas du tout le profil d'une criminelle. Impossible que le commissaire Grace dise la vérité. Impossible. Impossible. Impossible.*

Ses mains tremblaient tant qu'elle les cacha sous la table et les serra fort. Impossible !

C'était une épreuve à passer. Il fallait qu'elle se débarrasse des policiers afin d'appeler Marlene Hartmann. Elle avait la gorge nouée. Elle respira un grand coup, comme on lui avait appris au travail, dans les cas où elle se trouvait confrontée à des clients difficiles ou grossiers.

— Je suis désolée, dit-elle en les regardant à tour de rôle, mais je ne sais pas pourquoi vous êtes ici, ni ce que vous cherchez. Ma fille est prioritaire sur la liste de l'hôpital royal du sud de Londres. Nous leur faisons confiance pour lui trouver un foie dans les meilleurs délais. Nous sommes très contentes de l'équipe, je ne vois pas pourquoi nous irions voir ailleurs. Qui plus est, je... je, bafouilla-t-elle... Je ne saurais pas où chercher.

— Mme Beckett, dit Roy Grace d'une voix neutre en la regardant droit dans les yeux, le trafic d'êtres humains est l'un des crimes les plus sévèrement punis dans notre pays. Je voudrais vous informer que la police et la justice surveillent de près cette activité. Un homme, à Londres, a récemment écopé de vingt-trois ans de prison ferme, en appel.

Il marqua une pause. Elle avait l'impression qu'elle allait vomir d'un instant à l'autre.

— Le trafic d'êtres humains comporte plusieurs volets. En voici quelques-uns : immigration illégale, kidnapping et privation de liberté. Vous comprenez ? Toute personne surprise en train d'acheter un organe en Grande-Bretagne ou à l'étranger est considérée comme complice, et risque une peine aussi lourde que les trafiquants eux-mêmes. Est-ce clair ?

Elle suait à grosses gouttes. Son crâne semblait pris dans un étau.

— Très clair.

— Je dispose de suffisamment d'informations pour vous arrêter sur-le-champ, Mme Beckett, pour complicité présumée dans un trafic d'organes humains.

Prise de vertiges, elle n'arrivait plus à faire le point sur ses interlocuteurs. Et pourtant, il fallait qu'elle tienne le coup. La vie de sa fille en dépendait. Elle fixa la photo pour gagner quelques précieuses secondes.

— Et que se passerait-il si je vous arrêtais ? Que se passerait-il pour votre fille ?

— Croyez-moi, je vous en supplie.

— Et si nous discutions avec Caitlin ?

— Non ! cria-t-elle. Elle est trop... Trop malade pour voir du monde.

Elle se tourna vers la jeune femme, et entrevit une lueur de compassion.

545

Un long silence s'installa, jusqu'à ce que le talkie-walkie de Grace grésille.

Il s'éloigna pour répondre.

— Roy Grace, j'écoute.

— Cible numéro un sur le départ, annonça une voix masculine.

— Je te reprends dans trente secondes.

Grace fit signe au lieutenant Boutwood de quitter les lieux.

— Réfléchissez bien à ce que je viens de vous dire, lança-t-il à Lynn.

Quelques secondes plus tard, les enquêteurs étaient partis, oubliant volontairement la photo. La porte d'entrée claqua derrière eux. Lynn s'effondra sur la table, le visage dans ses mains.

Au bout de quelques instants, elle sentit une main sur son épaule.

— J'ai tout entendu, dit Caitlin. Jamais je n'accepterai cette transplantation.

107

Le portail en fer forgé s'ouvrit et une Aston Martin Vanquish noire s'avança lentement, pour vérifier si la voie était libre. Puis le chauffeur fit vrombir le moteur, tourna à droite, et écrasa l'accélérateur. Les grilles se refermèrent derrière lui.

Impossible que le conducteur ait remarqué qui que ce soit. Les deux policiers spécialisés dans la surveillance en milieu rural s'étaient fondus dans le paysage. Le premier s'était caché dans un fossé, le second, en tenue de camouflage, à mi-hauteur dans un conifère. Ils avaient garé leur véhicule à l'entrée d'un sentier forestier, à trois cents mètres de là.

Le commandant Paul Tanner, planqué en contre-bas, avait réussi à distinguer, à travers les vitres teintées, une chevelure grisonnante.

— Donne-moi les détails, lui demanda Roy Grace par talkie-walkie.

— India Romeo Sierra 0-8 Alpha Mike Lima, chef. Il se dirige vers l'est.

D'après le débriefing de Guy Batchelor et Emma-Jane Boutwood, Grace savait qu'il s'agissait de la voiture personnelle de Sirius. Et comme ces deux

officiers étaient attendus sur une opération d'envergure, menée par la brigade des stupéfiants, il ne voulait pas les retenir – le manque de personnel était un
problème récurrent dans le métier.

— Bon travail. Restez en planque trente minutes au
cas où il ferait demi-tour, et si ce n'est pas le cas,
levez le camp.

— Attendre une demi-heure avant de lever le camp.
Compris, chef.

Grace appela l'état-major pour transmettre la plaque
d'immatriculation au système de reconnaissance automatique et demander si un hélicoptère était disponible.

Des caméras couvraient les principaux axes du
pays. Dès lors qu'un numéro était enregistré dans le
logiciel, il était possible de suivre le véhicule à distance – tant qu'il ne s'engageait pas sur le réseau
secondaire. L'hélicoptère devait, quant à lui, survoler
la voiture sans se faire repérer.

Grace se tourna vers le lieutenant Boutwood.

— Que penses-tu de Lynn Beckett ?

— Elle prépare un mauvais coup, tu as raison. Tu
vas l'arrêter ?

— Non, ce n'est pas elle que je veux. Elle n'est
qu'un maillon. Voyons comment elle va réagir. Et où
elle va nous mener.

— Tu ne penses pas qu'elle va tout annuler ?

— J'imagine qu'elle va d'abord passer quelques
coups de fil.

Il déverrouilla les portes de leur Hyundai. Avant de
s'asseoir, il fit un signe discret aux deux individus qui
se trouvaient dans une Passat verte garée un peu plus
loin.

108

— Eh, on se réveille ! Tu ne lis pas les journaux ? Tu vis sur quelle planète, depuis deux semaines, mère ?

Mère ?

Depuis quand sa fille ne l'avait pas appelée ainsi ? se demanda Lynn, encore sous le coup de la visite des policiers.

Sa vie avait viré au cauchemar.

— C'est le plus gros scandale de trafic d'organes, et, comme par hasard, tu n'en as pas entendu parler ?

Lynn se leva, repoussa son siège, et fit face à sa fille, qui, à son grand soulagement, semblait avoir repris des forces. Même si un tel accès de colère n'était pas salutaire.

— Eh bien non, comme par hasard je n'en ai pas entendu parler. Ça te va, comme réponse ?

— Pas du tout, hurla-t-elle en se grattant furieusement les bras.

— Les flics mentent, mon ange. Il n'y a pas de scandale, pas de trafic, c'est une théorie fumeuse.

— Mais bien sûr. On retrouve trois corps sans leurs organes vitaux et tous les journaux, toutes les télés, toutes les radios mentent.

— Ces corps n'ont rien à voir avec ta transplantation.

— Dans ce cas, pourquoi les flics ont-ils débarqué chez nous ?

Lynn s'enlisait, elle le savait. Elle entendait le désespoir dans ses propres mots. Et quand elle jeta un regard vers la photo, malgré elle, une petite voix lui souffla : « Et si le commissaire Roy Grace disait vrai ? ! »

Le visage de la gamine était gravé dans son esprit, si fort qu'elle le voyait les yeux fermés. Ce n'était pas possible. Personne ne ferait ça. Personne ne tuerait une enfant pour... de l'argent ? Pour une autre enfant ? Pour...

Pour Caitlin ?

Quelqu'un ferait-il cela ?

Elle aurait tant aimé que Malcolm soit à ses côtés. Elle avait besoin de parler. La terreur l'envahit.

Vingt-trois ans de prison.

Je voudrais vous informer que la police et la justice surveillent de près cette activité.

Elle n'y avait pas pensé. Contourner le système, OK, accepter un organe venant d'un accidenté, OK. Il n'y avait pas de mal, n'est-ce pas ?

Tuer une jeune fille.

Tuer *cette* jeune fille.

L'argent avait été transféré pour moitié. En reverrait-elle la couleur ? Et puis merde, elle ne voulait pas le récupérer. Ce qu'elle voulait, c'était un foie, nom de Dieu.

L'enquêteur mentait.

Il y avait un seul moyen de le savoir. Elle attrapa son portable et parcourut son carnet d'adresses jusqu'au numéro de Marlene Hartmann.

Elle allait appeler quand soudain elle eut un éclair de lucidité.

Ce serait idiot de sa part. Si l'Allemande apprenait que les flics avaient fait une descente chez elle, elle annulerait l'opération et prendrait la fuite. Lynn ne pouvait pas prendre ce risque. Caitlin allait mieux grâce aux recommandations du Dr Hunter, mais cela ne durerait pas. Elle avait gagné du temps en lui promettant de faire hospitaliser sa fille cet après-midi.

À moins d'un miracle, Caitlin ne sortirait jamais vivante de l'hôpital de Londres si elle y était admise. Et elle ne pouvait pas renoncer si près du but.

— Eh ! Mère ! Il y a quelqu'un là-dedans ?

Lynn sursauta.

— Quoi ?

— Je t'ai demandé pourquoi les flics sont venus chez nous.

Et soudain, Caitlin s'affaissa. Lynn la rattrapa de justesse.

Pendant quelques instants, la jeune fille sembla avoir perdu tout repère.

— Mon ange ? Ma chérie ? Tout va bien ?

Elle regardait dans le vague, étonnée.

— Oui, murmura-t-elle.

Elle avait la peau encore plus jaune que la veille.

— Pourquoi ils sont venus ? Les flics ? répéta-t-elle d'une voix si faible que Lynn dut approcher son oreille de sa bouche.

— Je ne sais pas.

— Ils vont nous arrêter ?

— Non.

— Ils avaient l'air désespérés, non ? Il faut l'être, pour nous montrer ce genre de photo.

Reprenant des forces, elle fixa sa mère.

— Ils ont sans doute la pression. Peut-être qu'ils doivent trouver des coupables. Du coup, ils sont prêts à recourir à n'importe quel procédé pour obtenir des résultats, affirma Lynn.

— Ouais, et nous aussi, on est désespérées.

Malgré son état de choc, Lynn sourit et serra sa fille dans ses bras.

— Mon Dieu, comme je t'aime, ma puce. Je t'aime tellement. Tu es tout pour moi. C'est pour toi que je me lève le matin. Pour toi que je tiens le coup au travail. Tu es ma vie, tu le sais ?

— Tu devrais sortir plus souvent, ça te ferait du bien.

Lynn l'embrassa.

— Qu'est-ce que tu peux être dure avec moi.

— Ouais, répondit Caitlin en souriant. Et toi, qu'est-ce que tu peux être possessive !

Lynn tendit les bras pour mieux la regarder.

— Tu sais pourquoi ?

— Parce que je suis belle, intelligente, et que j'aurais le monde à mes pieds si Dieu m'avait refourgué un foie digne de ce nom.

Lynn fondit en larmes. Des larmes de joie, de tristesse, de peur.

Reprenant sa fille contre elle, elle chuchota :

— Ils mentent. Il ment, ce policier. Ne le crois pas. Crois-moi. Ma chérie, mon ange, je suis ta mère, c'est moi que tu dois croire.

Caitlin la serra à son tour dans ses bras.

— OK, je te crois.

Elle se détourna pour tousser. Se détachant de sa mère, elle tituba jusqu'à l'évier, tandis que Lynn la maintenait par le bras.

Et soudain, elle vomit. Terrorisée, Lynn constata que c'était de la bile, tachée de sang.

Et au moment où elle réconfortait sa fille qui s'étouffait, elle comprit qu'elle n'en avait plus rien à faire. Elle se moquait de savoir si le commissaire Grace disait la vérité. Si la gamine sur la photo serait sacrifiée. Elle ou une autre. Elle était prête à tuer, de ses propres mains, pour sauver la vie de son enfant.

109

Simona se trouvait sur une chaise, dans une pièce sans fenêtre. Elle pleurait. L'endroit lui rappelait la cellule dans laquelle Romeo et elle avaient passé une nuit, après avoir été arrêtés pour vol à l'étalage, il y avait presque deux ans de cela. Dans les deux cas, ça sentait le désinfectant. La salle était vide à l'exception des meubles contenant du matériel médical. Elle tenait un verre de Coca à la main ; elle avait tellement faim que son estomac gargouillait.

— Je veux Gogu, gémit-elle en reniflant.

L'imposante infirmière roumaine qui l'avait attrapée par le bras, si fort qu'elle avait des hématomes, se tenait devant la porte, les bras croisés.

— Je l'ai fait tomber dehors.

— J'irai le chercher plus tard.

Simona hocha la tête pour la remercier.

Elle fixa son verre, puis la femme.

— Je peux avoir à manger ? demanda-t-elle pour la troisième fois en quinze minutes. N'importe quoi.

— Bois, répondit la femme.

Simona obéit. Peut-être que, quand elle aurait terminé ce second verre, ils lui apporteraient à manger et iraient chercher Gogu.

— Quel genre de travail est-ce que je vais faire ici ?

— Travail ? Quel travail ? objecta l'infirmière.

Simona sourit aux anges.

— J'aimerais beaucoup être au bar. Apprendre à faire des mélanges. Des trucs chics, tu sais... Comment on dit, déjà ? Des cocktails ! J'aimerais bien faire des cocktails et parler avec les gens. Ce serait un bon travail. Le bar doit être joli, dans cet hôtel, non ?

Constatant que la femme fronçait les sourcils, elle nuança ses propos.

— Mais, bien sûr, je veux bien faire autre chose, le ménage, par exemple, volontiers. Et je serai encore plus heureuse quand Romeo sera là ! Tu sais s'il arrive bientôt ?

— Bois, répliqua l'aide-soignante.

Simona termina le verre, puis attendit, en silence, devant la matrone aux bras croisés.

Quelques minutes plus tard, elle eut soudain du mal à garder les yeux ouverts. Prise de vertiges, elle constata que tout devenait flou. La femme, les murs, les armoires... Tout tournait, de plus en plus vite.

Impassible, l'infirmière la regarda fermer les yeux et tomber par terre, en respirant bruyamment.

Puis elle la hissa sur son épaule, l'amena dans la petite salle préopératoire et la posa sur une table métallique. Elle la déshabilla et vérifia si Simona n'avait pas d'objet de valeur sur elle. Il arrivait que ces petites vermines cachent des trucs, en espérant les revendre à leur arrivée en Angleterre.

Elle enfila un gant en latex à la hâte, pour ne pas être prise sur le fait, inspecta la bouche de la gamine, son vagin et son anus. Rien. Bonne à rien, cette petite pute !

À l'interphone, elle appela l'anesthésiste pour lui dire que la fille était prête, masquant à peine le dégoût dans sa voix.

110

Roy Grace passait la porte du CO1 quand l'Aston Martin immatriculée Romeo Sierra 0-8 Alpha Mike Lima fut repérée par le système de reconnaissance automatique.

Il s'arrêta pour noter l'information. La voiture de Sir Roger Sirius se dirigeait vers le nord ; elle avait rejoint l'A24 par la bretelle de Washington.

Il appela la brigade héliportée et réquisitionna l'hélicoptère *Hotel 900*. Ils estimèrent à sept minutes le temps nécessaire pour survoler la zone en question, située à six kilomètres au nord de Worthing et à onze de leur base, l'aéroport de Shoreham.

Il fit un rapide calcul. La vitesse maximale de l'engin s'élevait à 200 km/h en moyenne, selon qu'il bénéficiait de vents favorables ou pas. L'A24, à cet endroit, était une quatre voies sur laquelle on pouvait rouler vite, mais Sirius ne risquerait pas l'excès de vitesse. En supposant qu'il fasse du 130 km/h, l'hélicoptère le rejoindrait dans une quinzaine de minutes. En espérant qu'il ne bifurque pas sur une route de campagne.

Le ciel était couvert, mais les nuages assez hauts pour ne pas gêner la visibilité. Grace fit signe de patienter à deux membres de son équipe qui tentaient d'attirer son attention et s'approcha de la carte de la région accrochée au tableau blanc. Le domicile de Lynn Beckett, ainsi que celui de Sir Roger Sirius, avaient été indiqués en rouge. Les établissements privés étaient, quant à eux, cerclés de violet. Des cliniques du sport, des centres de bilan de santé et des cliniques dermatologiques y figuraient, même si certains étaient trop petits pour accueillir un véritable bloc opératoire.

Grace repéra la bretelle, puis plaça son doigt dessus en regardant vers le nord. Le véhicule se dirigeait peut-être vers la conurbation de Horsham, ou de Guildford, ou, plus vraisemblablement, vers une clinique cachée quelque part dans la campagne.

Il avait hâte que la voiture soit localisée par une autre caméra de vidéosurveillance, ou bien par l'hélicoptère. Il regrettait d'avoir laissé l'équipe de surveillance devant le domicile de Sirius. Il aurait dû leur dire de le suivre.

D'après l'appel intercepté entre Lynn Beckett et Marlene Hartmann, un chauffeur n'allait pas tarder à arriver chez l'adolescente malade. Grace et son équipe ne disposaient que de quelques heures, peut-être moins, pour agir. La mère n'avait passé aucun appel, ce qui était mauvais signe. Leur visite ne l'avait pas dissuadée de poursuivre son plan. À moins qu'elle possède un autre téléphone à carte... Mais si tel était le cas, elle l'aurait utilisé pour ses précédents appels. Il n'était pas exclu non plus que sa fille ait son propre portable.

Convaincu que les deux femmes et Sirius se rendaient au même endroit, Grace n'avait pas lésiné sur les moyens. Pendant la nuit, il avait alerté toutes les unités possibles, qui se tenaient désormais prêtes à agir. Et, par chance, il ne se passait pas grand-chose ce matin à Brighton, donc toutes les équipes étaient au complet.

— Chef ! lança Jacqui Phillips.

Roy s'approcha d'elle. La veille, il lui avait demandé de répertorier les fabricants et distributeurs de produits et instruments nécessaires aux anesthésistes. Elle venait de terminer et la liste était longue comme le bras. Il faudrait des semaines pour l'éplucher.

Glenn Branson l'appela à son tour. Il avait des retours à propos de l'avis de recherche diffusé dans les gares et aéroports. Deux Roumaines, une mère et sa fille, avaient été interrogées pendant une heure à Gatwick, puis relâchées ; un couple d'Allemands, accompagnés d'une adolescente, avaient été interceptés à leur descente de l'Eurostar.

— À mon avis, ce n'est plus la peine de chercher, elles sont sur le sol britannique à l'heure qu'il est, trancha Grace.

— On suspend les recherches ?

— Laisse-leur encore une heure, au cas où.

Son talkie-walkie grésilla. Une autre caméra avait repéré la voiture de Sirius après Horsham. Il roulait toujours vers le nord. Grace vérifia l'heure à sa montre. Sirius progressait à toute allure. À ce rythme-là, il sortirait bientôt du Sussex ; il lui faudrait informer ses collègues du Surrey qu'il surveillait ce véhicule.

Il relaya l'information à l'hélicoptère, lui demandant sa position.

Le pilote approchait de Horsham. Quelques secondes plus tard, il rappelait le commissaire.

— Nous voyons Romeo Sierra 0-8 Alpha Mike Lima ! Conducteur ralenti par des travaux. Toujours vers le nord. Toujours sur l'A24.

Grace retourna consulter la carte et observa les nombreuses cliniques privées autour de la nouvelle position du chirurgien.

Dix minutes plus tard, l'hélicoptère signala que l'Aston Martin continuait vers le nord. Elle arriverait bientôt sur la M25, le périphérique de Londres, songea Grace, vexé de s'être trompé dans ses prédictions.

— Mais qu'est-ce que tu fabriques ? maugréa-t-il à haute voix.

Arc-boutés sur leurs ordinateurs ou pendus à leurs téléphones, ses vingt-deux collègues n'en savaient pas plus que lui.

111

Lynn se trouvait dans sa chambre, en train de fermer son sac, quand on sonna à la porte.

Elle sursauta. Paralysée. Son sang se glaça.

La police, à nouveau ?

Elle se précipita vers la fenêtre et vit un taxi Streamline, turquoise et blanc.

Une vague de soulagement l'envahit. Elle n'attendait pas un taxi, mais pourquoi pas ? songea-t-elle, reprenant ses esprits. Un taxi ! Parfait ! Cela voulait dire que Marlene Hartmann n'avait rien à cacher ! Si elle leur envoyait un taxi, c'est que tout allait bien se passer.

Allez vous faire voir, commissaire Grace, avec vos histoires extravagantes !

Elle cogna au carreau pour attirer l'attention du chauffeur, un homme d'une quarantaine d'années en bombers, et lui fit signe qu'elles arrivaient.

Dans un élan d'optimisme, elle descendit son sac et celui de sa fille. Tout allait bien se passer. Grâce à elle, Caitlin vivrait le plus beau Noël de sa vie !

— OK, ma chérie, on y va ! cria-t-elle.

Caitlin était assise à la table de la cuisine. Elle

caressait leur chat, Max, sans quitter des yeux la photo de la petite Roumaine. Elle n'avait pas bu son verre de glucose, ni avalé ses médicaments.

— Tu lui as donné à manger et à boire, ma chérie ? lui demanda Lynn.

— Ma chérie ? répéta Caitlin en lui jetant un regard absent.

Découvrant la stupeur sur le visage de sa fille, Lynn changea soudain d'humeur.

— Ne t'inquiète pas, je m'en charge.

Elle remplit le ramequin d'eau et le distributeur de croquettes, souleva doucement Max, l'embrassa et le posa par terre.

— Tu monteras la garde, d'accord ? plaisanta Lynn. N'oublie pas que tu descends du tigre !

En général, Caitlin souriait quand elle faisait cette blague, mais, cette fois, elle ne réagit pas. Lynn toucha son bras.

— OK, mon ange, bois ton verre, prends tes médicaments et c'est parti.

— Je n'ai pas soif.

— Tu te sentiras mieux. Tu n'as pas le droit de manger avant l'opération, tu te souviens ?

Caitlin obéit à contrecœur. Le verre à la main, elle tenta de se lever, puis retomba lourdement sur la chaise, renversant une partie du glucose.

Lynn la fixa, paniquée. Elle l'aida à terminer son verre et à avaler ses cachets, puis courut à la porte pour demander au chauffeur de lui donner un coup de main.

Deux minutes plus tard, leurs sacs étaient dans le coffre et Lynn serrait la main de sa fille, à l'arrière du taxi.

★

À cent mètres de là, la Passat verte annonça, par talkie-walkie, le départ de la cible n° 2 et communiqua le numéro de licence du taxi.

★

— Où va-t-on ? demanda Lynn au chauffeur.

— C'est une surprise ! répliqua-t-il en souriant.

— Comment cela ?

— Je n'ai pas le droit de vous le dire.

— Quoi ?

— C'est top secret, comme dans les James Bond.

— *Meurs un autre jour*, murmura Caitlin, les yeux mi-clos, continuant de se gratter les cuisses de plus en plus intensément.

Ils tournèrent sur Carden Avenue, puis à gauche sur London Road, en direction du centre-ville.

Lynn lut l'identité du conducteur, affichée sur le tableau de bord : Mark Tuckwell.

— OK, M. Bond. Le voyage va-t-il être long ?

— Celui-ci, non. Je...

Il fut interrompu par un coup de téléphone.

— Je conduis, je vous rappelle dans quelques instants, répondit-il poliment.

— Vous auriez des indices à me donner ?

— *Keep cool*, l'interrompit Caitlin.

Lynn se renfrogna, tandis qu'ils approchaient de Preston Circus. Le chauffeur tourna à droite au feu, avant de grimper sur New England et de passer sous le viaduc. Ils prirent un virage en épingle à cheveux sur la gauche, roulèrent jusqu'en haut de la rue, puis descendirent vers la gare de Brighton. La voiture s'arrêta au carrefour, puis continua sa montée avant de se garer près d'une rangée de plots.

Un homme de petite taille, la cinquantaine, vêtu d'un complet beige bon marché, cheveux gras, nez

561

busqué, se précipita vers eux et ouvrit la portière de Lynn.

— Vous, viens avec moi, dit-il dans son anglais approximatif. Vite, vite, merci. Je suis Grigore ! ajouta-t-il avec un sourire servile, dévoilant ses dents en avant.

— Où... Où allons-nous ? demanda Lynn, complètement désorientée.

Il la tira violemment par le bras pour l'extraire du véhicule, puis s'excusa en prenant un air gêné.

Il faisait un froid de canard.

Le chauffeur sortit les sacs du coffre.

Personne ne remarqua la Passat verte qui roulait au pas.

★

Dans le CO1, le talkie-walkie de Grace émit un signal.

— Ils sont à la gare de Brighton, l'informa le policier en charge de la filature.

Roy n'en croyait pas ses oreilles. À la gare de Brighton ?

— Mais qu'est-ce qu'ils foutent là-bas ? s'exclama-t-il.

Il y avait un train pour Londres tous les quarts d'heure.

L'Aston Martin se dirigeait toujours vers la M25.

Ses théories sur une clinique cachée dans la campagne du Sussex, il pouvait s'asseoir dessus.

— Suis-les à pied, lança-t-il, sans réfléchir. Ne les lâche pas. Quoi que tu fasses, ne les perds surtout pas de vue !

★

Grigore s'empara d'un sac et Lynn saisit l'autre. Soutenant Caitlin, ils entamèrent la traversée du hall de gare. L'homme n'arrêtait pas de jeter des coups d'œil inquiets par-dessus son épaule, en les implorant de marcher plus vite.

— Je ne peux pas avancer plus vite ! s'exclama Lynn, à bout de souffle.

Ils passèrent sous l'horloge suspendue, sous la verrière, devant le marchand de journaux et le café, puis longèrent le dernier quai.

— Où va-t-on ? répéta Lynn.

— Vite ! répliqua Grigore.

— Je dois m'asseoir, les interrompit Caitlin.

— Asseoir dans une minute, OK ?

Ils débouchèrent sur le parking, et coururent jusqu'à une Mercedes marron couverte de poussière. Il ouvrit le coffre, y jeta les sacs, et aida Caitlin à s'installer à l'arrière. Lynn grimpa de l'autre côté. Grigore prit place à l'avant, démarra, puis fonça vers la sortie. Il inséra son ticket et la barrière se leva. Il descendit la rampe à toute allure.

★

Le commandant Peter Woolf, qui les suivait à pied, comprit, horrifié, ce qui se tramait. Tandis que ses espoirs de promotion s'envolaient en fumée, il appela son collègue, resté dans la Passat, pour lui demander de contourner la gare, jusqu'à la sortie du parking.

Mais il était coincé dans une file de conducteurs furieux, bloqués par un poids lourd qui peinait à effectuer un demi-tour sur route.

112

Marlene Hartmann faisait les cent pas dans son bureau, au rez-de-chaussée de l'aile ouest du Manoir de Wiston, l'une des six cliniques que possédait Transplantation-Zentrale. La clientèle aisée qui venait ici pour son spa, ainsi que pour des interventions de médecine et de chirurgie esthétique, ignorait ce qui se passait derrière les portes verrouillées sur lesquelles était placé le panneau « privé, défense d'entrer » de cette section du bâtiment.

Sa fenêtre donnait sur les magnifiques collines des Downs, mais elle était en général trop occupée pour admirer la vue. C'était d'ailleurs le cas aujourd'hui.

Elle regarda sa montre pour la dixième fois. Pourquoi Sirius était-il en retard ? Et que faisaient Lynn Beckett et sa fille ?

Elle était pressée de procéder au transfert de la seconde moitié du paiement. D'habitude, elle attendait la confirmation que l'argent était bien arrivé sur son compte en Suisse, avant d'autoriser la transplantation, mais, aujourd'hui, elle prendrait le risque, car elle souhaitait lever le camp le plus tôt possible.

La nuit tomberait à 15 h 55, heure à laquelle l'aéroport de Shoreham cesserait toute activité. Elle voulait y être à 15 h 30 au plus tard. Cosmescu l'accompagnerait, ainsi que la dépouille de la petite Roumaine. L'équipe veillerait sur Caitlin. Et même si les flics débarquaient, ils arriveraient trop tard et auraient du mal à trouver des pièces à conviction. Ils n'iraient pas jusqu'à ouvrir la gamine pour voir si elle avait un nouveau foie, quand même !

Elle sortit de son bureau, se rendit dans le vestiaire, où elle enfila une blouse, des bottes et des gants en latex. Puis elle entra dans le bloc et fit un signe à l'équipe, composée de Razvan Ionescu, le spécialiste roumain, deux anesthésistes et trois infirmières de la même nationalité.

Simona gisait, inconsciente, nue, sur la table, sous la lumière aveuglante de deux lampes opératoires. Un tube, relié à un respirateur artificiel, avait été introduit dans sa gorge. La perfusion à son poignet l'alimentait en Propofol. Deux autres poches étaient remplies de produits chargés de conserver ses organes en parfait état.

Sur l'écran plat dernier cri accroché au mur figuraient sa tension artérielle, son rythme cardiaque, ainsi que les niveaux d'oxygène.

— *Alles in Ordnung ?* demanda-t-elle.

Razvan lui jeta un regard étonné. Elle avait oublié qu'il ne parlait pas allemand.

— Vous êtes prêt ? traduisit-elle en roumain.

— Oui.

— Vous pourriez prélever le foie maintenant ?

— Je préférerais attendre Sir Roger, répondit-il, malgré son expérience.

— Nous n'avons pas beaucoup de temps. Vous pourriez commencer par les reins. Ils doivent être expédiés en Allemagne et en Espagne.

Soudain, son téléphone sonna. Elle écouta et répondit :

— OK, super !

Mme Beckett et sa fille seraient là dans une vingtaine de minutes.

113

C'est un commandant Woolf dépité qui avoua à Roy Grace que la Mercedes marron, immatriculée Whisky 7-9-6 Lima Delta Yankee, dans laquelle se trouvaient Lynn et Caitlin Beckett, leur avait filé entre les doigts.

Super, exactement ce que j'avais envie d'entendre, se dit le commissaire, installé dans le CO1 bondé.

Il n'y avait plus qu'à espérer qu'une caméra de vidéosurveillance la retrouve.

Un téléphone sonnait. La couverture médiatique aidant, les enquêteurs recevaient des centaines d'appels. Mais, sur les vingt-deux personnes dans la pièce, une douzaine seulement était en ligne, les autres lisaient ou tapaient des rapports.

— Quelqu'un pourrait décrocher ce foutu téléphone ? hurla Grace.

Quand le calme revint, il jeta un œil au rapport d'autopsie de Jim Towers qu'on venait de lui remettre. Le marin était mort asphyxié suite à une absorption d'eau par le nez. Hypoxie, acidose, arrêt cardiaque. Passant les détails fournis par Nadiuska de Sancha, il en conclut que le capitaine du *Scoob-Eee* s'était noyé. Ses organes internes étaient intacts.

567

Mais quelque chose lui disait que cet accident avait un lien avec les trois adolescents. Il réfléchirait plus tard à la manière de convaincre ses supérieurs de la nécessité de considérer le bateau de pêche comme une scène de crime ; il n'avait pas le temps de s'en occuper pour le moment.

Il pianota sur son clavier et une carte de la région apparut à l'écran. Quelques secondes plus tard, le logiciel lui indiquait la position de l'hélicoptère et des deux véhicules qui suivaient l'Aston Martin de Sirius. Ils n'étaient plus très loin de la M25. Et comme la zone regorgeait de caméras, ils n'auraient aucun mal à la suivre.

Puis il reçut un coup de fil de l'état-major : la Mercedes marron venait d'être repérée sur l'A283, à l'ouest de Brighton.

Sautant de joie, il courut vers la carte accrochée au mur. Puis fronça les sourcils. Deux établissements étaient cerclés de violet aux alentours : l'hôpital Southlands, à Shoreham, un hôpital public considéré par son équipe comme peu probable, et un spa, le Manoir de Wiston, considéré lui aussi comme peu probable. Mais sur cette route se trouvait la bretelle, au nord de Northing, qu'avait empruntée la voiture de Sirius pour rejoindre l'A24.

Retournant à son poste, il appela Jason Tingley, le chef des RG, pour lui demander si l'une de ses unités de surveillance se trouvait du côté de Washington. La réponse fut malheureusement négative.

Dix minutes plus tard, aucune nouvelle de la Mercedes. Elle avait sans doute changé de direction. Leur dernière chance était qu'un policier en patrouille la repère.

Un téléphone se remit à sonner. *Mais décrochez, nom de Dieu,* songea Grace.

Son vœu fut exaucé.

Il commençait à être sur les nerfs. Alison Vosper

voulait être tenue au courant et Kevin Spinella lui avait laissé quatre messages pour savoir quand aurait lieu le prochain point presse.

Il fixa la carte du Sussex sur son écran en se demandant ce qui lui échappait.

Quand, tout à coup, le policier dans l'hélico l'appela par talkie-walkie. L'Aston Martin venait de s'arrêter à une station-service.

Grace le remercia. Quelques secondes plus tard, l'un des officiers traquant Sirius le contacta. Il l'avait suivi et attendait ses instructions.

— Reste à côté de lui, répliqua Grace. N'interviens pas. Fais le plein, ou bien fais semblant.

— Je reste à côté de lui, OK. Chef, la cible n° 1 vient de sortir du véhicule. Sauf que c'est une femme, pas un homme.

— Hein ?

— C'est une femme, chef. Longs cheveux bruns. Pas encore la trentaine. Un mètre soixante-quinze.

— Tu en es sûr ?

— Oui, chef. C'est une femme, c'est sûr.

La nouvelle lui fit l'effet d'une décharge électrique.

— Une femme avec de longs cheveux bruns ? Mais... Elle avait des cheveux gris une demi-heure plus tôt !

— Plus maintenant, chef.

— Vous plaisantez ?

— Ah non, chef.

— Ne la lâchez pas d'une semelle, je veux savoir où elle va.

Grace ordonna à l'hélico de retrouver la Mercedes dans les environs du rond-point de Washington. Puis il but une gorgée de son café glacé, ferma les yeux et se perdit dans ses pensées, tandis que son poing rebondissait contre son menton.

La femme dans l'Aston Martin était-elle un leurre ? Le commandant Tanner, un homme expérimenté, avait-il commis une erreur d'appréciation ? Difficile de confondre des cheveux noirs et des cheveux gris. Le véhicule avait, certes, des vitres teintées, mais la loi interdisait que le voile soit trop opaque à l'avant.

Quelques minutes plus tard, il avait la réponse à sa question.

— Chef, j'ai jeté un œil à l'intérieur de la voiture quand la femme est allée payer, l'informa le policier sur place. Il y a une perruque grise sur le siège passager.

Grace le remercia et réitéra ses instructions.

Merde, merde, merde.

Il contacta Paul Tanner.

Ce dernier s'excusa auprès du commissaire. Ils avaient attendu trente minutes après le départ de l'Aston Martin comme prévu, puis avaient été appelés de toute urgence en centre-ville par la brigade des stupéfiants.

Grace demanda alors à Guy Batchelor de téléphoner au domicile de Sirius. Deux minutes plus tard, le commandant l'informait que Sirius était parti depuis quelque temps déjà.

Consterné, Grace avait du mal à croire qu'il s'était fait berner comme un bleu. Son équipe attendait autre chose de lui. Lui-même se décevait.

Il aurait dû arrêter Lynn Beckett ce matin. La situation ne lui aurait pas échappé. En revanche, l'opération aurait été annulée et il n'aurait jamais surpris les criminels en flagrant délit.

C'est toujours si simple après coup !

Réfléchis, se répétait-il. *Réfléchis, mec, fais un effort.*

Un téléphone sonnait. Il avait du mal à se concentrer. Furieux que personne ne réponde, il décrocha.

— Police judiciaire, j'écoute.

La femme au bout du fil semblait nerveuse. Elle devait avoir entre trente et quarante ans.

— Pourrais-je parler à un responsable de l'enquête sur les corps... Les trois corps repêchés dans la

Manche, s'il vous plaît ? L'opération Neptune, je crois.

Encore un témoignage inutile, songea Grace, mais, par principe, il se montra poli et attentif à ce qu'elle avait à dire – sait-on jamais ?

— Ici, le commissaire Grace, je dirige l'opération Neptune.

— Ah ! Bon. Très bien. Je suis désolée de vous déranger, mais je… Quelque chose me perturbe. Je ne devrais pas être en train de vous appeler, je suis sortie prendre une pause afin que personne n'entende.

— OK, dit-il en attrapant son stylo et en ouvrant une nouvelle page dans son carnet. Puis-je avoir votre nom et numéro de téléphone ?

— Je… J'ai vu sur le site de *Crimestoppers* que je… Je pourrais rester anonyme ?

— Bien sûr. Dites-moi. En quoi pourriez-vous nous aider ?

— Eh bien, dit-elle d'une voix chevrotante, je me trompe peut-être, mais j'ai compris que… Enfin, d'après les infos, on dirait que les pauvres gamins ont été tués pour leurs organes. Et le truc, c'est que…

Elle marqua une pause. Grace attendit, puis la relança, avec un poil d'impatience dans la voix.

— Oui ?

— Eh bien, je travaille dans l'industrie pharmaceutique. Depuis quelques années, nous fournissons deux types de médicaments à une clinique de chirurgie esthétique dans le Sussex. Et voilà : je ne comprends pas pourquoi ils ont besoin de ces produits.

Grace commença à s'intéresser à son témoignage.

— De quoi s'agit-il ?

— Le premier, c'est du Tacrolimus, le second de la Ciclosporine. Ce sont des immunosuppresseurs.

— C'est-à-dire ? demanda-t-il en prenant note.

— Des agents utilisés lors des transplantations, pour éviter le rejet du greffon.

— Et ils n'ont aucune utilité en chirurgie esthétique ?

— Seulement pour les greffes de peau. Mais je travaille ici depuis deux ans, et, vu les quantités qu'on
leur livre, je doute qu'ils aient autant de besoins. Je
m'y connais un peu, j'ai travaillé dans les services des
grands brûlés, à East Grinstead, dit-elle en reprenant
confiance en elle. Et nous leur fournissons un troisième médicament qui peut vous intéresser.

— Lequel ?

— La prednisolone.

Elle épela le mot.

— C'est un stéroïde. Il peut avoir plusieurs appli
cations, mais on l'utilise surtout pour les transplan
tations hépatiques.

— Les transplantations hépatiques ?

— Oui.

Roy Grace eut une poussée d'adrénaline.

— Comment s'appelle cette clinique ?

La femme hésita, puis lâcha, à voix basse :

— Le Manoir de Wiston.

114

Le chauffeur ne parlait pas très bien anglais, ce qui convenait parfaitement à Lynn, qui n'était pas d'humeur bavarde. Il leur avait juste dit son nom : Grigore. Chaque fois qu'il les regardait dans le rétroviseur, il leur souriait en dévoilant ses dents tordues. Il avait passé deux coups de fil dans une langue qu'elle ne comprenait pas.

Elle se consacrait à Caitlin qui, à son grand soulagement, semblait avoir repris des forces – grâce au glucose et/ou aux antibiotiques. C'était désormais elle qui se sentait perdue, remarquant à peine qu'ils empruntaient l'A27, et laissaient derrière eux l'aéroport de Shoreham, pour rejoindre la rocade de Steyning. Le ciel était d'un gris menaçant, au diapason de son humeur ; la neige fondue obligeait le conducteur à donner un coup d'essuie-glace de temps en temps.

— Est-ce que papa viendra me voir ? s'enquit Caitlin d'une voix faible, en grattant son ventre.

— Bien sûr. Il y aura toujours l'un de nous deux avec toi jusqu'à ce qu'on rentre à la maison.

— La maison, répéta la jeune fille. C'est là que je voudrais être.

Lynn fut tentée de demander : quelle maison ?
Mais elle ne le savait que trop bien.

— Tu resteras pendant l'opération, pas vrai,
maman ? demanda-t-elle, effrayée, vulnérable.

— Promis, répondit-elle en serrant sa main et en
l'embrassant sur la joue. Et je serai là quand tu te
réveilleras.

— Ouais, alors ne choisis pas une tenue embarras-
sante, lança Caitlin en ne plaisantant qu'à moitié.

— Merci pour le compliment !

— Tu n'as pas pris ton affreux pull orange, au
moins ?

— Je n'ai pas pris mon affreux pull orange.

★

Après une demi-heure de route environ, ils passèrent un élégant portail, virent un panneau « Spa Le
Manoir de Wiston », sautèrent sur plusieurs ralentisseurs et poursuivirent leur route dans un paysage vallonné. Lynn remarqua un parcours de golf et un
grand lac, sur leur gauche. Devant elles se trouvaient
les collines des Downs, et notamment celle de Chanc-
tonbury, couronnée d'un petit bois.

Les yeux clos, Caitlin écoutait son iPod. Peut-être
somnolait-elle. Sa mère ne voulait pas la réveiller,
espérant qu'une sieste lui permettrait de recharger ses
batteries.

Pourvu que j'aie pris la bonne décision, pria-t-elle en
silence.

Tout allait bien jusqu'à la visite des policiers.
Jusqu'alors, elle était persuadée d'avoir fait le bon
choix, mais, à présent, elle n'était plus sûre de
rien.

Secouée par un dos-d'âne, Caitlin ouvrit les yeux,
désorientée.

— Qu'est-ce que tu écoutes, ma chérie ?

574

Sa fille ne l'entendit pas.

Lynn fut envahie par un tel élan d'amour en l'observant qu'elle faillit éclater en sanglots. La petite semblait si fragile !

Garde des forces, ma puce. Tiens bon encore quelques heures et tout ira bien.

À travers le pare-brise, elle distingua la silhouette d'une grosse bâtisse sans charme, qui avait dû connaître des jours plus glorieux. La partie principale évoquait vaguement du gothique victorien, mais les nombreuses annexes, modernes, étaient de grossières copies, voire de simples préfabriqués. Des voitures étaient garées le long de l'allée circulaire et sur un parking adjacent, mais le chauffeur emprunta un passage interdit aux visiteurs, sous un porche, et se gara à l'arrière du bâtiment, entre des anciennes écuries et d'affreux garages.

Ils s'arrêtèrent devant une entrée du personnel. Avant que Lynn ait eu le temps de descendre du véhicule, une infirmière bâtie comme une armoire à glace vint à leur rencontre. Elle portait une blouse blanche et des chaussons de gymnastique.

Grigore fit le tour pour ouvrir la portière de Caitlin, mais celle-ci se glissa derrière sa mère, en faisant des efforts faramineux pour y arriver toute seule.

— Mme Lynn Beckett et Mlle Caitlin Beckett ? demanda l'infirmière d'un ton officiel, avec un accent à couper au couteau.

Lynn hocha la tête tout en passant un bras autour de sa fille et en déchiffrant le nom sur sa poitrine : Draguta.

Draguta le dragon, songea-t-elle.

— Suivez-moi, s'il vous plaît.

— Je porte vos sacs, s'empressa d'ajouter Grigore.

Lynn saisit la main de sa fille et emboîta le pas de la matrone dans un couloir carrelé qui sentait le désinfectant. Arrivées au bout, l'infirmière tapa un code et poussa une porte sécurisée.

Elles se retrouvèrent dans un espace moquetté, avec des murs gris clair, qui ressemblait à un bureau.

— *Reinkommen* ! cria une femme après que l'infirmière eut toqué.

Lynn et Caitlin entrèrent dans une salle luxueusement décorée ; la femme s'éclipsa.

Marlene Hartmann se leva de son bureau pour les accueillir. Derrière elle, une immense fenêtre offrait une vue panoramique sur les Downs.

— *Gut*, vous êtes là ! J'espère que vous avez fait bon voyage. Asseyez-vous, je vous prie, dit-elle en désignant les chaises devant elle.

— Disons que le voyage était... intéressant, répondit Lynn l'estomac noué, la gorge serrée, en tremblant.

— *Ja*. On a des problèmes. Mais je n'ai jamais laissé tomber un client, ajouta-t-elle sérieuse. Tout va bien, *mein Liebling* ? demanda-t-elle en se tournant vers Caitlin.

— J'aimerais que le chirurgien passe l'album de Feist pendant l'opération. Vous pensez que c'est genre... possible ? s'enquit-elle d'une voix posée.

Elle se gratta la cheville gauche, pliée en deux sur son siège.

— Feist ? C'est quoi, Feist ?

— Une chanteuse très cool, fit-elle en se grattant le ventre.

L'Allemande haussa les épaules.

— OK, bien sûr. Je vais lui en parler.

— Et il y a autre chose que j'aimerais savoir.

Lynn lui fit les gros yeux.

— Dis-moi ?

— Ce foie... D'où vient-il ?

— D'une pauvre petite fille de ton âge, environ, morte dans un accident de voiture hier, répondit-elle sans la moindre hésitation.

Lynn regarda sa fille dans les yeux, afin de lui interdire d'approfondir le sujet.

— Où est-elle morte ? poursuivit l'adolescente d'une voix plus forte, sans se soucier du regard réprobateur de sa mère.

— En Roumanie, près d'une ville qui s'appelle Brasov.

— J'aimerais que vous me parliez d'elle, s'il vous plaît.

Cette fois, Marlene Hartmann s'offusqua.

— Je suis désolée, mais je dois respecter la charte de confidentialité des donneurs. Je ne peux pas t'en dire davantage. Après, tu pourras remercier la famille, si tu le souhaites. D'ailleurs, je t'y encourage vivement.

— Donc ce n'est pas vrai ce que la police...

— Ma chérie ! s'exclama Lynn en anticipant sa question. Mme Hartmann sait ce qu'elle fait.

Caitlin balaya la pièce du regard, comme si elle avait du mal à faire le point. Puis elle précisa, d'une voix blanche :

— Si... Si j'accepte ce foie, je dois connaître la vérité.

Lynn sentait la situation lui échapper.

Et soudain, la porte s'ouvrit et Draguta entra.

— Nous sommes prêts.

— Vas-y, Caitlin. Ta mère et moi avons quelques affaires à régler. Elle sera à tes côtés dans deux minutes.

— Donc la photo que les policiers nous ont montrée... C'est un mensonge ? insista Caitlin.

— Mon ange ! l'implora sa mère.

Marlene les considéra avec étonnement.

— Photo ? Quelle photo ?

— C'était du bluff ! bafouilla Lynn, au bord des larmes.

— De quelle photo parles-tu ? reprit Marlene Hartmann.

577

— Ils nous ont dit qu'elle n'était pas morte. Qu'elle serait sacrifiée pour moi.

Marlene Hartmann secoua la tête, ses lèvres formèrent une ligne droite et l'incompréhension se lisait dans ses yeux.

— Ce n'est pas ainsi que je procède, Caitlin, murmura-t-elle d'une voix douce. Il faut que tu me croies.

Puis elle afficha un grand sourire.

— La police anglaise n'aime pas les gens qui – comment dites-vous ? – contournent les lois. Ils préfèrent te voir mourir, plutôt qu'acheter un organe. Crois-moi.

L'infirmière s'impatienta.

— Et maintenant, suis-moi.

Lynn embrassa sa fille.

— Va avec elle, ma chérie. Je te rejoins dans deux minutes. Il faut juste qu'on procède au deuxième paiement. J'envoie un fax à ma banque pendant que tu te prépares.

Elle l'aida à se lever.

Caitlin se tourna vers l'Allemande en titubant, les yeux dans le vague.

— Feist. Vous demanderez au chirurgien ?

— Feist, répéta la femme, tout sourire.

Puis elle fit un pas vers sa mère.

— Tu te dépêches, maman, d'accord ?

— Je fais le plus vite possible, ma puce.

— J'ai peur, chuchota-t-elle.

— Dans quelques jours, tu auras une nouvelle vie ! intervint Marlene Hartmann.

L'aide-soignante invita Caitlin à sortir et ferma la porte.

La femme d'affaires jeta à Lynn un regard foudroyant.

— Quelle est cette photo dont votre fille parlait ?

Avant qu'elle ait pu répondre, leur attention fut détournée par le bruit d'un hélicoptère survolant la propriété.

L'Allemande sauta de sa chaise, se précipita vers la fenêtre et leva les yeux.

— *Scheisse !* s'écria-t-elle.

115

Une fois dans le couloir, l'infirmière accompagna Caitlin dans un petit vestiaire avec des casiers métalliques et une blouse accrochée à une patère.

— Tu te changes, lui ordonna-t-elle. Tu mets tes affaires dans casier 14. Moi, j'attends toi, ajouta-t-elle avant de sortir.

Caitlin observa la pièce, puis avala sa salive. Elle tremblait. Le casier 14 disposait d'une clé accrochée à un bracelet en plastique, comme dans les piscines municipales.

Elle avait peur de l'eau. Peur quand elle n'avait plus pied. Et, dans le cas présent, elle n'avait plus pied.

Prise de vertige, elle tomba lourdement sur le banc en bois, tout en se grattant l'abdomen. Elle était épuisée, perdue, malade. Elle en avait marre d'être malade. Marre que son corps la démange. Marre d'avoir peur.

Elle n'avait jamais eu aussi peur de sa vie.

L'espace semblait rétrécir. La pièce l'écrasait, tout tournait autour d'elle. Des pensées lui traversaient l'esprit. Elle devait les attraper au passage avant qu'elles disparaissent.

On lui cachait quelque chose. Tout le monde lui cachait des choses. Même sa mère. Quoi ? Pourquoi ? Qu'est-ce qu'elle n'avait pas le droit de savoir ? De quel droit ne lui disaient-ils pas tout ?

Elle se leva, retira son duffel-coat, puis retomba. Elle avait le tournis, mal au ventre, et sa peau était en feu, comme si des milliers de moustiques la dévoraient.

— Ça suffit ! cria-t-elle. J'en peux plus d'avoir mal comme ça !

Elle se releva à grand-peine. Elle allait mettre son manteau dans le casier, mais se ravisa. Elle le posa sur le banc et ouvrit la porte.

Le couloir était désert.

Elle sortit en titubant, ferma derrière elle, vérifia des deux côtés, et se dirigea vers la droite. Sur sa gauche, elle vit une porte portant le panneau « tenue stérile obligatoire ». Elle se concentra pour le déchiffrer ; tout était flou.

Elle la poussa et se retrouva dans une sorte de réserve remplie de matériel médical du sol au plafond. Sa hanche heurta un brancard sur roulettes. Dans les armoires en verre étaient stockés des appareils chirurgicaux. Elle faillit trébucher sur l'une des dizaines de bouteilles d'oxygène entreposées par terre. Elle jura. Tout au bout, il y avait une porte avec un hublot. Elle s'en approcha.

Et ce qu'elle découvrit lui glaça le sang.

Il s'agissait d'un bloc opératoire dernier cri, rempli de gens en casaque chirurgicale, charlotte, masque blanc, gants en latex. La plupart se trouvaient autour d'une table très éclairée sur laquelle gisait une jeune fille nue, prête à être opérée. Fan des séries *Dr House* et *Grey's Anatomy*, et ayant elle-même passé des mois à l'hôpital, Caitlin connaissait les machines auxquelles l'adolescente était reliée : sonde endotrachéale, tube nasogastrique, perfusions dans le cou, petites électrodes du scope posées sur son thorax, perfusions intra-artérielles et régionales, cathéter PiCCO, oxymètre de pouls et cathéter urinaire.

Un homme d'un certain âge, scalpel à la main, traçait des lignes sur le corps pour indiquer à un collègue plus jeune où pratiquer les incisions.

Caitlin reconnut immédiatement le visage de la patiente.

C'était la petite Roumaine de la photo que les deux policiers avaient apportée ce matin.

La fille qui, selon Marlene Hartmann, était morte dans un accident de voiture la veille.

L'un des assistants bougea, ce qui lui permit de mieux distinguer la table d'opération.

Si elle avait été victime d'un accident assez violent pour la tuer, elle devrait au moins avoir des ecchymoses, éraflures et autres coupures, non ? Or, son corps était intact, elle semblait juste endormie.

Caitlin ferma très fort les yeux, puis les rouvrit. Toujours aucune trace.

Les mots du commissaire lui revinrent à l'esprit.

Elle s'appelle Simona Irimia. Pour le moment, nous pensons qu'elle est encore en vie. Elle est arrivée illégalement en Angleterre et sera sacrifiée pour que votre fille reçoive son foie.

Il disait donc vrai.

L'Allemande mentait.

Sa mère mentait.

Ils allaient tuer cette gamine. Peut-être était-elle déjà morte.

Et tout à coup, une voix hurla dans son dos :

— Qu'est-ce que tu fais, toi ?

Elle se retourna et vit Draguta se jeter sur elle.

Elle poussa la porte, qui lui résista. Elle appuya sur la poignée et pénétra dans le bloc en trébuchant. Elle bouillonnait de rage. De rage, et de haine pour ces médecins masqués.

— Arrêtez ! s'écria Caitlin d'une voix cassée, en bousculant les deux personnes les plus proches de la porte. Elle fonça vers le chirurgien et lui arracha le scalpel des mains, se coupant légèrement le doigt au passage.

— Arrêtez, vous êtes des monstres !

En un quart de seconde, elle examina le corps de l'adolescente, qui ne comportait effectivement aucune blessure.

— Mademoiselle, veuillez sortir sur-le-champ, dit l'homme âgé avec un accent distingué. Vous contaminez le bloc opératoire. Et rendez-moi ce scalpel, voulez-vous ?

— Elle est encore vivante ? lui hurla Caitlin en puisant dans ses dernières forces.

Des courbes ondulaient sur un écran plat fixé au mur ; des nombres et des symboles clignotaient sur ceux, plus petits, situés derrière la tête de la jeune fille.

— Cela ne vous regarde pas ! explosa le chirurgien en virant au rouge.

— Si. Et plus que vous le pensez, répondit-elle à bout de souffle. C'est moi qui dois bénéficier de son foie, dit-elle en tambourinant contre sa poitrine.

Un long silence s'installa.

Draguta lui aboya de sortir.

— Oui, elle est encore vivante, répondit le jeune homme avec enthousiasme, comme si c'était ce que Caitlin souhaitait entendre.

Celle-ci arracha les perfusions dans le bras gauche de Simona, celles dans le cou et les électrodes sur son torse.

Le chirurgien la saisit par les épaules.

— Mais vous êtes folle, ma petite !

Caitlin se contenta de lui mordre la main. Il hurla et la lâcha. Elle remarqua les nombreuses paires d'yeux braquées sur elle, puis vit l'infirmière approcher à grands pas.

Elle brandit le scalpel tel un sabre ; elle n'avait plus rien à perdre.

— Descendez-la de la table immédiatement ! ordonna-t-elle.

Sous le choc, personne ne bougea. Sauf la matrone qui l'attrapa par le bras et la tira si fort qu'elle faillit tomber. Elle la traîna vers la porte, ses baskets glissant sur le sol carrelé.

— Lâche-moi, sale pitbull !

L'infirmière s'arrêta pour ouvrir, puis déboîta de nouveau l'épaule de la jeune fille. Essayant de reprendre son équilibre, Caitlin lança son bras libre et la lame du scalpel, qu'elle tenait toujours fermement, entailla la pommette de la Roumaine, creva son œil droit et cisailla l'arête de son nez.

La femme émit un long rugissement. Elle porta ses mains à son visage, tandis que du sang jaillissait de toutes parts. Les médecins se précipitèrent à son secours.

Dans la bousculade, personne ne vit Caitlin s'éclipser.

116

Marlene Hartmann, qui avait perdu de sa superbe, se trouvait dans le couloir quand elle perçut des éclats de voix. Elle courut jusqu'au bloc opératoire, et découvrit le chaos qui y régnait.

Elle traversa la réserve ; l'équipe essayait de ceinturer l'imposante infirmière dont le visage et la blouse blanche étaient couverts de sang. Elle se débattait, en hurlant, tandis que Sir Roger Sirius, deux chirurgiens, les anesthésistes et assistantes tentaient de la maîtriser.

Simona était étendue sur la table, perfusions arrachées, indifférente à ce qui se tramait.

— *Gottverdammt,* que se passe-t-il ?

— La gamine a eu un coup de folie, répondit Sirius, essoufflé.

Il allait poursuivre quand Draguta lui décocha un violent coup de poing dans la mâchoire, l'envoyant valser à la renverse.

Marlene se jeta sur lui pour l'aider à se remettre sur pied. Il avait l'air assommé.

— Un hélicoptère survole la propriété ! lui cria-t-elle. Il faut fermer toutes les entrées. Reprenez-vous !

Draguta tomba, entraînant dans sa chute plusieurs membres de l'équipe.

— Je suis aveugle ! beugla-t-elle dans sa langue maternelle. Mon Dieu, je suis aveugle !

— Piquez-la ! ordonna l'Allemande. Faites-la taire, et vite !

Un anesthésiste s'empara d'une seringue, fouilla parmi les différents produits sur le chariot et choisit une ampoule pharmaceutique.

— Il faut accompagner Draguta aux urgences ophtalmologiques, déclara l'une de ses collègues.

— Où est la petite Anglaise ? Où est Caitlin ?

Personne n'en avait la moindre idée.

— Où est la gamine ? rugit Marlene.

117

Les vertiges étaient de plus en plus insurmontables. Parcourue de sueurs froides, Caitlin heurta un mur, le repoussa et faillit perdre l'équilibre. Elle avait du mal à soulever ses pieds. Elle se trouvait désormais au niveau de l'entrée principale. Des dizaines de véhicules étaient garés devant. Sa vue se floutait par moments.

Elle trébucha sur un parterre de fleurs. Son iPod qui pendait à ses écouteurs cogna contre son genou Son corps la démangeait atrocement.

Ils vont m'en vouloir à mort. Maman. Luke. Papa. Mamie. Merde. Ils vont être furieux. Merde. Furieux. Merde. Furieux.

Au-dessus de sa tête, des pales faisaient un bruit assourdissant.

Elle leva les yeux en continuant de se gratter. Un hélicoptère bleu et jaune, aux couleurs de la police, survolait la propriété, tel un énorme insecte mutant. Merde, merde, merde. Ils allaient l'arrêter pour avoir poignardé l'infirmière.

S'appuyant contre un mur, elle tenta de reprendre son souffle. Le mur vacillait. En avançant de quelques centimètres, elle découvrit une allée circulaire. L'hélicoptère décrivait de larges cercles. Un taxi se trouvait là. Turquoise et blanc, comme celui qui les avait conduites à la clinique.

Une femme, en manteau de fourrure et carré de soie, était en train de payer. Puis elle se dirigea vers le bâtiment, tirant un sac derrière elle. Le conducteur allait reprendre sa place au volant.

Caitlin courut tant bien que mal à sa rencontre en agitant les bras.

— Taxi ! Taxi !

Il ne l'entendait pas

— Taxi !

Il allait s'asseoir quand elle réussit à ouvrir la portière côté passager.

— Attendez, haleta-t-elle. Vous êtes libre ?

— Désolé, mademoiselle, mais j'ai pas le droit de charger de client en dehors de mon secteur.

— S'il vous plaît. Vous allez où ?

Le vieil homme, visage marqué par le temps et cheveux blancs, lui répondit gentiment :

— Où est-ce que vous voulez aller ? Je dois retourner à Brighton.

— Parfait. Merci beaucoup.

Elle s'affala sur le siège avant. Dans l'habitacle flottait un parfum féminin, opulent.

— Tout va bien, ma petite ? Vous saignez.

— Oui. J'ai juste... coincé ma main dans une porte.

— J'ai une trousse de secours. Vous voulez un sparadrap ?

Caitlin secoua vigoureusement la tête.

— Non, merci. Tout va bien.

— Vous êtes suivie ici ?

Elle acquiesça, luttant pour garder les yeux ouverts.

— C'est cher, non ?

— Ma mère qui paie, murmura-t-elle.

Il se pencha, tira sur la ceinture de sécurité de Caitlin et l'attacha.

Elle était en train de perdre connaissance.

— Vous êtes sûre que tout va bien ?

— Fatiguée. À cause du traitement, vous savez.

— Je ne peux pas savoir, c'est hors de prix, ici.

— Hors de prix, répéta-t-elle en fermant les yeux, tandis que le véhicule démarrait.

— Sûre que tout va bien ?

— Sûre.

Cinq minutes plus tard, ils croisèrent trois voitures de police, gyrophares et sirènes allumés. Puis une autre

— Il se passe un truc, constata le chauffeur.

— C'est la merde partout, balbutia-t-elle.

— M'en parlez pas.

118

Alarmée par le départ précipité de Marlene Hartmann, Lynn s'approcha de la fenêtre pour déterminer
l'origine du bruit. Un hélicoptère de la police décrivait des cercles au-dessus de la clinique, comme s'il
cherchait quelque chose ou quelqu'un. Elle ?

La gorge nouée, l'estomac retourné, elle se mit à
prier.

*Pas ça, par pitié, mon Dieu, faites que l'opération ait
lieu. Peu m'importe ce qu'il adviendra après. Laissez-la se
faire opérer.*

Elle était tellement tendue qu'il lui fallut un petit
moment avant de remarquer que son téléphone sonnait.
Elle fouilla dans son sac et le sortit. *Numéro privé.*

Elle prit l'appel.

— Mme Beckett ? dit une femme dont elle reconnut vaguement la voix.

— Oui ?

— C'est Shirley Linsell, de l'hôpital royal du sud de
Londres.

— Oh ! Oui. Bonjour, répondit-elle, surprise.

— J'ai une bonne nouvelle. Nous avons un foie dont
Caitlin pourrait bénéficier. Pourriez-vous être prêtes
dans une heure ?

— Un foie ?

— Une partie du foie d'une personne de forte cor-
pulence, pour être tout à fait exacte.

— Je vois, répondit-elle, sans vraiment saisir la
nuance.

— Est-ce qu'une heure vous convient ?

— Une heure ?

— Une ambulance viendra vous chercher

Lynn eut un coup de chaud.

— Excusez-moi. Vous disiez ?

Shirley répéta sa phrase.

Assise sur une chaise, Lynn avait du mal a réfléchir.

— Mme Beckett ?

Son cerveau était paralysé.

— Je suis là.

— Une ambulance sera chez vous dans une heure.

— OK. Le problème, c'est que...

— Allô ? Mme Beckett ?

— Oui.

— La situation se présente très bien.

— Très bien. D'accord.

— Vous aimeriez me faire part de vos doutes ?

Lynn peinait à prendre une décision. Que devait-
elle faire ? Répondre à cette dame : « Merci, mais j'ai
ce qu'il me faut » ?

Sachant qu'un hélicoptère de la police n'allait pas
tarder à se poser.

Et où Marlene Hartmann avait-elle bien pu passer ?

Et si l'opération n'avait pas lieu, malgré la somme
déboursée ?

Ne valait-il pas mieux accepter un foie en toute
légalité ?

Seulement, la fois précédente, ils les avaient plantées au profit d'un vieil alcoolique.

Caitlin ne survivrait pas à un nouvel échec.

— Voulez-vous me dire ce qui vous tracasse,
Mme Beckett ?

— Eh bien, la dernière fois... C'était un coup dur. Je ne voudrais pas imposer une nouvelle déception à ma fille.

— Je comprends tout à fait. Je ne peux pas vous garantir que le chirurgien ne trouvera aucun défaut à l'organe que nous vous proposons, mais, pour le moment, la situation se présente bien.

Lynn se rassit. Il fallait qu'elle réfléchisse.

— Je vais devoir vous rappeler, dit-elle. Combien de temps me laissez-vous ?

— Je peux vous accorder dix minutes, lui proposa Shirley, surprise. Sans quoi, je contacterai la personne suivante sur la liste. Ce serait une énorme erreur de votre part de refuser.

— Dix minutes, merci. Je vous rappelle dans dix minutes, conclut-elle avant de raccrocher.

Elle tenta de peser le pour et le contre, en faisant abstraction de l'argent dépensé.

Un foie, de façon sûre et certaine, ici, contre un foie potentiel à Londres.

Elle avait besoin de l'avis de sa fille. *Plus que neuf minutes*, songea-t-elle en consultant sa montre.

Elle sortit dans le couloir. À sa droite, elle jeta un œil par une porte entrouverte. Il s'agissait d'un petit vestiaire avec des casiers. Le manteau de Caitlin se trouvait sur un banc. Elle ne devait pas être loin... Sur la gauche, une autre porte était ouverte. Elle entra dans ce qui semblait être une réserve. Elle vit un brancard sur roulettes et, au bout, une porte avec hublot.

Elle s'empressa de la rejoindre. Une jeune fille nue, qui n'était pas sa fille, gisait sur une table d'opération. Des aides-soignants en tenue soulevaient à grand-peine une infirmière allongée par terre, inconsciente. Tandis qu'ils s'affairaient autour d'elle, Lynn constata, ébahie, qu'il s'agissait de Draguta, et qu'elle était en sang.

Il se passait quelque chose de grave.

Elle poussa la porte.

— Excusez-moi ! cria-t-elle. Je cherche ma fille. Caitlin. Quelqu'un sait où elle est ?

Plusieurs visages masqués se tournèrent vers elle.

— Votre fille ? répéta un jeune homme avec un accent étranger.

— Caitlin. Elle doit se faire opérer ici. C'est pour une transplantation.

— Je ne pense pas, répliqua-t-il. Plus maintenant.

— Où est-elle, hurla-t-elle, morte de peur. Et qu'est-ce qui s'est passé ? ajouta-t-elle en désignant Draguta.

— Vous devriez demander à votre fille.

— Où est-elle, par pitié, dites-le-moi.

— J'en sais rien, avoua-t-il en haussant les épaules.

Elle regarda sa montre. Plus que sept minutes.

Elle tourna les talons et quitta la pièce en criant : Caitlin ! Caitlin ! Caitlin !

Elle poussa une porte – une simple buanderie –, puis une autre – une salle d'examen contenant un scanner.

Caitlin ! hurla-t-elle en parcourant le couloir. Elle se retrouva dans la cour, déserte. Caitlin !

En sanglots, elle retourna dans l'espace moquetté et poussa toutes les portes. Rien. Juste des bureaux. Les employés la considérèrent avec étonnement. Elle tomba sur un petit escalier de service. Elle gravit les marches quatre à quatre, jusqu'à une porte coupe-feu portant le panneau : zone stérile, entrée interdite.

Comme elle n'était pas fermée à clé, elle déboucha dans une sorte de couloir d'hôpital. Contre l'un des murs étaient installés un distributeur de gel antibactérien et un lavabo. Elle ouvrit la porte devant elle et entra.

Il s'agissait d'une petite unité de soins intensifs. Trois des six lits étaient occupés – un homme aux cheveux longs d'une petite quarantaine d'années, avec une allure de rock star, un ado de l'âge de Caitlin et une femme frisant la soixantaine. Tous trois étaient reliés à des appareils de monitoring, sous perfusion et intubation endotrachéale et nasogastrique.

Trois infirmières arborant la même tenue que Draguta la considérèrent avec étonnement depuis leur poste de surveillance.

— Je cherche ma fille, Caitlin. L'auriez-vous vue ?

— Sortez, s'il vous plaît, lui répondit l'une d'elles dans un anglais approximatif. Interdit.

Elle fit demi-tour et poussa une autre porte. Elle se retrouva dans une petite salle de repos qui faisait office de cantine. Une porte au bout de la pièce desservait une salle de bains – vide. Elle vérifia l'heure.

Plus que cinq minutes.

Ils attendraient son appel, n'est-ce pas ?

Caitlin ne pouvait pas être bien loin.

Elle composa son numéro de téléphone, mais tomba directement sur son répondeur. Elle redescendit l'escalier, traversa les bureaux, emprunta un autre couloir et se retrouva soudain dans le hall d'entrée du spa, immense, tout en marbre.

Il était animé. Trois femmes, en peignoir blanc et pantoufles jetables, observaient un bijou dans une vitrine. Un homme dans la même tenue signait un formulaire à la réception. À côté, une femme vêtue d'un élégant manteau et d'un foulard en soie, un sac à ses côtés, venait visiblement d'arriver.

Lynn jeta un coup d'œil à la ronde. Pas de Caitlin en vue.

Et soudain, la porte automatique à double battant de l'entrée s'ouvrit pour laisser passer six policiers solidement bâtis, en gilets pare-balles.

Elle fit demi-tour et prit ses jambes à son cou.

119

— Au bout ! cria Marlene Hartmann à Grigore. Au bout du terrain de golf, juste après le départ du huitième trou, il y a une sortie. La police ne la connaît pas. On débouchera sur un chemin, et on évitera les routes principales sur plusieurs kilomètres. Je te guide.

Assise à l'arrière de la Mercedes marron, elle s'agrippait au siège avant, le souffle court. Elle en voulait à cette maudite Mme Beckett et sa garce de fille. À la police. À cet incapable de Sirius, qui n'avait pas maîtrisé la situation.

Mais surtout elle s'en voulait d'avoir été idiote au point de penser qu'elle s'en sortirait. La cupidité est un vilain défaut. Tel un joueur de poker, elle avait eu un coup de folie. N'avait pas su se coucher quand il le fallait.

Vlad Cosmescu était lui aussi plongé dans ses pensées. À la roulette, il savait toujours – ou presque – quand lâcher l'affaire. Quand se retirer. Quand rentrer chez lui.

Il aurait dû rentrer chez lui, en Roumanie, hier soir, quand la situation était encore gérable. Il ne lui devait rien, à cette femme. Elle l'utilisait. Il l'utilisait. Tout le monde utilise tout le monde. Dans la vie, l'important, ce n'est pas d'être loyal, mais de survivre. Telle était sa vision des choses.

Alors, pourquoi était-il encore là ?

Il connaissait la réponse. Cette femme lui plaisait. Il voulait la séduire, coucher avec elle. Il s'était dit qu'en faisant preuve de courage, il parviendrait à ses fins.

Il pesta en silence. Ces dix dernières années, il avait fait son beurre en toute discrétion.

Quel imbécile ! se dit-il.

La voiture grimpa sur le bas-côté et roula sur le green, entre deux joueurs, furieux, qui s'apprêtaient à frapper une balle. Le châssis racla le sol, la tête de Marlene cogna le plafond. Elle s'accrocha et jura « *Scheisse* ». Mais ce n'était pas de douleur.

Elle venait de découvrir qu'une camionnette blanche de la police bloquait la sortie qu'elle souhaitait emprunter.

— Demi-tour ! ordonna-t-elle à Grigore. On tente la sortie principale.

— Peut-être qu'on devrait s'échapper à pied ? proposa Cosmescu, tandis que la voiture dérapait, suite à un violent coup de frein.

— Avec un hélico au-dessus de nos têtes, on n'a aucune chance ! objecta-t-elle en se dévissant le cou.

Grigore cria en montrant du doigt quelque chose derrière eux. Se retournant, Marlene découvrit avec horreur qu'une Range Rover de la police fonçait vers eux, gyrophares allumés.

— J'essaie ? suggéra Grigore. J'accélère ?

— Non, stop. Ne dites rien. Je m'occupe de tout. Je vais bluffer. Arrête-toi. *Halt !*

Grigore obéit. Tous trois gardèrent le silence, tandis que Marlene se concentrait.

Une autre voiture se dirigeait vers eux et s'arrêta

nez à nez avec la leur. La sirène se tut. Marlene pâlit quand elle découvrit ses passagers.

Le conducteur était un grand Noir qu'elle ne connaissait pas, mais son coéquipier, elle l'avait déjà vu. Dans son bureau. À Munich. La veille.

Il approchait d'elle, imper ouvert, flottant au vent. Plusieurs policiers équipés de gilets pare-balles se matérialisèrent derrière lui.

— Bonjour, M. Taylor, lança-t-elle, désinvolte, quand il ouvrit sa portière. Ou peut-être devrais-je dire : commissaire Grace ?

Roy ignora sa remarque.

— Marlene Eva Hartmann, je vous arrête pour des faits de trafic présumé d'êtres humains réputés commis à des fins de trafic d'organes, lui annonça-t-il. Veuillez descendre du véhicule, je vous prie.

Il l'attrapa par le poignet et l'aida, puis fit signe à l'un des officiers de lui passer les menottes.

— Gardez un œil sur elle.

Il ouvrit la portière avant.

— Joseph Baker, également connu sous le nom de Vlad Roman Cosmescu, je vous arrête pour des faits de meurtre présumé réputés commis à l'encontre de Jim Towers.

Quand Cosmescu fut menotté, Grace ouvrit la portière du conducteur, qui le fixait, les yeux exorbités, tremblant de peur.

— Et vous, alors ? Qui êtes-vous ?

— Moi, Grigore. Le chauffeur.

— Vous avez un nom de famille ?

— Un quoi ?

— Vous vous appelez Grigore comment ?

— Ah. Dinica. Grigore Dinica.

— Et vous êtes donc leur chauffeur.

— Oui. Juste chauffeur de taxi.

— Taxi ? répéta Grace en essuyant un flocon de neige fondue tombé sur son visage.

Son talkie-walkie s'alluma, mais il ignora l'appel.

— Oui, oui ! Seulement taxi pour ces gens.

— Et vous voulez que je vous poursuive pour exercice illégal de la profession, en plus des faits qui vont vous être reprochés ?

Grigore le fixa, le front moite.

Grace demanda à Glenn Branson de l'arrêter pour des faits de complicité présumée dans le cadre d'un trafic d'êtres humains, puis se tourna vers la femme.

— Commissaire Grace, la prochaine fois que vous vous faites passer pour un client, puis-je vous suggérer de mieux vous renseigner sur le sujet ? lui lança-t-elle avant même qu'il ait ouvert la bouche.

— Si vous êtes si maligne, comment se fait-il que vous soyez en état d'arrestation ? répliqua-t-il.

— Je n'ai rien fait de mal.

— Tant mieux, car les prisons anglaises sont surpeuplées, et je ne les recommande à personne, surtout pas aux femmes, précisa-t-il en chassant un autre flocon. Cela étant dit, Mme Hartmann, souhaitez-vous la méthode dure ou la méthode douce ?

— Que voulez-vous dire ?

— Nous avons obtenu un mandat de perquisition qui devrait nous parvenir dans quelques minutes. Vous pouvez nous faire une visite guidée, ou nous laisser découvrir la clinique par nos propres moyens, conclut-il en souriant.

À voir sa tête, il comprit qu'elle ne trouvait pas cela drôle du tout.

120

Lynn traversait un dédale de pièces, au milieu d'une forêt de panneaux. Elle poussait certaines portes, en ignorait d'autres, comme le sauna, le hammam et l'espace aromathérapie. Elle vérifia le cours de yoga, le centre ayurvédique, les nombreuses salles de soins, et la zone « tropicale ».

De temps en temps, elle s'assurait qu'aucun policier ne la suivait.

À bout de souffle, désorientée, elle trébucha. Elle se sentait faible et fébrile, signe qu'elle était en hypoglycémie.

Ma puce. Ma chérie. Caitlin, où es-tu ?

Tout en courant, elle composa son numéro pour la troisième fois, et tomba sur sa boîte vocale.

Les dix minutes s'étaient écoulées. Elle s'arrêta pour appeler Shirley Linsell et lui demander quelques minutes supplémentaires. Mentant à moitié, elle lui expliqua qu'elle avait offert à sa fille un soin dans un spa et que celle-ci avait disparu.

La coordinatrice lui accorda dix minutes de plus, à contrecœur.

Lynn la remercia chaleureusement, puis réfléchit, le cœur battant, au bord de la crise d'angoisse.

Reviens, Caitlin, je t'en prie, montre-toi.

Cet endroit était trop grand. Elle ne retrouverait jamais sa fille toute seule. Elle retourna dans le hall d'entrée, plus vite qu'elle l'aurait cru. Un officier se tenait devant la porte, les autres s'étaient volatilisés.

Elle poussa la porte « accès interdit » et atterrit dans les bureaux. Elle se rendit jusqu'à celui de Marlene Hartmann.

Et s'immobilisa. Hautaine, le visage fermé, menottée, l'Allemande se trouvait entre les deux policiers. Le commissaire qui lui avait rendu visite le matin même fouillait dans les papiers, derrière le bureau.

Il ouvrit de grands yeux étonnés en la voyant débarquer.

— Vous avez offert une journée de balnéo à votre fille avant son opération, Mme Beckett ?

— Aidez-moi à la retrouver, bafouilla-t-elle.

— Avez-vous une bonne raison d'être ici ?

— Une bonne raison ? répéta-t-elle, exaspérée par son indifférence. J'ai envie d'être belle pour l'enterrement de ma fille, ça vous va ?

Elle cacha son visage entre ses mains et éclata en sanglots.

— Aidez-moi, je vous en prie. Je ne la trouve pas. Où est-elle ? demanda-t-elle à Marlene Hartmann, qui se contenta de hausser les épaules. Je vous en supplie. Elle a fugué. Il faut la retrouver. Un foie l'attend à Londres. Nous avons dix minutes pour la retrouver. Dix minutes ! Pas une de plus.

Roy Grace lui colla un document sous le nez.

— Mme Beckett, je vous arrête pour des faits de complicité présumée dans le cadre d'un trafic d'êtres humains à des fins de transplantation et tentative d'achat d'un organe. Vous avez le droit de garder le silence, mais cela pourra nuire à votre défense, lors de votre procès, si elle repose sur des éléments sur lesquels vous aurez refusé de vous expliquer lors de votre garde à vue.

Lynn réalisa qu'il s'agissait du fax qu'elle venait d'envoyer à sa banque, avec l'ordre de transfert à Transplantation-Zentrale.

Elle se sentit défaillir. Elle porta ses poings à sa bouche et se mit à sangloter, hystérique.

— Retrouvez ma fille ! J'avouerai tout, ça m'est égal, mais retrouvez-la, par pitié.

Elle se tourna vers l'autre policier, au visage sympathique, vers l'Allemande, glaciale, puis vers le commissaire.

— Elle est en train de mourir, mettez-vous à ma place. Nous avons dix minutes pour la trouver, avant que l'hôpital ne propose le foie à un autre patient. Vous m'entendez ? Si elle ne bénéficie pas de cette greffe, elle mourra.

— Où avez-vous cherché ? demanda Marlene sans desserrer les dents.

— Partout.

— Dehors aussi ?

— Non... Je...

— Je préviens l'hélicoptère, dit Glenn Branson. Pouvez-vous me la décrire ? Comment est-elle habillée ?

Lynn s'exécuta.

Il porta le talkie-walkie à son oreille, discuta avec un collègue, puis annonça :

— Une jeune fille correspondant à votre description a été aperçue il y a une quinzaine de minutes montant dans un taxi.

— Dans un taxi ? Où est-elle allée ?

— Un taxi de Brighton, de la compagnie Sreamline, précisa le commandant. On devrait pouvoir la retrouver, mais ça nécessitera plus de dix minutes.

— Il y a quinze minutes, dans un taxi ? répéta Lynn en secouant la tête, incrédule.

Branson acquiesça.

— Écoutez... Elle est sans doute rentrée à la maison. Laissez-moi y aller. Je reviendrai. Je me rendrai juste après, je vous le jure.

601

— Mme Beckett, vous êtes en état d'arrestation. Vous allez être transférée au centre de détention de Brighton.

— Mais ma fille est en train de mourir ! Elle ne survivra pas si elle n'est pas hospitalisée aujourd'hui. Je... Je dois être à ses côtés. Je...

— Nous pouvons demander à quelqu'un de la rejoindre et de prendre soin d'elle.

— Ce n'est pas si simple. Elle doit être soignée dans les meilleurs délais.

— Personne ne peut l'accompagner ? s'enquit Grace.

— Mon mari. Je veux dire : mon ex-mari.

— Pouvons-nous le contacter ?

— Il est marin. Il travaille sur un navire sablier. Je... Je ne sais plus s'il est en mer ou pas à l'heure qu'il est.

— Pourriez-vous nous communiquer son numéro ? Nous allons essayer de le joindre, lui proposa Grace.

— Je ne pourrais pas plutôt lui parler ?

— Je suis désolé, mais non.

— Je n'ai pas le droit de... Je croyais qu'on pouvait passer un coup de fil ?

— Une fois que vous serez en garde à vue.

Elle leur jeta un regard désespéré. Grace ressentit de la compassion, mais ne fléchit pas. Elle leur dicta le numéro de Mal. Glenn le nota dans son carnet et le composa immédiatement.

121

Il n'y avait que deux affiches dans la pièce. Sur la première, accrochée à la porte verte, on pouvait lire : *Interdiction d'utiliser un téléphone portable dans les locaux de garde à vue.* Sur la seconde : *Toutes les personnes en garde à vue seront fouillées par un officier. Si vous êtes en possession d'objets interdits, prévenez-nous immédiatement.*

Lynn les avait lues une douzaine de fois. Elle se trouvait dans cet espace sombre, aux murs blancs et au sol marron, assise sur un banc dur comme du béton, depuis plus d'une heure. Ils lui avaient donné deux petits sachets de sucre pour tenir le coup.

Elle ne s'était jamais sentie aussi mal. Même au cours de son divorce, elle n'avait jamais autant souffert.

Un jeune policier, qui l'avait accompagnée depuis le Manoir de Wiston, lui adressait un sourire triste de temps en temps. Ils n'avaient rien à se dire. Elle lui avait expliqué la situation, mais il ne pouvait rien pour elle.

Soudain, son téléphone sonna. Il décrocha. Après plusieurs réponses monosyllabiques, il baissa le combiné et se tourna vers Lynn.

— C'est le commandant Branson, qui était avec vous au spa, vous voyez qui ?

Elle hocha la tête.

— Il se trouve avec votre ex-mari, chez vous. Votre fille n'y est pas.

— Mais alors... Où est-elle ? souffla-t-elle.

L'officier n'avait pas la réponse.

— Je pourrais parler à Malcolm ?

— Désolé, madame, mais je ne peux pas vous le passer.

Il rapprocha le téléphone de son oreille et leva un index.

— Ils sont en ligne avec les taxis Streamline.

Il écouta, puis précisa à son interlocuteur :

— Je vais lui dire, attendez.

— Ils ont discuté avec le chauffeur qui a chargé une jeune fille au spa, il y a deux heures environ. Il a déclaré que son état lui avait semblé préoccupant, qu'il lui avait proposé de l'accompagner jusqu'à un hôpital, mais qu'elle avait refusé. Il l'a déposée près d'une ferme, à Woodmancote, près de Henfield.

Lynn fronça les sourcils.

— À quelle adresse ?

— Il s'agissait d'un chemin.

Et soudain, elle percuta.

— Mon Dieu ! Je sais où c'est. Je sais exactement où elle est. Dites à Mal... Il comprendra... bafouilla-t-elle, en larmes. Dites-lui qu'elle est retournée *à la maison*.

122

À 16 heures à peine, Mal dut allumer les phares de sa MG. Un mélange de neige et de pluie tombait sur le chemin défoncé, qui ressemblait à un vaste champ de boue parsemé de silex et couvert d'un épais manteau de feuilles mortes. Il roulait lentement pour ne pas abîmer son pot d'échappement et éviter d'éclabousser la voiture de police qui le suivait.

Il ne savait plus à quand remontait sa dernière visite au Winter Cottage. Ils l'avaient vendu au moment de leur divorce, puis, deux ans plus tard, le bien s'était retrouvé sur le marché, et il l'avait montré à Jane, espérant le racheter. Jane avait refusé catégoriquement. C'était beaucoup trop isolé pour elle. Elle aurait peur d'y vivre seule.

Elle n'avait pas tort. L'isolement, on aime ou on n'aime pas.

Ils passèrent devant une ferme tenue par un couple de personnes âgées, jadis leurs uniques voisins, puis, 600 mètres plus loin, devant quelques granges en ruine, un tracteur abandonné et une vieille remorque, avant de s'engager dans les bois.

Il se faisait un sang d'encre pour Caitlin. Dans quel

pétrin Lynn s'était-elle fourrée ? C'était sans doute lié au foie qu'elle avait décidé d'acheter. Il n'avait pas encore prévenu Jane qu'il lui avait donné ses économies, mais, pour l'instant, c'était le cadet de ses soucis.

Les policiers ne voulaient rien lui dire, sauf que Caitlin avait fugué et que sa mère était inquiète quant à son état de santé, qu'un foie l'attendait à Londres, mais qu'elle risquait de laisser passer l'opportunité.

Un édifice blanc, spectral, apparut dans une sorte de clairière. C'était le Winter Cottage, la maison de leurs rêves, fut un temps. Le chemin s'arrêtait là. Il se gara de façon à éclairer la façade.

La couche de lierre cachait, en réalité, un bâtiment à deux étages en parpaing, bâti au début des années 1950 pour accueillir un berger et sa famille. À la fin des années 1990, lors de la crise de l'agriculture, le fermier avait dû cesser son activité et vendre son bien pour dégager des liquidités. C'est à ce moment-là qu'ils l'avaient acheté.

C'est sa localisation qui leur avait plu. Le calme absolu, la superbe vue sur les Downs, et ce, à quinze minutes du centre de Brighton.

L'endroit semblait à l'abandon. Le couple de Londoniens qui le leur avait acheté avait de grands projets, mais ils étaient partis s'installer en Australie et avaient essayé de le revendre. Apparemment, personne ne s'en occupait depuis des années. Peut-être que personne n'avait l'argent ou l'imagination nécessaires. Car il en fallait, pour investir dans ce petit coin de paradis.

Il attrapa la torche posée sur le siège passager et descendit, laissant les phares allumés. Les deux enquêteurs, le commandant Glenn Branson et la commandante Bella Moy, firent de même et s'approchèrent de lui, lampe de poche à la main.

— Vous ne deviez pas être harcelés par les témoins de Jéhovah, plaisanta Branson.

— C'est sûr, répondit Mal.

Il s'engagea dans une petite allée pavée de briques, qu'il avait posées lui-même, sous une tonnelle de houx si luxuriante qu'il dut se baisser pour ne pas s'égratigner. Il se retrouva dans le jardin. Le sentier se poursuivait vers le barbecue rouillé, longeant la pelouse qui avait, autrefois, fait sa fierté, et qui était désormais envahie par les mauvaises herbes. Il se glissa entre les deux ifs, qui formaient une grande haie, et entra dans ce que Caitlin appelait son « jardin secret ».

— Je comprends pourquoi vous avez insisté pour nous accompagner, fit remarquer Bella Moy.

Malcolm esquissa un sourire. Sa gorge se serra quand il découvrit la petite cabane en bois. Il s'arrêta, fébrile.

En un sens, il était surpris qu'elle soit toujours debout, mais, d'un autre côté, il aurait préféré qu'elle ne le soit plus. Elle représentait trop de souvenirs ; la douleur du divorce se réveilla soudain.

La cabane en rondin reposait sur des pilotis en brique. Il l'avait construite de ses propres mains, par amour pour sa fille. On y accédait par une porte, après avoir gravi quelques marches ; il avait placé deux fenêtres, une de chaque côté. Les vitres étaient intactes, mais trop sales pour distinguer l'intérieur. Il était fier que le toit en asphalte ait tenu le coup, même s'il ondulait par endroits.

Il tenta d'appeler sa fille, mais le son resta bloqué dans sa gorge. Flanqué des deux policiers, il s'avança jusqu'aux marches, tourna la poignée branlante et tira sur la porte.

Et il fut envahi par la joie.

Caitlin était assise au fond de la cabane, affaissée comme une poupée de chiffon, le regard tourné vers son nombril.

Son iPod, posé sur ses cuisses, émettait une faible lumière verte. Dans le silence, il entendit un air qu'il connaissait : *One, two, three, four...*

Feist. L'une des chanteuses préférées de sa fille. Amy l'aimait bien, elle aussi.

— Coucou, ma chérie ! fit-il doucement, pour ne pas l'effrayer.

Pas de réaction.

Le doute l'envahit.

— Ma puce ? Tout va bien, c'est moi, papa.

Une main se posa sur son épaule.

— Monsieur ? le mit en garde Glenn Branson.

Ignorant sa poigne, il se précipita vers sa fille, tomba à genoux et approcha son visage du sien.

— Caitlin, ma chérie !

Il le saisit entre ses mains et paniqua en le sentant glacé.

Il le souleva délicatement et constata qu'elle avait les yeux grands ouverts, mais sans expression.

— Non ! souffla-t-il. Oh non, par pitié, non ! NOOOOOOON !

Glenn Branson leva sa torche et observa les yeux de l'adolescente : ses pupilles restèrent immobiles.

Désespéré, Mal lui fit du bouche à bouche, tandis que Bella Moy appelait une ambulance depuis son talkie-walkie.

Il tentait encore de la ranimer quand les secours arrivèrent, vingt minutes plus tard.

123

Dix jours plus tard, Simona foulait le tarmac de l'aéroport d'Heathrow, accompagnée d'une gentille policière et d'une interprète. Un avion British Airways l'attendait.

Elle serrait fort Gogu dans ses bras. Un lieutenant avait fouillé toutes les poubelles du Manoir de Wiston pour le retrouver.

— Alors, Simona, tu es contente de rentrer chez toi pour Noël ? s'enquit la policière avec enthousiasme.

L'interprète traduisit la question en roumain.

La fillette haussa les épaules. Noël, ça n'évoquait pas grand-chose pour elle. C'était juste une bonne période pour le vol à la tire, vu qu'il y avait pas mal de gens dans les rues, et qu'ils se promenaient avec de l'argent. Elle ne savait plus trop à qui se fier. Elle avait été tellement trimballée qu'elle avait perdu tout repère. Elle en avait marre de l'Angleterre. Tout ce qu'elle souhaitait, c'était retrouver Romeo.

Comme elle ne savait pas quoi répondre, elle regarda ses pieds. Qui plus est, elle avait encore du mal à parler. C'était à cause du tube qui avait été enfoncé dans sa gorge, lui avait-on expliqué. L'irritation passerait rapidement. Elle ne voyait pas pourquoi on lui avait mis un tube dans la gorge. Ne comprenait pas pourquoi ils la renvoyaient chez elle. L'interprète lui avait expliqué que des méchants avaient voulu la tuer, pour prélever ses organes, mais elle ne la croyait qu'à moitié. Peut-être était-ce un prétexte pour la jeter dans le premier avion venu, direction la Roumanie.

— Tout va bien se passer, lui dit la policière en la serrant une dernière fois dans ses bras, au pied de la passerelle d'embarquement. Ian Tilling a envoyé quelqu'un qui te retrouvera à l'aéroport de Bucarest et t'accompagnera jusqu'à son foyer. Une place t'y attend.

L'interprète traduisit.

— Est-ce que Romeo sera là ?

— Romeo t'attend.

Simona gravit les marches d'un pas lourd. Elle ne savait plus qui croire.

Deux hôtesses lui souhaitèrent la bienvenue à bord, l'accompagnèrent à son siège et bouclèrent sa ceinture de sécurité.

Pendant la quasi-totalité du vol, elle fixa le siège devant elle, serrant le passeport qu'ils lui avaient dit de présenter à l'arrivée. Elle ne toucha pas au plateau repas qu'on lui servit.

Elle n'arrêtait pas de penser à Romeo. Peut-être qu'il serait au rendez-vous. Peut-être que, quand elle le verrait, tout rentrerait dans l'ordre.

Peut-être qu'ils trouveraient un nouveau rêve.

124

Roy Grace adorait depuis toujours cette promenade, au pied de la falaise, à l'est de Rottingdean. Enfant, il y venait quasiment tous les dimanches avec ses parents et, depuis peu, c'était devenu un rituel pour Cleo et lui – les week-ends où il ne travaillait pas.

Il aimait la théâtralité du lieu, surtout par gros temps, comme cet après-midi, quand le vent soufflait, à marée haute, et que les vagues projetaient embruns et galets contre le muret en pierre. Les panneaux « danger, chutes de rochers » contribuaient au folklore. Il aimait les relents iodés, les odeurs d'algues et même celles de poisson pourri, qui s'échappaient de temps en temps. La vue lui plaisait plus que tout : les cargos et les pétroliers à l'horizon, les yachts, parfois.

C'était le dernier dimanche avant Noël. Il aurait dû se sentir libre et se réjouir des belles journées qu'il passait avec la femme qu'il aimait, mais, au fond de lui, il était tourmenté, comme les eaux troubles de la Manche aujourd'hui.

Ils s'étaient tous deux habillés chaudement. Cleo le tenait par le bras, et il se demanda s'ils feraient cette même balade, dans cinquante ans, quand ils seraient deux petits vieux

Humphrey trottinait au bout de sa longue laisse, serrant fièrement un bout de bois en travers de la gueule. Un petit chien marron bondit vers eux en aboyant, tandis que son maître l'appelait. Cleo se baissa pour le caresser. Humphrey lâcha son trophée et grogna. Le chiot recula. Grondant Humphrey, Cleo se rapprocha du chiot, qui, amadoué, bondit vers elle. Ils rirent de bon cœur. Puis, reconnaissant son nom, il s'éloigna en courant.

— Alors, commissaire, comment vous sentez-vous ? lui demanda-t-elle en reprenant son bras.

— Je ne sais pas trop, avoua-t-il en regardant Humphrey lutter contre le bout de bois.

— Comment ça ?

— C'est bien le duc de Wellington qui disait que rien, sinon une défaite, n'est aussi mélancolique qu'une victoire ?

Elle hocha la tête.

— C'est ce que je ressens.

— Il y a quelque chose que je ne comprends pas, dit-elle. Comment tous ces médecins ont-ils pu garder le silence si longtemps ?

— En Roumanie, un chirurgien gagne l'équivalent de 300 euros par mois. Les aides-soignants, encore moins. Au Manoir de Wiston, ils étaient les rois du monde.

— Et à l'abri des regards, au fin fond de la campagne anglaise.

— Pour la plupart, ils ne parlaient pas anglais. Pas de commérages avec les gens du coin. Leur système était très au point. Ils faisaient venir des professionnels, les payaient une fortune, et les renvoyaient au pays. La Roumanie fait partie de l'UE, pas besoin de permis de travail, pas d'inspection.

— Et Sir Roger Sirius ?

— L'appât du gain. Et il justifiait son comportement par son histoire personnelle

Ils firent quelques pas en silence.

— Dis-moi, Grace, si ç'avait été notre enfant, Caitlin, qu'aurais-tu fait ? Que ferais-tu si cette petite personne, précisa-t-elle en tapotant son ventre, avait un jour besoin d'une greffe ?

— Qu'est-ce que tu veux dire ?

— Si, dans les mêmes circonstances, la seule solution était d'acheter un foie, que ferais-tu ?

— Je suis flic. Mon job, c'est de faire respecter la loi.

— C'est ça qui me fait peur, parfois.

— Peur ?

— Oui. Pour ma part, je serais prête à mourir pour mon enfant. Prête à tuer, s'il le fallait. Ce n'est pas ça, être parent ?

— Tu penses que j'ai eu tort de faire ce que j'ai fait ?

— Non, pas vraiment. Mais je comprends le comportement de la mère.

— Dans l'un de tes livres de philo, j'ai lu qu'Aristote disait qu'il n'est rien de pire, pour une mère, que de survivre à son enfant.

— Tout à fait d'accord. À ton avis, qu'est-ce qu'elle ressent, à l'heure qu'il est ?

— La vie d'une petite Roumaine SDF a-t-elle moins de valeur que celle d'une gamine de la classe moyenne anglaise ? Cleo, mon amour, je ne suis pas Dieu, je ne me prends pas pour Lui, je suis un simple flic.

— Et tu ne te demandes jamais si, parfois, tu n'es pas trop flic ?

— C'est-à-dire ?

— Faire respecter la loi à n'importe quel prix ? Au prix de certaines vies ? Ton professionnalisme ne t'empêche-t-il pas d'évoluer en dehors de ce cadre ?

— Nous avons sauvé la petite Roumaine. C'est important, à mes yeux.

— Mission accomplie, passons à la suivante ?

Il secoua la tête.

— Non, jamais. Ce n'est pas ainsi que je procède. Pas ainsi que je ressens les choses.

Elle le serra fort.

— Tu es un homme bien, tu sais ?

— Dans un monde de merde, poursuivit-il en souriant.

— Moins merdique de jour en jour, grâce à toi.

— Je l'espère.

Épilogue

Lynn se trouvait dans la chambre de Caitlin, où rien n'avait changé depuis presque deux ans et demi. Au milieu du bazar organisé de sa fille se trouvaient désormais des cartons vides avec le sigle de la société de déménagement.

Que devait-elle garder ? Que devait-elle jeter ? Son nouvel appartement était minuscule.

En larmes, elle passa en revue les monticules de vêtements, peluches, CD, DVD, chaussures, cosmétiques, sacs, mais aussi le tabouret rose, le mobile avec des papillons bleus en Plexiglas et le boa violet accroché à la cible.

Ses larmes étaient pour sa fille, pas pour cet endroit. Elle n'était pas triste de partir. Caitlin avait raison depuis le début. Le Winter Cottage était et resterait leur unique maison.

Elle retourna dans sa chambre. Elle avait empilé ses vêtements sur son lit. En haut d'un tas se trouvait son manteau bleu, toujours emballé dans un sac plastique, après son premier « rendez-vous » avec Reg Okuma. Elle ne l'avait jamais reporté. C'était son manteau préféré, mais il avait été souillé à jamais.

Reg Okuma, c'était du passé. Denarii avait fait preuve d'une grande générosité en lui proposant un poste de manager, à la mort de sa fille. Elle avait ainsi pu effacer la dette de ce client et modifier son échéancier. Personne n'en avait jamais rien su.

Elle jeta le manteau sur son épaule, descendit l'escalier, sortit, huma l'air de cette belle journée de printemps, et l'enfonça dans une poubelle.

En vendant cette maison, elle rembourserait Luke, Sue Shakelton et, en partie, Mal et sa mère. Il ne lui resterait pas grand-chose, mais cela lui était bien égal.

Elle voulait tirer un trait sur le passé. Sa peine de prison était déjà de l'histoire ancienne. Deux ans avec sursis, grâce à une performance digne d'un Oscar de son avocat, ou bien la chance d'être tombée sur un juge compréhensif – à moins que ce ne soit les deux.

Faire le deuil de sa fille, en revanche, lui prendrait toute une vie. On dit que les deux premières années sont les plus dures, mais, dans son cas, la douleur ne s'atténuait pas. Plusieurs fois par semaine, elle se réveillait en pleine nuit, en pleurs, frissonnante. Elle regrettait amèrement sa décision, qui avait conduit à la mort de sa fille.

La panique et la bêtise les avaient fait passer à côté d'une transplantation en toute légalité.

La seule chose qui la calmait, c'était de caresser Max, le chat, qui se lovait au pied de son lit, et de repenser au magnifique sourire de sa fille, et à son expression favorite, qui avait, autrefois, le don de l'exaspérer :

Keep cool.

Remerciements

Ce roman, comme toutes les aventures de Roy Grace, est une œuvre de fiction. Il est toutefois vrai que, chaque jour, trois personnes meurent, en Grande-Bretagne, faute d'avoir bénéficié d'une greffe d'organe ; vrai aussi qu'un millier d'enfants et cinq mille adultes, dont certains issus de la troisième génération, vivent dans les rues de Bucarest – héritage du régime totalitaire de Ceausescu ; vrai enfin que certains sont victimes de trafic d'organes.

De nombreuses personnes m'ont aidé à écrire ce livre. Sans leur soutien, je n'aurais jamais pu atteindre ce degré d'authenticité.

Mes premiers remerciements vont à Martin Richards, policier décoré par la Reine, directeur de la police du Sussex, qui a fait preuve d'une immense générosité, m'a proposé de précieuses suggestions et ouvert tant de portes.

Mon ami David Gaylor, commissaire à la retraite, a, une nouvelle fois, joué un rôle de tout premier plan, en relisant mon manuscrit, pour vérifier le vocabulaire et le réalisme des faits, et en contribuant à chaque aspect de l'histoire. Je peux vous assurer qu'elle aurait été beaucoup moins intéressante sans ses interventions.

Des dizaines d'officiers, à la PJ du Sussex, m'ont offert de leur temps, ont toléré ma présence et ont répondu à mes innombrables questions. Il est impossible de les citer tous, mais je vais essayer – pardonnez-moi si je vous oublie.

Merci aux commissaires Kevin Moore, Graham Bartlett, Peter Coll, Chris Ambler ; aux commandants à l'échelon fonctionnel Adam Hibbert, Trevor Bowles, Paul Furnell ; au commandant Stephen Curry ; à Brian Cook, chef de l'identité judiciaire, à Stuart Leonard et Tony Case ; au commandant William Warner ; au commandant à l'échelon fonctionnel Nick Sloan ; aux commandants Jason Tingley, Steve Brookman, Andrew Kundert, Roy Apps et Phil Taylor ; à Ray Packham et Dave Reed de la brigade criminelle high-tech, au commandant James Bowes ; au lieutenant Georgie Edge ; aux commandants Rob Leet, Phil Clarke et Mel Doyle ; aux lieutenants Tony Omotoso, Ian Upperton et Andrew King ; au commandant Malcolm (Choppy) Wauchope ; au lieutenant Darren Balcombe ; au commandant Sean McDonald ; aux lieutenants Danny Swietlik et Steve Cheesman ; aux commandants Andy McMahon, Justin Hambloch ; à Chris Heaver, Martin Bloomfield, Ron King ; au commandant Steve Brookman ; à Robin Wood ; à la commandante Lorna Dennison-Wilkins et à l'équipe spéciale de recherches ; à Sue Heard, relations presse ; à Louise Leonard, James Gartrell et Peter Wiedemann, du LKA de Munich.

Et je remercie de tout mon cœur la fantastique équipe de la morgue de Brighton et Hove, Elsie Sweetman, Victor Sindon, Sean Didcott et le Dr Nigel Kirkham.

Zahra Priddle et James Sarsfield Watson, qui ont tous deux bénéficié d'une transplantation hépatique, ont partagé avec moi leur expérience éminemment personnelle. La merveilleuse famille de James, Seamus Watson, Cathy Sarsfield Watson et Kathleen Sarsfield Watson ont énormément apporté à ce livre.

Je dois mes rudiments dans le domaine des pathologies hépatiques, et autres sujets connexes, à la gentillesse du professeur Sir Roy York Calnes, du Dr John Ramage et du Dr Nick Vaughan ; le Dr Abid Suddle, de l'hôpital King's College, m'a considérablement aidé pour la compréhension et la rédaction des aspects les plus techniques.

Je remercie également le Dr Walid Faraj, Gill Wilson, Linda Selves, le Dr Duncan Stewart, le Dr Jane Somerville, le Dr Jonathan Pash, Peter Dean et Benjamin Swift, médecins légistes, le Dr Ben Sharp, Christine Elding, coordinatrice des transplantations de l'hôpital régional du Sussex, Sarah Davies et le Dr Caroline Thomsett.

Merci à Joanne Dale, qui a partagé avec moi son univers d'adolescente, et Annabel Skok, qui m'a éclairé de sa perspective de jeune fille.

Je remercie aussi Peter Wingate Saul, Adrian Briggs et Phil Homan ; Peter Faulding du groupe international spécialisé ; Juliet Smith, première magistrate de Brighton et Hove ; Paul Grzegorzek ; Abigail Bradley et Matt Greenhalgh, directeur du département médico-légal des laboratoires Orchid Cellmark Forensics ; Tim Moore, Ray Marshall et l'équipe de la drague *Arco Dee*, notamment Sam Janes, leur super-cuisinier ! Mel Johnson, chef du Centre national contre l'exploitation des enfants et la pédophilie sur Internet (CEOP) ; STOP (Trafficking) UK (www.stop-uk.org) ; Samantha Godec de City Lights et Sally Albeury.

Toute ma gratitude va à Nicky Mitchell et Jessica Butcher de la société de recouvrement Tessera. Et à Graham Lewis, spécialiste ès box et garages !

Je me sens infiniment redevable envers mon équipe en Roumanie – mon agent Simona Kessler, mes merveilleux éditeurs, Valentin et Angelique Nicolau ; Michael et Jane Nicholson, des foyers Fara Homes ; Rupert Wolfe Murray ; et je remercie Ian Tilling, membre de l'Ordre de l'Empire britannique, pour son enthousiasme inépuisable.

Et, comme à chaque fois, un grand merci à Chris Webb, qui a su garder en vie mon Mac, ce cher ordinateur que je maltraite !

Merci à Anna-Lisa Lindeblad, ma fabuleuse « éditrice non officielle » depuis le début des aventures de Roy Grace, et à Sue Ansell, qui, grâce à son œil de lynx, m'aura évité bien des erreurs embarrassantes.

Sur le plan professionnel, j'ai droit à une *dream team* : je suis représenté par l'extraordinaire Carole Blake, ainsi que Oli Munson ; Tony Mulliken, Amelia Knight et Claire Barnett, mes attachés de presse chez Midas PR. Et je ne remercierai jamais assez tous ceux qui travaillent à Macmillan. Je me contenterais de remercier ma nouvelle éditrice, la fantastique Maria Rejt, pour son expérience. Et souligner que ce n'était pas facile de succéder à Stef Bierwerth.

Et, comme toujours, Helen a fait preuve d'un soutien inébranlable, d'une sainte patiente et d'une profonde sagesse.

Mes compagnons canins veillent toujours à mon équilibre. Bienvenue à Coco, la bonne humeur incarnée, qui a rejoint Oscar et Phoebe sous mon bureau ; tous trois déchirent, avec régal, toute page manuscrite ayant le malheur de tomber par terre.

Enfin, merci à vous, fidèles lecteurs, pour votre soutien incroyable. Continuez à commenter mon blog et à m'envoyer des mails !

Peter James
Sussex, Angleterre
scary@pavilion.co.uk
www.peterjames.com

La traductrice souhaiterait remercier Barbara Silverstone, traductrice, et David Nichols, traducteur, ainsi que Julie Inglada, élève avocate, et surtout Jérôme Bonet, chef du cabinet politique pénale et police judiciaire.

Composé par Nord Compo Multimédia,
7, rue de Fives, 59650 Villeneuve-d'Ascq

Cet ouvrage a été imprimé
en février 2011 par

FIRMIN-DIDOT

27650 Mesnil-sur-l'Estrée
N° d'impression : 103941
Dépôt légal : mars 2011

Imprimé en France

FLEUVE NOIR
12, avenue d'Italie
75627 Paris Cedex 13

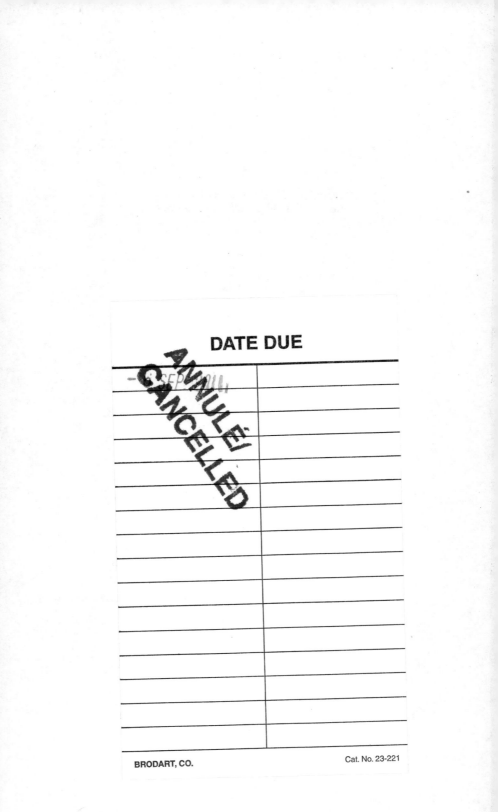

DATE DUE

BRODART, CO.

Cat. No. 23-221